SUMMA DE SACRAMENTIS
ET ANIMAE CONSILIIS

PETRI CANTORIS PARISIENSIS

SUMMA DE SACRAMENTIS ET ANIMAE CONSILIIS

Volumes parus

I.   De sacramentis legalibus. De Baptismo. De Confirmatione. De extrema-unctione. De Eucharistia.

II.   Tractatus de Paenitentia et Excommunicatione.

En préparation

III, 2 a   Liber casuum conscientiae (*Texte*).

III, 2 b   Liber casuum conscientiae (*Suite et tables*).

IV. Appendice. Quaestiones et Miscellanea e schola Petri Cantoris Parisiensis.

ANALECTA MEDIAEVALIA NAMURCENSIA

11

PIERRE LE CHANTRE

SUMMA DE SACRAMENTIS ET ANIMAE CONSILIIS

TROISIÈME PARTIE

(III, 1)

PROLEGOMENA

PAR

JEAN-ALBERT DUGAUQUIER

ÉDITIONS NAUWELAERTS
2, PLACE CARDINAL-MERCIER
LOUVAIN

LIBRAIRIE GIARD
2, RUE ROYALE
LILLE

1961

ANALECTA MEDIAEVALIA NAMURCENSIA

*Collection de textes et d'Études
publiée par le Centre d'Études Médiévales
4, boulevard du Nord, Namur*

Cahier 1. — Ph. DELHAYE, *Une controverse sur l'âme universelle au IXᵉ siècle*, 1950, 72 p.

Cahier 2. — C. LAMBOT, *Ratramne de Corbie. Liber de anima ad Odonem Bellovacensem*, texte inédit, 1952, 158 p.

Cahier 3. — Ph. DELHAYE, *Gauthier de Châtillon est-il l'auteur du Moralium dogma ?*, 1953, 89 p. et 10 tableaux synoptiques.

Cahier 4. — J.-A. DUGAUQUIER, *Pierre le Chantre, Summa de Sacramentis et animae consiliis*, première partie, 1954, CXII+204 p.

Cahier 5. — Ph. DELHAYE, *Florilegium Morale Oxoniense, Prima pars, Flores Philosophorum*, texte commenté, 1955, 130 p.

Cahier 6. — H. TALBOT, *Florilegium Morale Oxoniense, Secunda pars, Flores auctorum*, texte inédit, 1956, 220 p.

Cahier 7. — J.-A. DUGAUQUIER, *Pierre le Chantre, Summa de Sacramentis et animae consiliis*, deuxième partie, 1957, XVI+552 p.

Cahier 8. — P. MICHAUX-QUANTIN, *Godefroy de Saint-Victor, Fons philosophiae*, texte annoté, 1956, 72 p.

Cahier 9. — Ph. DELHAYE, *Le problème de la conscience morale chez S. Bernard. Etudié dans ses œuvres et dans ses sources*, 1957, 120 p.

Cahier 10.— Ph. DELHAYE, *Permanence du droit naturel*, 1960, 156 p.

Cahier 11.— J.-A. DUGAUQUIER, *Pierre le Chantre, Summa de Sacramentis et animae consiliis*, troisième partie (III, 1), 1961.

Hors série.— Ph. DELHAYE, *L'organisation scolaire au XIIᵉ siècle. Traditio*, 1947, 70 p.

Hors série.— Ph. DELHAYE, *«Grammatica» et «Ethica» au XIIᵉ siècle*, 1958, 56 p.

A

MONSIEUR ROBERT DESURMONT

PRESIDENT DE LA CHAMBRE DE COMMERCE

DE TOURCOING

A MA FEMME

AVANT-PROPOS

Alors que les deux premières parties de la *Summa Petri Cantoris Parisiensis,* ou si l'on préfère, les deux premiers tomes de mon édition, étaient consacrés à des questions théologiques nettement déterminées et présentant un intérêt certain pour l'histoire de la théologie sacramentaire et de la théologie morale, le troisième tome, qui livrera à la connaissance des médiévistes un important fragment de la Somme de Pierre le Chantre, contient, outre trois grands chapitres sur la simonie, le vol et l'usure, un grand nombre de *questiones* et de *casus conscientie* de modestes dimensions, sur les sujets les plus divers et sans lien entre eux. Néanmoins, le présent volume n'est pas dénué d'intérêt et on peut d'autant moins le négliger que les ouvrages de ce genre, à la fin du XIIème siècle, étaient plutôt rares.

A la différence du second Tome, le troisième se trouve alourdi d'une longue introduction. D'une part, la description de nouveaux manuscrits, d'importance secondaire, mais dont la découverte tardive n'a pas facilité ma tâche, s'avérait absolument nécessaire. D'autre part, il me fallait procéder à un examen détaillé d'un petit traité contenu dans un manuscrit de la Bibliothèque de Munich: les *Questiones de symonia Petri Cantoris Parisiensis.* Enfin, je ne pouvais plus longtemps différer l'étude de quelques problèmes littéraires, tels que la date de la composition de la *Summa de Sacramentis et anime consilliis,* l'histoire — assez hypothétique, j'en conviens — de son élaboration, celle, plus délicate encore, de sa tradition manuscrite. La préparation de ce troisième Tome en a été prolongée. Oserais-je espérer que le lecteur voudra bien me pardonner ce retard, si les pages qui suivent lui apportent une réponse, même timide, aux questions qu'il se pose ou ne manquera pas de se poser ?

Les difficultés actuelles de l'édition m'ont obligé à scinder ce Tome III, beaucoup trop volumineux, en deux parties bien distinctes, mais elles-mêmes subdivisées en trois fascicules, de la façon suivante:

Tome III, 1: *Prolegomena*.

Tome III, 2: *Texte*. Celui-ci se répartit dans deux fascicules à pagination continue. Le premier fascicule contiendra le début du texte, le second, le reste du texte et les tables.

En résumé, le Tome III est fragmenté de la façon suivante: Tome III, 1 (Prolegomena), Tome III, 2a (Texte), Tome III, 2b (Texte et Tables).

Le présent fascicule (Tome III, 1), intitulé *Prolegomena* comprend cinq chapitres.

Le chapitre I est destiné à souligner l'intérêt du texte latin du Tome III. Pour ce faire, je n'ai pas adopté le point de vue du théologien, mais plutôt celui de l'historien. La *Summa Cantoris*, comme le *Verbum abbreviatum*, contient de nombreux renseignements, mais on ne peut les utiliser qu'avec beaucoup de précautions.

Le Chapitre II est consacré à la description de deux manuscrits anglais: le cod. LONDRES, *Lambeth Palace Library 122*, et le cod. LONDRES, *Lambeth Palace Library 80*. Le premier contient un fragment non négligeable de la Somme de Pierre le Chantre; le second une *Questio de homine assumpto* que nous retrouvons par ailleurs dans la même Somme du Chantre.

Dans le chapitre III seront abordés les problèmes littéraires: authenticité de la *Summa,* — date de composition, — processus de son élaboration, — historique de la tradition manuscrite.

Le chapitre IV, beaucoup plus modeste, est réservé à la description sommaire d'un manuscrit de la Bibliothèque d'État de Munich, qui contient des *Questiones de symonia* placées sous le nom de Pierre le Chantre.

Le chapitre V a pour objet de justifier la distinction que j'ai proposée entre la Somme de Pierre le Chantre et les *Questiones et Miscellanea* qui lui furent ajoutés dans un certain nombre de manuscrits. Cette entreprise m'a amené à étudier quelques-uns des problèmes littéraires que posent ces *Questiones et Miscellanea*.

Dans le chapitre VI, je me suis efforcé de poser et de résoudre le problème de l'authenticité du *De homine assumpto* de la *Summa Cantoris*.

La seconde partie (Tome III, 2), exclusivement réservée au texte latin, sera divisée en deux fascicules: le premier ne contenant que le texte (Tome III, 2 a), le second, le reste du texte et les tables (Tome III, 2 b).

Fragmentée en plusieurs fascicules, l'édition de ce troisième Tome obéit cependant aux mêmes principes que les Tomes précédents. Le texte a été tronçonné en chapitres, paragraphes, alinéas. Ces divisions et subdivisions, inévitablement fort inégales, ont pour but d'aérer un texte par trop touffu, d'en rendre la lecture plus facile et le maniement plus commode.

Le texte de base sera suivi de quelques *Addenda* semblables à ceux du Tome II: il s'agit de fragments trop courts pour constituer des chapitres distincts, et trop longs pour trouver place dans les notes de l'édition.

Enfin, au texte de base s'ajouteront trois Appendices:

Le premier (Appendice IV) contient la rédaction propre au manuscrit Paris, *Bibliothèque Nationale, lat., cod. 9593* (P) des pages sur la simonie. Je signale que le texte de cet Appendice IV, dans le manuscrit P, suit immédiatement le texte de l'Appendice II (Tome II).

Le second (Appendice V), comporte non seulement la rédaction propre au manuscrit Paris, *Bibliothèque Nationale lat. 14.445* (Z) des mêmes pages sur la simonie, mais en outre de nombreuses *Questiones* propres à Z sur des sujets divers, et que je n'ai pas voulu rejeter dans le Tome IV en raison des similitudes qu'elles présentent avec le texte de base.

Dans le troisième et dernier (Appendice VI), le lecteur trouvera le début des *Questiones de symonia* du manuscrit Munich, *Staatsbibliothek, Clm, 5426* (M). Le reste de celles-ci n'étant tout simplement que la rédaction propre à P des mêmes pages de la *Summa*.

Je signale que les deux fascicules du Tome III, 2, paraîtront très prochainement.

*
* *

Au terme de ce long, difficile et parfois fastidieux travail, ce m'est un devoir bien agréable à remplir que d'exprimer ma reconnaissance à tous ceux qui ont eu l'obligeance de me prêter un concours spécial pour mener à bonne fin la publication du troisième tome de l'édition de la Somme de Pierre le Chantre, les uns en m'apportant le secours de leur vaste érudition et de leur science dans l'identification de textes ou *autorités,* dans celle, non plus aisée, de personnages peu connus, dans la description de manuscrits auxquels il m'était difficile d'avoir accés; et à ce titre je citerai:

Monseigneur P. Glorieux, Recteur des Facultés Catholiques de Lille.

Monseigneur Ch. Lefebvre, Auditeur au tribunal de la Rote, ancien Professeur aux Facultés libres de Lille.

Mademoiselle Jeanne Vielliard, Directrice de l'Institut de Recherche et d'Histoire des Textes de Paris.

Madame Thérèse Vermet, Directrice de la Section latine de l'Institut précité.

Mademoiselle Marthe Dulong.

Monsieur le Professeur W. Holtzmann, Directeur de l'*Istituto Storico Germanico* de Rome.

Monsieur H. Talbot, du *Wellcome Historical Medical Museum* de Londres.

Le Docteur Bernhard Bischoff, Professeur de Philologie latine médiévale à l'Université de Munich.

Monsieur Jean Dauvillier, Professeur à la Faculté de Droit de Toulouse.

Le Docteur Stephan Kuttner.

Monsieur Carlo Guido Mor, ancien Recteur de l'Université de Modène.

Monsieur P. Petot, Professeur à la Faculté de Droit de Paris.

d'autres, en me rendant de très appréciables services ou en m'offrant des conditions de travail particulièrement favorables, tels:

Les RR. Pères de l'Abbaye du Mont-César.

Monsieur le Chanoine J. M. Clabaut, Supérieur de l'Institution libre du Sacré-Cœur de Tourcoing.

Monsieur Pontenay de Fontelle, Assistant de la salle de travail de Droit canonique de la Faculté de Droit de Paris.

Monsieur le Chanoine L. Trenteseaux, du chapitre de la basilique-cathédrale de Lille.

D'autre part, Miss Eleanor RATHBONE a eu l'amabilité de me signaler de nouveaux manuscrits, de m'informer de ses patientes et savantes recherches, et enfin de me rendre quelques appréciables services.

Je dois réserver une mention toute spéciale à mon ancien maître, Monsieur le Chanoine Philippe DELHAYE, Professeur aux Facultés Catholiques de Lyon et de Lille, qui a non seulement assumé la charge, très onéreuse en ces temps difficiles, de l'édition de ce travail, mais en outre m'a donné de nombreux et fort judicieux conseils, dont seuls peuvent soupçonner le prix ceux qui connaissent le soin scrupuleux et la maîtrise dont il fait preuve dans ses nombreuses publications.

Enfin, je ne saurais passer sous silence l'aide précieuse, quoique obscure, les mille petits services que ma mère m'a rendus avec autant de zèle que de constance alors que je traversais une période particulièrement difficile: la *Summa Petri Cantoris* doit beaucoup à son inlassable bonne volonté, jamais rebutée par les tâches les plus inattendues. En des circonstances certes beaucoup moins pénibles, ma femme lui a succédé dans ce rôle avec courage et bonne humeur, et je ne puis que me rejouir et la remercier de sa discrète et intelligente collaboration.

PROLEGOMENA

IN PARTEM III

NECNON IN PARTES I ET II

SUMMAE PETRI CANTORIS

SIGLES USITÉS

A	Paris, Bibliothèque de l'Arsenal, cod. 263.
B	Paris, Bibliothèque Nationale, lat., cod. 14.521.
FB	Friedberg (Corpus Iuris Canonici, 2 vol., Leipzig).
G	Glossa *Pro altercatione,* Paris, Bibliothèque Nationale, lat., cod. 2.597.
H	Londres, Lambeth Palace Library, cod. 80.
L	Londres, British Museum Harley, cod. 3.596.
M	Munich, Staatsbibliothek, Clm, 5.426.
O	Londres, Lambeth Palace Library, cod. 122.
P	Paris, Bibliothèque Nationale, lat., cod. 9.593.
R	Reun, Bibliothèque Abbatiale, cod. 61.
T	Troyes, Bibliothèque communale, cod. 276.
W	Paris, Bibliothèque Nationale, lat., cod. 3.477.
Z	Paris, Bibliothèque Nationale, lat., cod. 14.445.

CHAPITRE I

INTÉRÊT PARTICULIER DU TOME III

Avec ce troisième volume s'achève la publication du texte auquel nous avons réservé le titre de *Summa de Sacramentis et Anime Consiliis* de Pierre le Chantre, ayant l'intention de grouper dans un quatrième tome, sous le titre volontairement imprécis de *Questiones et Miscellanea e schola Petri Cantoris Parisiensis,* une longue série de *questiones* et de fragments théologiques divers, offerts principalement par le manuscrit Paris, *Bibliothèque Nationale, lat.* 3477 (W); quelques autres extraites des manuscrits Paris, *Bibliothèque Nationale, lat. 9593* (P), et en outre des fragments placés sous le nom de Pierre le Chantre et disséminés dans divers manuscrits ([1]).

Le sous-titre que nous avons attribué au présent volume: *Liber casuum conscientie, sive subtilium questionum circa simoniam, furtum, usuram, matrimonium, etc.*, paraîtra lui-même bien vague. En fait, c'est le seul qui puisse convenir à un ouvrage de contenu riche et varié à l'extrême, où les questions se succèdent dans le plus beau désordre que l'on puisse s'attendre à trouver dans un travail de ce genre.

Alors que dans les deux premiers volumes se dessinaient les grandes lignes d'un plan, d'ailleurs peu rigoureux, il n'en va plus de même pour cette dernière partie de la Somme. La disposition des *questions* témoigne ou de la plus parfaite négligence, ou de la plus haute fantaisie, ou des deux à la fois, tant il est vrai que fantaisie et négligence ne sont souvent que les

---

([1]) Pierre le Chantre, *Summa de Sacramentis et Animae Consiliis*, Tome I, Louvain, Lille, 1954, p. XCI-XCII. Les problèmes que soulèvent ces *Questiones et Miscellanea* seront étudiés plus loin, chapitre V, infra, p. 255.

deux faces d'un même trait de caractère. En réalité, il serait peut-être injuste de faire grief au pieux et savant Chantre de Paris d'un tel laisser-aller car nous avons de bonnes raisons de supposer qu'il n'en est pas le moins du monde responsable.

Il faut d'ailleurs reconnaître que Pierre le Chantre est resté fidèle à la ligne de conduite qu'il s'était imposée. Désireux de faire du neuf ([2]), il s'est résolument écarté des chemins battus, et s'est avancé, parfois au risque de s'y perdre, dans des sentiers à peine défrichés, toujours en quête de problèmes de morale particulièrement délicats. Le lecteur a parfois l'impression que notre auteur s'est laissé prendre au piège de ses propres subtilités, et qu'il pose plus de questions qu'il n'apporte de solutions.

Cette dernière partie de la *Somme* s'ouvre sur un véritable traité de la simonie. Il n'est peut être pas superflu de rappeler que la seconde partie *De penitentia et excommunicatione* ([3]) s'achève par l'étude de l'excommunication et du pouvoir des clefs. Or, il a semblé logique à Pierre le Chantre de faire suivre cette étude de *questiones de simonia*. En effet, l'exercice du pouvoir des clefs n'est-il pas vicié par ce poison, *fermentum symonie* ([4]) ? Cette remarque sert en quelque sorte de transition entre les second et troisième volumes. Des transitions similaires conféraient une certaine unité à la seconde partie; de même, cette remarque rattache de façon assez satisfaisante le présent fascicule au précédent. Mais à ces *Questiones de symonia* succèdent des questions sur le vol, sans qu'aucun lien n'apparaisse plus entre les différents chapitres, et il en est ainsi jusqu'à la fin de l'ouvrage.

Les *questiones* sur le vol ne concernent pas directement et exclusivement l'action de soustraire frauduleusement le bien d'autrui, mais bien plutôt les différents cas de complicité que l'auteur distingue avec beaucoup de netteté, faisant montre d'un souci de rigueur qui ne lui est pas très familier ([5]). D'ailleurs il

---

([2]) PIERRE LE CHANTRE, *Summa de Sacramentis et Animae consiliis*, tome II, Louvain, Lille, 1957, p. 3.

([3]) PIERRE LE CHANTRE, *Summa...*, tome II, Louvain, Lille, 1957.

([4]) «Sincera debent esse officia clauuium, sed maxime corrumpuntur per fermentum symonie», T f° 81rb, édition, tome III, 2, (*sous presse*) § 156. Il importe de remarquer que nous citons le texte du manuscrit T, tel qu'il se présentera dans notre édition (tome III, 2 a et tome III, 2 b), c'est-à-dire corrigé par référence aux autres manuscrits.

([5]) Édit., tome III, 2, § 194.

s'attache surtout à éclairer les exigences du devoir de restitution qui pèse sur quiconque cause un dommage à autrui, soit en se faisant le complice du voleur de quelque manière que ce soit ([6]), soit en retenant de l'argent d'origine délictueuse ([7]). Les peines pécuniaires, les tailles, les différents impôts n'échappent pas à la censure de notre auteur ([8]). Enfin, il examine d'autres sources de gain contraires à la morale, ou, dirions-nous aujourd'hui, «contraires aux bonnes mœurs»: le jeu, les recettes des courtisanes ([9]) !

Les pages consacrées à l'usure ([10]), bien que beaucoup moins nombreuses, procèdent du même esprit. L'auteur s'efforce de montrer l'insuffisance de la définition couramment admise: *Quodcumque sorti accedit usura est,* et son exposé nous prouve qu'elle faisait l'objet de réserves sérieuses ([11]). Il nous apprend aussi que d'autres s'efforçaient de tourner la prohibition par des procédés subtils ([12]). Pierre le Chantre semble admettre que le risque justifie parfois l'intérêt ([13]). Il ne faudrait cependant pas croire que Pierre le Chantre ait consenti, en ce domaine, à se départir de son habituelle intransigeance. Loin de là ! Et pour s'en convaincre, il suffit de poursuivre la lecture de son exposé où il montre que l'usure se glisse insidieusement dans des contrats qui paraissent purs de tout vice ([14]).

([6]) Édit., tome III, 2, §§ 194-198.
([7]) Édit., tome III, 2, § 199.
([8]) Édit., tome III, 2, §§ 204-207.
([9]) Plus loin dans la Somme, Pierre le Chantre envisage d'autres cas concrets. Il impose non seulement un devoir de restitution, mais d'une façon plus générale, un devoir de réparation. En se fondant sur les seuls préceptes de la Charité à l'égard du prochain, il parvient, non certes à dégager un principe général de responsabilité — le mot et la chose, telle que nous l'entendons, resteront longtemps encore ignorés — mais à donner de très précieuses orientations, et les exemples qu'il nous donne prouvent qu'il avait une très vive intuition de l'étendue de ce devoir. Voir par exemple, édit., tome III, 2, §§ 307-310, 320, 324, 337-341, 345, 372, 373, 377, 380.
([10]) édition, tome III, 2, §§ 213-214.
([11]) «Solent quidam distinguere dicentes: quicquid *iniuste* accrescit sorti usura est»; T f° 108ra, édition, tome III, 2, § 213.
([12]) «Quidam contra remedium usure in hoc casu inveniunt subtilitatem»; T f° 109vb, édition, tome III, 2, § 213.
([13]) «Dicimus ergo quod maxime considerari potest discretio usure, secundum quod quis res suas exponit periculo pro amico suo»; T f° 108rb, édition, tome III, 2, § 213.
([14]) Édition, tome III, 2, § 213.

Ces trois premiers groupes de *questiones* consacrées respectivement à l'étude de la simonie, du vol, et de l'usure, présentent du moins ce trait commun de concerner directement des actes contraires à l'honnêteté. Sans doute n'y a-t-il pas lieu d'y découvrir un plan, mais il faut avouer que cette disposition n'est pas contraire à la logique. Il n'en va plus de même pour le reste de l'ouvrage. Au chapitre «*De usura*» succèdent des *questiones* en général assez courtes, mais parfois plus longues, sur les sujets les plus divers: voeux, serments, justice, excommunication, sacrements, etc. Pour être bref, l'on peut dire que l'auteur a voulu étudier des cas de conscience, des problèmes qui se situent à la frontière du droit canonique et de la morale; frontière assez indécise, il est vrai, car morale et droit canonique s'interpénètrent: le moraliste a toujours fait de larges emprunts au droit canonique qui lui fournit une *matière,* où il doit substituer à la sèche rigueur du droit des nuances dont les principes se trouvent dans l'Évangile. C'est ainsi qu'agit Pierre le Chantre. On lui a fait une réputation de canoniste. Sans doute n'est-elle pas usurpée, mais Pierre le Chantre ne se soucie guère de commenter les canons du *Décret* de Gratien. En réponse aux problèmes que se pose Pierre le Chantre, le droit canonique fournit des cadres rigides, mais qui ne sont pas des solutions suffisantes, et c'est précisément à l'intérieur de ces cadres que notre auteur s'efforce de faire apparaître une solution conforme à l'idéal chrétien. De plus un code ne peut tout prévoir, *a fortiori* une compilation, fût-elle aussi intelligente que celle de Gratien. Or, s'il est vrai que l'adage *nullum crimen sine lege* peut et doit être admis dans les républiques et royaumes de ce monde, il n'en est plus de même dans la cité de Dieu. Ici, les mauvaises actions non prévues par des lois seront punies de toutes façons, car, aimaient à répéter Pierre le Chantre et ses contemporains: *Aut homo punit, aut Deus.* Le moraliste a donc la tâche difficile de rechercher les fautes possibles, de les dénoncer, même si elles ne sont pas sanctionnées par le droit positif, ne serait-ce que pour arracher à leur tranquillité coupable ceux qui s'y complaisent, convaincus de leur impunité dès lors que leurs péchés n'ont pas été prévus par des textes bien précis. Répondant à cette fin, la troisième partie de la *Somme* justifie donc, plus que les précédentes, le titre que nous avons voulu conserver à l'ouvrage du Chantre de Paris: *Summa de Sacramentis et ANIME CONSILIIS.* Effectivement, ce n'est pas un traité de théologie — et encore moins de philosophie — morale. On n'y trouve guère l'affirmation de grands principes directeurs d'où les solutions découleraient avec aisance. Ce qui ne signifie point que la *Summa Cantoris* ne témoigne pas de tendances doctrinales assez déterminées ([15]).

En réalité, bien que de nos jours le mot et plus encore la chose elle-même aient été tenus en suspicion depuis l'âpre et brillante critique de Pascal dans ses *Provinciales,* il faut reconnaître que Pierre le Chantre a fait œuvre de casuiste. Il y fait montre de bon sens, de sévérité, de haute piété, d'un sens élevé des exigences de la morale chrétienne. Nous croyons cependant qu'il n'est sans doute pas injuste d'ajouter que chez ce tutioriste, le cheminement de la pensée s'égare souvent dans les méandres d'une argumentation trop laborieuse et parfois exagérément subtile.

Néanmoins, cet ouvrage n'est pas exclusivement consacré à l'étude des cas de conscience: le lecteur aura la surprise d'y découvrir un assez long traité *De homine assumpto*.

Aucun plan, aucune unité, aucune transition n'apparaissent dans cette troisième partie de la *Summa Cantoris*. En présence de cette mosaïque de questions, dont certaines sont d'une longueur vraiment insignifiante ([16]), nous avons maintes fois éprouvé la tentation de les regrouper selon le sujet traité. L'ouvrage y aurait gagné en clarté. Mais nous aurions eu quelque remords à nous départir de notre fidélité à la tradition manuscrite, et peut-être n'eût-il pas été de bonne méthode d'introduire dans cet ouvrage nos préoccupations d'ordre et de logique, alors qu'elles étaient étrangères, sinon à son auteur, du moins à ses rédacteurs ? C'est pourquoi, renonçant à une entreprise aussi arbitraire, nous avons poursuivi l'édition de ces *questiones* dans l'ordre même selon lequel elles se présentent dans le manuscrit de Troyes.

([15]) C'est ainsi que Pierre le Chantre semble faire de l'intention le principal critère des actes humains, sans jamais cependant l'affirmer avec la netteté désirable. On trouve cependant cette remarque fort suggestive: «*Intentio iudicat omnes*» (tome III, 2, § 388). Mais en réalité, cette tendance ressort surtout de la lecture de l'ouvrage. Voir par exemple les chapitres consacrés à la simonie (édit., tome III, 2, §§ 157, 158, 160, 161, 164, 165, 168, etc.) ou à l'usure (édit., tome III, 2, §§ 213-214.

([16]) Voir par exemple: édit., tome III, 2, §§ 219, 220, 221, 222, 223, 335, 372, 373, 381, 384, 385.

En dépit d'un aspect tout à la fois fragmentaire et composite l'intérêt de cette dernière partie de la *Summa Cantoris* n'en est pas moins assez vif. D'une part, en effet, les ouvrages de ce genre sont assez rares à la fin du XIIe siècle. D'autre part, l'historien qui les lit avec prudence peut y trouver d'intéressants renseignements sur la vie de l'Église et sur les mœurs tant laïques que cléricales.

Enfin nous croyons pouvoir dire sans trop d'exagération que Pierre le Chantre s'inscrit dans la ligne des Pierre Damien et des Saint Bernard, tradition qui remonte par maints de ses aspects aux Pères du désert. Sans doute, à la différence de l'ermite de Fonte Avellana et du fondateur de Clairvaux, Pierre le Chantre n'a pas fait de ses écrits de vibrantes exhortations à fuir le siècle et à goûter les joies spirituelles dans la solitude; sans doute n'a-t-il pas une personnalité aussi forte, aussi accusée, mais il est clair que son idéal est tout de détachement. Sa fin le prouve surabondamment. Il souhaite que les prêtres, les clercs soient pauvres ([17]). Lorsqu'il aborde des questions touchant de près ou de loin à la vie cléricale, ses préoccupations ascétiques reparaissent et suffisent à expliquer certaines de ses positions. Ces préoccupations ne sont d'ailleurs pas exclusives. Conservateur et tutioriste, bien qu'il soit parfois obligé de recourir aux arguments rationnels — et il le fait alors avec une certaine maîtrise — il se défie de la raison, tout particulièrement lorsque le salut des âmes est en jeu; il conseille alors de s'en tenir aux écrits des Pères ([18]) et à la Sainte Écriture, qu'il glose parfois de façon assez déconcertante.

On constate que la simonie, et accessoirement le nicolaïsme, tiennent une place assez large dans la *Summa Cantoris* ([19]). Si l'on complète la lecture de cette dernière par celle du *Verbum abbreviatum*, nous en retirons l'impression que ces deux maux — concubinage des prêtres et simonie — ravageaient encore le clergé à la fin du XIIe siècle.

([17]) Édition, tome III, 2, § 236.

([18]) «Credo quod in causis decidendis consulenda est auctoritas prelatorum. Ubi autem est periculum anime, ibi consulendi sunt Augustinus, Iheronimus, et alii sancti expositores, et alii qui magis nouerunt et exercitatiores sunt in sacra scriptura»: édition, tome III, 2, § 216.

([19]) *Summa*. Édition, tome I, § 8, p. 34; tome III, 2, §§ 156-193, 221, 222, 243, 244, 247, 248, 260, 275, 276, 278, 302, 305, 313, 315, 375, 381, 387, 388; App. IV, cap. 1-26; App. V, cap. 1-8, 11, 31.

Mais, observera-t-on, juger les mœurs d'un milieu et d'une époque d'après les œuvres d'un moraliste, serait faire preuve de témérité et de légèreté. Et il ne fait pas de doute qu'il serait ridicule de prétendre connaître la vie quotidienne à Rome d'après les seules épigrammes de Martial ou les satires de Perse, et il est au moins probable que les matrones romaines ne s'abandonnaient pas toutes aux turpitudes dénoncées par Juvénal. Il en irait de même pour notre auteur: casuiste doublé d'un canoniste, le but de ses ouvrages n'était certes pas d'exhorter les âmes vertueuses; seules, celles qui s'égaraient dans les sentiers du vice étaient susceptibles de retenir son attention. D'autre part, comme la plupart des moralistes, il serait naturellement enclin à nous dépeindre la société sous un jour assez sombre. Enfin et surtout, il faudrait ajouter que Pierre le Chantre ne s'est nullement soucier de brosser le tableau d'une société, mais d'exposer et de résoudre des cas de conscience, dont certains ne devaient être que des exemples d'école.

Quelle que puisse être la valeur de ces observations, il n'en demeure pas moins vrai que Pierre le Chantre juge avec sévérité le clergé de son temps. Dans sa *Summa*, on trouve des remarques et exclamations qui font douloureusement écho à celles du *Verbum abbreviatum*. Citons:

> «*Pecunia hodie facta est disciplina et nummus factus est decanus, et inter insanos, velle esse sanum, summe insanie est*» [20].
>
> «*Proh pudor! Omnes contractus nundinarum admittuntur hodie in sacramentis ecclesiasticis: emptio venditio, locatio conductio, mutuatio, redemptio*» [21].

et plus particulièrement cette conclusion:

> «*...Vbi enim ceciderit arbor, ibi erit, et qualis unusquisque inuenietur in fine uite sue, talis representabitur in die iuditii. Et maxime nobis clericis qui quanto frequentius legimus de die illa in sacris scripturis, tanto deberemus de ipsa sollicitiores esse pre ceteris, sed peccatis nostris exigentibus, conuersum est caput in caudam et cauda in caput. Hodie enim, sicut populus, sic et sacerdos, immo deterior*

---

[20] T f° 87vb, édition, tome III, 2, § 167.
[21] T f° 92vb, édition, tome III, 2, § 179.

clericus quam populus. Quia nos qui deberemus esse exemplum aliis, facti sumus inde risum omni populo, obprobrium hominum et abiectio plebis. Non enim sufficiunt nobis communia uitia laicorum, nisi noua crimina confingamus et inusitata scelera adueniamus. Subtiles uolumus uideri in expositionibus scripturarum, sed longe subtiliores sumus in adinuentionibus peccatorum. Sed quanto subtiles fuerimus in preparatione culpe, tanto subtilis erit Dominus in retributione pene, et prout nos commiserimus noua et inaudita crimina, ipse nobis inferet noua et acerba et exquisita supplitia ... » ([22]).

Or, si nous croyons que ces formules peuvent induire en erreur en ce qu'elles sont trop générales, il n'en reste pas moins vrai que les moeurs cléricales à la fin du XIIe siècle n'étaient rien moins que dignes d'éloge. Sans doute la Réforme grégorienne avait-elle été vigoureuse, mais déjà elle était lointaine et ses effets s'estompaient dans le passé. D'ailleurs, si elle avait enrayé le mal, elle n'avait pu l'atteindre dans ses racines les plus profondes. L'abondance de la législation conciliaire du XIIe siècle suffirait à le prouver. Le concile de Londres de 1125 prévoit qu'il ne faut rien exiger pour les sacrements et la sépulture chrétienne (can. 3), le même concile prend des sanctions à l'égard des prêtres concubinaires (can. 13), et condamne les clercs usuriers (can. 14). Il est fort probable que ces diverses prescriptions ne furent guère observées, car en 1127, un concile de Londres doit les reprendre, et deux ans plus tard, une troisième assemblée réunie à Londres se verra placée devant la même nécessité ([23]). En 1138, un concile de Westminster proclame à nouveau la gratuité des sacrements (can. 1), condamne les clercs usuriers et rappelle (can. 9) que même le maniement des affaires séculières demeure interdit aux clercs ([24]). Le concile de Rouen de 1128 rappelle aux clercs l'obligation du célibat et décide que les fidèles ne doivent pas assister aux messes des prêtres concubinaires ([25]).

([22]) T f° 169vb, édition, tome III, 2, § 394.

([23]) Sur les trois conciles de Londres de 1125, 1127, 1129, voir Héfelé-Leclercq, *Histoire des conciles*, tome V, Ière partie, p. 658-660, 667, 674-675; et Mansi, t. XXI, col. 327, 353, 383.

([24]) Mansi, t. XXI, col. 507.

([25]) Mansi, t. XXI, col. 378; Héfelé-leclecrq, *Histoire des conciles*, t. V, 1ère partie, p. 672-673.

En France, le concile de Clermont (1130), condamne à son tour la simonie (can. 1) ([26]). Cette condamnation est reprise en 1131 par le synode de Reims (can. 1), qui réitère l'interdiction d'assister aux messes célébrées par des prêtres concubinaires (can. 4) ([27]). Le concile de Latran de 1139 reprend les mêmes prohibitions: il condamne la simonie, la vente des sacrements, de la consécration des autels et des églises (can. 1-2), les clercs concubinaires (can. 6-7) ([28]). Il faudrait en rapprocher les décisions du concile de Reims réuni par Eugène III en 1148 ([29]).

Le concile de Latran de 1179, avec une ampleur et une précision qui contrastent avec la sécheresse des décrets précédents, renouvelle les condamnations traditionnelles de la simonie (can. 7, 10, 15): en effet, la sépulture chrétienne, la bénédiction des époux, l'entrée au monastère, l'installation des évêques, chanoines, clercs, donnaient lieu à des extorsions d'argent ou de présents. Tels sont les renseignements que l'on peut retirer de la législation du grand concile réuni par Alexandre III.

Il est malheureusement trop certain que les décisions conciliaires de 1179 n'eurent qu'une efficacité limitée, tant les mauvaises habitudes et les traditions pernicieuses étaient solidement ancrées dans les moeurs cléricales.

Néanmoins, il semble que ces abus aient été en légère régression à la fin du siècle. On attribue le mérite de cette transformation à l'heureuse influence exercée par les chanoines réguliers. En fait, les mêmes maux subsistent, mais sous une autre forme. Les pratiques simoniaques persistent, mais se font plus sournoises ([30]). Le nicolaïsme proprement dit se fait plus rare, mais les clercs prennent le chemin des lieux de débauche. On peut même sans crainte d'erreur affirmer que de nouveaux abus apparaissent, dont la *Summa Cantoris* nous signale les dangers

---

([26]) MANSI, t. XXI, col. 437; HÉFELÉ-LECLERCQ, *Histoire des conciles*, t. V, 1ère partie, p. 687.

([27]) MANSI, t. XXI, col. 453; HÉFELÉ-LECLERCQ, *Histoire des conciles*, t. V, 1, 694-699.

([28]) MANSI, t. XXI, col. 523 ss., HÉFELÉ-LECLERCQ. *Histoire des conciles*, t. V, 1, p. 724 ss.

([29]) MANSI, t. XXI, col. 711 ss., HÉFELÉ-LECLERCQ, *Histoire des conciles*, t. V, 1, p. 823 ss.

([30]) NEEL WIREKER, *Contra curiales et officiales clericos*, éd. Th. WRIGHT, *The Anglo-Latin satirical poets of the twelfth century* (Rolls-Series, tome I, p. 211).

et nous révèle les ravages. Le cumul des cures ou des canonicats favorise l'absentéisme, et les serments de résidence exigés des titulaires ne sont guère respectés ([31]). La vogue croissante des études universitaires — non pas toujours religieuses mais bien plutôt juridiques ou médicales — et la facilité de trouver à peu de frais des desservants parmi les clercs pauvres des classes paysannes, aboutissaient au même résultat ([32]).

Le népotisme, en dépit des graves inconvénients qu'il entraîne, s'enracine toujours plus profondément dans les moeurs cléricales. Le mal venait de haut. Alexandre III, juriste éminent, n'avait rien de l'intransigeance d'un saint: il combat le népotisme, mais parfois s'y résigne de bonne grâce; «Dieu nous a privés de fils, lui fait dire notre auteur, mais le diable nous a donné des neveux» ([33]). Or, la *Summa de Sacramentis et Animae consiliis* contient de nombreuses allusions aux évêques qui confèrent des bénéfices à leurs parents, *intuitu sanguinis* ([34]). Notre auteur y voit d'ailleurs un cas de simonie: opinion assez contestable qui ne sera pas retenue par les théologiens postérieurs. Ce népotisme épiscopal n'excluait pas des calculs intéressés ([35]).

D'autre part, le XIIᵉ siècle finissant ne connaît pas seulement une renaissance de la littérature latine et un engouement pour

---

([31]) Cf. *Summa*, édition, tome III, 2, § 247: «*De clericis qui iurauerunt residentiam et non resident*».

([32]) T f° 82vb, édition, tome III, 2, § 158: «Similiter si aliquis profecturus ad scolas conducat sibi capellanum, iste pro spiritualibus administrandis potest exigere certam summam stipendii unde possit sustentari et etiam unde possit hospitalitatem facere et elemosinas largiri secundum quod exigit regimen ipsius ecclesie et exemplum doctrine. Et licet iste capellanus aliunde haberet necessaria, non ideo minus debet exigere...»

([33]) *Verbum abbreviatum*, PL, CC, 806. Voir MOLLAT, *Les grâces expectatives du XIIᵉ au XIIIᵉ siècle*, dans *Revue d'Histoire ecclésiastique*, tome XLII, 1947, p. 82 ss.

([34]) édition, tome III, 2, § 182. Mais dans le *Verbum abbreviatum*, Pierre le Chantre présente son opinion avec moins d'assurance. Il prend soin d'ajouter: «Haec potius obviendo et opinando induco quam asserando» (*Verb. abbr.*, cap. XLIII, PL, CCV, 134 sq.)

([35]) T f° 91ra-rb; édition, tome III, 2, § 173: «De episcopo qui nepoti suo largitur beneficium ecclesiasticum sed fructus sibi reseruat ad duos uel tres annos, queritur an sit licitum. Respondetur non. Quod si pactio interuenerit, symoniacam speciem redolebit. Quod alienum est, usurpat sibi per talem largitionem. Ordinatio ecclesiarum ad episcopum spectat; perceptio uero fructuum ad rectorem...»

les études universitaires (³⁶). Les contacts avec l'Orient et l'augmentation du volume et de la valeur des biens en circulation, en font une période de prospérité relative, favorisant le luxe, l'esprit de lucre et les moeurs faciles. Or, le clergé se laisse contaminer par l'esprit du siècle. Les évêques ressemblent parfois en tous points aux grands féodaux qu'ils côtoient, et dont ils sont souvent juridiquement les égaux. NEEL WIREKER a tracé de ce type d'évêque une virulente satire (³⁷). La *Summa Cantoris* nous montre aussi des évêques assez légers pour fulminer des sentences d'excommunication tout en bavardant avec leur suite ou alors qu'ils se livrent aux plaisirs de la chasse. Notre auteur flétrit avec beaucoup de sévérité le luxe de certains évêques qui ruinent en une seule nuit les cures qu'ils visitent (³⁸). Il est vrai qu'ailleurs, Pierre le Chantre s'est efforcé de justifier dans une certaine mesure le mode de vie des évêques de son temps (³⁹).

L'appétit du gain poussait nombre de clercs à faire du com-

(³⁶) Cf. Ch. H. HASKINS, *The Renaissance of the twelfth century*, Cambridge 1927; St. d'IRSAY, *Histoire des universités françaises et étrangères des origines à nos jours*, tome I: *Moyen-Age et Renaissance*, Paris, 1933; J. DE GHELLINCK, *L'essor de la littérature latine au XII*e *siècle*, 2 vol., dans *Museum Lessianum*, Section historique, n. 4, 5, Paris-Bruxelles, 1946; — *Le mouvement théologique du XII*e *siècle*, Paris, Bruxelles, 1948.

(³⁷) NEEL WIREKER, *Contra curiales et officiales clericos*, éd. Th. WRIGHT, *The Anglo-latin satirical poets of the twelfth century*, (Rolls series, tome I), p. 211.

(³⁸) T f° 104vb — 105ra, édition, tome III, 2, § 207 *in principio:*
« ...usura uel rapina est cum prelatus accipit procurationem a sacerdotibus, nec seminat eis spiritualia, cum dicatur: *Qui non laborat, non manducet*; ex quo uidetur sequi: qui parum laborat, parum manducet. Prelati tamen, etsi aliquid uideantur agere in uisitationibus suis, tamen plus manducant quam laborauerunt. Circumducunt enim triginta equitaturas uel plures, et tot et tanta consumunt in una nocte, ex quot et quantis sacerdos sustineret se et familiam suam et pauperes hospites reciperet per tertiam partem anni. Vt quid perditio hec ? Nonne tenentur restituere ? »; T f° 145 ra, édition, tome III, 2, § 342:
« ...uidetur quod episcopi moderni, cum iam redierint tempora ad pacem et tranquillitas sit in ecclesia, debeant sequi formam prescriptam apostolis et uisitare parrochias suas in illa modicitate in qua apostoli procedebant; ergo episcopi nichil debent ferre in uia. Similiter cum accedunt ad mensas aliquorum, debent comedere et bibere que apud illos sunt, non pretiosiora, sed de his que apponentur eis. Cum ergo nulli episcopi hoc hodie obseruent, uidetur quod omnes peccent mortaliter».

(³⁹) T f° 145ra-va, édition, tome III, 2, § 342.

merce ([40]). La législation conciliaire en témoigne: en 1175, un synode réuni à Westminster doit à nouveau condamner les clercs et les moines usuriers ([41]), et en 1190, un concile de Rouen leur défend de s'adonner au négoce ([42]).

De modestes dignitaires profitaient de leur situation pour extorquer de l'argent aux desservants des paroisses ([43]). Enfin, certaines coutumes laissaient aux évêques des prérogatives avantageuses dont ils pouvaient facilement abuser au détriment de leurs ouailles, et dont Pierre le Chantre ne semble pas avoir soupçonné tout le danger ([44]).

Par contre, Pierre le Chantre n'ignore pas que la plupart des évêques consacrent plus de temps aux affaires séculières qu'aux devoirs de leur charge pastorale ([45]). Les prêtres et les clercs

---

([40]) Pierre le Chantre estime que de tels gains sont aussi illicites que les profits usuraires, et il enjoint aux clercs négociants de renoncer à ces bien mal acquis: « ...super illum locum Apostoli: *Non turpe lucrum sectantes,* dicit auctoritas: *quod est usura in laico, idem est negotiatio in clerico.* Quero ergo si clericus multa acquisierit per negotiationem que ei illicita est, utrum teneatur resignare in manus ecclesie quicquid lucratus est negotiando. Michi uidetur per auctoritatem predictam quod non potest uitium purgare et postea iuste possidere, quia fenebris questus est ei omnis negotiatio cum aliter habet unde uiuat. Si ego autem essem confessor eius, iniungerem ei ut totum lucrum resignaret in manus ecclesie et postea si indigeret, posset ecclesia reddere illi». T f⁰ 114va-vb, édition, tome III, 2, § 233.

([41]) can. 10, cf. HÉFELÉ-LECLERCQ, *Histoire des conciles*, tome V, 2, p. 1059.

([42]) can. 9, cf. HÉFELÉ-LECLERCQ, *Histoire des conciles*, tome V, 2, p. 1159.

([43]) «Sacerdotes rurales audiunt preficiendum sibi in decanum ruralem bursarum emunctorem et excoriatorem sacerdotum». T f⁰ 91ra-rb, édition, tome III, 2, § 173.

([44]) «Alicubi est consuetudo quod episcopus in ciuitate sua quamcumque gallinam inuenerit, habebit pro denario; quadrigam plenam lignis pro duobus denariis, cum ualeret duos solidos. Quecumque calciamenta inuenerit de cordubano habebit pro quatuor denariis, de uacca pro duobus denariis. Peccat ne accipiendo? Non fortasse quia istud institutum est et ex institutione est certum pretium taxatum». T f⁰ 118ra, édition, tome III, 2, § 244.

([45]) «Cum ergo episcopus in eo quod comes tractat et decidit causas seculares, an implicat se secularibus negotiis? Si dicatur quod illa negotia iam sunt ecclesiastica quia ecclesia potius honerata quam honorata est regalibus illis, eadem ratione gladius materialis est ecclesiasticus quia in curiis episcoporum sunt duella, suspenduntur latrones et similia. Quid est ergo implicare se secularibus negotiis?

concubinaires ont moins longuement retenu son attention. Il estime qu'il faut éviter de leur demander de célébrer le saint sacrifice de la messe ([46]), et commente l'interdiction faite aux fidèles d'assister à la messe des prêtres concubinaires notoires ([47]). La lecture de ce commentaire laisse la fâcheuse impression qu'évêques et fidèles n'étaient guère scandalisés par la conduite de leurs desservants paroissiaux:

> «*Sed notandum quod non solum pro multitudine sacerdotum hoc intelligi potest, uel episcoporum qui sustinent tales sacerdotes manifeste concubinarios, sed pro multitudine subditorum qui sunt in culpa eo quod talem sustinent, cum non possit unus parrochianus se auertere sine scandalo aliorum*» ([48]).

En fait NEEL WIREKER nous apprend que des clercs fréquentaient les cours d'amour et transféraient sans honte les offrandes des fidèles dans le sein des courtisanes ([49]); les *Quaestiones* et *Miscellanea e Schola Petri Cantoris Parisiensis* nous conteront les mésaventures de quelques clercs de ce genre ([50]).

Jean de Salisbury nous a laissé un remarquable portrait, buriné en des traits d'une saisissante vérité, du moine ambitieux et hypocrite qui simule la vertu pour accéder rapidement aux plus hautes charges ([51]). Avec infiniment moins de vigueur et d'esprit, la *Summa Cantoris* dénonce de son côté les clercs utilisant le même procédé odieux ([52]); son auteur n'impose pas à

---

dum hoc, omnes episcopi sunt dampnati qui plus temporis consumunt in temporalibus ut causis rusticorum de prediis et aliis querelis, quam in predicatione et ceteris spiritualibus». T f° 128ra-rb, édition, tome III, 2, § 285.

([46]) Édition, tome III, 2, § 221.
([47]) Édition, tome III, 2, § 260.
([48]) T f° 121vb, édition, tome III, 2, § 260.
([49]) *op. cit.*, p. 164.
([50]) Édition, tome IV (*en préparation*): Questiones et Miscellanea e schola Petri Cantoris Parisiensis.
([51]) *Policratus*, VII, 21.
([52]) T f° 91va: «Quidam simulator bonorum operum plura expendit in pauperibus ut ita canonicaretur in ecclesia loci sui. Audita fama eius canonicatur. Queritur an teneatur resignare» (Tome III, 2, § 175). T f° 126ra: «Aliquis simulauit se esse sanctum, ea intentione tantum ut haberet beneficium ecclesiasticum. Datum est ei propter ypocrisim, quia credebatur esse bonus. Modo confitetur». (Tome III, 2, § 276).

ces hypocrites le devoir de résigner le bénéfice obtenu par la simulation; il leur conseille de changer de vie ([53]).

Ainsi, les *casus* de la *Summa Cantoris* reflètent indirectement, mais sans les déformer, certains aspects de la vie cléricale à la fin du XIIe siècle, et permettent par conséquent d'enrichir utilement les renseignements que l'historien veut réunir sur ce sujet.

Avec vigueur, Pierre le Chantre a dénoncé toutes les formes de simonie, dont les plus subtiles et apparemment anodines, n'échappent point à son œil critique. Peut-être a-t-il parfois semblé exagérèment sévère, mais lui-même a pris soin de nous rappeler, avec l'intransigeance d'un saint, que le monde considère avec bienveillance des actes que la morale réprouve ([54]).

Le concile de Latran de 1179 avait prohibé les exactions coutumières lors de l'installation des évêques, chanoines, desservants; certaines églises s'étaient ingeniées à tourner la prohibition ([55]).

Le même concile, sous l'impulsion décisive d'Alexandre III avait organisé l'enseignement des clercs et écoliers sans res-

---

([53]) T f° 91va, f° 126ra (tome III, 2, § 175, § 276).

([54]) «Obicitur de ecclesia que mittit predicatores propter sartatecta templi, paciscens eis tertiam partem lucri. Illi respicientes lucrum suscipiunt honus iniunctum non attendentes deuotionem animarum. Queritur an liceat? Dicit uideri sibi symoniam esse, quotiens exercentur spiritualia officia habito respectu potius ad lucri perceptionem quam deuotionem animarum. Similiter iudicat de illis qui concedunt fraternitates; de illis qui radunt de libro nomina eorum qui cessant soluere ea quorum intuitu concessa est fraternitas. Item de illis qui terram benedictam diuidunt, assignantes quedam loca quasi digniora pretio unius marche, quedam minus cara pretio dimidie. Similiter de pulsatione classicorum, etiam de pallio ditiori. Talia enim sunt que mundus nutrit tamquam licita cum sint illicita, quia diuitibus conceduntur spiritualia, intuitu diuitiarum que pauperculis et deuotibus animabus negantur. Ideoque penitus illicite exercentur quia potius respicitur ad offerentis donum, quam ad eius animam», T f° 83va-vb, tome III, 2, § 158.

([55]) «In quibusdam ecclesiis est consuetudo ut det refectionem qui de nouo est canonicatus. Quod non licet, quia nec pastum nec pastellum licet dare ante uel post. Sed ecce, ecclesia illa nolens amittere consuetudinem suam, quoquomodo nititur retinere quod consuetum habere constituit ut uacantibus prebendis, cum aliquis canonicandus est, retineatur tantum de prebenda illius, unde fiat procuratio, uel detur cappa, uel ciphus argenteus et coclearia aliquot argentea puta duo, iuxta quod consuetum erat. Est ne symonia? Latebrosa est si qua est»; T f° 93rb, édit., tome III, 2, § 179.

sources. Il prévoyait que la *licentia docendi artes,* devrait être obtenue sans frais. La gratuité, stipulée pour l'école cathédrale ([56]), avait déjà été prévue pour les écoles situées hors de l'évêché ([57]). Mais le principe de la gratuité dut rencontrer de sérieuses résistances, et Pierre le Chantre flétrit les maîtres qui vendent la *licentia docendi* ([58]). Il n'est guère plus indulgent pour les juges qui vendent leurs services ([59]). Il dévoile une foule d'opérations simoniaques portant sur des choses de peu d'importance ([60]): les lettres de chancellerie, l'apposition du sceau de l'évêque, les divers offices ([61]), les locations simoniaques d'objets du culte ([62]).

Sa défiance à l'égard des contrats l'amène à condamner les transactions qui mettent fin aux contestations. Les raisons qu'il invoque pour défendre son point de vue, ne manquent certes pas de valeur ([63]), mais ici encore l'intransigeance du moraliste rigide l'emporte sur les considérations d'opportunité.

Si nous nous sommes attardés à montrer que la *Summa Cantoris* pouvait, tout autant que le *Verbum abbreviatum,* apporter d'intéressants témoignages à l'historien, nous laisserons aux théologiens et aux canonistes le soin de situer la doctrine de notre

---

([56]) ALEXANDRE III, in conc. Lateran., 1179, c. 18, GRÉGOIRE IX, *Décrétales,* lib. V, tit. V, cap. 1 (Friedberg, *Corpus Iuris Canonici,* t. II, 768).
([57]) ALEXANDRE III, *Epist.,* CDXXXIII, ao. 1166, *ad decanum et capitulum Catalaunense,* PL, CC, 440.
([58]) T f° 86vb-87ra, édit., tome III, 2, § 163.
([59]) T f° 86vb, édit., tome III, 2, § 162 *in fine.*
([60]) «Non solum circa sacramenta uel beneficia spiritualia fit symonia, sed etiam circa quedam minima que sunt quasi annexa officiis spiritualibus. Vnde si uendat sacerdos benedictionem aque, nolens scilicet benedicere nisi pro pretio, uel post benedictionem ipsam aquam benedictam, uel panem benedictum, symonia est. Similiter, si uendat pauperi clerico illud modicum beneficium aque benedicte uel etiam pauper clericus alii pauperi clerico, symonia est», T f° 85vb, édition, § 162.
([61]) T f° 85vb-86ra, édition, tome III, 2, § 162.
([62]) T f° 92vb, édition, tome III, 2, § 179.
([63]) «Ecce due ecclesie litem habent inter se, puta de limitibus, prestant sacramentum de calumpnia. Queritur an possint transigere. Videtur quod non. Vtraque iustam causam se credit habere et fouere. Si ergo altera recipiat temporalem pecuniam pro causa sua, nonne hoc est quantum ad conscientiam suam remittere pro pretio ius ecclesie sue inseruatum ? At hoc est symonia. Si autem iniustam habet causam, uidetur non habere locum transactio sic, scilicet ut desistat a lite pro pretio. Hoc enim est facere pro pretio quod tenetur facere etiam sine pretio». T f° 93ra, édition, tome III, 2, § 179.

auteur. Il serait incontestablement avantageux de savoir dans quelle mesure Pierre le Chantre dépend des *Sommes* sur le *Décret* de Gratien, dont beaucoup, malheureusement, demeurent encore inédites. *A priori,* il semblerait que leur influence sur son œuvre fut assez réduite. En effet, il n'a pas voulu commenter le *Décret.* S'il recourt fréquemment au droit canonique, c'est pour y découvrir le fondement indispensable de ses solutions, car il prétend faire œuvre de théologien. Lui même prend soin de nous rappeler qu'il n'empiète pas sur le terrain d'autrui. Assez souvent, il nous avertit qu'il laissera aux décrétistes la charge de donner une réponse à un problème qui reste étranger à ses préoccupations habituelles et se situe hors de son domaine ([64]).

([64]) Citons par exemple: «Iste questiones potius sunt decretales quam theologice et ideo decretistis eas relinquimus» (T f° 118va; édition, tome III, 2, § 246 *in fine):* «Hec questio similiter decretalis est» (T f° 118va; tome III, 2, § 247); «Hoc uideant decretiste» (T f° 124rb; tome III, 2, § 268); «Hoc autem pertinet ad decretistas discutere utrum episcopus possit ita dare decimas ecclesiarum» (T f° 124rb, tome III, 2, § 268).

CHAPITRE II

DES FRAGMENTS DE LA *SUMMA CANTORIS* DANS DEUX MANUSCRITS DE LONDRES

Les deux premiers volumes de la présente édition de la *Summa de Sacramentis et Animae consiliis* de Pierre le Chantre étaient publiés quand Miss Eleanor Rathbone eut l'obligeance de me signaler que j'avais oublié ou négligé deux manuscrits anglais contenant des fragments assez importants de la *Summa Cantoris*, le cod. LONDRES, *Lambeth Palace library 122*, et le cod. LONDRES, *Lambeth Palace library 80*.

Les patientes et savantes recherches de Miss Rathbone l'avaient amenée à s'intéresser à ces deux manuscrits. A mon tour, je me suis penché sur ces vénérables pages, mais, au point où mon édition était arrivée, leur lecture n'a pas été des plus fructueuses.

Il serait néanmoins abusif de garder plus longtemps le silence à leur sujet, et c'est pourquoi nous donnerons de chacun d'eux une description assez sommaire.

I

Le ms. LONDRES, Lambeth Palace 122

Ce manuscrit du début du XIIIe siècle comprend 230 folios. fol. A B (papier), 1 + 225 (parchemin), C D (papier). Dimensions: $11^{7}/_{8} \times 9$ ins. Reliure en veau [1].

---

[1] Détails dans le catalogue de Montague Rhodes JAMES, *A descriptive catalogue to the manuscripts in the Library of Lambeth Palace*, Cambridge, University Press, 1930, pp. 203-204.

Le manuscrit a été écrit sur deux colonnes, de 41 lignes en général, par plusieurs scribes dont l'écriture est généralement grande, claire et bien lisible, sans être vraiment belle. On remarque des titres, des lettres ornementées en rouge et bleu. Les notes marginales et corrections sont parfois assez nombreuses.

Les premières pages ont été rongées par les souris qui ont de la sorte quelque peu endommagé le texte. Certaines pages semblent avoir souffert de l'humidité.

Le manuscrit proviendrait de Lanthony Priory, couvent de chanoines augustins près de Gloucester, car, à la dernière page (f° 225v), on trouve ces indications partiellement effacées, écrites à la fin du XIIIe siècle ou au dèbut du XIVe:

Memoriale Lanton de Gloucestr. pro... de haimo.

No. 157 is: Verbum abreuiatum volumen magnum.

La foliotation est partiellement erronée, deux folios portant le n° 221. Le catalogue de Lambeth Palace Library donne en outre une collation des cahiers: a^6(manquent 5, 6), 1^8-13^8, 14^6, 15^8-17^8, 18^6, 19^4, 20^8-22^8, 23^6, 24^8, 25^8(cancelled), 26^8, 27^8, 28^8(+ 2), 29^8. Cette collation ([2]) repose sur la numérotation faite plus récemment au crayon sur la première page de chaque cahier. Elle semble être erronée et la collation correcte serait la suivante ([3]): Il y a au début du manuscrit quatre folios, suivis de trente cahiers de huit folios, avec des signatures en chiffres romains, de l'époque, apposées dans la marge inférieure du dernier folio, sauf quelques exceptions. Il faut en outre ajouter que les cahiers numérotés XII et XIII sont manifestement incomplets. En outre, les f° 164-171 forment un cahier de 8 folios, en complet désordre. Le folio 169v porte la signature XXII dans la marge inférieure, et le folio 170v la signature XXIII. Le double folio 165-170 contient une œuvre différente de celle des folios 166 et suivants. Le texte du fol. 170ra suit directement celui du f° 166vb. On peut donc dire que ce texte est fragmenté en deux parties par les folios 166-169 dûs à un autre scribe et contenant un ouvrage différent.

Au verso du folio B, on trouve un sommaire ou une analyse

([2]) Catalogue de Montague Rhodes JAMES, *cité supra*.

([3]) Nous devons ces précieux renseignements à l'obligeance de Mlle Marthe DULONG et de Miss Eleanor RATHBONE.

du contenu du manuscrit, dans une écriture assez nette de la fin du XVIe siècle ou du début du XVIIe, et dûe, s'il faut en croire le catalogue, à la plume de l'archevêque Sancroft.

> «*Fragmentum vitae Johannis (dicti Eleymonis) patriarchae Alexandr. latine versae per Anonymum ex greco Leontii Episcopi Nicopolitani.*
> *Petri Cantoris (mox et episcopi) Parisiensis Verbum Abbreuiatum. Est et summa quadam theologica constans capitibus CII de vitiis, de virtutibus, etc.*
> *Eiusdem (opinor) alia opuscula de Sacramentis, de humanitate et Christo assumpto.*
> *De voto et eius solutione. De S. Scripturae Tropis, de Schematibus et modis loquendi.*
> *In Jeremiae prophetiam breves notae ad usque cap. 31. v. 14.*

Nous verrons que le contenu annoncé dans ce sommaire ne correspond pas tout à fait à la réalité. Le beau catalogue de Lambeth Palace Library n'est pas lui même rigoureusement exact.

Le cod. LONDRES, *Lambeth Palace Library, 122*, contient en effet plusieurs ouvrages.

1°). Un fragment de la *Vie de Saint Jean l'Aumônier*, patriarche d'Alexandrie.

f° 1r: Cette indication: *Incipit prefatia in uita Sancti Johannis patriarche* (encre rouge).
Incipit: ⟨C⟩*ogitante ac diu tacite solliciteque multum considerante...*
Deux colonnes de 41 lignes. Le texte est extrêmement détérioré au fol. 1. Les coins de la page et la partie externe de celle-ci ont été détruits par les rongeurs. L'écriture est assez grande, bien lisible. Les lettrines ont été omises. La place qui leur était réservée restant vide, le lecteur doit y suppléer.
Il s'agit d'un fragment de la *Vie de Saint-Jean l'Au-*

mônier par Lèonce de Néapolis (Chypre), traduite du grec en latin par Anastase le Bibliothécaire ([5]).

f° 4ra :   le texte s'achève brusquement au bas de la colonne.

f° 4rb :   vide.

f° 4v :   changement de main. Écriture beaucoup plus petite, mais soignée et très lisible.
Trois colonnes de 42 lignes (la troisième colonne n'étant que partiellement occupée) contenant la liste des CII chapitres de l'ouvrage suivant.

2°). *Verbum abbreuiatum* de Pierre le Chantre.

f° 4v :   Nous avons signalé l'existence de trois colonnes contenant la liste des CII chapitres de l'ouvrage de Pierre le Chantre.

f° 5r :   Indications de plusieurs mains :
En rouge : *Quod breuitati sit insistendum.*
En noir, petite écriture plus récente (début du XVme siècle) :
Petrus Parisiacensis
Incipit de l'ouvrage : *VERBUM abbreuiatum fa⟨ciet⟩ Dominus super terram. Si enim verbum de Patris sinu nobis missum...*

f° 112v :   Explicit :... *insinuantes per hoc illud esse inmensum et inexplicabile.*

([5]) Texte grec de la *Vie de Saint Jean l'Aumônier* par Léonce, évêque de Neapolis dans Migne, P.G., XCIII, 1613-1660 ; réédité par G. GELZER dans *Sammlungen ausgewählter Kirchen und Dogmengeschichte Quellenschriften,* tome V, Leipzig, 1893. La traduction qu'en a faite Anastase le Bibliothécaire se trouve dans Migne, P. L., LXIII, 337 ss. — Sur Saint-Jean l'Aumônier, cf. L. DUCHESNE, *L'Église au VIe siècle,* Paris, 1925, p. 377 sv., Jean MASPERO, *Histoire des Patriarches d'Alexandrie* (518-616), Paris, 1923, p. 325 ss. —Sur les vies de St. Jean, voir M. MANITIUS, *Geschichte der Lateinischen Litteratur des Mittelalters,* Band II, Münich, 1923, p. 191, 814 ; Band III, 1931, p. 1065 et une vie inédite éditée par le R. P. DELEHAYE, *Analecta Bollandiana,* t. XLV, 1927, p. 5-75.

Une lettrine ornée au début de l'ouvrage. Le mot *Verbum* est écrit en capitales. Deux colonnes de 41 lignes. L'écriture est assez soignée et bien lisible. On trouve dans la marge de nombreux «hors-texte» de plusieurs mains: corrections, titres, mais aussi notes n'ayant que de lointains rapports avec le texte. Nous en citerons quelques-unes:

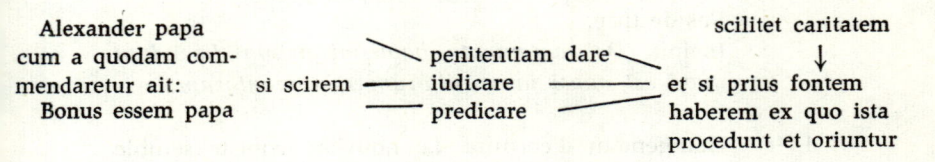

```
                                                          scilitet caritatem
Alexander papa                                                    ↓
cum a quodam com-              penitentiam dare
mendaretur ait:    si scirem ── iudicare ────── et si prius fontem
Bonus essem papa               predicare              haberem ex quo ista
                                                      procedunt et oriuntur
```

On remarque qu'à partir du fol 11, les «hors-texte» deviennent plus nombreux, et qu'un certain nombre de titres ont été intercalés dans le texte par le scribe à qui l'on doit d'assez nombreuses notes marginales.

f° 65v: dans la marge inférieure, on lit cette anecdote qui prouve la persistance de la croyance aux jugements de Dieu:

Reuolutio etiam psalterii et huiusmodi prohibita sunt. Nota quod Ganculfus dux ut probaret an uxor sua mecha esset, ait: 'Si sine exustione extraxeris lapidem de fundo huius fontis, innocens es'. Que, mittens manum in fontem aque frigide, extraxit lapidem et combusta est manus eius lapide.

f° 84v: dans la marge inférieure, cette double note, de caractère anecdotique:

Exemplum monachi uel heremite qui adeo in predicatione commendauerat abstinentiam quod ad biduana ieiunia et triduana homines inuitauit, et ob hoc fratres reficientes eum non uocauerunt. Quibus ille: 'Quare vobiscum non refectus sum?', cum ieiunasset usque ad uesperem. Cui illi. 'Ne aliud faceres et aliud predicares?'. Quibus ille: 'Vt stultus et indiscrete predicaui'. Cui illi: 'Tempera igitur verbum ut tu et alii ferre possint'.

Quidam uni ait: 'Similis es uenienti de inferno'. Cui ille: 'Et tu ineunti infernum'. Quod peius est.

3°). La *Summa* de Pierre le Chantre, ou plus exactement un assez important fragment de cette somme.

f° 113 :   inutilisé.

f° 114r :   changement de copiste. L'écriture n'est pas très différente de la précédente, mais plus petite.
Pas de titre.
Incipit : *De sacramento baptismi primo dicendum quod est quasi ianua aliorum sacramentorum...*

f° 144r :   changement d'écriture. Le nouveau copiste semble être celui auquel nous devons les notes marginales des fol. 114-143.

f° 164rb :   Explicit :...*ergo non obseruabit se caute a futuris, quod utique non expedit.*

f° 164v :   inutilisé.

4°). Mélanges christologiques des folios 165 et 170.

Nous avons déjà signalé que les fol. 164-171 forment un cahier de 8 folios, actuellement dans le plus beau désordre.
Les fol. 165 et 170 vont ensemble, ils sont écrits en une petite écriture plus récente, sur deux colonnes de 47 lignes. Les lettrines font défaut, et il faut y suppléer. Entre ces deux pages très maladroitement séparées s'insère un autre ouvrage sur lequel nous reviendrons.

f° 165ra : Pas de titre.
Incipit : ⟨E⟩*xo XVIII : De agno paschali : Non comedetis ex eo crudum quid, Christum purum hominem existimantes, nec coctum aqua, humana sapientia...* (⁶). Dans ce premier alinéa on trouve diverses citations : *Exo. XXIII de manna : nullus relinquat ex eo in mane..., Levit. VII in fine : hostie carnis eadem die comedentur... S. Gregorius : Nichil ad plenum intelligitur nisi dente disputationis frangitur...*

(⁶) On reconnaît, glosé, le texte de Exod., XII, 9.

⟨L⟩*euitico I. Cum optulerit homo sacrificium coctum Domino in clibano, etc* (⁷). *De clibano offerimus cum de Christi incarnatione disputamus...* On trouve une citation de St. Ambroise. *Ambrosius: Aufer argumenta ubi fides queritur...*

Jo⟨hannes⟩ *De Christo ait: ego non sum dignus ut soluam corrigiam eius calciamenti* (⁸)... Dans la suite de l'alinéa sont cités une glose, puis *Dionisius, in opusculis de diuinis nominibus; hoc modo ait: Ignoramus qualiter de uirgineis sanguinibus... Beda, super illud in Marcho: Tu es Chritus... Eccles. VIII: Altiora te ne quesieris et fortiora te ne scrutatus fueris, sed que precepit Deus tibi cogita illa semper... Eccle. X: Sunt pauci sermones tui... Glosa: nil plus queramus quam nobis tradidit euuangelicus sermo.*

f° 145rb   ⟨P⟩salmo XXVII: *Christus Patri ait: Ne sileas a me, id est, ne unitatem Verbi tui separes ab eo quod homo fuit, quia, si silueris, assimilabor descendentibus in lacum, id est, in miseriam huius uite. Ex eo enim quod uerbum michi semper unitur non sum talis homo qualis ceteri qui nascantur in profunda miseria seculi...*

Dans cet alinéa, nombreuses citations commentées... *Matth. XXI, Turbe autem que precedebant et que sequebantur clamabant dicentes Osanna. ...Item, super Math. XXVI, benedixit et fregit... Item. Exod. IX ...Item. Psal. LXXI... Ante solem... S.Aug. Ille homo habet... Item. Psalm. LXXII, Suscepisti me... Item. Ps. XXIX, Non est congruum... Item. Aug. Forma Dei accepit formam serui...*

f° 145va   *Item. Aug. Si quis dixerit atque crediderit hominem Ihesum Christum a filio Dei assumptum non fuisse anathema sit... Apoc... Apoc VI. Agnus Dei uenit et accepit de dextera sedentis in trono librum. Glosa: a uerbo sibi unito...»*

(⁷) Levit., II, 4.
(⁸) Matth., III, 11, Marc., I, 7, Luc, III, 16, Joan, I 27.

⟨I⟩nnocens ait: *Quotiens fidei ratio uentilabitur, arbitror omnes...* (3 lignes).

⟨A⟩*lexander episcopus seruus seruorum Dei, uenerabili fratri W. Remensi archiepiscopo, apostolice sedis legato, salutem et apostolicam benedictionem. Cum Christus perfectus deus perfectus sit homo, mirum est qua temeritate quisquam audeat dicere quod Christus non sit aliquid secundum quod homo. Ne aut tanta possit in ecclesia Dei abusio suboriri uel error induci, fraternitati tue per apostolica scripta mandamus quatinus conuocatis magistris scolarum parisiensium et remensium et aliarum circumpositarum ciuitatum, auctoritate nostra sub anathemate interdicas, ne quis de cetero dicere audeat Christum non esse aliquid secundum quod homo, quia sicut uerus est Deus, ita uerus est homo ex anima rationali et humana carne subsistens. Datum Verte. XII. kal.*

⟨P⟩*ropter hoc ergo domini pape scriptum et quia ueritati consensum est, dicimus quia Christus est aliquid secundum quod homo, relatione non admissa ad hoc nomen aliquid hic improprie positum, et quia Christus non hac humanitate est hic aliquid, et hoc nomen aliquid in propria acceptione positum Christo attributum solet substantiam significare diuinam, et cum nomen substantiuum relatiuum uel pronomen relatiuum meram substantiam significans ad illud refertur, ostenditur quod de mera substantia diuina intelligendum est quod dicitur.*

⟨S⟩*ed nobis sic obicitur: Christus secundum quod Deus est aliquid, secundum quod homo aliquid. Ergo idem uel aliud. Instantia. Grammatica es⟨t⟩ quale, musica es⟨t⟩ quale, ergo idem quale uel aliud. Item. Christus diuinitate est unum, humanitate est aliud. Ergo est unum et aliud...*

f° 165vb   (dernière ligne): ...*unius nature spirantes Spiritum sanctum, sicut unus creator.*

f° 170ra   (première ligne): *id est unius nature creantes*... (23 lignes).

⟨A⟩ug⟨ustinus⟩ quidem ait: *Cum de Christo loquimur quid secundum quid et propter quid dicatur, prudens et diligens ac pius lector intelligere debet...*

f° 170va   *(troisième ligne):* ⟨F⟩*atentibus Christum esse duo ita opponitur...* (17 lignes).
Ad improbandum etiam hominem esse assumptum uel Christum esse duo suffragantur auctoritates et rationes. Iero...

f° 170vb: le texte s'achève brusquement sur ces mots: ...*qui factus est ei ex semine Dauid et misit Deus filium suum f⟨actum⟩ ex mu⟨lieri⟩.* Il est certain que ce n'est pas là l'explicit de l'ouvrage.

Quoi qu'il en soit, l'écrit plus ou moins mutilé des fol. 165 et 170, mérite bien le titre de mélanges christologiques que nous lui avons donné.

En effet, si, au début du fol. 165ra, l'ouvrage se présente comme un centon de citations bibliques et patristiques, un lecteur attentif remarque que ces citations sont toujours interprétées dans un sens christologique, quoique d'une façon parfois inattendue. Par la suite, le contenu christologique de ces pages ne fait plus aucun doute.

La présence de la fameuse décrétale *Cum Christus,* adressée par le pape Alexandre III à Guillaume aux Blanches-Mains, archevêque de Reims, permet au moins d'assigner un *terminus a quo* à la composition de l'ouvrage (1177). Il est par contre beaucoup plus difficile de lui assigner un *terminus ad quem* et de déceler de quels milieux il émane, car il ne contient aucune allusion à des maîtres connus.

5°). Mélanges moraux des fol. 166-168.

Rappelons que ce nouvel écrit est actuellement inséré au milieu des pages précédentes. Il est dû à un nouveau copiste dont l'écriture anguleuse, plus grande, est très soignée. Il a utilisé une encre très noire. Le texte est réparti en deux colonnes de 33 lignes. Les nombreux alinéas commencent par une lettrine fermement tracée, et sont pour la plupart précédés d'un titre intercalé.

Nous citerons le titre et l'*incipit* de chacun de ces paragraphes.

f° 166ra   Titre dans la marge supérieure: *Contra proprietatem monachorum* (ce titre ne se rapporte pas à l'ouvrage tout entier, mais seulement au premier paragraphe).

Incipit:*Iudas fur et loculos habens, asportabat res pauperum et merito furti et sacrilegii proditor Christi suique homicida effectus est. Vnde in actibus Apostolorum...*

f° 166vb   Titre intercalé: *Contra negociatores.*

Incipit: *Ecc. LXXI. Due species etc* ([9]). *Non iustificabitur caupo a peccatis labiorum. Glosa. Qui fictis uerbis uel periurus subuertit iusticiam proximorum. Glosa. Actus pessimus non res honesta dampnatur...*

f° 167ra   Titre intercalé: *Pro ueritate et contra mendacium.*

Incipit: *Ecc. ca. LXXII. Volatilia ad sibi similia* ⟨*conueniunt*⟩ ([10]). *Conueniunt ibi anime uirtutibus pennate, et ueritas. Qui operantur illam ad eos reuertentur...*

Titre intercalé: *Contra eos qui putant peccatum dormire et penam peccati quia tardat.*

Incipit: *Vulgo dicitur: Peccatum non dormit et uetus peccatum nouam parit uerecundiam...*

f° 167rb   Titre intercalé: *Contra eos qui male expendunt patrimonium Crucifixi*

Incipit: *Deut. CXXXVIII. Attuli Domine quod sanctificatum est* ([11]). *Quomodo ergo hoc expendunt in festo stultorum, quomodo in superfluis, quomodo dantur hystrionibus et parentibus habundantibus. Fraudatores sunt rerum pauperum et raptores...*

Titre intercalé: *Quantum debeamus proximo.*

Incipit: *Sapiens hu. g. p. n. s. sed toti etc.*

---

[9] Eccli., XXVI, 28.
[10] Eccli., XXVII, 10.
[11] Deut., XXVI, 3. Abstuli quod sanctificatum est de domo mea.

Homo sum. hu. nichil. a. p. a. (¹²).*Sui obliuiscitur, proximi curam non habet. Caritas non querit...*

Titre intercalé.: *Que indutie querende ad soluendum questiones.*

Incipit: *Ecc. LXXXIX. Ad soluendum, ad predicandum. Doctor qui novit ad interrogata respondere interrogationem manifestat...*

f° 167va Titre: *De mala excusatione peccatorum...*

Incipit: *Non declinet cor nostrum in uerba malitie...*

Titre intercalé: *De auertendis oculis a uanitate.*

Incipit: *Auerte oculos meos ne ui⟨deant⟩ ua⟨nitatem⟩* (¹³). *Vnde mulier uidit pomum quod erat pulchrum...*

f° 167vb Titre intercalé: *Contra malos estimatores peccatorum.*

Incipit: *Magis peccat qui non corruptus dormit cum aliqua quam qui corruptus libidine, licet quidam sic non iudicent...*

Titre intercalé: *Quod summa malorum est quod ad exemplum fit.*

Incipit: *Seneca. Summa malorum quod ad exemplum...*

f° 168ra A partir du f° 168ra, les titres intercalés disparaissent.

Incipit: *Mens diuisa non impetrat. Vnde qui egrediuntur terram...*

Incipit: *Jer⟨onimus⟩. Ep. Ia: Melius est ut plurima etiam utilia nescias quam cum periculo discas. Aug⟨ustinus⟩ ad Jer⟨onimum⟩: Rogo te si fieri potest...*

f° 168rb Incipit: *Multi decipiuntur specie recti. Cum enim uidemus aliquem diuitem facere largas elemosinas,*

(¹²) La deuxième partie semble pouvoir se référer à la phrase fameuse de TÉRENCE (L'Homme qui se punit lui-même, I, 1, 25): *Homo sum, humani nichil a me puto alienum.*

(¹³) Psalm., CXVIII, 37.

> *credimus et dicimus talem esse misericordem cum tamen hoc totum sit de rapina...*

f° 168va Incipit: *Ioseph cito reliquit pallium domine egiptiace, non diu luctatus est cum ea, quia non est tutum. Multe sunt domine egyptiace quot scilicet uitia uel delectationes et multe sunt lasciuie per quas tenent nos, nisi relinquamus et nudi fugiamus...*

Ce dernier paragraphe, plus long, est une exhortation à fuir le siècle.

f° 168vb Explicit (au milieu de la colonne): *...Omnibus modis luctatur dominus ostendere nobis quod mundus est pessimus ut eum fugiamus. Tamen quod nichil est appetamus. Sicut homo delirat in sermo suo, sic mundus in suo.*

f° 169rv inutilisé.

On remarque dans la marge inférieure du fol. 168v les sentences suivantes:

Mirat	*Hic dampnat*
mirabilis	*culpabilis*
amicus fortune.	*amicus culpe.*
Sustentat	*Saluat*
tolerabilis	*laudabilis*
amicus nature.	*amicus gratie.*

On constate que ces quelques chapitres embrassent les problèmes de morale les plus divers. Ils ne revêtent pas la forme habituelle des *questiones*. Cette œuvre (ou ce fragment d'une œuvre inconnue) tient tout à la fois du florilège moral et de l'exhortation pieuse. L'esprit austère qui s'en dégage l'apparente à des écrits de Pierre le Chantre. Nous ne possédons malheureusement aucune indication sur son auteur, et une lecture même attentive ne permet pas de découvrir le nom de quelque *magister* connu.

6°). Le «*De homine assumpto*» de la *Summa Cantoris*.

f° 171rv: inutilisé.

f° 172ra   Incipit: *Circa questionem hanc de homine assumpto multi sibi assumpserunt querelam...*

f° 176ra   Explicit: *...a filiatione uidetur inditum esse hoc nomen Ihesus.*

L'écriture est légèrement différente de celle des mélanges de morale analysés ci-dessus. Pas de titre. Les colonnes du texte comptent 35 lignes. Le premier mot du traité est orné d'une lettrine. Au fol. 176rb, on remarque ce titre intercalé: *Tertia opinio*.
Ce traité, avons-nous dit, fait partie de la *Summa Cantoris* et formera le § 353 du tome III de notre édition. Néanmoins ce traité soulève un problème de critique: son authenticité est-elle assurée ? Il y a là une question qui mérite d'être étudiée, d'autant plus que des doutes ont déjà été émis quant à l'origine de cet écrit ([14]).

7°). Un écrit intitulé (?) *Jeronimus de uoto uel uoti solutione*.

f° 176ra: en bas de la colonne; encre rouge: *Jeronimus de uoto uel uoti solutione.*

f° 176rb: tout en haut, ce titre: *Jeronimus de uoto uel uoti solutione.*
    Incipit: *De uotis, uotum non soluo. Tu postulasti et ego quod non spopondi soluere cogor. Modicum inter frequentes occupationes...*

f° 177vb   Explicit: *...hoc si reddis, quicquid non dederis, non offendis.*
    Ce petit traité sur les vœux est bien composé; l'auteur en demeure malheureusement mystérieux.

([14]) Voir *infra*, p. 437.

8°). Le *De tropis S. Sripture* de Guillaume des Monts. (D'après le catalogue de Montague Rhodes JAMES, on trouve encore cet ouvrage dans le ms. LONDRES, *Lambeth Palace Library 199*).

f° 191rb Incipit: *Dei dona dispensamus, pulsantibus claues ostiorum porrigimus, ad dilucidationem fenestras domus aperimus. Domum autem sacram scripturam dicimus. Ostia eius auctoritates, claues et fenestre modos loquendi, quos tropos seu scemata, id est figura nuncupat. Primum igitur de dictionibus hic agens, secundo de positionibus, tertio de attributionibus, quarto de resolutionibus, quinto de modis loquendi.*

L'écriture est grande, très anguleuse, l'encre très noire. Ce début ou introduction de l'ouvrage de Guillaume des Monts annonce cinq divisions. Nous pouvons essayer de les retrouver:

f° 178ra (premier chapitre): *In primis ita dicimus quia dictio semel posita equiuoce accipitur ut ibi: Inclina cor meum...*

f° 186rb (deuxième partie ?): *Preponitur aliquis alicui meritorum comparatione...* (dix lignes avant la fin de la colonne). On peut néanmoins se demander si le début de cette deuxième partie (*De positionibus*) ne doit pas être situé fol. 187ra, à partir duquel tous les alinéas commencent par le mot *ponitur*.

Il est plus facile de discerner les autres divisions ou parties de l'ouvrage, car elles sont annoncées par de brèves transitions.

f° 188vb (troisième partie): *Dictum est de positionibus. Consequens est agere de attributionibus...*

Dès lors, tous les alinéas commencent uniformément par le mot: *Attribuitur*.

f° 190ra (quatrième partie): *Post attributiones, de resolutionibus agendum* ⟨*est*⟩... (quatre dernières lignes de la colonne).

Tous les alinéas de cette quatrième partie débutent par le mot: *Resoluitur*.

f° 191rb (cinquième et dernière partie): *Diximus de resolutionibus. Restat ut de modis loquendi aliquid dicamus...*

f° 198va Explicit de l'ouvrage de Guillaume des Monts:... *Siue Xhristus crucifixus est iuste uel iniuste. Et bonum similiter timere. Et Petrus meruit martyrium, uel anima eius purgatorium.*

9°) Le *De tropis loquendi* ou *De tropis theologicis* de Pierre le Chantre ([15]).

f° 198vb Incipit: *Videmus nunc per speculum in enigmate, tunc autem facie ad faciem. Hoc uerbum apostolicum multiplicem expositionem...*

f° 214vb Explicit: *...Vestri enim capilli omnes numerati sunt.*
Nous devons cette copie au même scribe qui écrivit l'ouvrage précédent de Guillaume des Monts.
Ce travail de Pierre le Chantre porte des titres assez variés dans les manuscrits qui nous le livrent: On remarque en effet les titres suivants: 'De tropis loquendi' ou 'De tropis theologicis', ou encore 'De contrarietatibus theologie opusculum', 'Tractatus magistri Petri Remensis Cantoris Parisiensis de tropis theologicis' ([16]).

([15]) Le catalogue de *Lambeth Palace* semble avoir confondu cet ouvrage avec le précédent, en attribuant le tout sous le titre de *De tropis S. Scripturae* à Guillaume des Monts.

([16]) Cf. M. GRABMANN, *Die Geschichte der Scholastischen Methode*, tome II, Fribourg, 1911, p. 485; M. MANITIUS, *Geschichte der lateinischen literatur des Mittelalters*, p. 161. Rappelons que le manuscrit PARIS, *Bibl. nat. lat.*, 14445 (ms. Z), souvent cité, a été détruit à Louvain dans l'incendie de la Bibliothèque, au cours de la première guerre mondiale.

10°). Un petit traité anonyme sur les figures du langage et que l'on pourrait aussi intituler *De tropis*.

f° 215ra   Deux premières lignes vides; cet espace a certainement été reservé pour y apposer un titre.

         Incipit: *Solet aliquotiens in scripturis ordo uerborum...*

f° 217va   Explicit: *...memores uxoris Loth.*

         Ce petit ouvrage est consacré à l'explication de termes de rhétorique et de grammaire. De ce fait, ces pages appartiennent tout autant à la rhétorique qu'à la théologie.

         Les mots définis et expliqués ne sont pas rangés alphabétiquement. Une majuscule les signale à l'attention du lecteur. Le premier de ces mots est *Prolepsis*. On trouve par la suite:

         f° 215ra: *Zeuma* (lire *zeugma*), *Ypozeucis;* f° 215rb: *Silepsis, Anafora, Epanalysis* (douteux), *Epizeusis* (?), *Pleonomasia* (sic); f° 215va: *Omeocelleuton* (lire: *homœoteleuton*, de ὁμοιότέλευτον), *Omeoptoton* (lire: homœoptoton, de ὁμοιόπτωτον); f° 215vb: *Tropus, Metaphora,* f° 216ra: *Caracresis* (sic), *Metalepsis*; f° 216rb: *Synodoche, Perifrasis;* f° 216va: *Paramesis, Sincresis* (lire: *syncrasis*), f° 217ra: *Enigma, Carientismos* (lire: *charientismus*), *Paroemia, Sarcasmos,* etc; f° 217rb: *Allegoria;* f° 217va: *Omeosis, Parabola, Paradigma.*

         Ce petit traité a été copié par le scribe auquel nous devons les ouvrages précédents.

         D'après le catalogue de M. Montague Rhodes JAMES, on trouverait aussi cet ouvrage dans le ms. LONDRES, *Lambeth Palace Library 199.*

11°). - f° 218ss. Ensemble de notes sur le texte de Jérémie.

f° 218ra   Changement de copiste.

         Dans la marge supérieure, en petits caractères, ce titre: *Super Jeremiam.*

         Incipit: *In utero. Gal. i, Ysa. cxliii, Sanctificaui, lc. i.*

         Dedite, Joel uiii, A. A. A. Secunda Thi, ii., etc.

Il s'agit donc d'un ensemble de références à des textes bibliques susceptibles d'illustrer le livre de Jérémie.

Ces références sont groupées en alinéas numérotés de I à CVIII, en chiffres romains, que l'on trouve dans la marge.

f° 225ra   Explicit: ...*adimplebitur, p⟨salm.⟩ XV in f⟨ine⟩.*
On remarque que deux folios qui se suivent portent le numéro 221. Le fol. 225 est donc en réalité le fol. 226.

Près de la dernière ligne, on trouve cette indication: *Jerem, XXXI, 14,* qui semble avoir été apposée par la même main qui écrivit le sommaire remarqué tout au début du manuscrit. Elle devrait donc être attribuée à l'archevêque Sancroft.

Selon le catalogue de la Bibliothèque de Lambeth Palace, on trouverait un autre fragment du même ouvrage dans le ms. LONDRES, *Lambeth Palace Library, 142, 2.*

Une fois données ces indications descriptives sur le contenu aussi varié qu'important du ms. LONDRES, *Lambeth Palace Library 122,* il importe de revenir à la *Summa de Sacramentis et Animae consiliis* de Pierre le Chantre dont la présence dans ce manuscrit motivait cette analyse.

Ce manuscrit *Lambeth Palace 122* ne nous transmet qu'une portion assez modeste de la *Summa Cantoris*. Le texte de la *Summa Cantoris* dans ce manuscrit *Lambeth Palace 122* figure parmi les versions courtes de la Somme de Pierre le Chantre, a côté du manuscrit R. Encore faut-il ajouter que cette *Summa* de Lambeth Palace est la seule qui nous soit parvenue acéphale, ou, si l'on préfère, amputée de ses premiers chapitres. C'est là la caractéristique la plus curieuse de ce texte de Lambeth Palace, par ailleurs de bonne qualité.

La *Summa Cantoris* que nous livre le manuscrit de Lambeth Palace, si l'on se réfère à notre édition, s'étend du § 4 au § 110, qu'elle ne reproduit d'ailleurs pas entièrement ([17]). Les deux

---

([17]) Cf. J. A. DUGAUQUIER, *Pierre le Chantre, Summa...,* tome I, Louvain, Lille, 1954, tome II, Louvain, Lille, 1957. Cette somme de Lambeth Palace ne contient donc qu'une faible partie du tome II.

premiers tomes de notre édition étant aujourd'hui sortis de presse, il serait sans doute assez superflu et quelque peu fastidieux de donner toutes les variantes de détail que présente la Somme de Lambeth Palace. Par contre, il serait, croyons-nous, assez utile de signaler les principales de ces variantes, en se référant au texte que nous avons édité, en rappelant éventuellement les sigles des manuscrits qui possèdent les mêmes leçons; et en ajoutant à ces variantes certains «hors-texte» du ms. *Lambeth Palace 122*, c'est-à-dire des notes marginales dignes d'intérêt.

Pour faciliter notre tâche, nous appellerons désormais O le manuscrit LONDRES, *Lambeth Palace Library 122*.

Comparons donc le texte établi et édité par nos soins et celui du manuscrit O.

(Tome I)

§ 1-3 *(De sacramentis legalibus et de effectu sacramentorum)*
Ces 3 chapitres sont omis dans le ms. O.

§ 4 (Tome I, p. 23): O f° 114ra-rb.
l. 20 est] *om.* O
l. 55 excepta] excepto uno O (BWR)
l. 57 qua ratione] quare O
l. 60 istud] illud O

§ 5 (Tome I, p. 26): O f° 114rb-vb.
l. 1 Christi] *om.* O
l. 16 intexto] in texta O
l. 20-22 aque dicuntur...predicta beneficia] *om.* O (ARW)
l. 24 a] *om.* O
l. 25 commemoratis] sacramentis O
l. 33 fidem] Christi *add.* O
l. 35 sibi] eis O
l. 71-75 Sed qualiter... predicabat] *om.* O (ARW)

§ 6 (Tome I, p. 30): O f° 114vb-115ra.
l. 8 enim] etiam O (BRLAW)
l. 15-20 Post circumcisionem... cum fide] *om.* O (R)
l. 28 uidemus] iudeus O
l. 41-47 Sed si hoc est... Christi] *om.* O (ARW)

§ 7 (Tome I, p. 32): O f° 115ra-rb.
l. 6 originalis] peccati *add.* O
l. 7 Iohannis] *om.* O
l. 16 non circumcisus] incircumcisus O
l. 20 quoquomodo] quodammodo O

§ 8   (Tome I, p. 34): O f° 115ra-rb.
       l. 9 symonia est] symonia non est O
§ 9   (Tome I, p. 34): O f° 115rb-116ra.
       l. 40 ab aliis personis] *Post haec uerba*, O *add:* «In sacramento baptismi sicut fere in omnibus aliis (§ 11, l. 1 ss, p. 42)... id uero probatur (§ 12, l. 15, p. 44)», *sed* ua... cat *in marg. scr.*
       l. 41-61 Eumdem effectum... baptismus Christi] *om.* O (ARW)
       l. 62 Tempore gratie... Cf. O f° 115vb.
§ 10   (Tome I, p. 39): O f° 116ra-rb.
§ 11   (Tome I, p. 42): O f° 116rb-va.
       O, *titulum in marg:* De hoc quod dicitur quod Dominus contactu sui corporis uim regeneratiuam contulit aquis.
§ 12   (Tome I, p. 43): O f° 116va-117ra.
       O, *titulum in marg:* An possit celebrari baptismus ubi forte est penuria aque
§ 13   (Tome I, p. 46): O f° 117ra-va.
       l. 48 *Prope hanc lineam, titulum in marg. add.* O: Quid amplius conferat baptismus reuiuiscens uni quam alteri in pari caritate contritio sufficiens (f° 117r)
       l. 71: *Prope hanc lineam, in marg. scr.* O: quere solutionem
       l. 78 *Prope hanc lineam, in marg. scr.* O: An cumulus gratie conferatur per baptismum reuiuiscentem.
       l. 88 *Prope hanc lineam, in marg. scr.* O: quere solutionem
§ 14   (Tome I, p. 50): O f° 117va-vb.
       O, *titulum in marg. add:* quare adultis baptizatis penitentia xL. dierum indicatur
§ 15   (Tome I, p. 51): O f° 117vb.
§ 16   (Tome I, p. 53): O f° 117vb-118ra.
§ 17   (Tome I, p. 54): O f° 118ra-rb.
§ 18   (Tome I, p. 56): O f° 118rb-va.
§ 19   (Tome I, p. 57): O f° 118va-vb.
§ 20   (Tome I, p. 58): O f° 118vb-119ra.
       l. 8 conferre] inferre O
       l. 9 intendat simulacrum baptismi facere] intendat baptizare O
§ 21   (Tome I, p. 60): O f° 119ra-va.
§ 22   (Tome I, p. 64): O f° 119va-120ra.
§ 23   (Tome I, p. 67): O f° 120ra-rb.
§ 24   (Tome I, p. 69): O f° 120rb-122ra.
       l. 5 *prope hanc lineam,* O *add. in marg. titulum istud:* De extrema unctione et prius an paruulus habeat uirtutes

l. 90-92 Super... quiescebat] *om.* O (TPLR)
l. 93 ad hoc forsan] forsan ad hoc O (W)

§ 25 (Tome I, p. 82): O f° 122ra-rb.
§ 26 (Tome I, p. 84): O f° 122rb-vb.
§ 27 (Tome I, p. 86): O f° 122vb-123ra.
§ 28 (Tome I, p. 88): O f° 123ra-rb.
§ 29 (Tome I, p. 90): O f° 123rb-va.
§ 30 (Tome I, p. 91): O f° 123va.
§ 31 (Tome I, p. 92): O f° 123va-vb.
§ 32 (Tome I, p. 93): O f° 123vb.
§ 33 (Tome I, p. 94): O f° 123vb-124ra.
§ 34 (Tome I, p. 96): O f° 124ra-vb.

l. 11 *Prope hanc lineam, in marg. add.* O *titulum istud:* Sufficit in necessitate in quacumque parte corporis sola respersio

l. 19 *Prope hanc lineam, in marg. add.* O: Quid sit hoc sacramentum

l. 34 siue de diuersis] et propter diuersas uices. Nam si de urceo modo aqua superfundatur et post aqua siue de illo siue de alio et tercio similiter, alia erit que una uice, alia que alia superfunditur *add.* O (ARW)

§ 35 (Tome I, p. 99): O f° 124vb-125rb.
§ 36 (Tome I, p. 103): O f° 125rb-vb.
§ 37 (Tome I, p. 106): O f° 125vb-126ra.
§ 38 (Tome I, p. 109): O f° 126ra-rb.
§ 39 (Tome I, p. 111): O f° 126rb.
§ 40 (Tome I, p. 112): O f° 126rb-va.
§ 41 (Tome I, p. 114): O f° 126va-vb.
§ 42 (Tome I, p. 115): O f° 126vb-127ra.
§ 43 (Tome I, p. 117): O f° 127ra-rb.
§ 44 (Tome I, p. 119): O f° 127rb.
§ 45 (Tome I, p. 119): O f° 127rb-va.
§ 46 (Tome I, p. 120): O f° 127va.
§ 47 (Tome I, p. 121): O f° 127va-vb.
§ 48 (Tome I, p. 122): O f° 127vb.
§ 49 (Tome I, p. 123): O f° 127vb-128ra.
§ 50 (Tome I, p. 124): O f° 128ra-rb.

l. 30 *Prope hanc lin. in marg.* O, *add. secunda manus:* Quid est ergo quod post transsubstantiationem in altari factam sacerdos benedicit et signum crucis hostie imprimit cum constet ibi uerum corpus Christi esse.

§ 51 (Tome I, p. 126): O f° 128rb.

§ 52 (Tome I, p. 127): O f° 128rb-va.
O *n'ajoute pas de titre, mais dans la marge, cette note:*
Quod ecclesie iniungantur in dedicatione.

§ 53 (Tome I, p. 129): O f° 128va-vb.
l. 2 causa] *om.* O, scilicet *s. s.* O

§ 54 (Tome I, p. 130): O f° 128vb-129ra.

§ 55 (Tome I, p. 133): O f° 129ra-va.
Titre intercalé: *De eucharistia*
O f° 129r: *note dans la marge inferieure:*

Omnipotenti Deo ego omni die sacrifico, non thuris fumum, non taurorum mugientium carnes nec hyrcorum sanguinem sed immaculatum agnum cotidie in altari crucis sacrifico, cuius carnem postea quam omnis populus credentium manducauerit, et cuius sanguinem biberit. Agnus Dei qui sacrificatus est integer perseuerat et uiuus.

Item. Apostolus. Hoc faciens quotiescumque sumetis.

§ 56 (Tome I, p. 137): O f° 129va-130rb.

§ 57 (Tome I, p. 142): O f° 130rb-130va.

§ 58 (Tome I, p. 145): O f° 130va-vb.

§ 59 (Tome I, p. 146): O f° 130vb-131rb.

§ 60 (Tome I, p. 149): O f° 131rb.

§ 61 (Tome I, p. 150): O f° 131rb-132ra.
l. 18 sanguis] meus *add.* O (BLA)

§ 62 (Tome I, p. 156): O f° 132ra-133ra.
l. 5 Domini] Sed queratur *add.* O
l. 6 specie uini sumatur eadem die Domini sanguis] specie uini eadem die sumatur sanguis Domini O (RA)

§ 63 (Tome I, p. 161): O f° 133ra-rb.

§ 64 (Tome I, p. 163): O f° 133va-vb.
O *add. in marg. titulum istud:* Quare institutum est ut aqua et uinum commisceantur
l. 17-19: Ita continetur in glosa... consecrauerit in corpus] *om.* O (PWAR)

§ 65 (Tome I, p. 166): O f° 133vb-134vb.

§ 66 (Tome I, p. 172): O f° 134vb-135ra.
l. 7-10 Sed cum peccet... indignam confectionem] *om.* O (WAR)

§ 67 (Tome I, p. 173): O f° 135ra-va.
l. 14 delapse] lapse O (BPWAR)
l. 15 linteum]lintheum O (BWR)

l. 21 mystica] mistica O (BWR)
l. 32 Resp.] *om.* O (PWAR) // si] quod si O (WAR)
l. 66 quasi] *om.* O

§ 68   (Tome I, p. 178): O f° 135va-vb.
  1 Queritur] etiam *add.* O
  20 substantialem] supersubstantialem O (WAR)
§ 69   (Tome I, p. 179): O f° 135vb-136ra.
§ 70   (Tome I, p. 180): O f° 136ra.
§ 71   (Tome I, p. 181): O f° 136ra-rb.
  l. 3 perferri] deferri O
  l. 6 quomodo] enim *add.* O
  l. 7 ergo] hic *add.* O (WR)
  l. 18 Abel offerentis] *Post haec verba, add.* O:

Item. Queritur de eo quod dicitur: *Iube hec,etc,* consotiandum corpori tuo. Petere enim uiditur sacerdos ut ipsum corpus societur corpori Christi. Quod uidetur inutile. Nam ipsum corpus quod est super altare est idem corpus Christi quod est in celo. Non ergo uidetur congrua petitio.

Respondent quidam sic: Vnitas ecclesie que significatur et efficitur corpore Christi quod est hic petit ut associetur ipsi corpori Christi, id est ecclesia militans ecclesie triumphanti.

Vel ita. Quedam dissociatio uidetur ⟨eo⟩ quod corpus Christo uidetur hic sub forma panis et non in propria forma. Petit ergo ut in propria forma in celo empireo uidere possit ubi apparet angelis in propria forma.

(Tome II, *De penitentia*).

§ 72   (Tome II, p. 3): O f° 136₁a-vb.
  14 isti] *om.* O
§ 73   (Tome II, p. 7): O f° 136vb-137ra.
  l. 21 uites] uitet O (WAR)
  l. 26 honera] onera O (BAR)
§ 74   (Tome II, p.8): O f° 137ra-va.
§ 75   (Tome II, p. 13): O f° 137va-vb.
§ 76   (Tome II, p. 15): O f° 137vb-139ra.
§ 77   (Tome II, p. 25): O f° 139ra-vb.
§ 78   (Tome II, p. 30): O f° 139vb-140vb.

§ 79 (Tome II, p. 36): O f° 140vb-141vb.
 l. 28 quam homo patitur] *om*. O (WAR)
 l. 30 aliud] uero *add*. O (comparer WAR)
 l. 50 Magister O] Magister S *scr*. O

§ 80 (Tome II, p. 43): O f° 141vb-142vb.
 l. 14 concupitum] cogitatum O (WAR)
 l. 92 bona] et *add*. O (WAR)
 l. 123 aliquis] quis O (WAR) // aspiciat] inspiciat O (WAR)
 l. 138 ut] si *add*. O (WLAR)

§ 81 (Tome II, p. 50): O f° 142vb-143ra.
 l. 11 Dicitur] Dicimus O
 l. 15-20 Pone enim... prime gratie] *om*. O (WAR)
 l. 36 illustrationem]uisitationem O (BWAR)
 l. 47 in ipsum]interim O (WAR)
 l. 53 uerbum merendi improprie] improprie uerbum merendi O (WAR)
 l. 59 exhibuit] gessit O (WAR)

§ 82 (Tome II, p. 53): O f° 143ra-rb.
 l. 39-74 Quid est ergo... penitus dirigit] *om*. O. (WAR)

§ 83 (Tome II, p. 57): O f° 143rb-vb.
 l. 8 euenisse] prouenisse O (WAR)
 l. 14 ipsa] illa O (WAR) // morte esset] esset morte O (WAR)
 l. 66 intentione] ratione O (WAR)

§ 84 (Tome II, p. 61): O f° 143vb-144rb.
(Rappelons qu'à partir du fol. 144r on remarque un changement de main. L'écriture est plus grande).
 l. 32 etiam] enim O (WAR)
 l. 43 sit potestatis] potestatis sit O (WAR)

§ 85 (Tome II, p. 64): O f° 144rb-145ra.
 l. 6 Item] Habet O (WAR)
 l. 9 fortasse] forte O (WAR)
 l. 30 salomonicum] in parabolis O (Cf. salomonicum in parabolis WLAR) // paupertatem] mendicitatem O (WAR)

§ 86 (Tome II, p. 68): O f° 145ra-146ra.
 l. 36 ea Christus nonnunquam] Christus ea nonnunquam O (WAR)
 l. 39 ergo] uero O (WAR)
 l. 41 Vtilis est] rei *add*. O (ei *add*. WAR)
 l. 95 bonum] opus add. O (WAR)
 l. 102 que est] etiam O (WAR)

§ 87 (Tome II, p. 77): O f° 146ra-rb.
§ 88 (Tome II, p. 79): O f° 146rb-vb.
§ 89 (Tome II, p. 82): O f° 146vb-148ra.

§ 90 (Tome II, p. 91): O f° 148ra-vb.
  l. 25-28 Vnde in Mattheo... nil impunitum] *om.* O (TR)
§ 91 (Tome II, p. 97): O f° 148vb-149ra.
§ 92 (Tome II, p. 98): O f° 149ra-vb.

Dans la marge inférieure du manuscrit on trouve ces lignes:

Intelligatur quod aliquis decedat cum solo ueniali sine caritate licet impossibile sit. Nonne puniretur eternaliter. Quid ergo mirum si cum mortali sic punitur uel pocius, si sic fieri posset, quod cum solo ueniali decedere posset, uidetur quod nisi ratione mortalis propter consortium scilicet eius, puniatur eternaliter sed quia sine caritate decessit, cum caritas uenialia secum dimittat. Item. Nonne eadem ratione dicetur ipsum modo dignum tali pena ratione mortalis ? Aduerto ([18]) quia si sic modo decederet, sic puniretur.

§ 93 (Tome II, p. 104): O f° 149vb-150ra.
§ 94 (Tome II, p. 106): O f° 150ra-rb.
§ 95 (Tome II, p. 107): O f° 150rb-va.
  l. 20-64: Sed Augustinus ... uel inutile] *om.* O (R)
§ 96 (Tome II, p. 110): O f° 150va-151rb.
  l. 52-53 hic sufficienter... penitentiam] punitum hic sufficienter per penitentiam O (Cf. R)
§ 97 (Tome II, p. 117): O f° 151rb-vb.
  l. 71-80 Si Dominus... uindictam presentem] *om.* O (R)
§ 98 (Tome II, p. 120): O f° 151vb-152va.
§ 99 (Tome II, p. 124): O f° 152va-155ra.
  l. 37-38 non est locus merendi] locus est metendi non merendi O (cf. PR)
  l. 50 Ponimus] Ponamus O (R)
  l. 141 Aliquis... subtilius directe] Subtilius aliquis qui etsi non doleat directe O (R)
  l. 167 reputabitur pro peccato] reputetur peccatum O (R)
  l. 231 est forte morosa delectatio] forte est morosa delectatio O (PL)
§ 100 (Tome II, p. 141): O f° 155ra-va.
§ 101 (Tome II, p. 144): O f° 155va-156va.
§ 102 (Tome II,p. 150): O f° 156va-vb.

([18]) Aduerto] Adiuncte *scr.* O.

PROLEGOMENA 57

§ 103 (Tome II, p. 152): O f° 156vb-158ra.
 Au fol. 157r, on trouve cette glose, dans la marge inférieure:
 Est ebrietas bona de qua scriptum est: *Bibite karissimi et inebriamini* ([19]). Hec sic inebriat ut sobrios reddat per quam et *pauper* spiritu *tunc cornua sumit* ([20]), de quibus dicitur: Tunc *exal⟨tabuntur⟩cor⟨nua⟩ iusti* ([21]): Hec est qua grex obliuiscere esu⟨riuit⟩ ([22]).
 Item. Obliuiscere populum t⟨uum⟩ et d⟨omum⟩ p⟨atris⟩ t⟨ui⟩ ([23]).
 Item. Posteriorum oblitus i. an. se ex. ([24]).
 Item. Secundum quosdam sic distinguitur:
 Sunt quidam qui se inebriant, exhilarant, sicut solet fieri ut post prandium hilariores fiant. Vt legitur de Samsone quod inebriatus, idest, exhilaratus. Non enim ebrius fuit, cum nazareus esset, et talis ebrietas uicinatur peccato.
 Sunt quidam qui se ex precepto medici bibunt uinum forte quia infirmitati eorum hoc expedit et inebriantur. Nec talis peccatum est.
 Sunt quidam habentes debilem cerebrum et facile inebriantur ita ut garruliores fiant et disputatores. Vnde *fecundi calices,* etc ([25]). Hec grauior est, ueniale tamen.
 Sunt quidam qui ita inebriant ut quodammodo a mente alienent, ut etiam si necesse essent in articulo mortis, nescirent confiteri et nec fidem exprimere, etiam interrogati. Hec mortalis est.
 Relique uero ex consuetudine ut ira fiunt mortales dicit m⟨agister⟩ W.
§ 104 (Tome II, p. 159): O f° 158ra-vb.
 11 contemperat] et detegat *add.* O.
§ 105 (Tome II, p. 163): O f° 158vb-159va.
 87 sit] *om.* O (LAR).
§ 106 (Tome II, p. 168): O f° 159va-160va.

---

[19] Cant., V, 1.
[20] Allusion à Ovide, De arte amandi, lib. I, v. 239.
[21] Allusion probable à Psalm., LXXIV, 11.
[22] Allusion non identifiée.
[23] Psalm., XLIV, 11.
[24] Citation non identifiée.
[25] Horace, Epîtres, I, V, v. 19.

§ 107 (Tome II, p. 174): O f° 160va-161vb.
§ 108 (Tome II, p. 179): O f° 161vb-162rb.
§ 109 (Tome II, p. 183): O f° 162rb-163va.
§ 110 (Tome II, p. 190): O f° 163va-164rb.

La somme du manuscrit O s'achève § 110, l. 69 (Tome II, p. 193): «...*ergo non obseruabit se caute a futuris, quod utique non expedit*».

Il est curieux de constater que cette *Summa Cantoris* du manuscrit O s'achève brusquement sur cette ligne 69 du § 110. En effet, ce § 110 n'est donné intégralement que par trois manuscrits: T, B, P, (auxquels il fallait sans doute ajouter le ms. Z, détruit pendant la première guerre mondiale). Les manuscrits W et A négligent la première partie du § 110 qu'ils ne commencent qu'à la ligne 70. Enfin, le manuscrit L s'arrête brusquement à la ligne 69, pour ajouter sans solution de continuité le *De exteriori penitentia* commun à W, L, A (Appendice I du tome II), et reprend ensuite le § 110 à la ligne 70. Par conséquent, dans les manuscrits W, L, A, on trouve, avant la ligne 70 du § 110 le texte de l'Appendice I ([26]). Il semble donc que les lignes 69-70 constituent une limite d'une partie de la *Summa Cantoris*, au moins dans une tradition manuscrite.

Il faut aussi rappeler que le manuscrit O nous transmet le *De homine assumpto* de la *Summa Cantoris* ([27]), mais ce petit traité christologique (O f° 172ra-176ra) est séparé du texte de la *Summa* par d'autres écrits ([28]). Dans ce manuscrit O, le *De homine assumpto* apparaît comme un petit traité distinct et anonyme.

Quel intérêt présente donc le manuscrit O pour l'édition de la *Summa de Sacramentis et Animae consiliis* de Pierre le Chantre ?

Cet intérêt est assez réduit. Et ceci ne doit pas surprendre si l'on observe que le manuscrit O ne nous livre qu'une *Summa Cantoris* très écourtée.

D'une part — et c'est là une caractéristique exclusive du manuscrit O — les trois premiers chapitres de la Somme de Pierre le Chantre font défaut. Il est à peu près hors de doute qu'il s'agit d'une omission intentionnelle.

D'autre part, cette *Summa* du manuscrit O ne s'étend pas

---

[26] Cf. Tome II, p. 190, et l'Index, p. 541.
[27] Édition, tome III, 2, § 353.
[28] Cf. *supra*, p. 38-45.

bien loin: elle s'achève brusquement, nous l'avons vu, au milieu d'un chapitre du traité de la pénitence, sans raison apparente.

Par ses dimensions (abstraction faite de l'omission des trois premiers chapitres) le texte que nous offre le manuscrit O se rapproche donc de celui du manuscrit R. Celui-ci s'arrête à la ligne 49 du § 110, celui-là à la ligne 69.

Or, les § 1-110 de la *Summa Cantoris* ne posent guère de problèmes réellement difficiles. Le manuscrit O eût été particulièrement intéressant s'il nous avait permis de jeter quelque lumière sur le texte du tome III de notre édition. Malheureusement, le manuscrit O qui ne nous transmet qu'un fragment relativement modeste du tome II, ne nous fournit absolument rien pour le tome III, à l'exception du *De homine assumpto* (§ 353). On comprend dès lors que, ne pouvant faciliter notre tâche là où elle se complique, ce manuscrit O, en dépit de ses qualités, ne peut très longuement retenir notre attention.

Nous n'avons pas signalé toutes les variantes de détail du manuscrit O. Si l'on considère celles que nous avons citées, il semblerait que l'on soit en droit d'affirmer que le manuscrit O rentre dans la famille WLAR, ou mieux dans le groupe WAR. Mais O comme R, ignore le *De exteriori penitentia* commun à WLA (App. I du Tome II), pour autant que l'on puisse en juger. En fait, il semble surtout que O soit proche parent du manuscrit R (de Reun). Encore faut-il préciser que le texte de O est nettement supérieur à celui de R. ce qui n'implique pas que R puisse dépendre directement et immédiatement de O. Où le copiste aurait-il trouvé le début de l'œuvre du Cantor, absent du texte de O ? Pour quelle raison ce copiste aurait-il écarté les quelques lignes que O ajoute au § 71 et que rien ne distingue de ce qui précède. Et il demeure que le texte de O, et dans une certaine mesure celui de R, est plus proche de celui de T B que ne le sont ceux de W ou L.

II

Le cod. LONDRES, Lambeth Palace Library 80

Ce deuxième manuscrit de Lambeth Palace nous retiendra moins longuement, car en fait d'œuvres de Pierre le Chantre, il ne nous transmet que le *De homine assumpto* de la *Summa Cantoris,* expressément attribué d'ailleurs à un autre auteur ([29]).

Ce manuscrit, qui se présente actuellement sous une reliure de veau, comprend plus de 246 folios (dimensions: $12\frac{3}{4} \times 8\frac{1}{4}$ ins.): fol. A B (papier) + 244 (parchemin) + fol. 245, 246 (papier).

Mais ce manuscrit est en réalité composé de deux volumes:

I. *Premier volume:* f° 1-168. Texte sur deux colonnes de 56 et 57 lignes. Deux écritures: l'une de la fin du XIV° siècle; l'autre

du début du même siècle.

II. *Deuxième volume:* f° 169-244.

Dans les fol. 169-227, on remarque un texte en deux colonnes de 57 lignes. L'écriture, du XIII° siècle, est très petite, mais soignée et relativement bien lisible.

A partir du fol. 228 l'écriture est différente, quoique toujours du XIII° siècle. Les abréviations sont extrêmement nombreuses: de ce fait, le texte est dense et contracté.

Ce deuxième volume proviendrait de Lanthony priory, couvent de chanoines augustins, près de Gloucester. Il est d'ailleurs possible que le premier volume ait la même origine.

Au verso du premier folio (papier), on trouve un sommaire qui serait dû à la plume de l'archevêque Sancroft.

  Hugonis uel Hugutionis pisani episcopi Derivationis magnae vel Dictionar. Etymolog.

  Bernardi prepositi papiensis Breviarium iuris can. vel 5 l. Decretalium.

  Anonymi tractatus quidam theologici de Deo, creatione, angelis, homini etc.

([29]) Consulter: Montague Rhodes JAMES, *A descriptive catalogue to the manuscripts in the Library of Lambeth Palace,* Cambridge, University Press, 1930, p. 135-137.

Le manuscrit contient plusieurs ouvrages:

1°). *Hugutionis Pisani Deriuationes* (30).

f° 1r   Table de l'ouvrage en 3 colonnes. Écriture plus récente. Cette table alphabétique est précédée d'une courte note: *Quoniam plures dictiones deriuatiue...* Le premier mot de la table est *Aaron*.

f° 7r   Fin de la table, dont le dernier mot est: *Xirramentum*. Après la table on trouve cette curieuse mention: *Penna precor siste, quoniam liber explicit iste.*

f° 7v-10v   Inutilisés.

f° 11ra   Incipit de la Préface: *Cum noster prothoplasti suggestiua preuaricatione...*

f° 11rb   Explicit de la Préface:...*auspicium sanciatur.*
Incipit de l'ouvrage: *Augeo. ges. auctum, idest, amplificare...*

f° 109r   Changement de main. L'écriture semble de la fin du XIVᵉ siècle, tandis que dans les folios précédents elle était du début du même siècle.

f° 164va   Le dernier mot exposé: *Zorobabel*.

f° 164vb   Explicit: *zucharia zuchre*.
Explic. magne deriuaciones sec. hugutionem pysanum.

f° 165-167   Inutilisés.
(2ᵉ *volume*)

---

(30) Cf. Max MANITIUS, *Geschichte der Lateinischen Literatur des Mittelalters*, t. III, p. 191-193.- ROSSI, *Per una edizione delle Magnae derivationes di Uguccione da Pisa*, in *Atti del III congresso nazionale di studi romani*, II, p. 42-46, Roma, 1935.- A. MARIGO, *I codici manoscritti delle Derivationes di Uguccione Pisano*, Rome, 1936.

2°). *Breuiarum Bernardi Prepositi Papiensis.*

f° 168r   Inutilisé.

f° 168v   On trouve cette note, dûe, selon le catalogue, à la plume de Morgan of Carmarthen:
In isto vol. continentur breviarium Bernardi prepositi papiensis cum alio valde utili theolog.

f° 169r   Plusieurs notes et une copie, exécutée au XIII° siècle, d'un rescrit du pape Innocent à Étienne Langton: *N. presumptorum punita temeritas nimis insolesceret...*

f° 169v   Inutilisé.

f° 170r   *Incipit Breuiarium Bernardi Prepositi Papiensis*
Incipit de l'ouvrage:

IUSTE IUDICATE
et nolite iudicare secundum faciem

Écriture du XIII° siècle, très petite, mais lisible. Le travail est soigneusement exécuté. On remarque des lettrines alternativement rouges et vertes.
L'ouvrage de Bernard de Pavie est divisé en cinq livres.
Au début, les notes sont assez nombreuses dans la marge, mais deviennent peu à peu très rares.
Titres intercalés.

f° 227rb   Explicit: ...*Scripsimus uobis ad suggestionem h. clerici u^t cam. i.*
D'autre part, dans la marge inférieure du fol. 227r, on trouve une lettre d'Innocent III.
L'écriture est un peu plus grande que celle dans laquelle se trouve copié l'ouvrage de Bernard de Pavie.
En capitales: *Innocentius papa tercius*
Incipit: *Cum illorum absolutio qui per* (sic) *uiolenta manuum iniectione in clericos labem excommunicationis incurrunt...*

Cettre lettre d'Innocent III figure au livre V de la Collection des Décrétales de Grégoire IX ([31]).

f° 227v   Sur deux colonnes, on trouve des fragments de lettres pontificales. Cette indication du catalogue de Lambeth Palace peut être précisée. Ces fragments sont en fait deux lettres d'Innocent III qui figurent également parmi les Décrétales de Grégoire IX.

f° 227va   Incipit: *Nuper a nobis tua fraternitas requisivit quid sit de illis laicis sentiendum qui clericos uiolenter, sine lesione tamen, in custodia detinent publica vel privata...* ([32]).

f° 227vb   Explicit: *...a suo absoluatur episcopo vel proprio sacerdote.*
Une ligne inutilisée.
Incipit: *Finem litibus cupientes imponi...*
Explicit: *...alterius falsas excepciones componat* ([33]).

3°). *Mélanges théologiques sur divers sujets.*

A partir du fol. 228, l'écriture devient très petite, extrêmement abrégée. En dépit de l'aspect particulier des derniers folios, on peut penser que l'ensemble des fol. 228-244 est dû au même scribe.

Nous ne sommes pas en présence d'un seul ouvrage sur un sujet bien déterminé, mais d'un ensemble de fragments ou de petits traités, où les problèmes de la création et du *De homine assumpto* tiennent une large place.

f° 228r   Dans la marge supérieure, cette indication: *Spiritus Sanctus assit nobis gratia.*
Incipit: *Qui monitis uestris et precibus que supra precepta sunt obtemperare distuli...*

([31]) Grégoire IX, *Decretalium collectio,* lib. V, tit. XXXIX, cap. 32 (éd. Ae. Friedberg, *Corpus Iuris Canonici,* tome II, col. 902).

([32]) Grégoire IX, *Decretalium collectio,* lib. V, tit. XXXIX, cap. 29 (éd. Ae. Friedberg, *Corpus Iuris Canonici,* tome II, col. 900).

([33]) Grégoire IX, *Decretalium collectio,* lib. II, tit. XIV, cap. 5 (éd. Ae. Friedberg, *Corpus Iuris Canonici,* tome II, col. 293).

f° 234ra   Explicit: ...*natura uini cum illud subiectum non esset sua natura* (16ᵉ ligne).
Une ligne non écrite. Changement de sujet.
Incipit: ⟨P⟩*rincipio creauit Deus celum et terram. Nomine terre intelligitur hec machina mundialis...* (la création, les anges).

f° 236rb   Explicit: ...*et hoc fiet per assumptionem hominum ad consortium angelorum.*

f° 236v   Vide. Inutilisé.

f° 237ra   Incipit (le texte est certainement acéphale): ...*casu consentit peccat ex parte regis...*
Explicit: ...*iudicandus.*
Dernière ligne du f° 237ra, nouveau sujet:
Incipit: *De homine assumpto tres sunt celebres opiniones...*

f° 237rb   Exposé de ces trois opinions et arguments en faveur de chacune d'elles.
Explicit: ...*in persona generalis hominis, id est, hominis generaliter considerati.*

f° 237va   Même écriture. Nouveau sujet: la création et en particulier le statut du premier homme dans le Paradis terrestre.
Incipit: *Sicut a principio dictum est: In principio creauit Deus celum et terram, etc, dictum est: Hominem fecit ad ymaginem et similitudinem Dei...*
En fait, il y a plusieurs questions traitées à la suite les unes des autres. On remarque:

f° 238ra   *Ei quod dictum est, scilicet quod homo ante peccatum non posset ledi...*

f° 238rb   *Queri autem solet an in coitu, si ante peccatum fuisset, an delectatio interueniret...*
Cum dictum sit: Adam habuisset gratiam ante peccatum...
Le fol. 238v est lui aussi consacré au statut d'Adam.

f° 239ra   *Ei quod dictum est penitentiam peccati...*

f° 239va   *Solet anima distingui in duas partes...*

f° 241rb   Les serments, puis:
Incipit: *Prophetia est inspiratio uel reuelatio Dei...*

f° 241v   Même écriture, quoique l'encre devienne extraordinairement pâle. On remarque ces titres courants: *De statu angelorum* (f° 241va), *De fide* (f° 241vb).

f° 242ra   Au milieu de la colonne, une question anonyme *De homine assumpto*

f° 243vb   Explicit: *...quod uidetur absurdum esse.*
Titre d'une nouvelle question: *Argumentum et questio composita a magistro Iohanne Cornubiensi recitata Rome.*
L'écriture est toujours la même, mais l'encre devient à nouveau plus noire.
Incipit: *Circa questionem hanc de homine assumto multi sibi assumpserunt querelam...*

f° 244vb   Explicit: *...a filiatione uidetur inditum esse hoc nomen Iesus.*

Comme on le constate, les derniers folios du cod. *Lambeth Palace Library* 80 nous offrent une petite série de *Questiones de homine assumpto* (f° 237rb; f° 242ra-243vb; f° 243vb-244vb). La dernière d'entre elles, expressément attribuée à Jean de Cornouailles, n'est autre que le chapitre *De homine assumpto* de la *Summa Cantoris* ([34])

Il apparaît aussitôt que ce titre: *Argumentum et questio composita a magistro Iohanne Conubiensi recitata Rome* est erroné: S'il est exact que Jean de Cornouailles composa, en vue des débats du concile de Latran, un traité christologique destiné à réfuter le nihilisme de Pierre Lombard, cet écrit est le fameux *Eulogium*, et non cette *Questio* que l'on retrouve par ailleurs dans des écrits de Pierre le Chantre.

([34]) Édition, tome III, 2, § 353.

Néanmoins, le fait que ce *De homine assumpto* soit ici placé sous le nom de Jean de Cornouailles, — et le fait que, dans le manuscrit O (LONDRES, *Lambeth Palace Library 122)*, ce même traité se présente comme séparé et distinct de la *Summa Cantoris*, ces faits disons-nous, soulèvent une question: le *De homine assumpto* de la *Summa Cantoris* est-il l'œuvre de Pierre le Chantre ou de Jean de Cornouailles ou de quelque autre théologien ? Nous reviendrons ultérieurement sur ce délicat problème [35].

---

[35] Voir *infra*, chapitre VI, p. 437.

CHAPITRE III

PROBLÈMES LITTÉRAIRES

AUTHENTICITÉ DE LA TROISIÈME PARTIE DE LA
SUMMA CANTORIS
DATE DE COMPOSITION — HISTOIRE DE SON
ÉLABORATION ET DE SA TRADITION MANUSCRITE

La complexité de la troisième partie de la *Summa Cantoris* nous donne l'occasion de revenir sur les problèmes littéraires que soulève la *Summa de Sacramentis et Anime consiliis*.

Nous nous efforcerons, dans ce chapitre III, d'élucider et de préciser le sens des conclusions qui, à nos yeux, ressortaient de l'analyse des manuscrits donnée autrefois ([1]), mais qui risquent d'être moins claires pour le lecteur pressé qui n'a pas pris la peine de nous suivre dans les démarches de notre longue étude descriptive et analytique des textes qui nous sont parvenus.

Dans les deux premiers volumes, nous avons souligné le caractère de notes de cours de maints fragments de la *Somme* ([2]). On s'étonnera peut-être de ce que nous n'ayons pas fait preuve de plus de zèle pour tracer une frontière entre les textes *primitifs* et ceux qui y furent ajoutés par la suite. Ce travail nous avait séduits, mais nous avons dû renoncer à cette longue entreprise, n'ayant pu découvrir un critère satisfaisant.

L'étude du style ne pouvait nous être d'aucun secours. Pierre le Chantre ne s'est nullement soucié de composer un ouvrage remarquable par ses qualités littéraires. Son but est simplement didactique. Aussi a-t-il jugé inutile de faire étalage de son éru-

---

([1]) J. A. Dugauquier, *Pierre le Chantre, Summa de Sacramentis et animae consiliis,* tome I, Louvain, 1954, p. IX ss.

([2]) *Summa...,* tome I, p. XXXVI, LVII-LVIII, XC, XCI-XCII; tome II, p. VIII-XV.

dition, de faire preuve d'esprit et d'ironie. Il y a à cet égard un contraste étonnant entre la *Summa* et le *Verbum abbreviatum* (³). Le style de la *Somme* est sec, dépouillé, impersonnel. D'ailleurs, il serait très difficile de reconnaître à leur style les auteurs d'ouvrages similaires à la fin du XIIe siècle. Remarquons néanmoins que certains chapitres du tome III, et plus particulièrement ceux consacrés à la simonie, contiennent des obscurités, alors que les passages inintelligibles sont rares dans le reste de l'ouvrage.

Cependant, une lecture attentive de ce troisième tome permet de déceler des éléments de solution qui ne font que confirmer notre première hypothèse, à savoir, l'existence d'une somme primitive, qui fut l'objet de plusieurs remaniements dans des circonstances qu'il reste à élucider.

I

ARGUMENTS
EN FAVEUR DE L'AUTHENTICITÉ

Nous trouvons tout d'abord dans le texte latin de ce troisième tome des arguments en faveur de l'authenticité, non seulement de cette troisième partie de la *Summa Cantoris,* mais de celle-ci toute entière. Il est vrai que nous les emprunterons surtout aux chapitres sur la simonie.

Tout au début des *questiones de simonia* (⁴), on découvre une allusion discrète à un autre ouvrage. En effet, l'auteur nous ap-

---

(³) Ce contraste a été souligné, non sans quelque exagération, par B. HAURÉAU. Celui-ci estime que, dans le *Verbum abbreuiatum*, Pierre le Chantre se montre «un discoureur abondant, ingénieux, qui toujours vise à faire preuve d'esprit, toujours cite à l'appui de ses dires, bien ou mal à propos, quelque poète profane... un vrai lettré qui s'est efforcé de le paraître et y a réussi», tandis que dans la *Summa*, c'est «un écrivain sec, pressé de conclure, qui semble n'avoir lu que les casuistes et n'avoir pas appris d'eux qu'on peut donner des leçons de morale avec quelque agrément» (*Notices et extraits de quelques manuscrits de la Bibliothèque Nationale*, tome II, p. 7).

(⁴) Édition, tome III, 2, cap. I, §§ 156-193.

prend qu'il a déjà traité de la simonie, mais ailleurs et dans un autre but:

«Sincera debent esse officia clauium sed maxime corrumpuntur per fermentum symonie. Vnde propositum nostrum est tractare de symonia inquirendo casus circa eam subtiles. *Alibi quidem de ea tractavimus, sed alio fine, eius scilicet pestem detestando*» ([5]).

D'autre part, les définitions ou descriptions de la simonie sont à peu de chose près toujours identiques, au moins dans la rédaction T B.

Citons:

([5]) T f° 81rb, édition, tome III, 2, § 156. Il convient d'ailleurs de souligner que cette allusion se retrouve dans les rédactions P et Z. Cf. P f° 94rb: «Circa autem usum clauium et officium de quibus dictum est, multiplex incidit corruptio quam symoniam solemus nominare, de qua sumus tractari, non ad ipsius detestationem, quoniam eam satis detestati sumus alibi, sed ad inuestigationem subtilium ipsius laqueorum» (Édition, tome III, 2, App. IV, 1). Nous verrons que cette allusion apparaît plus curieusement encore dans les *Questiones de symonia* de Munich, voir *infra*, p. 239.

TB

Symonia autem sic describitur: Symonia est quotienscumque aliquid fit, quo non gratis uel minus gratis conferatur uel exerceatur aliquod spirituale uel spirituali annexum ([6]).

Symonia est quotiens aliquid attenditur uel fit uel omittitur quo non gratis uel minus gratis conferatur uel exerceatur aliquod spirituale ([9]).

Symonia est studiosa uoluntas faciendi aliquid collationis spiritualium, siue sit priuata gratia. siue popularis aura, siue obsequium, siue uiolentia, siue pecunia, siue aliud tale ([10]).

Symonia est quotiens aliquid fit uel attenditur quo non gratis uel minus gratis conferatur spirituale ([11]).

Symonia est studiosa uoluntas faciendi aliquid quo non gratis accipiatur uel conferatur spirituale uel spirituali annexum ([12]).

P

Symonia uero describitur sic: symonia est quotiens aliquid fit uel dicitur, uel pleno consensu conciptur, uel attenditur uel consideratur, quo minus gratis uel non gratis spiritualia suscipiantur uel conferantur uel exerceantur ([7]).

Z

Symonia est quotiens aliquid fit uel dicitur uel pleno consensu accipitur uel attenditur, quo non gratis uel minus gratis aliquod spirituale uel adnexum spirituali conferatur uel exerceatur ([8]).

([6]) T f° 81va, édition, tome III, 2, § 156.
([7]) P f° 94va, édition, tome III, 2, Appendice IV, 1.
([8]) Z f° 211rb, édition, tome III, 2, Appendice V. 1.
([9]) T f° 82rb, édition, tome III, 2, § 156.
([10]) T f° 85ra, édition, tome III, 2, § 160.
([11]) T f° 95ra, édition, tome III, 2, § 188.
([12]) T f° 97va, édition, tome III, 2, § 188. Cette définition ressemble beaucoup à celle qu'a donnée Maître RUFIN dans sa *Summa Decretorum*, prol. in C.I (éd. SINGER, p. 197).

Néanmoins, assez paradoxalement, le meilleur commentaire de cette définition se trouve dans P; Z ne la reproduisant que fâcheusement altérée. Ce qui d'ailleurs ne prouve rien, le texte de P n'étant exempt ni de lacunes, ni d'erreurs.

Nous ne croyons pas superflu de citer de front les diverses rédactions de ce commentaire. La fermeté de l'exposé de P contraste curieusement avec la démarche sinueuse et hésitante qu'à adpotée le rédacteur de T:

TBWL

Symonia autem sic describitur: *Symonia est quotienscumque aliquid fit, quo non gratis uel minus gratis conferatur aliquod spirituale uel spirtuali annexum...*

Notabiliter autem diximus *fit*, non *attenditur*, uel *consideratur* ne dicatur collationes beneficiorum ecclesiasticorum factas cognatis symoniacas esse.

... ...

Quod autem uerbum *fit* debeat notare, non solum plenum consensum, qualis fuit in Symone Mago, sed etiam munus a lingua, id est

P

Symonia uero describitur sic: *symonia est quotiens aliquid fit uel dicitur uel pleno consensu concipitur uel attenditur uel consideratur, quo minus gratis uel non gratis spiritualia suscipiantur uel conferantur uel exerceatur.*

Pleno consensu concipitur addo propter illos qui mouentur ad emenda spiritualia ut Symon Magus. Non dico primo motu sed post consensum et deliberationem diutinam super hoc habitam, quod symoniacum est.

Attenditur dico, ad exclusionem

Z

Simonia est quociens aliquid fit uel dicitur uel pleno consensu accipitur, uel attenditur quo non gratis uel minus gratis aliquod spirituale uel adnexum spirituali conferatur uel suscipiatur, uel exerceatur. Sic dicitur contra ementes sibi beneficia per numeratam pecuniam uel per aliqua obsequia.

Dicitur appono contra adulatores qui beneficia per adulationem adepti sunt, adeo symoniace tenent ac si pecuniam numerassent.

Pleno consensu dictum est propter eos qui mouentur intus ad adulationem, et a manu, id est pecuniam, et ab obsequio, etiam adhuc considerationem carnis et sanguinis.

....

Ex supradictis, patet quod ponere sub pretio sacramenta symoniacum est. Similiter sacramentalia...

Item. Beneficia ecclesiastica percipere. Sed quid si non ponantur sub spe pretii ? Symonia enim nichilominus est, licet pactio non interueniat. Sed esto quod dans beneficium uel faciens officium sacramentale conceperit spem pretii, non interueniente pactione... In hoc casu symonia est quantum ad dantem, non quantum ad accipientem, qui nichil tale cogitat.

Sed postquam resciuerit accipiens, quod hoc fine dederit, tenebitur ne resignare ? Videtur, si non consanguinitatis ob quam quis alii confert beneficium, quam consanguinitatem non dicitur aliqus facere.

Minus gratis dico, propter illos qui cum facturi sunt iusticiam, magis tamen accelerant propter munus inde acceptum.

Exerceantur dico, propter illos qui ob hoc tantum missas celebrant ut inde nummos extorqueant.

Dicitur appono, propter adulatores qui beneficia que per adulationem adepti sunt, adeo symoniace tenent, ac si pecuniam numerassent.

Suscipiantur addo, propter illos qui hac sola causa accedunt ad obsequium alicuius prelati, ut remunerentur in beneficio spirituali, quod forte symoniacum est ([14]).

emendum spiritualia, ut Simon magus uolens emere potestatem faciendi miracula. Non dico primo motu qui uenialis est, sed motu deliberationis et consensus super hoc habiti, quod scilicet ita moueri simoniacum est.

Confertur diximus quantum ad illos qui conferunt et ad ea que possunt conferri, ut baptismus, ordo, prebende, ecclesie et huiusmodi.

Suscipiuntur, quantum ad illos qui indebite suscipiunt ut illi qui hac sola de causa accedunt ad obsequium prelatorum ut remunerentur ab eis in beneficio aliquo spirituali, quod forte simoniacum est.

Exerceantur dictum est quantum ad illa que non possunt conferri uel suscipi, ut sacramentum eucharistie et huiusmodi. In his

---

([14]) P f° 94va-vb, édition, tome III, 2, Appendice IV, cap. 1.

PROLEGOMENA

resignauerit consentire fide conceptioni qua ille concipit spem pretii et ita participere peccato...
Sed dicetur taciturnitatem excusare dantem uel accipientem, cum spe dandi uel accipiendi proposito. Contra. Quod taciturnitas accuset et inducat symoniam ostenditur...

Ideo etiam uidetur corrigenda sic symonie descriptio: *Symonia est quotienscumque aliquid attenditur uel fit uel omittitur quo non gratis uel minus gratis conferatur uel exerceatur aliquod spirituale.* Primo uerbo includitur spes et carnalis affectio; ultimo taciturnitas, medio, triplex munus quod attenditur in opere. Sed secundum hanc descriptionem uidetur symoniaca collatio facta intuitu carnis et sanguinis principaliter considerata [13].

committitur simonia quando propter pecuniam exercentur.
Attenditur dixi contra illos qui nepotibus et consanguineis suis ecclesiastica beneficia conferunt, attendentes in eis consanguinitatem tantum, non uite meritum uel dignitatem [15].

---

[13] T f° 81va-82rb, édition, tome III, 2, § 156.

[15] Z f° 211rb-va, édition, tome III, 2, Appendice V, cap. 1.

Enfin l'auteur reste fidèle à sa classification quadripartite des *spiritualia* que l'on retrouve dans le *Verbum abbreviatum* et dans les différentes rédactions de la *Somme*:

Verbum Abbreviatum	TBWL	P	Z
Sunt quatuor genera spiritualium. Sunt enim spiritualia per quae habetur uel habere praesumitur Spiritus Sancti, ut virtutes et miracula. Sunt etiam spiritualia per quae confertur, vel collata augetur Spiritus Sancti gratia in aliquo, ut ecclesiastica sacramenta praeter matrimonium, ordines, officia etiam ecclesiastica. Spiritualia sunt annexa spiritualibus, puta adjuncta personis ecclesias-	Solent autem distingui quatuor genera spiritualium. Ea scilicet per que habetur Spiritus Sanctus uel haberi presumitur, ut virtutes et miracula que sunt impreciabilia, et de iure, et de facto. Item. Ea in quibus confertur Spiritus Sanctus, uel collatus augetur ut sacramenta et ordines, que impreciabilia sunt de iure, licet non de facto, ut ecclesiastica officia. Item. Annexa spiritu-	...necessaria est spiritualium diffinicio quadrimembris cum circa spiritualia exerceatur symonia. Sunt quedam spiritualia per que habetur religio et Spiritus Sanctus, ut uirtutes et miracula. Per uirtutes quidem habetur Spiritus Sanctus, per miracula haberi presumitur, cum miracula quandoque a malis fuisse facta inueniamus. Ista duo, nec de iure, nec de facto, uendi possunt. A-	...necessaria est spiritualium bonorum distinctio quadrimembris cum circa spiritualia exerceatur symonia. Sunt quedam spiritualia per que habetur religio et Spiritus Sanctus, ut uirtutes et miracula. Per uirtutes quidem habetur Spiritus Sanctus, per miracula uero haberi presumitur, cum miracula quandoque a malis facta fuisse inueniamus. Ista duo, nec de iure, nec de facto, uendi possunt.

ticis vel ecclesiis ut dignitates, decimae, primitiae agri, redditus ecclesiae.

Spiritualia dicuntur vasa et vestes ecclesiae consecrata.

Prima impetrabilia sunt et de jure et de facto.

Secunda de jure, licet non de facto. Venduntur enim, sed simoniam patriunt.

Tertia, impetrabilia sunt de jure, nisi in casibus de quibus alias dicetur.

Quarta, si conflari possunt, conflata omnibus vendi possunt, sin autem tantum personis ecclesiasticis, non uiris laicis. (16).

alibus ut decime, oblationes et huiusmodi, que sunt eodem modo impreciabilia.

Item. Vasa in quibus spiritualia ministrantur et uestes consecrate que impreciabilia sunt laicis in forma sua. De his alibi largius dictum est.

Primus modus et ultimus non faciunt ita symoniacum; ultimus enim modus uidetur potius inducere sacrilegium. Voluntas autem primi facit symoniacum, licet non factum (17).

lia uero uendi possunt, etsi non de iure.

Sunt et alia spiritualia, scilicet sacramenta, per que solet haberi spiritus sanctus, sicut baptismus, ordinatio, et huiusmodi, quod qui uendit et bonum illi annexum, beneficium uendere conuincitur, iuxta illud: *Si aliquid annexum est alii, et unum illorum uendit aliquis, neutrum inuendentum derelinquit.*

Sunt et alia spiritualia ut decimationes et alia beneficia ecclesiastica, que annexa sunt sacramentis et similiter uendi possunt, sed de facto tantum.

Sunt et alia spiritualia

Sunt et alia spiritualia, per que solet haberi Spiritus Sanctus, ut baptismus et alia sacramenta. Ista uero de facto uendi possunt etsi non de iure.

Sunt et alia spiritualia ut decime ecclesiastice, prebende et alia beneficia ecclesiastica, que annexa sunt sacramentis et similiter uendi non possunt de iure, sed de facto tantum. Et ita *si aliquid adnexum est alii, et unum illorum uendit aliquis, neutrum inuendi derelinquit.*

Sunt et alia spiritualia, ut uasa ecclesie, calices et patene, thuribula et huiusmodi, et hornamenta ut cruces, pallea et si-

---

(16) *Verbum abbreviatum*, cap. XXXVII (PL, CCV, 126).   (17) T f° 81rb-va, édition, tome III, 2, § 156.

ut uasa ecclesiastica, calices, patene et huiusmodi, que cum aliis ecclesiis distrahi ⟨possunt⟩; laicis autem uendi non possunt, nisi conflentur et in priorem materiam redigantur, que uenditio potius esset censenda sacrilegium quam symonia (¹⁸).

milia, que cum aliis ecclesiis, distrahi uel commutari possunt. Laicis uero ea uendere non licet, nisi pro maxima necessitate ecclesie, et sic, ut ea, que uendi possunt, in massam redigantur et in priorem materiam. Si autem alio modo ista uendantur quam diximus, talis uenditio potius censenda est sacrilegium quam simonia (¹⁹).

(¹⁸) P f° 94rb-va, édition, tome III, 2, Appendice IV, cap. 1.
(¹⁹) Z f° 211rb, édition, tome III, 2, Appendice V, cap. 1.

II

INDICES DE REMANIEMENTS

Cette troisième et dernière partie contient aussi de nombreux indices de remaniements et de retouches. Rappelons encore l'absence de plan ([20]), le fait que les mêmes questions sont reproduites dans un ordre qui varie avec chacun des manuscrits ([21]), les différences de contenu, non négligeables ([22]), les rédactions divergentes des mêmes *questiones* ([23]).

D'autre part, si nous avons fait du texte de Troyes la base de notre édition, nous n'avons gardé aucune illusion quant à l'excellence de ses qualités. Dans le premier volume, nous avons pu souligner quelques-unes des maladresses de son rédacteur ([24]), maladresses qui obligent à admettre que le scribe recopiait un texte dont il ne voulait pas imiter la présentation vraisemblablement défectueuse.

Nous en avons une nouvelle preuve dans le présent fascicule. Au début du § 158, l'auteur cite les premiers mots: *Aliquis accedit ad pauperem locum* ([25]) d'une série de *casus* qu'il expose plus loin ([26]), Faut-il y voir une simple allusion anticipée à ces *casus* ? Il ne serait guère de bonne méthode de se référer à un exemple comme s'il était supposé connu, alors qu'en fait il ne sera cité qu'ultérieurement. D'autre part, s'il s'agit d'une allusion, elle est faite de façon peu intelligible. En réalité, le long fragment:

«*Vnde circa donationem talem pecunie facienda est distinctio ...Et acceptam pecuniam non debet prelatus in*

([20]) V. *supra*, p. 17.
([21]) Cf. *Summa*, tome I, p. XIX, XXX.
([22]) *ibid.*, p. XIX; XXXI ss.; XLII ss.; LXXXVII; XCI, 3°.
([23]) *Summa*, tome II, App. I, p. 391; App. II, p. 421; App. III, p. 467; tome III, 2, App. IV, App. V.
([24]) J. A. Dugauquier, *Pierre le Chantre, Summa...*, tome I, p. XIII ss.
([25]) T f° 82va: «Contra. Aliquis accedit ad pauperem locum, etc. Vnde circa dationem talem...» (édition, tome III, 2, § 158, l. 3).
([26]) T f° 83ra. «Aliquis accedit ad pauperem locum ubi sunt quatuor heremite uel monachi quorum singuli habent suum panem tantum. Petit recipi ad conuersationem inter illos...» (édition, tome III, 2, § 158).

proprios usus conuertere quia symonia esset, sed dare pauperibus uel locis religiosis» ([27]).

a été inséré par le rédacteur du manuscrit T dans le texte primitif. Nous en avons deux preuves: la première, fondée sur la seule lecture du texte, la seconde reposant sur les divergences de la tradition manuscrite. Tout d'abord, si l'on supprime ce long fragment, le texte du § 158 gagne en clarté; l'enchaînement des idées paraît infiniment plus logique. D'autre part, parmi les autres manuscrits de la *Summa Cantoris* qui contiennent le chapitre de la simonie dans la rédaction TB, seul B nous offre la même fâcheuse disposition que T; W ignore le fragment litigieux, L le possède en note marginale. C'est sans aucun doute la place qui lui convient le mieux, et il est probable que le rédacteur de T ait eu sous les yeux un texte où ce fragment était placé dans la marge. Connaissant son horreur des notes marginales ([28]), l'on peut affirmer qu'il a jugé préférable de l'insérer dans le texte primitif, tant bien que mal, et plutôt mal que bien. B aurait peut-être reproduit T: nous verrons ultérieurement ce qu'il y a lieu d'en penser. Il est d'autre part curieux de constater que P et Z, qui nous offrent le chapitre *De symonia* dans une rédaction différente, possèdent ce fragment, mais dans un tout autre contexte ([29]).

En faveur de l'hypothèse de remaniements ou d'adjonctions ultérieures, on peut aussi invoquer le fait que le même sujet ayant été traité à plusieurs reprises, on trouve à la fin de la *Summa* des textes qui se présentent comme de simples résumés des chapitres antérieurs.

L'exemple le plus typique en est fourni par le § 336: «*Quot modis dicitur aliquis mereri*» ([30]), lequel semble résumer le § 81: «*De variis acceptionibus huius verbi mereri*» ([31]). Il importe, croyons-nous, de citer de front les deux textes:

([27]) T f° 82va-83ra; édition, tome III, 2, § 158.
([28]) Cf. *Summa Petri Cantoris,* tome I, p. XIII.
([29]) Édition, tome III, 2, Appendice IV, chapitre 3; Appendice V, chapitre 2.
([30]) Édition, tome III, 2, § 336.
([31]) Cf. *Summa Petri Cantoris,* tome II, p. 50 ss.

§ 81
TBPWLAR

Hic autem occurrit locus distinguendi uarias acceptiones huius uerbi mereri.

Dicitur primo modo meritum ex condigno, sed secundum hoc nullo opere bono potest quis mereri uitam eternam. *Quia non sunt condigne passiones huius temporis,* etc.

Dicitur meritum ex promisso. Vt si ob aliquod obsequium michi promissa sit aliqua remuneratio. Ita posset dici nos mereri uitam eternam, quia propter bona opera, promissa est nobis a Deo uita eterna; et huic consonat auctoritas illa: *Si corde rogamus mundo, certe debes ex promisso.*

Tertio modo, dicitur meritum ex adminiculo. Sed est adminiculum remotum et propinquum. Vt uerbi gratia. Dicitur iustus orando pro iniusto mereri ei primam gratiam, et ille per uisitationem prime gratie consequitur uitam eternam. Ex adminiculo propinquo dicitur hoc ut uel gratiam primam, uel uitam eternam alii mereatur. Pone enim duos quorum unus ne-

§ 336
TBPW

Nota quod meritum dicitur quandoque ex condigno, et sic nullus potest mereri uitam eternam quia *non sunt condigne passiones huius temporis ad futuram gloriam que reuelabitur in nobis.*

Item. Dicitur meritum ex digno sicut dicitur quod Dominus digne pro meritis coronauit Laurentium.

Item. Dicitur meritum ex adminiculo tripliciter. Primo quando aliquis meretur alii primam gratiam; adminiculum enim est intercessio huius; multotiens enim exaudiuntur boni pro malis, quandoque non. Secundo modo est meritum ex adminiculo quando suffragia ecclesie merentur alii celeriorem absolutionem a purgatorio. Ipse enim in uita sua meruit ut

minem sibi obligauit ad orandum pro eo, alter uero aliquem; et illi qui neminem, Deus infundit gratiam suam, alteri non, cum tamen pro illo aliquis multum orauerit. Nunquid potest iste iuste conqueri, aut nunquid iactare potest quod ei debetur uisitatio prime gratie? Quandoque aliter dicitur iniustus mereri ut iustus oret pro illo et orando impetret illi primam gratiam et hoc est mereri ex adminiculo sed magis remoto quam ante. Improprie tamen ponitur in his uerbum merendi.

Quarto modo dicitur meritum comparatione in bono, sicut cum dicitur: 'Beata uirgo meruit portare Christum'. Certe totius humani generis merita non possent ad hoc pertingere, ut pro illis Deus carnem assumeret. Sed sensus est predicte locutionis: tanta et talis fuit preminentia in Beata Virgine, ut cum in aliqua concipiendus esset Christus, potius hoc fieret in illa quam in alia, et est quasi in comparatione meritum assignatum.

Quinto adhuc modo et ualde improprie adhuc assignatur, ut cum dicit Gregorius quod *constitutus in officio quod sine peccato exerceri non potest, sicuti miles et ne-*

suffragia ecclesie ei postea possent prodesse. Et nota quod licet ipse meruit ut ecclesia mereatur ei celeriorem absolutionem, non tamen ipse meruit illam celerem absolutionem proprie. Tertio modo dicitur meritum ex adminiculo, quando aliquis malus per obsequia sua fecit quod bonus intercedit pro eo, et istud est remotum meritum quia malus, nullo opere suo meretur.

Item. Dicitur meritum ex adiuncto. Vnde Beata Virgo meruit portare Regem angelorum, id est tante erant eius uirtutes quod ex quo Dominus ex aliqua uoluit nasci, potius propter uirtutes adiunctas, debuit nasci ex illa quam ex alia.

Item. Dicitur meritum ex contrario intellectu, ut Paulus, quia ignoranter persecutus est ecclesiam Dei, ueniam meruit, id est non demeruit.

gotiator, piis operibus et elemosinis insistat, ut Deus cor illius illustret ad penitentiam, ut quasi per hoc mereatur illustrari. Ita hoc dicitur, ac si dum est in mortali peccato mereri possit diuine gratie illustrationem, cum tamen si recte dicitur, nullum bonum siue temporale, siue eternum possit talis ⟨sic⟩ manens a Deo mereri, sed sic exponitur ut mereatur illud, id est non in tantum demereatur quantum demeretur si nichil boni faceret. Ita exponitur illud Apostoli: *Quia ignorans feci, ueniam sum consecutus,* id est minus me elongaui a consecutione uenie, quam si scienter fecissem, et assignatur hoc meritum comparatione in malo, sicut precedens comparatione in bono.

Inuenio adhuc poni meritum quasi pro exigentia, sicut ubi dicitur: *Felix culpa Eue que tantum ac talem meruit habere redemptorem,* ut in ipsum committamus figuram, que est in coniunctione istorum nominum *felix* et *culpa,* quia ei quod fuit consequens culpe potius attribuitur felicitas quam ipsi culpe, scilicet redemptioni. Verbum merendi ualde improprie ponitur et sic exponitur: Talis et tanta fuit culpa, quod tantum ac talem exigit liberatorem.

Item. Quodam extraneo modo dicitur meritum ratione impossibilitatis, ut: *Felix culpa Eue que talem ac tantum meruit habere Redemptorem* Tantus enim fuit morbus quod impossibilis fuit per alium curari.

Septimo quoque modo ponitur uerbum merendi improprie, ut cum dicitur: 'Nullus post hanc uitam apud Deum expectet, nisi quod uiuens meruit'. Iste enim qui est in purgatorio et iuuatur per suffragia ecclesie ut habeat acceleratiorem absolutionem, quomodo hoc uiuens meruit ? Ita uidetur intelligendum: Viuens hoc meruit, id est, dum uiueret talem se exhibuit, ut si huiusmodi suffragia pro eo fierent; ei ad celeriorem absolutionem prodessent.

On remarque que la terminologie est différente. Dans le § 336, il semble qu'elle soit peut-être plus précise. Le mérite *ex promisso* du § 81 y prend le nom de mérite *ex digno;* le mérite *comparatione in bono* devient mérite *ex adiuncto;* le mérite *comparatione in malo* devient mérite *ex contrario intellectu;* le mérite *quasi pro exigentia* s'appelle mérite *ratione impossibilitatis.* C'est cependant le mérite *ex adminiculo* qui subit le plus de transformations. Dans le § 336, le rédacteur en distingue 3 variétés, alors que l'auteur du § 81 n'opposait que le *meritum ex adminiculo propinquo* au *meritum ex adminiculo remoto;* il convient d'ailleurs de souligner que le § 81 comporte une dernière variété de mérite ([32]), qui n'est en fait qu'une sorte de mérite *ex adminiculo,* au sens large, ou plus exactement mal nommé, et de la sorte nous retrouvons dans chacun des deux chapitres six variétés de mérites, ou, si l'on préfère, six sens du mot mérite, — huit si l'on tient compte des subdivisions du mérite *ex adminiculo*. Il convient enfin de remarquer que la doctrine du § 336 concorde bien avec ce que Pierre le Chantre a dit par ailleurs du mérite *ex adminiculo* ([33]).

Le problème qui se pose est donc le suivant: Pierre le Chantre est-il l'auteur de ce résumé ou — pour ne pas préjuger de la

---

[32] *Summa Petri Cantoris*, tome II, § 81, 1. 53 ss, p. 52.
[33] *Summa Petri Cantoris,* tome II, § 82, p. 55 ss.

solution — de cette seconde *questio* ? La chose n'est nullement impossible, encore que nous n'en voyons pas bien la raison: Peut-être a-t-il jugé utile de condenser sa doctrine sous une forme plus simple et plus concise ? Peut-être n'était-il pas lui-même satisfait de son premier exposé ? Peut-être a-t-il simplement voulu rectifier son vocabulaire... Bien que les quatre grands manuscrits nous transmettent ce § 336, il est tout aussi possible qu'il s'agisse de l'adjonction de notes de cours d'un élève de Pierre le Chantre ou d'un résumé élaboré par l'un ou l'autre de ses disciples.

On pourrait de même tenter avec succès un rapprochement entre les § 359, *Utrum baptismus parvulis conferat virtutes in habitu* ([34]), et 24 ([35]), mais il serait moins suggestif, car le § 359 ne peut être considéré comme un résumé pur et simple du très long chapitre 24. En effet, si la doctrine reste foncièrement identique, l'auteur du § 359 a recours à de nouveaux arguments. Il n'en reste pas moins des plus curieux qu'après avoir développé au § 24 une si longue série de textes scripturaires et de preuves rationnelles, Pierre le Chantre ait cru nécessaire de revenir sur cette question. Était-il lui-même peu convaincu du bien fondé de son argumentation ? C'est douteux. Aussi y-a-t-il lieu de songer à l'adjonction de notes de cours d'un disciple du Chantre, et un autre indice nous y invite de façon plus pressante. L'auteur du § 359 rapporte l'opinion d'un maître dont il ne précise pas l'identité; opinion qu'il s'empresse d'ailleurs de faire sienne ([36]) et qui est d'autre part la même que celle de Pierre le Chantre ([37]). Or, il est certain que la doctrine du Chantre de Paris est semblable à celle d'Alain de Lille ([38]). Le traité

([34]) *Summa Petri Cantoris,* tome III, 2.

([35]) *Summa Petri Cantoris,* tome I, § 24, p. 69.

([36]) «Magister dicit quod quando paruulus baptizatur, nullam uirtutem habet, nec in habitu, nec in actu, quia credere in habitu uel scire in habitu est quando aliquis habet inpromptu respondere ad aliquid, si ab eo queratur, licet modo mente illud non agitet». T f° 157rb *in fine,* édition, tome III, 2, § 359.

([37]) «Consideratis utrinque rationibus, posset dici paruulo non conferri uirtutem aliquam in habitu per baptismum, nec aliud esse habere uirtutem aliquam quam habere usum et motum secundum aliquam uirtutem» (*Summa,* tome I, § 24, l. 200-203, p. 78).

([38]) Cf. Dom Odon Lottin, *Le traité d'Alain de Lille sur les Vertus, les Vices et les Dons du Saint-Esprit,* Mediaeval Studies, vol. XII, 1950, — *Psychologie et Morale aux XIIe et XIIIe siècles,* tome III, *Problèmes de Morale,* IIe partie, p. 125, Louvain, 1949.

d'Alain de Lille sur les vertus, les vices et les dons du Saint-Esprit est antérieur à la *Summa de Sacramentis* ([39]) et il est très probable que, sur cette question, Pierre le Chantre ait subi son influence. Aussi pourrions-nous penser que, dans ce § 359, Pierre Le Chantre ne fait que citer purement et simplement son illustre contemporain... Hypothèse simplement plausible, mais nullement exclusive. Il est en effet tout aussi vraisemblable que le *Magister* cité par le rédacteur du § 359 ne soit autre que Pierre le Chantre lui-même, les allusions à un *magister* anonyme, et même à Magister P. C. ([40]), n'étant pas rares dans l'ouvrage ([41]). Évidemment cette supposition ne sera favorablement accueillie que si l'on admet l'hypothèse initiale de retouches, de remaniements et d'adjonctions de notes de cours.

De même, le § 386: *Utrum peccata remissa redeant* ([42]) reprend sommairement un problème auquel notre auteur avait consacré de très nombreuses pages ([43]). Aussi ce très court chapitre ne nous apprend-il rien que nous ne connaissions déjà. Évidemment, nous n'y retrouvons pas toute la série des diverses opinions émises à ce sujet et que Pierre le Chantre a rapportées sans malheureusement nous communiquer les noms de leurs tenants; du moins rencontrons-nous à nouveau certaines d'entre elles. D'autre part, la doctrine dégagée est foncièrement identique. Ici encore il y a donc lieu de songer à l'adjonction de notes de cours — dans des circonstances qu'il reste à élucider — à moins d'admettre que ce soit Pierre le Chantre lui-même qui ait rédigé ce résumé.

L'examen de ces textes ne nous donne que des résultats équivoques, douteux; jamais nous n'obtenons de certitudes, mais seulement des probabilités. Encore cet examen était-il facilité par la présence de points de comparaison; mais que pouvons-nous dire là où ceux-ci font totalement défaut ? Telle est cependant la situation pour la plupart des *casus* éparpillés à la fin de la *Somme*. La complexité du problème est telle, qu'elle peut

---

[39] Cf. Dom O. LOTTIN, qui situe la composition du traité d'Alain entre 1155-1165 (*op.cit.*, p. 23).

[40] Cette dernière expression pourrait, il est vrai, être traduite *Maître Pierre le Chantre* ou *Maître Pierre de Corbeil*; ce dernier nom apparaissant parfois dans les manuscrits qui nous ont transmis la Somme.

[41] Cf. *Summa Petri Cantoris*, tome II, p. VIII, note 8.

[42] Édition, tome III, 2.

[43] *Summa Petri Cantoris,* tome II, §§ 75-77, p. 13 ss.

induire en erreur de fort bons esprits, à tout le moins leur faire admettre d'emblée comme certaine une solution qui n'est pas au-dessus de toute contestation.

Nous ne croyons pas inutile d'en citer un autre exemple, bien que, pour ce faire, il nous soit nécessaire de déborder le cadre de ce troisième tome. Le très regretté Édouard Dumoutet avait jugé intéressant de publier à la suite de son édition des *questiones de eucharistia* extraites de la *Summa Petri Cantoris* ([44]), un petit texte, emprunté au ms. P., et relatif au moment précis de la consécration ([45]). Dans ce petit texte, il voyait un *post-scriptum* du Chantre. Cette attribution hâtive l'amenait à faire cette remarque:

«Dans ce post-scriptum, le Cantor fait visiblement un pas en arrière en déclarant qu'après tout, il s'agit là d'un problème insoluble dont il faut laisser la solution à Dieu. Il lui suffit d'ajouter qu'à son sens, la seule chose certaine était qu'après les deux bénédictions sur le pain et sur le vin, tout était fait. Il n'est pas douteux qu'il était plus catégorique dans la question spéciale consacrée à ce sujet dans la Somme» ([46]).

En fait, le savant auteur n'avait pas vu que le post-scriptum en question faisait partie d'un chapitre beaucoup plus long ([47]), et ce chapitre s'insère lui-même dans un groupe de *questiones* propres à P et où tout n'est certainement pas de Pierre le Chantre. Bien au contraire, car à côté de *questiones* théologiques, on trouve de brèves sentences théologiques ou christologiques, des proverbes, des vers didactiques, des hymnes ([48]), qui n'ont indubitablement aucun rapport avec notre auteur.

Réduire ce long chapitre à un simple *post-scriptum* du Cantor

---

([44]) Éd. Dumoutet, *La théologie de l'Eucharistie à la fin du XII*[e] *siècle. Le témoignage de Pierre le Chantre d'après la «Summa de Sacramentis»*, dans les Archives d'Histoire doctrinale et littéraire du Moyen-âge, tome XIV, 1943-1945; Paris, 1945, p. 181-262; — cf. *Summa Petri Cantoris*, tome I, §§ 55-71, p. 133-182.

([45]) Éd. Dumoutet, *op.cit., un Post-scriptum de Pierre le Chantre*, p. 258-259.

([46]) É. Dumoutet, *op.cit.*, p. 227.

([47]) Il est en effet loisible de supposer que si M. l'abbé É. Dumoutet avait vu le texte entier, il n'aurait pas négligé de l'éditer. Nous croyons utile de reproduire dès maintenant, à la fin de ce chapitre, cette longue *questio de consecratione eucharistie*, propre à P (f° 195ra-va), ne serait-ce qu'à titre de justificatif. Voir *infra*, p. 232.

([48]) *Summa Petri Cantoris*, tome I, Introduction, p. XXXI-XXXVI, et *infra*, chapitre V, p. 267, 368.

nous semble contraire à l'étendue, à l'importance du fragment, d'autant plus que celui-ci reprend — sommairement il est vrai — plusieurs questions traitées dans les *questiones de Eucharistia* de la première partie, et non pas seulement le problème du moment de la transsubstantiation. Il nous semble au contraire plus logique d'y voir l'apport personnel d'un disciple du Chantre qui crut utile de retoucher la Somme du maître, et probablement à l'aide de ses propres notes de cours ([49]).

Toutefois, nous croyons que si le soi-disant post-scriptum n'est vraisemblablement pas dû à la plume du Cantor, il est très probable que celui-ci, à la fin de sa vie, ait fait le pas en arrière que lui impute Ed. Dumoutet. Nous en trouvons un autre écho — et combien explicite — dans les *questiones* que le rédacteur du manuscrit W mêle aux chapitres de la Somme commune:

> «*Sed queras utrum factum fuerit corpus ante confectionem sanguinis, quod quandoque negavit magister, modo ponit hoc in dubium. Probabilius est, ut dicat, quod confectio corporis completa est, completa prolatione forme uerborum que illud conficiunt*» ([50]).

III

UN ÉLÉMENT DE SOLUTION:
LA PERSONNE DES VERBES

Les quelques observations précédentes soulignent davantage la complexité et les difficultés du problème qu'elles ne nous permettent de les résoudre. Nous les complèterons néanmoins en recourant à un élément du style: la personne des verbes. Il est intéressant de relever, croyons-nous, que l'auteur utilise assez souvent la première personne, et le fait est d'autant plus remarquable que ces manifestations s'insèrent dans une œuvre jalonnée de *Queritur, Videtur, Dicitur*, comme il est d'usage

---

[49] Voir *infra*, chapitre V, p. 280.
[50] W f° 139ra. Nous croyons d'ailleurs utile de reproduire toute cette *questio* du manuscrit W (f° 138vb-139ra), dans un appendice ajouté à la fin du présent chapitre. Voir *infra*, p. 236.

dans les ouvrages de ce genre. Or, tout aussi fréquemment, le rédacteur utilise la troisième personne personnelle, de telle sorte qu'un grand nombre de pages font songer aux notes d'un disciple studieux qui aurait rédigé ces *questiones* d'après l'enseignement de son maître. Des chapitres entiers se présentent donc comme l'écho des opinions d'un maître qui a enseigné, sans se soucier de confier au parchemin la substance de sa doctrine, les opinions personnelles du rédacteur semblant apparaître de-ci, de-là, de façon pour le moins inattendue !

Il ne faudrait pas croire que ces anomalies soient en nombre limité. Leur multiplicité même nous a incité à en dresser une liste qui ne prétend pas être absolument exhaustive.

Limitée au tome III de notre édition, une telle recherche, en dépit de son intérêt, n'aurait qu'une signification restreinte. Pour qu'un tel travail puisse acquérir une valeur moins contestable, il nous faut revenir en arrière, et conduire une telle enquête, non seulement dans le tome III, mais aussi dans les tomes I et II de notre édition. De la sorte, il sera possible d'apprécier dans quelles parties de la *Summa Cantoris* nous rencontrons des difficultés, et de préciser à partir de quel chapitre elles commencent.

TOME I

A.- *Textes à la première personne:*

§ 1 l. 24: Dicimus ergo quod huiusmodi opera erant meritoria»
l. 26: «Dicimus quod multe auctoritates ducunt...»
l. 33: «Dicimus quod ideo sic locuntur auctoriates...»
l. 76: «Ego nescirem respondere rationibus superius inductis...»
l. 77: «Dicimus ergo quod omnes auctoritates que...»
l. 79: «Et hoc habemus ex illa auctoritate»

§ 3 l. 4: «...quod tamen non assero...»
l. 5: «...Sed in consecratione episcopi dico cumulum conferri...»
l. 13: «Ad quod maxime me artant huiusmodi auctoritates...»
l. 44-45: «Dicimus quod predicte regule intelliguntur de operibus que non fiunt in sacramentis ecclesie, et bene concedimus...»

§ 4   l. 14: «Ad hoc respondemus quod uis facienda est...»
l. 16: «Non ergo credimus quod per illam...»
l. 32: «Ad hoc respondemus quod non inuenitur...»
l. 57: «Hic enim de habitu gratie collato paruulis non loquimur»
l. 59: «Respondemus quod contra hoc quod dicitur...»

§ 5   l. 45: «Respondemus, quia apertio ianue...»
l. 60: «Respondemus, quia baptismus quasi ex duobus conficitur...»
l. 77: «Nos concedimus quod eucharistie sacramentum tunc plene...»

§ 6   l. 1: «Nunc de baptismo Iohannis aliquid plenius prosequamur...»
l. 9: «Respondemus, quod baptismus Iohannis similitudinem quamdam...»
l. 28: «...sicut uidimus ubi aliquis ficte accedit ad baptismum...»
l. 33: «Non approbamus tamen hanc uiam licet ad obiecta sic respondeamus...»

§ 7   l. 5-6: «De remissione enim originalis non querimus»
l. 8: «Similiter nec de habitu uirtutum loquimur...»

§ 9   l. 12-13: «Quero utrum debeat suppletio fieri...»
l. 18: «Dicimus hoc quod non oportebat eum baptizari...»
l. 33: «Respondemus quod hec appellatio...»
l. 48: «Nam de originali non dico...»
l. 54: «Non ergo uideo quare non dicatur baptismus...»
l. 62-63: «Non negamus tamen quin post passionem Christi aliqui...»
l. 84: «Sed ad hoc facile respondemus...»
l. 87: «Sed istum talem ponimus...»
l. 99-100: «Quid tamen si conferretur baptismus tali ut ante quesiuimus...»
l. 101: «Hoc tamen in ambiguo dicimus...»

§ 10 l. 2-3: «...scrupulum nobis faciunt quedam auctoritates...»
l. 10: «...Mouet etiam nos plurimum quod dicitur...»
l. 32: «...ut generalius loquamur...»
l. 61: «...dictaret nobis conscientia...»
l. 67-68: «...Audiuimus quorumdam expositiones que nobis non sedent et maluimus interim in soluendo silere, quam litteram contra mentem auctoris distorquere»

§ 11 l. 4: «Mouet autem nos quiddam quod super ipso elemento dicit Augustinus...»
l. 17: «Respondemus quod quidam tropus loquendi est in predicta locutione...»

PROLEGOMENA

§ 12   l. 44-45: «Huiusmodi questiones quas circa baptismi sacramentum proposuimus...»
§ 13   l. 30: «Nos dicimus quod baptismus ita reuiuiscens...»
       l. 48: «Respondemus quod non inuenit quid remittat...»
       l. 74: «Hoc autem in questione relinquimus...»
§ 14   l. 18: «Dicimus quod prius debet currere ad baptismum...»
       l. 26: «Ad hoc dicimus quod cum dicitur satisfactio remitti...»
§ 15   l. 1: «Reuertamur paululum ad circumcisionem...»
       l. 4: «...Baptismus enim, sicut diximus...»
       l. 10: «...Loquimur autem de statu illo...»
§ 16   l. 4-5: «...contra obicietur preter ea que supra obiecimus»
§ 17   l. 4: «...quia nisi conteratur ut baptizetur, adultus dico...»
       l. 8: «Respondemus quod baptismus...»
       l. 22: «Ad hoc dicimus quod baptismus...»
       l. 24: «...sed ut ita dicamus...»
       l. 32: «...Ad hoc dicimus...»
       l. 42: «Respondemus quod non ...»
§ 18   l. 8: «Ad hoc respondemus...»
       l. 21: «Dicimus quod paruulus plus indiget...»
§ 19   l. 14: «Nos dicimus quod cum dicitur baptismus in fide parentum conferri...»
§ 20   l. 3: «...ut diximus, utra preualeat...»
       l. 11-12: «quomodo in hiis casibus iudicabimus...»
       l. 13: «Intentionem conferentis spectamus...»
       l. 29-30: «...et ad cetera remedia que prescripsimus...»
       l. 41-42: «...In primis duobus casibus dicimus ...In tertio consulimus...»
§ 21   l. 5: «De cathecismo in primis dicimus...»
       l. 39: «Respondemus, quod non ideo minus uerum est...»
       l. 41: «Sicut uidemus quod qui sumit cotidie...»
       l. 58: «Hoc autem sine questione preterire non possumus...»
       l. 79: «Sicut de anathemate uidemus...»
§ 22   l. 47: «Tertio etiam adiungimus...»
§ 23:   l. 2: «Videmus enim multa fieri...»
       l. 18-19: «...et non credimus illos aliquem ordinem...»
       l. 27: «Possumus autem dicere quod exhorcismi ueteris legis...»
§ 24   l. 1: «Veniamus nunc ad questionem suprapositam...»
       l. 5: «Illud prelibare uolumus ad dubitandi materiam...»
       l. 8: «Respondere possumus quod inunctio adultis tantum uidetur facienda...»
       l. 11: «Ita supra diximus...»
       l. 102: «Similiter forte respondebunt ad id quod supra induximus...»
       l. 108: «...auctoritas quam primo induximus de merito obdurationis...»

	l. 177: «Item. In eumdem laberintum incidimus secundum hanc opinionem in quam uolebamus prius inducere...»
§ 25	l. 13: «Preterea. Ponamus duos...»
§ 26	l. 1: «Nunc locus est ut de forma baptismi aliqua dicamus...»
	l. 2: «De forme illius institutione principium habemus ex illa auctoritate...»
	l. 12: «Ad hoc dicimus quod in uariis linguis...»
	l. 18: «Cum autem ut diximus hoc sit regulare tamen non audemus iudicare quod irritum sit...»
	l. 32: «Consultius tamen dicimus...»
§ 27	l. 5-6: «...ut ante notauimus...»
	l. 8: «De mutatione forme de qua diximus...»
	l. 10: «Credimus tamen uere baptismum conferri...»
	l. 15: «Videmus quod *baptizo* grecum est...»
	l. 24: «In carminibus autem uidemus...»
	l. 29: «Respondemus longe aliter esse...»
§ 28	l. 1: «Sequitur ut paulisper dicamus de forma diminuta...»
	l. 10: «...consuleremus ut sic baptizatus...»
	l. 24: «Sed ponamus quod sacerdos habeat in proposito...»
	l. 30: «Sicut enim ante diximus...»
§ 29	l. 1: «Sequitur ut de forma corrupta dicamus...»
	l. 12-13: «Sed dubium est quos limites huic corruptioni debeamus...»
	l. 17: «Sed quero an hoc ueraciter dicatur...»
	l. 20: «Aut, ut ante diximus, in quo uel quantum...»
§ 30	l. 1: «...Consequens est ut de transposita forma dicamus...»
	l. 5: «...ut ad ultimum ueniamus...»
	l. 7-8: «De hac ultima non hesitamus quod faciat aliquod impedimentum...»
§ 31	l. 6: «Dicimus si quis hoc modo baptizatus...»
	l. 10: «Non diffinimus»
§ 32	l. 16: «...transpositio, ut diximus »
	l. 23: «...consulimus ut si paruulum...»
	l. 25: «.. Non ita ubique iudicamus...»
§ 33	l. 1: «...Sicut in forma sacramenti fit corruptio, ut diximus, ita potest in materia fieri...»
	l. 5: «...et de illa concedimus»
	l. 11: «...consulerem ut in alia paruulus baptizaretur...»
	l. 19-20: «...De hoc autem latius supra disputauimus...»
§ 34	l. 4-5: «Nos autem in baptismo Christo consepelimur, ergo toti sub aquis latere debemus»
	l. 11-12: «Nos quoque in hanc opinionem inclinamur, ut dicamus respersionem posse sufficere...»
	l. 17: «Forte si sic esset, non negaremus eos esse baptizatos»
	l. 35: «De eo quod supra tetigimus...»

l. 38: «Diximus enim posse dici ipsum paruulum...»
l. 40: «Quia tamen dubitatio est consulimus...»
l. 56: «Contra id quod supra diximus...»

§ 35 l. 31: «Quod sit baptizatus, probo...»
l. 42-43: «Similem quoque questionem in similibus inuenimus...»
l. 64: «Pie credimus ipsum pro catholico habendum...»
l. 65-66: «Licet enim dubitemus, magis tamen inclinamur ad dicendum baptismum...»

§ 36 l. 33: «Secus dicimus in miraculorum operatione...»
l. 37: «Sed procedimus paululum in questione...»
l. 40-41: «Dicimus hic sub distinctione respondendum...»
l. 69-70: «...uerbum illud *retinuit sibi* negatiue exposuerimus...»
l. 72: «...dicere possumus satis proprie...»

§ 37 l. 30: «Dico quod miracula quamuis...»

§ 38 l. 6-7: «Neque enim in aliis sacramentis audiuimus aut credimus...»
l. 20: «Quero ergo utrum preualere debeat uel attendi...»
l. 39: «Hoc enim ius uidemus in episcopis...»

§ 40 l. 4-5: «...nos nescimus sed hoc indubitanter...»
l. 8-9: «...sicut etiam in baptismo diximus».
l. 9-10: «...de mixtura linguarum quesiuimus».
l. 17: «Non enim legimus...»
l. 22: «Dicimus ergo formam istam...»

§ 41 l. 1: «Sequitur ut de extrema inunctione dicamus...»
l. 2: «...illud querendum duximus
l. 5: «...Inspiciamus enim uerba Iacobi...»
l. 7: «...Videamus enim qua ratione...»
l. 12: «...quod premisimus de unctione...»

§ 42 l. 6: «...debemus uerba interpretari secundum...»
l. 7: «Si ergo intelligamus statim eum petere...»
l. 24-25: «De huiusmodi dubitari potest, nec habemus quid ad hoc sufficienter respondeamus...»

§ 44 l. 8: «Non uideo, nisi quia magis...»

§ 45 l. 3: «Videmus enim quod maiora sacramenta...»
l. 15: «Sed non credimus talem formam uerborum...»
l. 18: «Istud aliis soluendum relinquimus...»

§ 46 l. 8: «Hoc non audemus concedere»

§ 48 l. 4: «Videmus quod ita est in baptismo»
l. 27: «...sed ut diximus, potest in necessitate per diaconem conferri...»

§ 49 l. 12: «Non audemus tamen in hoc aliquid presumere»

§ 50 l. 31: «...non constat nobis, nec certum habemus...»

§ 51 l. 4-5: «Sed hoc cum aliis in questione relinquimus»
l. 6: «Alia suboritur questio quia uidemus...»

§ 52   l. 2: «...de qua aliqua prosequi uolumus...»
       l. 4: «Dicimus quod dedicare est appropriare...»
       l. 14: «...ut sic dicam...»

§ 53   l. 3: «Set antequam de hoc dicamus, queramus...»
       l. 10: «Vt autem ad aliud procedamus, ponamus...»
       l. 24: «Hic tamen crederem inuestigandum...»
       l. 27-28: «...nullam questionem reputo...»

§ 55   l. 1: «Nunc ad sacramentum eucharistie accedamus...»
       l. 2-3: «...in hoc omittimus ea que usitatius solent inquiri»
       l. 8: «...non dico accidentalis tantum...»
       l. 34: «...Dicimus tamen sumere corpus eius...»
       l. 38: «...Si rerum proprietates consideremus...»

§ 56   l. 26: «Dicimus quod caro uiuificare dicitur...»
       l. 27-28: «Super hoc quod diximus panem et uinum...»
       l. 76-78: «...sicut supra coniecturaliter diximus, sed de hoc nichil certum diffinimus»

§ 57   l. 17: «...nec facimus uim in uariatione prepositionum»
       l. 20: «...immo indifferenter recipimus...»
       l. 22: «...Sed sicut diximus...»
       l. 48: «...dicimus hoc fieri propter effusionis periculum»
       l. 52: «Ad hoc dicimus quod suggeri ei debet satis...»
       l. 72-73: «Sed hoc sub silentio pretereundum ducimus. Non mireris autem de superioribus modis loquendi quos fecimus...»

§ 58   l. 7-8: «...et securum ut credimus sacerdoti hoc facere»
       l. 10: «...nisi unam hostiam ut ante diximus...»
       l. 25: «...tamen, licet timide, dicere possumus...»

§ 59   l. 16: «...Ad hoc dicimus ideo hoc fieri...»
       l. 33: «...tamen possumus in sacramento...»
       l. 34: «...non licet nobis mutare formam uerborum...»
       l. 44: «...nos nescimus, sed hoc dicendum...»

§ 60   l. 9: «Respondemus nos opinari...»
       l. 12-13: «...licet super hoc certum aliquid diffinire non uelimus, an sine illis conficeretur sacramentum an non, consuleremus tamen...»
       l. 16: «...sicut supra diximus de sacramento...»

§ 61   l. 28: «Nos autem super hoc ita sentimus. Dicimus...»
       l. 41: «Ad hec possumus dicere...»
       l. 55: «Sed queritur secundum opinionem nostram quam prediximus...»
       l. 70: «...ut ante diximus...»
       l. 75: «In hoc casu non consulimus quod sacerdos in aliquo procedat...»
       l. 82: «In his duobus casibus dicere possumus quod secure poterit sacerdos...»
       l. 88: «In hoc casu dicimus quod poterit...»

l. 104: «Dicimus non sic esse faciendum...»
l. 112-113: «Ad hoc dicimus quod bene faciet...»
l. 116: «...secundum predictam opinionem qua diximus...»
l. 122: «Ad hoc respondemus quod reuera...»
l. 129: «Dicimus quod uterque debet...»

§ 62 l. 8-9: «...sicut diximus de carne...»
l. 13: «Dicimus ad hoc quod uinum quod in die...»
l. 26-28: «...nec nos approbamus quod ita dicatur ...dicimus hunc esse sensum...»
l. 49-51: «...nos nescimus. In ea tamen opinione sumus ...Vnde, ut superius diximus...»
l. 72: «Respondemus non debere ita dici...»
l. 75: «De eo uero quod diximus supra...»
l. 77: «...uidetur nobis quod sane dici possit...»
l. 82: «Dicimus quod ad hoc significandum...»
l. 89-90: «Dicimus non, quia totum est aqua...»
l. 92-93: «...dicimus non fieri absortionem, sed an fiat permixtio, non diffinimus»
l. 95: «Audiuimus etiam aliquos laicos esse...»
l. 97-98: «quod non approbamus...»
l. 100: «Preter ea que diximus de absorbitione liquoris a liquore...»
l. 109-110: «Non inuenimus ab aliquo auctore diffinitum...»
l. 111-112: «Ideoque maluimus circa hunc articulum silere quam aliquid temere diffinire»

§ 63 l. 8-9: «Super hoc etiam nichil ad presens certum asserere presumimus»
l. 12: «Respondemus ad hoc quod ille sanguis...»
l. 14-15: «Sumitur enim ut supra diximus...»
l. 20: «Ad hoc respondemus non ita esse...»
l. 24-25: «...nec credimus aliquid de illo sanguine deperisse...»
l. 32: «...aliorum que supra proposuimus...»
l. 33: «...Dicimus ad hoc quod si sudor ille sanguis fuit...»
l. 36-37: «...quia nullum certum auctorem habemus, nichil de nobis asserere presumimus»

§ 64 l. 7: «Respondemus ad hoc quod quia ex latere Domini in passione...»
l. 11: «Credimus etiam quod et in Cena...»
l. 18: «Nec credo quod debeat dici...»
l. 22: «Credimus distinguendum hic esse...»
l. 24-25: «...si autem, ut ante diximus...»
l. 28: «Quid ergo dicemus de Grecis...»
l. 30: «Nunquid dicemus quod heresim sapit illa traditio ?»
l. 38-39: «Sane uidemus quod ecclesia cum illis communicat. Ad hec dirimenda non sufficimus, ideo ad alia pertransimus»

	l. 50: «Dicimus quod si multotiens facta sit aque appositio...»
§ 65	l. 25: «Hoc alii soluendum relinquimus».
	l. 44: «...ut diximus...»
	l. 48-50: «...sed melius nobis uidetur quod in nullo subiecto sint, et tantum miraculose remanent post conuersionem, quod supra tetigimus»
	l. 80: «...sicut sepe diximus...»
	l. 121: «...ut supra diximus...»
	l. 125-128: «...in hoc quidem scimus esse miraculum quod accidentia remanent sine subiecto cui insint, sed quod illa accidentia efficatiam illam habeant, pro miraculo non asserimus»
§ 67	l. 5: «Et possumus dicere quod omnes...»
	l. 9-10: «...non dicimus quod ipsas contingat facta benedictio»
	l. 50: «...cum necessitas, sicut diximus, causam dederit...»
	l. 66: «...tantam uidemus fieri confusionem...»
	l. 80-84: «Nobis autem super predicta questione... uidetur quod omnia»
	l. 93-95: «...plurimum peccare fatemur, sed si omissa fuerint, sacramentum uere et efficaciter sine illis fieri non diffitemur. Hec in medium proponimus, nulli saniori sententie preiudicantes»
§ 68	l. 22-23: «...nisi per hoc nomen Dei intelligamus...»
§ 69	l. 3: «...uel alia aliqua causa quam ignoramus...»
§ 70	l. 8-9: «Sed questiunculam istam et similes penitus exsufflanda et solutione indignas reputamus»
§ 71	l. 1: «Adhuc antequam ad alia transeamus dignum duximus exponere...»
	l. 11-12: «Et ut assumamus uerba uiciniora...»

B.- *Autres textes.*

Les manifestations personnelles dont nous venons de dresser une liste, s'insèrent dans un texte jalonné de *queritur, videtur, dicitur, potest dici,* et autres formes impersonnelles semblables.

Dans ces §§ 1-71, édités dans le Tome I, on ne peut découvrir la moindre allusion à un maître ou à un tiers dont l'auteur nous rapporterait les leçons. Les expressions *magister dicit, magister consulit, dicit, querit* et similaires, font totalement défaut. La critique interne exclut toute hypothèse de *reportatio,* de remaniements, d'adjonctions ultérieures.

On peut donc conclure que le début de la *Summa* (Tome I, §§ 1-71) a été rédigé par Pierre le Chantre lui-même.

TOME II

I. *TEXTE DE BASE*

A.- *Textes à la première personne.*

⟨Cap. I.- Questiones de penitentia et de peccato⟩.

§ 72   l. 1-4: «Post hec de penitentia agendum est, in quo tractatu pauca quedam que minus publicata sunt proponemus, aliis que in libro sententiarum absoluta sunt, insistere superfluum ducentes»

l. 15-16: «...respondemus isti non debere sufficere quod saluetur...»

l. 20-21: «...dicimus hoc non inueniri nisi in sacramentis...»

§ 73   l. 7: «Videmus enim quosdam ex naturali strenuitate...»

l. 15-16: «Dicimus quod non tenetur ad hoc aliquis...»

l. 25: «Videamus tamen an tanta et talia honera debeant in penitentia imponi...»

l. 26-27: «Illud autem dicimus indubitanter...»

§ 74   l. 22-23: «...quod nos nullatenus approbamus...»

l. 26: «...et cum uideamus quod habens caritatem...»

l. 44: «...aliquid super hoc dicamus...»

l. 50: «...Sed ad hoc ultimum non habemus multas rationes...»

§ 75   l. 1-2: «Post hec satis consequens est ut dicamus de reditu peccatorum...»

l. 10-12: «Prius autem quam de principali proposito dicamus aliquid morale iuxta littere superficiem consideremus. Primo uideamus...»

l. 17-18: «...qualiter accipere debeamus eos non habere unde reddant»

l. 26-27: «Queritur postea an indebitas exactiones, ueluti tallias et consimiles, facere possumus...»

§ 76   l. 1-3: «His breuiter prelibatis, redeamus ad propositum et inspiciamus parabolicum sermonem, et ipsum proposito adaptemus»

l. 14: «...Nobis autem uidetur...»

l. 63: «Ponamus duos esse qui mortaliter peccauerunt...»

l. 87: «...dico hoc non posse dici...»

l. 135: «...certum aliquid habemus in huiusmodi casibus»
l. 147: «...licet non dicamus spectari singula opera caritatis...»
l. 150: «Nos hanc solutionem non reprehendimus nisi in parte. Dicimus enim...»
l. 156-157: «...sicut diximus omnia opera ante acta remunerari...»
l. 159: «Nobis autem obicitur ita...»
l. 176-177: «Sed non uidemus congruum exitum huius opinionis»
l. 198: «Verius ergo sentiendum quod prediximus pro uno mortali commisso...»
l. 202-203: «...quod in euuangelio expresse sumitur, sicut ostendimus...»

§ 77 l. 13: «Dico quia prodest...»
l. 17: «Non dico quod pena illi debita...»
l. 67-68: «Hoc enim uidetur durum dicere quod supra tetigimus...»
l. 69: «Cum autem dicamus ei qui non ex toto peregit penitentiam...»
l. 71: «...idem dicimus in illo...»
l. 78-79: «Quare ergo dicimus...»
l. 87-88: «...cur dicamus peccata redire...»
89-90: «In bonis enim operibus aliter iudicamus...»

§ 78 l. 11-12: «...cum sit uerum peccata redire, sicut ante probauimus»
l. 25: «Ponamus enim in omnibus pares in illis circumstantiis...»
l. 36: «Hanc sententiam ut probabilem non infirmamus...»
l. 37: «Sed redeamus paululum ad uerba parabole euangelice...»
l. 38-39: «Si enim exponimus: *donauit*...»
l. 43-44: «...secundum modum caritatis, attendimus modum dilectionis»
l. 53: «Sicut ergo diximus, non est generaliter uerum...»
l. 57: «...quia non seruimus Deo nisi de suo nobis collato...»
l. 65: «...Et ut adiciamus aliquid de illis similiter...»
l. 70: «Nec uidemus hanc deteriorationem nisi occasione peccatorum...»
l. 87-88: «...quia plane causam diuersitatis in uia et in inuio assignauimus...»
l. 89: «Verum adhuc non possumus non moueri...»
l. 90-92: «Cum enim bene attendimus et commissionem et dimissionem, sicut ante diximus, de commissione pendet dilectio, quia non possumus diligere...»
l. 105: «Sed nunquid idem in gratitudine dicemus...»
l. 111: «Sed tamen opinamur parem habentes...»

l. 116-117: «Nam si hinc respicimus beneficium dimissionis inde uidemus beneficium...»
l. 125-126: «Videtur tamen nobis ut breuiter transeamus...»
l. 128-129: «...que semper, ut credimus, respectum...»

§ 79 l. 19: «Queritur si, ut diximus, huiusmodi penas...»
l. 26: «Dicimus ad hoc quod duo debent attendi...»
l. 48-49: «Preinterrogauimus hoc et uno modo soluimus...»
l. 79: «Probabilis ergo est uia quam supradiximus...».
l. 116: «...non dico merito priorum ...»

§ 80 l. 1: «Diximus quod peccando meretur homo...»
l. 2: «...et ut diximus, in quibusdam temporalibus...»
l. 4: «Adiunximus etiam de pene commutatione...»
l. 7: «Vt interim de passione Christi taceamus...»
l. 18-19: «Si acute consideremus, tria circa passionem uidebimus...»
l. 43-44: «Sed et hoc dicimus quia neque...»
l. 79-80: «Nec reuera diffitemur utiles esse huiusmodi passiones
l. 123: «Dicimus tamen quod si aliquis...»
l. 127-128: «Reuertamur nunc ad illud de quo prius agebamus, cum quesiuimus...»
l. 129-130: «...et meminimus nos duo circa passionem distinxisse, quorum unum melli, alterum absinthio adaptauimus»
l. 132-134: «Si enim proprie uerbum merendi accipiamus, illud recte mereri dicimur quod ita facimus nobis debitum, ut eo fraudari non possimus uel non debeamus. At uidemus...»

§ 81 l. 45: «Inuenio adhuc poni meritum quasi pro exigentia...»
l. 47: «...ut in ipsum committamus figuram...»

§ 82 l. 1: «Redeamus nunc ad illum modum merendi quem diximus esse ex adminiculo ut circa illum aliquid inuestigemus. Diximus...»
l. 5: «...sed si bene attendimus...»
l. 15: «Item. Diximus quia modo merendi ex adminiculo...»
l. 17: «Habemus enim in auctoritate...»
l. 52: «...hoc non dico...»

§ 83 l. 1-4: «Sicut autem aliqua adiecimus in querendo an aliquis mereatur predictas passiones, ita alii questioni uolumus aliquid adicere, qua quesiuimus an propter passionem aliquis mereatur. Meminimus enim nos dixisse...».
l. 9-11: «Ad hoc dicimus, quia reuera mortem eius fructus tantus et talis secutus est, uim tamen merendi circa illam, non constituimus; sed in illis solis que supra proposuimus...»
l. 15-21: «Quid autem confert nobis dicere quod ...ubique possumus inuenire actiones quibus possimus dicere... Dicatur ergo firmiter quod diximus...»

l. 24: «Dicimus ad hoc quod propter adiunctum sibi...»
l. 47: «...nullam inuenimus actionem extrinsecam cui meritum attribuamus. Inuenimus...»
l. 52: «Dicamus uoluntatem illam fuisse...»
l. 62-63: «Sed dubium est nobis sub quo genere rerum debeamus ponere contemptum»
l. 67: «Dubium est nobis quid debeamus dicere...»

§ 84 l. 1: «Transeamus ad aliud quiddam...»
l. 20-21: «Ad exagitandum ingenia hec proponimus et licet excursus sit, incidenter tamen querimus...»
l. 24-25: «...an ea agat aliquid, qualiter quesiuimus an Christus...»
l. 37-38: «Sic procedimus secundum regularem usum quamuis inueniatur...»
l. 45: «...possumus locutionem intelligere cum quadam determinatione...»
l. 49: «In hac enim opinione sumus...»
l. 58-59: «Valet autem hoc ad exponendum quod supra posuimus...»
l. 60: «Ecce de meritis diximus ad quod genus...»
l. 62: «...et inter illas quesiuimus de quibusdam...»
l. 63: «...et aliunde diximus hominem mereri...»

§ 85 l. 1-2: «...utrum ea bonis meritis uel malis attribuamus...»
l. 10: «Nec hoc negamus».
l. 26: «...istius debeamus referre meritum huius paupertatis»
l. 57: «Video ergo paupertatem et diuitias...»
l. 68: «Semper dat Deus talia ad bonum, ut inspiciamus quid Deus...»
l. 80: «Obicitur eis quod in ueteri testamento, inuenimus...»
l. 89-90: «Sed sicut supra diximus non sunt dicendi...»

§ 86 l. 5-6: «Nec enim absurdum habemus dicere...»
l. 9: «Concedimus simpliciter quod aliquis...»
l. 26: «Non possumus dicere quod ad premii augmentum»
l. 46-47: «Dicimus quod bene potest esse maior contritio...»
l. 79sv: «Hanc autem opinionem ualde probabilem non improbamus»
l. 84: «Cum autem supra distinxerimus hanc...»
l. 86: «...ut diximus relata ad necessitatem, non ad utilitatem»
l. 94-95: «...sicut ante diximus...»
l. 107: «Respondemus hoc esse uerum...»
l. 108: «Sed nos solemus considerare condignitatem...»
l. 112: «Procedimus ulterius in sententia predicta...»
l. 128: «Ad hoc sine preiuditio dicimus...»
l. 144-145: «Notandum uero quod cum diximus...»

§ 87 l. 35: «...quia, sicut diximus, ad ista teneor...»

§ 88 l. 3-4: «Est autem duplex opertio, ut sic dicam...»
l. 8: «Hee tamen assignationes non multum nobis placent»
l. 17: «Non dico quod futuri sint impares in premio...»
l. 21: «...putamus illam que maiorem habet acredinem...»
l. 30: «Non uidetur omnino nobis sic esse...»
l. 36: «Mouet nos adhuc circa hec scriptura illa...»
l. 49-50: «Si non ex culpa sua, proderit ei ut diximus...»
l. 52-53: «...non diffinimus, sed talia proposuimus ut aliquorum ingenia ad inquirendum exagitemus...»
l. 65: «Possumus ad hoc respondere quod credimus...»
l. 69: «Alioquin huiusmodi facta non approbaremus...»
l. 71-72: «...dicimus ad consequentiam trahendum»

§ 89 l. 1-3: «Inter modos merendi quos supra distinximus, de modo merendi quo mali dicuntur temporalia bona mereri, inquisiuimus et diximus improprie...»
l. 5: «Similiter exponimus illud...»
l. 9: «Ideo diximus improprie poni uerbum merendi...»
l. 52: «Hec subtilibus ingeniis discutienda proponimus...»
l. 56-57: «Vt uerbi gratia de utroque membro ponamus exemplum...»
l. 58: «Vnde etiam diximus malos nullum bonum temporale...»
l. 61: «Exposuimus uerbum merendi per comparationem...»
l. 66: «Dicimus quod Deus dat ista bonis...»
l. 69-70: «...sententie illi quam de merito malorum proposuimus...»
l. 88: «Non uidemus quis possit huic uoci...»
l. 105 «...nec intelligo tolerabilius quam meruerint...»
l. 116: «Conferamus enim contemptum qui parit mortale...»
l. 131: «Huic rationi non uidemus quomodo...»
l. 139: «Sed ponamus aliquos esse...»
l. 171: «Dicimus ad hoc quod non facit opus...»
l. 172: «...carere utraque plica ut diximus...»
l. 182: «...uel ita suppleamus in auctoritate...»
l. 190: «...tamen magnum scrupulum facit nobis hec auctoritas...»

§ 90 l. 11-12: «Dicimus locutionem predictam esse figuratiuam...»
l. 17-20: «Sed hanc questionem prosequi superuacuum habemus quia prediximus homines non mereri peccando temporalia bona, et satis super hoc disputauimus. Transeundum est ad hoc quod diximus...»
l. 38-39: «Exempla habemus multa...»
l. 46: «Si uero forte remotum uidetur hoc esse, habemus aliud»
l. 54: «Habemus etiam in hac facultate accomodatius exemplum»
l. 65: «Pro illo de quo diximus...»

l. 67-70: «Cum ita distinximus sensus huius propositionis ...et uno distinxerimus modo eam ...multa ad hec similia induximus»
l. 75: «Respondemus quia male concludit...»
l. 87: «Nec enim possumus excipere portiunculam aliquam...»
l. 101-102: «Obicitur adhuc nobis... Respondemus quod conclusio duplex est»

§ 91 l. 2: «Respondemus hoc accidere ex consortio mortalis»
l. 9: «Videamus circa simile quod induximus...»
l. 13: «Et sicut diximus consortium mortalis...»

§ 92 l. 5: «...ut ante diximus...»
l. 8-9: «Nos uolumus hoc pretextu determinare propositionem illam. Immo eam concedimus»
l. 13-15: «Licet autem subterfugiamus hanc: 'Iste punitur pena eterna merito uenialis', et uim huius prepositionis 'pro' distinxerimus, uidetur tamen quod possumus ad eam concedendam...»
l. 39: «...credimus tantam penam debitam...»
l. 48: «Obicitur adhuc nobis sic...»
l. 74: «Ideo diximus quantum ad hunc articulum...»
l. 96: «Satis placeret nobis exemplum nisi...»
l. 117: «Dicimus quod ueniale peccatum malitia est...»

§ 93 l. 28: «Item. Vt aliquid subtilius adiciamus, non solum precedentia...»
l. 30: «Putamus enim quod sicut in purgatorio...»
l. 32: «Quod dico propter sanctos qui nullo indigent...»
l. 34: «Dico accelerationem purgationis...»
l. 38-39: «...predictam solutionem reprobamus et pro nulla reputamus...»

§ 95 l. 2: «Dicimus quod sane potest recipi hec propositio...»
l. 14: «Dicimus tamen quod non ita est...»
l. 17: «Et sicut credimus bonum equiuoce dicitur...»
l. 59: «Exemplum habemus contra obiecta...»

§ 96 l. 4: «Videmus etiam interdum quod ei qui immunis est ab omni peccato...»
l. 22: «Veniamus nunc ad id cuius gratia tractatus istius portiunculam incepimus, considerantes...»
l. 29: «Immo ponimus constare de penitentia illius»
l. 37: «Item. Ponamus alium in simile factum incidisse et similiter penituisse...»
l. 41: «...et illi de quo ante questionem fecimus»
l. 54: «Circa huiusmodi dubitabilia, credimus prius distinguendum...»
l. 60-61: «Sed ponamus manifestum esse...»
l. 64: «...nec possumus negare Deum facere...»

l. 67: «Dicimus reuera, quia quicquid ecclesia facit...»
l. 70: «Nec tamen dicimus diuersa esse...»
l. 76-77: «Similiter, cum dico 'Dominus punit', intelligo ...Cum dico 'ecclesia punit', intelligo...»
l. 105: «Possumus sic determinare...»
l. 106-107: «Huius autem de quo diximus...»
l. 110: «...quantum apud Deum distinguamus».
l. 111: «...distinguamus sic: quantum ad penam...»
121-122: «Si recurramus ad superiora similia que preinduximus, ibi inueniemus dici simpliciter...»
l. 125: «Nunquid ita hic dicemus quod huic peccatum...»
l. 134-135: «...non possumus cum certitudine respondere...»
l. 137-138: «...et secundum huiusmodi uarium euentum iudicabimus...»

§ 97 l. 3: «Dicimus dignitatem punitionis secundum diuersa attendi...»
l. 15: «Nolumus omittere quod quidam dicunt...»
l. 44: «...dicam ne quod Deus uelit hunc nunquam esse accusandum...»
l. 46-47: «...de hoc certi esse non possumus...»
l. 47-48: «...nonne tunc possumus uere dicere...»
l. 56: «Item. Ponamus duos quorum unus omnino penam...»
l. 64: «Dicimus hanc multiplicem esse»

§ 98 l. 1: «Huic questioni quam sumus prosecuti...»
l. 14-15: «Quod eadem uia qua ostendimus circa uenialia probari potest»
l. 25: «...oportet diuersas apponere determinationes ut prediximus»
l. 31-32: «Dicimus huiusmodi collationem esse congruam»
l. 35-36: «Sicut ante diximus, pena satisfactoria dicitur...»
l. 43: «...et hoc uideamus primo in ueteri testamento»
l. 72: «...Dicimus non oportet sic esse...»
l. 78-79: «Dicit quidem se peccasse propter uenialia sicut credimus...»
l. 81-82: «Sed nunquid de totali pena ipsius possumus recidere aliquam minimam particulam quam dicamus merito...»
l. 87-89: «...sicut supra iudicauimus, ut de punitione uenialis, in quo quis decedit cum mortali disputauimus»

§ 99 l. 36-39: «Si obiciatur nobis quod *post hanc uitam, non est locus merendi*, intelligimus hoc de meritis... sed aliqua alia potest mereri ut prediximus»
l. 40: «Redeamus uero ad illud de quo prediximus...»
l. 50: «Item. Ponimus duos qui sic mouebantur...»
l. 74: «Videmus quod contritio quedam...»
l. 87: «Nos autem dicimus quod cum talibus...»

l. 150: «Et ut euidentius faciamus quod dicimus, ponamus tria...»
l. 163-164: «Et ut similiora ponamus...»
l. 169: «In uenialibus tamen dicimus...»
l. 192: «...operatur Pater sicut ante diximus»
l. 212: «Et ponamus illud circa unum et eundem...»
l. 227: «Et ut aggrauemus questionem, ponamus...»
l. 257: «Ponamus enim tres...»
l. 265: «Tertium ponimus...»
l. 267: «Quero an iste sit in meliori statu quam alii duo»
l. 276: «Sed uideamus an hoc bene dicatur».
l. 283: «Sed in uenialibus non audemus hoc docere»
l. 305: «...et sicut credimus, peccatum illud ueniale fuit...»
l. 310-311: «Non uidemus quid ad hoc dicatur sed forte recurret quis ad solutionem quam supra posuimus...»

§ 100 l. 2: «Video enim quod motus diligendi...»
l. 5-8: «Nunquid ergo dicemus... et fenum esse iudicabimus»
l. 16-17: «Nunquid autem in eo quod dixisse uidemur, figemus pedem, ut dicamus neminem...»
l. 19 sv: «Non improbamus solutionem quorumdam quam supra tetigimus...»
l. 47: «Quod autem supra quesiuimus an delectetur in diligendo...»

§ 101 l. 1: «Cum in aliis sicut ante diximus...»
l. 31-32: «quia quod scimus Deum uelle, nos etiam uelle debemus. Alioquin curuum cor habemus»
l. 72: «Videamus etiam de dolore Beate Virginis...»
l. 99: «...non intelligimus nec uidemus...»
l. 109: «...uel liberi arbitrii in questione relinquimus»
l. 117: «...quod enim consentire debeamus diuine iustitie...»

§ 102 l. 3: «Sed uideamus an ita sit...»
l. 7-8: «In primis non miror si non cadunt ista...»
l. 10: «Ponamus tamen monachum habere nepotem...»
l. 18: «Ponamus enim duos, unus est imperfectus...»
l. 28-29: «Quid dicemus in his? Dicamus quod ista dicuntur...»
l. 52: «...non plane uidemus...»

§ 103 l. 27: «Possumus ad hoc respondere...»
l. 35: «Dubitamus quid appellet ebrietatem...»
l. 44-45: «...dicimus sicut supra adiectum esse...»
l. 54: «...secure dicimus quod est mortale peccatum...»
l. 56: «...non ita sine questione asserimus...»
l. 58-59: «...et de illis per ordinem breuiter uideamus...»
l. 118: «Vt enim de uno loquamur...»
l. 134 sv: «Si ad hec referamus, planum est quod dicitur...»
l. 145: «Videamus ad ultimum...»

§ 104   l. 1-3: «Diligentius et diffusius oportebit nos... de penitentia quem aggressi sumus»
l. 5-6: «Ponamus exempli causa...»
l. 28: «Et ut hoc euidentius sit, ponamus unum...»
l. 33-34: «Nunquid ergo dicemus secundum...»
l. 53: «Ita in contritione de qua ante diximus...»
l. 57: «Ponamus autem aliquem de duobus per simplicitatem credere...»
l. 64: «Nec dicimus quod ei augeat premium...»
l. 70-71: «Tunc non uidemus quid conferat maioritas contritionis...»

§ 105   l. 1: «Sequitur ut dicamus aliqua de exteriori penitentia»
l. 8-9: «...et illud quod posuimus secundum»
l. 26-27: «Circa hoc tamen plurimum mouemur. Videmus enim ex uoto baptismali...et non uidemus manifeste quid faciendum exigat...»
l. 52-53: «Sed uidetur quod etiam ille quem nos innocentem a baptismo suscepto iudicamus...»
l. 85: «Quod tamen diximus de excessu penitentis...»

§ 106   l. 1-3: «Notandum uero quod distinctio quam fecimus de modis diuersis iniungendi penitentias potest ad hanc trimembrem distinctionem quam hic facimus reduci»
l. 26: «Dicimus non ideo dictum esse hoc...»
l. 40: «...idem quod prediximus apparet scilicet...»
l. 60: «Ponamus aliquos dispariter peccasse, sed qui plus peccauit...»
l. 66: «Ponamus secundo aliquos dispariter peccasse et parem habere caritatem...»
l. 67-68: «Plus dico, non propter meritum uite eterne...».
l. 70: «...credimus quod pro maioritate peccati sui...».
l. 96: «Hoc tamen non constat nobis»
l. 102: «...nisi sicut prediximus possit excusari per suam impotentiam»
l. 107: «Non uideo quod illa remedia...»
l. 117: «Vnum tamen opus uidemus in quo...»
l. 121: «Superest ut uideamus quid sit...»
l. 123: «Dicimus ipsum in eisdem posse...»

§ 107   l. 1: «Videamus nunc de operibus penitentialibus...»
l. 19: «Sicut supra diximus, in inuio...»
l. 29: «Ita dicimus quantum ad meritum uite eterne...»
l. 49: «Non audemus constanter dicere...»
l. 59: «Non est certum nobis qualiter comparare possimus amaritudinem delectationi»
l. 70: «Sed ponamus duobus in penitentia esse iniunctum ieiunium»

l. 73: «Ita credo citius tamen esse ei qui magis crutiatur...»
l. 75: «Pono quod uni iniugitur ieiunium...»
l. 77: «Et hic similiter sicut in predicto iudicamus»
l. 78: «Sed adhuc pono utrique iniunctam esse...»
l. 104: «...non uideo quod prosint ad euasionem purgatorii»
l. 106: «Nec super his mireris. Videmus enim quosdam...»
l. 120: «Leue exemplum posuimus...»

§ 108 l. 3: «Non dico quantum ad culpam...»
l. 10: «Videtur obuiare his que diximus...».
l. 13-14: «Diximus tamen supra, illos ualere ad multa...»
l. 26: «Aliam circa penitentiam questionem aggredimur...»
l. 50: «Item. Procedamus ad satisfactionem. Ponamus enim quod ille...»
l. 66: «...nec dimidiam possumus facere penitentiam...»

§ 109 l. 9-10: «Non oportet, sed sicut supra in duobus pro se ipsis penitentibus diximus, ita dicimus...»
l. 13: «Idem iuditium habemus etiam si...»
l. 26: «Circa unum predictorum in quo diximus...»
l. 28-29: «...habemus hoc dubitabile. Videmus enim...»
l. 43: «Circa aliud quod proposuimus...»
l. 61: «Illud enim non uidetur nobis quod tantum...»
l. 80: «...credo quia plus prodest patri...»
l. 87: «Sed nescimus cur hoc fit cum nomine orationum...»
l. 99 sv.: «In huiusmodi distinguimus inter uota spontanea et ea...»
l. 103-104: «In penitentialibus autem dicimus quod iterare tenetur. Idem iuditium habemus...»
l. 127: «Sic enim uidemus in contractibus humanis...»
l. 135: «Non credimus, immo singulis tenetur in singulis»
l. 139: «In epistula ad Romanos in finem habemus...»
l. 143: «Ibidem tamen auctoritatem habemus...»
l. 154: «...et hoc dico...»
l. 157: «...sicut in inuio dicere solemus...»

§ 110 l. 90: «...maioris dico, non minoris...»
l. 116: «Dicimus ergo hanc remissionem et corpori et anime conferre...»
l. 126-128: «Non est meum os meum ponere in celum...His etiam rationibus licet tenuibus, confirmare possumus que diximus»

§ 111 l. 3: «Dico quod supplementum penitentie...»
l. 6: «Dico autem orationem communem non specialem...»
l. 12: «Dicimus quod ita»
l. 15: «Dicimus quod tollit et partem temporis...»
l. 23: «Nescio»
l. 38: «Dicimus quod non...»

§ 112 l. 1: «Ad alia transituri repetamus...»
l. 50: «Ad predicta respondentes dicimus quod in quantulacumque caritate...»
l. 72: «Soluat qui poterit, in hoc enim defitio»
§ 113 l. 25: «Dicimus quod quilibet tenetur scire capita et generalia peccatorum...»
l. 42-43: «Dicimus laicum ad hoc non teneri...»
§ 116 l. 63: «Probo quod non...»

⟨Cap. II.- In quibus tenemur Deo, nobis, proximo⟩.

§ 117 l. 7-8: «Confiteri autem debemus et omissa et commissa, et sicut commissa sunt ut sicut et in quibus recessimus a Deo, ita et per aliam uiam reuertamur ad ipsum»
l. 12 «Vt omnia tamen confiteamur, consideremus in quibus teneamur Deo, nobis et proximo...»
l. 14: «...ita patet nobis in quo et quantum recesserimus a Deo, ut ei in illo satisfaciamus»
l. 27 sv.: «Non dico latria»
l. 37: «Non laudo, quia...»
l. 69: «Dicimus, harum horarum repetitionem amplius esse iniungendam...»
l. 102: «Non credo. Laudo quod uocaliter psalmos repetat»
l. 124: «Dicamus ergo quod musce morientes in se...»
l. 131: «Vel dicamus. Has muscas morientes...»
l. 141: «Pono unum paucis uexari fantasmatibus...»
l. 143: «Dicimus quod id tantum quod deuotum est...»
§ 118 l. 1: «Ad pietatem pertinet ut diximus oratio...»
l. 57: «Quid ergo dicemus ? Quod in his...»
l. 80-84: «De sacrificii confectione uel sumptione et de supra nos Dei dilectione, ad presens supersedemus, relinquentes uniuscuiusque conscientie iuditio quomodo sacramenta Dei tractet uel Deum supra se diligat, id adicientes...»
§ 119 l. 17: «...et quod unica, sic probo»
l. 111: «Hec meticulose soluentes, dicimus sine preiuditio melioris sententie...»
§ 120 l. 50: «Videmus quoque uiris religiosis discumbentibus delitiosos...»
§ 122 l. 43: «Idem dico de consilio quocumque...»
l. 48: «Quod sic probo...»
l. 57: «...alias non dandum, teneor restituere»
§ 124 l. 33-34: «...dicimus quod iustitia erat in periculo et innocens querebatur»

§ 125 l. 1: «Facimus etiam miserum facto, non dico propinquo sed remoto et longinquo...»
l. 6: «Facimus etiam miserum non solum facto proprio et remoto...»
l. 14: «Credo quidem ad hoc eum teneri...»
l. 21: «Facimus etiam miserum facto scandalo...»
l. 31: «...dico te per litigium huiusmodi...»

§ 126 l. 1-3: «Item. Facimus miserum spiritualiter et participamus peccatis aliorum cum aliquos indignos ordinamus, aut pro eis ordinandis intercedimus»
l. 15 ss.: «Siquidem quasi longa manu pecco, in omnibus peccatis illorum...»
l. 22: «Ne uero ignoremus quales sint ordinandi...»
l. 55: «In his si peccauerimus...»

§ 127 l. 1 sv.: «Restat uidere quomodo sit penitendum et confitendum super his in quibus deserimus miserum...»
l. 5 ss.: «Primo itaque de his que circa hec manifestiora sunt disseramus. Quemadmodum scilicet deseramus miserum... et tamen in eo delinquimus quia quantum in nobis est, eum relinquimus miserum, non ipsos potius quam illum facientes miseros»
l. 13 ss.: «Insuper exemplo nostro prauo alios corrumpimus quos spiritualiter miseros facimus. Sollicite et discrete considerandum est et confitendum, quantum scire possumus, quotiens et in quantis necessitatibus deserimus miserum...»
l. 65-66: «Non ergo immunes sumus a peccato qui omisimus tot fratrum correptiones et eos spiritualiter miseros totiens deseruimus»

§ 128 l. 1 ss.: «Sicut leditur proximus exemplo nostre praue actionis...»
l. 15: «Si ergo in his delinquimus...»
l. 67 ss.: «Ex his perpendere possumus quantum uitare debeamus, ne quem miserum faciamus scienter, non dico tantum propria manu, sed etiam manu longa et aliena»
l. 77: «Similiter credo esse in ceruo cornupeta et in equo pedepeta...»
l. 78: «In his ergo si peccauerimus, restituere dampnum debemus si possumus, quod manu longa intulimus...»
l. 108: «Sed hanc distinctionem non multum approbo...»
l. 135-136: «...repetamus ut aliquid addamus»
l. 175: «Vt autem facto et exemplo predicta concludam, ponam uobis casum»
l. 183 ss.: «Postea uenit ad me sacerdos ille, querens a me super hoc consilium. Ego autem iudicaui et adhuc iudico ipsum grauissime offendisse et reum sanguinis illorum...»

l. 195 sv.: «Vt michi uidetur, non erit immunis a culpa...»
l. 199: «Non tamen dico quod qui ita deliquit arcendus sit a sacris ordinibus...»

§ 129 l. 1: «Preterea. Per consensum facimus et deserimus miserum multipliciter...»
l. 72: «Et ut exemplum interponamus, quidam miles consanguineus meus...»
l. 96: «In his et circa hec, omnes fere ceci sumus, etiam ipsi litterati»
l. 101-103: «Cum postea super eo cum prelato illo loquerer et rationes multiplicarem contra tale flagitium, non potuit ei persuaderi quod super hoc peccasset. Immo inde lusit et risit»
l. 115: «Item. Vt aliud exemplum ponamus. Quidam archidiaconus...»
l. 149-151: «...nec audemus asserere licet quedam superiora id sonare uideantur. Vnde nec in hoc alicui securitatem prestare uolumus...»

⟨Cap. III.- De confessione⟩.

§ 130 l. 1: «Habemus itaque quomodo sit penitendum...»
§ 131 l. 7: «Ecce habemus quod non excusat in homine peccatum ignorantia culpabilis...»
l. 19: «...Dominus punit aliquem, cum nos tamen ignoremus quare puniatur...»
l. 27-30: «Si has auctoritates de his que obliuioni tradita sunt intelligamus, hoc certum et planum est; si uero de his que in memoria habemus, sed ignoramus uel esse peccata, uel esse mortalia, sicut uidentur sonare auctoritates ille intelligamus»
l. 37-38: «...nichil determinatum habemus in sacra scriptura, aut determinatum capere possumus...»
l. 50 ss.: «Similiter etiam si ignoramus de aliquo quod scimus esse peccatum...»
§ 132 l. 13: «Ad hoc dicimus quod non est mentitus...»
l. 40: «...ex uerbis Domini in Luca habere possumus...»
l. 43 sv.: «Et possumus absque hesitatione...»
§ 133 l. 1: «Quod uero ea que nobis per confessionem reuelantur...»
l. 64: «...neminem credimus hesitare...»
l. 125: «...non loquimur de infamia legum...»
l. 140 sv.: «...non credo ipsum peccare aut proditorem esse...»
l. 159-160: «...sed etiam de spirituali credimus hoc preceptum esse intelligendum...»
l. 207: «...non dico suarum sed pauperum»
l. 257: «Ideo in hoc et in predictis ita determinandum credimus,

ut nulla ratione reueletur confessio...»

l. 266: «Neque ut opinamur usque adeo artatur homo...»

§ 134   l. 1-3: «Sequitur questio an debeamus in qualibet confessione omnes circumstantias peccati... Et credo quod hoc tempore magna sit circumstantia peccati illud aggrauans»

l. 120 sv.: «...ex eo perpendere possumus quod habetur...»

§ 135   l. 49-51: «Credo quod Dominus qui dat in tali casu penitenti contritionem, ipsum quid agere debeat, docebit per internam inspirationem. Potest enim, ut credo...»

§ 136   l. 61-62: «Quod uero crimina facienda reuelare possumus, argumentum habemus ab eo quod nepos Apostoli...»

§ 138   l. 57 ss.: «Dicimus quod non ordinarius habet curam a simili iudicis delegati...»

l. 72: «Dicimus licentiam prelati ordinarii exigi ad hoc ut non ordinarius...»

l. 76 s.: «Et dicimus quod non ordinarius sacerdos...»

§ 139   l. 13 ss.: «Dicimus quod casus necessitatis non secuntur legem communem. Tamen si confitetur laicus laico, non tamen dicimus nasci spiritualem...»

§ 140   l. 28: «Dicimus quod debitum uel obnoxietas uel auctoritas discernendi inter ligandum et soluendum...»

§ 141   l. 24: «Dicimus hunc esse sensum...»

l. 45: «Dicimus secundum argumentum falsum esse»

l. 59: «...dicimus quod iuste ligat eum...»

l. 62: «Dicimus non esse theologicam questionem...»

§ 142   l. 6: «Dicimus tamen quod ex ordine. Vnde dicimus talem clauem...»

l. 31: «Dicimus quod cum preter consuetudinem sit diaconum soluere...»

l. 66 sv.: «Dubitamus. Hoc tamen nunquam continget de potestate crismandi...»

l. 78: «Dicimus quod ex omnibus suspenditur ex usu...»

l. 83-84: «Non quero quare statim teneat...»

B.- *Textes à la troisième personne.*

§ 143   l. 20: «Dicit magister de excommunicatione: si generali excommunicatione...»

l. 26: «De exauctoratione dubitat an sit agendum de eo sicut a simili...»

l. 36: «Dicit quod potest»

l. 38: «Querit item de excommunicato in genere...»

l. 40: «Dicit non. Specialia non subtrahuntur...»

l. 56: «Et querit pro quanta possessione...»
l. 58: «Querit etiam qua pena possit puniri...»
l. 65: «Querit preterea, si laicus aduersus laicum...»
l. 93: «Credit tamen posse absolui recepta cautione...»
§ 144 l. 16: «Non approbat quod quidam faciunt...»
§ 145 l. 11: «Dicit nominationem non esse faciendam...»
§ 146 l. 17: «Iuxta hoc querit quem effectum habeat excommunicatio...»
l. 26: «Et querit sub qua forma sit ferenda sententia in mortuum...»
l. 42-43: «...nisi indubitata ratio fidem faceret contra eum. Dubitat»
§ 147 l. 56 sv: «Dicit quod uidetur ei de pugili...»
l. 97: «Item. Addidit per simile...»
§ 152 l. 1: «Adiungit questionem de excommunicato a superiori, an possit...»
l. 22 sv: «Distinguit secundum quosdam...»
§ 153 l. 59: «Credit quod non. Dicit tamen peccare...»
l. 74: «Dicit quod si fiat sermo ad catharicos...»
l. 89: «...dissimulatione fuerit abolita. Dicit adhuc...»
l. 109: «Dicit: Detrahendum est aliquid seueritati propter sociam multitudinem»
§ 154 l. 69-70: «Debet ne decanus obedientiam capitulo an non ? De predictis dicit sententiam decani sicut et aliorum siue iuste siue iniuste latam tenere»

Autres textes. Observations.

Ces deux groupes de citations empruntées au texte de base du tome II de notre édition — texte qui repose essentiellement sur la Somme de Troyes — semblent appeler quelques remarques.

D'une part, les formes verbales à la première personne sont de beaucoup les plus nombreuses. D'autre part, il ne faut point oublier que le texte est jalonné de très nombreux verbes impersonnels: *queritur, dicitur, potest dici*, etc. comme il est d'usage dans les ouvrages de ce genre.

Mais il importe surtout de signaler que les verbes à la première personne et les verbes à la troisième personne ne sont jamais mêlés au sein du même chapitre, et que les chapitres contenant des formes à la première personne forment un groupe homogène, dense, sans fissure, s'opposant à la masse des chapitres où l'on relève des verbes à la troisième personne. On remarque de la sorte une division nette du texte de base du tome II:

§§ 72-142, contenant des textes à la première personne.
§§ 143-155, contenant des textes à la troisième personne.

(On peut en effet faire abstraction du § 137 où l'on trouve un texte à la troisième personne: l. 14-16: «*Dicit quod in peccatis luxurie non credit hoc faciendum quia proni sunt homines ad luxuriam, sed in aliis faciendum credit*». Cette leçon est absolument certaine pour le ms. T. Quant au ms P, il nous offre cette variante: «*Dicitur quod in peccatis luxurie non debet hoc fieri quia proni sunt homines ad luxuriam, in aliis faciendum creditur*». Les abréviations des ms. W. et L sont équivoques et susceptibles de deux transcriptions. Le copiste du ms. B a néanmoins adopté le même texte que celui de T. Quoi qu'il en soit cette phrase rompt l'harmonie du texte et détruit la logique de l'argumentation. Cette phrase contient une solution plus large que celle finalement adoptée aux lignes suivantes. On pourrait donc supposer qu'il s'agit là de l'opinion d'un maître que Pierre le Chantre n'a pas voulu nommer. On pourrait croire aussi qu'il s'agit là d'une assertion du Chantre, et que cette phrase ait été ajoutée au texte proposé par Pierre le Chantre par le copiste, agissant de son chef et probablement à l'insu du vieux maître. Quoi qu'il en soit, il s'agit certainement d'une adjonction réalisée en des circonstances qu'il reste à élucider).

Les textes à la troisième personne des chapitres 143-155 sont relativement peu nombreux. Les §§ 148-151, 155 en sont totalement dépourvus, étant entièrement rédigés à la forme impersonnelle.

On serait donc tenté de conclure: les §§ 72-142 sont exclusivement l'œuvre de Pierre le Chantre; les §§ 142-155 au contraire se présentent plutôt comme la relation de l'enseignement d'un maître qui n'a pas rédigé lui-même ses leçons. Toutefois, on ne peut faire purement et simplement de ces chapitres 142-155 une sorte de *reportatio*. Ces §§ 142-155 sont composés avec beaucoup trop de soin pour être assimilés à des notes de cours; ils n'ont pas été rédigés au jour le jour suivant l'inspiration et la fantaisie du maître, mais obéissent à un plan déterminé. Le sujet implicite des *querit, dicit, etc.* est sans aucun doute un maître. Faut-il supposer que ce dernier soit un maître ou ancien maître de Pierre le Chantre, ou quelque illustre contemporain de ce dernier ? Faut-il au contraire supposer que ce maître soit Pierre le Chantre lui-même ?

Pourrait-on vraiment admettre que Pierre le Chantre ait cité si souvent un maître dont il fait siennes les solutions ? Nous en discuterons plus longuement. Toutefois, une observation n'est pas des plus favorables à cette hypothèse. On remarque en effet qu'à partir du § 143 l'auteur fait preuve d'une très grande réserve, ne propose jamais des solutions ou des opinions personnelles annoncées par les mots: *Dicimus, Respondemus,* etc, que nous rencontrons si souvent dans tous les chapitres précédents. Et ce fait différencie assez nettement les deux groupes de chapitres.

C'est pourquoi il est préférable d'admettre, croyons-nous, que le maître auquel il est fait de discrètes allusions, n'est autre que Pierre le Chantre. Ce qui nous oblige à envisager une collaboration entre Pierre le Chantre et ses disciples.

II° APPENDICES

1°.- *Appendice I*

L'appendice I, dont le texte est propre aux manuscrits W, A, L, contient un certain nombre de textes à la première personne:

cap. 1   l. 24 sv.: «Nunc autem prosequamur de debito innocencium et debito peccatorum penitencium»
       l. 84 ss.: «Ex aduerbiis huius auctoritatis comparatiue positis concludo penitenti esse necessarium...»
cap. 2   l. 82-83: «...et ita uacillabit et cadet tota consideratio nostra et iudicium»
       l. 84: «Sed nobis sic obicitur»
cap. 4   l. 35 sv: «Respondemus. Quia auctoritas hec»
       l. 58 sv: «...respondemus quia penes caritatem consistit omne meritum»
       l. 76: «In huius solutione deficio»
       l. 81: «Hinc concludo commutacionem pene...»
       l. 107 sv: «Sicut ergo diximus pena magis amaritudinis magis est extinctoria uel delectoria purgatorii...»
       l. 116 sv: «Non credimus, quia nullum opus uite eterne est meritorium uel purgatorii extinctorum...»

l. 124-125: «Inde conicimus non apperere caritatem esse in operibus que impendimus...»
l. 140-141: «...dicimus indubitanter habentem caritatem posse labi»
l. 157: «...scilicet uitam anime temporalibus preponamus»
l. 166: «Dico quod contricio perfecti pro ueniali habita sufficit ad delendum criminale...»

cap. 5 l. 34 sv.: «Respondemus. Quia forte ita est uel non, et ita secunda...»
cap. 6 l. 8 sv.: «Dicimus quod non. Feruor enim...»
l. 41: «Non credo. Tunc enim omnes de facile possemus...»
l. 44: «Idem dicimus de uoto quod si scilicet...»
l. 70-71: «Tamen si fere fuerint purgati, credo eos etiam iuuari in relaxatione pene debite...»
l. 83-84: «Respondemus. Quia ante mortem peragit quis penitentiam...»
l. 141: «Respondemus. Quia addit celeriori absolucioni...»
cap. 7 l. 67: «Probo quod non. Auctoritate maioris fuit absolutus...»
l. 79: «Quod probo. Quia illi remissum est peccatum...»

A côté de ces manifestations personnelles, on ne trouve que des verbes impersonnels, sans jamais relever la moindre allusion à un maître ou à un tiers dont l'auteur de ces pages aurait recueilli les leçons.

Cet appendice constitue en quelque sorte une autre «édition» des chapitres parallèles de la *Summa* (Tome II, §§ 105-110). Ces pages semblent en outre se rattacher aux *questiones* précédentes de la *Summa,* car elles débutent par cette transition: *«Post interiorem penitenciam, hoc est contricionem cordis, sequitur de exteriore satisfactione operis»* (App. I, cap. 1, Tome II, p. 391).

Les chapitres parallèles de la *Summa* sont plus concis, mieux composés, plus précis. Néanmoins il est infiniment peu probable que les pages constituant cet *Appendice I* ne soient que des notes de cours. Il n'est pas improbable que leur auteur en soit Pierre le Chantre.

2°.- *Appendice II*

Ce texte, propre à P, se prolongeant d'ailleurs au tome III en un *Appendice IV,* contient un certain nombre de verbes à la première personne, du moins dans ses quatre premiers chapitres:

cap. 1 l. 23: «Quero etiam utrum filius in hoc casu debeat relinquere hereditatem quam tenet»
　　　　l. 97: «...ex eo perpendere possumus quod habetur super epistulam Iacobi, ubi dicitur...»
cap. 2 l. 12: «Ecce ex hac auctoritate habemus...»
　　　　l. 39: «Credo...»
cap. 3 l. 3-4: «Quero quid faciendum sit sacerdoti...»
　　　　l. 13: «Quero etiam quid faciet sacerdos...»
cap. 4 l. 11: «Non uideo maiorem cognitionem uel noticiam...»
　　　　l. 31: «Demum possumus per ipsius licentiam...»
　　　　l. 90-91: «Dicimus quod non ordinarius habet curam a simili iudicis delegati...»
　　　　l. 118: «Dicimus licentiam prelati ordinarii exigi...»
　　　　l. 122 sv.: «Et dicimus quod non ordinarius sacerdos debet hoc ipsum inquirere...»
　　　　l. 154: «Meum est consilium quod reueles si alii sacerdoti confitearis...»

A partir du chapitre 5, ces verbes à la première personne se font plus rares, du moins si l'on considère exclusivement les textes qui sont d'authentiques manifestations personnelles. On peut en effet négliger des textes à la première personne qui ne reflètent pas un sentiment ou une opinion authentiquement personnels, mais de simples idées générales. On peut de même user de ces formes personnelles pour donner un tour plus vif et plus concret à de simples exemples. La présence de formes de ce genre dans un texte ne peut donc autoriser à décider si ce texte est ou n'est pas un quelconque assemblage de notes de cours ([51]). En effet, l'auteur, ou si l'on préfère, le rédacteur d'une *reportatio* pourrait fort bien transcrire textuellement de telles paroles proférées par son maître.

Nous découvrons cependant deux autres interventions personnelles de valeur au chapitre 12.

cap. 12 l. 10-11: «...immo quero utrum frequens inculcatio excommunicandi et assiduitas...»
　　　　l. 42: «Sed pono quod hinc sint duo excommunicati nulla sua culpa...»

([51]) C'est pourquoi nous ne tenons pas compte de certains textes tels que les suivants: Édition, tome II, App. II, cap. 10, l. 75 ss. (p. 446), l. 143 ss. (p. 449), l. 178 ss. (p. 450); cap. 11, l. 7 (p. 451).

D'autre part, ce texte propre à P contient aussi deux allusions à un maître dont le nom n'est pas précisé:

cap. 8 l. 37: «Consilium magistri est ut remittatur a pastore suo ad illum a quo...»
cap. 10 l. 14: «Consilium magistri est quod eum excommunicet sub hac forma...»

Cet Appendice II soulève de très difficiles problèmes. D'une part, il nous offre un texte un peu plus long que les chapitres parallèles de la Somme de Troyes; ce texte est d'ailleurs d'une excellente facture et retient notre attention par ses nombreuses qualités.

D'autre part, alors que ce texte nous offre des précisions théologiques absentes de la Somme de Troyes ([52]), on peut se demander s'il nous donne toujours une image exacte et fidèle de la pensée du Cantor. Nous avons des raisons d'en douter, et notamment en ce qui concerne le problème des clefs sacerdotales; la solution que nous offrait avec beaucoup de fermeté la Somme de Troyes, n'est plus, dans le manuscrit P, qu'une simple opinion attribuée à «d'aucuns» ([53]). Nous reviendrons plus longuement sur ce problème lorsque nous traiterons de l'ensemble de la *Summa*.

3°.- *Appendice III*

Le manuscrit Z nous offre une version propre des chapitres de la *Summa Cantoris* consacrés à la confession, au pouvoir des clefs et à l'excommunication. Nous en avons déjà donné le plan ([54]).

Il est clair que cette rédaction Z est faite de fragments détachés de la rédaction commune et de la rédaction P. Ces emprunts sont fort libres, et le rédacteur du manuscrit Z a très souvent remanié ses modèles .Ce texte n'est donc pas un témoin très sûr de la pensée du Cantor.

([52]) Notamment au sujet des clefs sacerdotales, en ce qui concerne les pouvoirs de juridiction sur les écoliers, cf. tome II, App. II, c. 4, l. 130-134 (p. 432), c. 7, l. 14-21 (p. 440).
([53]) Cf. Tome II, p. XI-XIV.
([54]) Cf. Tome II, p. 467.

TOME III

I. *TEXTE DE BASE*

Avec le texte de base du Tome III apparaissent de plus sérieuses difficultés. Outre les traditionnelles formes impersonnelles, le texte de la Somme de Troyes contient un grand nombre de formes à la première personne telles que *dico, dicimus,* etc, mais le nombre de verbes à la troisième personne est lui-même assez impressionnant.

Ces formes à la première et à la troisième personne sont assez rarement mêlées, mais il existe néammoins des exceptions. Sur la portée de ces dernières, il est difficile de se prononcer. Peut-on assurer dans tous les cas qu'elles sont alors réellement mêlées au sein d'un même chapitre ? La réponse est parfois douteuse. Nous avons en effet tronçonné le texte de la *Summa* en paragraphes, — opération qui s'imposait si l'on voulait faciliter le maniement de l'ouvrage, mais qui ne pouvait être totalement dépourvue d'arbitraire, car, dans les manuscrits, la frontière des chapitres n'est malheureusement pas nettement tracée: les lettrines sont rares, les titres font défaut.

D'autre part, en dressant une liste de textes à la première personne, tels que *dico, quero, etc,* nous ne retiendrons que les interventions authentiquement personnelles. A côté de celles-ci existent de nombreux textes sur la portée desquels on pourrait discuter. Il s'agit en général d'exemples concrets auxquels la rédaction à la première personne confère une apparence d'actualité et de réalité; procédé fréquemment utilisé, de nos jours encore, par les maîtres qui donnent des cours. Mais la personne qui s'attribue ces faits imaginaires est bien plus un personnage fictif que le maître lui-même. Le maître pouvait dire, en guise d'exemple: «Je me propose de léguer tous mes biens à telle bonne œuvre... Je rédige alors mon testament comme suit...». Un étudiant, s'il daigne copier cet exemple proposé par le professeur, aura tendance à le transcrire tel quel. Peut-on dire que le sujet «je» désigne plutôt le maître que l'élève ? Pourquoi pas le lecteur éventuel des notes de l'élève ? Pourquoi pas un personnage fictif ? On pourrait dire que dans ce cas, le «je» est impersonnel. C'est pourquoi nous ne tiendrons pas compte de textes de ce genre.

A.- *Formes à la première personne.*

⟨Cap. I.- De symonia⟩ ([55]).

§ 156 «...Vnde *propositum nostrum* est tractare de symonia inquirendo casus circa eam subtiles. Alibi quidem de ea *tractauimus*, sed alio fine, eius scilicet pestem detestando...» (T f° 81 rb)

«...Notabiliter autem *diximus* fit, non attenditur, uel consideratur, ne dicatur collationes beneficiorum ecclesiasticorum factas...» (T f° 81 va)

«...Sed si *dixerimus* hic interuenire symoniam, et ita faciendam restitutionem, uix erit inuenire qui non offendatur...» (T f° 81 va)

§ 158 «...Vnde *dicimus* quod si duo accedent, parem habentes deuotionem sed imparem facultatem, petentes sibi specialia suffragia fieri...» (T f° 82 vb)

«...Si obicitur quod nulla ecclesia hoc facit, *respondemus* quod *non dicimus* quid fiat, sed quid fieri debeat...» (T f° 82 vb)

§ 161 «...Hoc *dico* propter laicos archigallos qui prohibent uxoribus suis, quotiens irati sunt...» (T f° 85 rb)

§ 181 «...Sanctiores uel etiam eque religiosores *audiuimus* prelatos presentatos per manum laicam ut per manum ecclesiasticam...» (T f° 94 ra)

«...Habet et alia nomina, ut ius aditus, ius processionis, sed de his ad presens non *curamus*...» (T f° 94 ra)

§ 185 «...hoc habentes ex consuetudine, non *dico* tantum auctoritatem et assensum...» (T f° 96 vb)

⟨Cap. II.- De furto et restitutione⟩.

§ 204 «Similiter a peccato rapine non uidetur excipienda pena pecuniaria que conuertitur in marsupium proprium, non *dico* que conuertitur in usus pauperum...» (T f° 102 vb)

§ 205 «...*Credimus* quod tantum rapina est turpis nisi iniungatur in penam penitentialem...» (T f° 104 ra)

([55]) Nous ne pouvons cette fois localiser en quelque sorte nos citations par renvois aux paragraphes et aux lignes, comme nous l'avons fait pour les tomes I et II, car la mise en page des tomes III 2a et III 2b, actuellement sous presse, n'est pas achevée. Nous nous en excusons auprès de nos lecteurs. Pour faciliter les recherches des lecteurs désireux de replacer ces citations dans leur contexte, nous préciserons toujours le chapitre, le paragraphe (§), et l'indice de la foliotation manuscrite qui figure dans la marge du texte latin.

§ 206 «...*Redeamus* iterum ad illam auctoritatem Augustini super psalmos: Nulla maior usura quam cum plus exigitur...» (T f° 104 va)

§ 208 «...Fere omnes ecclesie habent aquas appropriatas, uiuaria de quibus non *loquor*. Difficile est super hoc dare consilium principibus, difficile etiam dampnare uniuersalem ecclesiam...» (T f° 105 vb)

§ 209 «...Nunc de restitutionibus *dicamus*. Lex secularis habet, licet inciuiliter agat...» (T f° 105 vb)

«...Et hoc ideo *dico* quia dicit lex, quia ideo rigor iuditiorum positus est in medio ...» (T f° 106 rb)

§ 210 «...Siue clericus suaserit principi ut extorqueret siue non, *credimus* quod teneretur restituere...» (T f° 106 va)

«...Vnde *credimus* quod tenetur restituere pecuniam quam accepit, illi et parentibus eius...» (T f° 106 vb)

§ 211 «...*Credo* enim quod tunc de consilio ecclesie restituenda est, aliter non...» (T f° 106 vb)

«...*credo* quia quicquid sic acquirit, tenetur restituere. Item. Si sit meretrix publica elocati corporis...» (T f° 107 ra)

«...Si enim iustitiam seruasset, nunquam ad eam quam credidit meretricem accessisset. *Nos credimus,* quia non tenetur reddere promissum...» (T f° 107 rb)

«...*Credo* quod cogeret. Si autem corruptor deceptus repeteret pretium, non *credo* quod iudex secularis cogeret meretricem ad solutionem. Secus tamen est *ut diximus* de iuditio poli...» (T f° 107 rb)

«...De cane ceremoniale est, quia si uendidissem leporarium meum pro quinque solidis, *credo* quod modo inde *possem facere* oblationem...» (T f° 107 rb)

«...Sed nunc *reuertamur* ad propositum. Nonne magis est ita publice scortari...» (T f° 107 va)

«...*Credimus* ergo quod meretrix quocumque recipiat nullo modo potest licite detinere; nec tamen restituere debet ei qui dedit, sed in dispositionem ecclesie, forte inde aliud supra dictum est, sed hic *dicimus* quod melius *credimus*...» (T f° 107 va)

«...*credimus* quod quandocumque aliqui dant hystrionibus quia hystriones, non quia homines sunt, demonibus immolant. *Possumus* tamen licite audire uersus iocundos de honesta materia, uel instrumenta musica ad recreationem sed nullo modo ad uoluptatem. Simile *dicimus* de omnibus magis et incantatoribus et ariolis et aruspicibus et inspectoribus gladiorum uel speculorum uel augurum, et asardariis et funambulis...» (T f° 107 va-vb)

«...De talibus uera sunt que *diximus*. Sed si cantent cum instrumentis, uel cantent de gestis rebus...» (T f° 107 vb)

⟨Cap. III.- De usura⟩.

§ 213 «Nunc de usuris *dicamus*...» (T f° 108 ra)

«...*Credo* quod si aliquid det illi postea preter sortem, non usura est. Et hoc *possumus* habere auctoritate illius quod legitur in secundo libro Regum. Ibi enim habetur...» (T f° 108 rb)

«...*Dicimus* ergo quod maxime considerari potest discretio usure, secundum quod quis res suas exponit periculo pro amico suo...» (T f° 108 rb)

«...tamen mutuet ei sub spe lucri si ille unquam possit reddere ei; si non possit, sustinebit, non *credimus* quod sit usura...» (T f° 108 rb)

«...Non *credo* quod usuraria fuisset talis pactio, cum ille res suas periculo exponeret...» (T f° 108 rb)

«...*Credo*, si illi sint tales quibus ego tenear specialiter benefacere et concedam tibi mutuum...» (T f° 108 va)

«...posset hoc fieri sine usura ? *Ego non facerem*...» (T f° 108 vb)

«...Si aliquis rapuisset michi per usuram uel aliter equum uel aliam pecuniam, et postea peteret a me mutuum, *possem ego* mutuare ei, ea conditione ut ipse restitueret michi quod prius abstulit ? *Dico* quidem quod...» (T f° 108 vb)

§ 214 «...Licet non sit usura exterior, tamen non *credo* quod possit satisfacere de peccato insidiarum suarum, nisi restituat creditoribus pretium...» (T f° 109 ra)

«...Dicimus hoc esse usuram iuxta psalmistam dicentem: qui pecuniam suam non dedit ad usuram...» (T f° 109 rb)

«...Non *credimus*, quia eque utrumque fuit promissum et utrumque domina si uellet reuocaret...» (T f° 109 rb)

«...ut maiorem summam recipiat non *credimus* esse usuram. Sed si firma sit promissio, uel per bonum responsalem uel pignus, uel per aliam quamcumque cautionem, quod habeat inde plenam securitatem, quod *dicimus* 'craant', pro maiori summa, sic expectare uideretur habere neuum usure et *credimus* esse usuram...» (T f° 109 va)

«...*Respondemus*. Si creditor uel seruiens egeat, nec possit expectare sine suo grauamine...» (T f° 109 va)

⟨Cap. IV.- De uotis et iuramentis⟩.

§ 215 «...Nonne *uouimus* in baptismo quod faciemus boni quicquid poterimus. Si ergo *iurarem* illud idem...» (T f° 109 vb)

§ 216 «...Non *debemus* mercimonia facere cum Deo. Immo, si *uoluerimus* orare, ieiunare pro temporalibus, *ieiunimus*...» (T f° 109 vb)

«...*Credo* quod in causis decidendis, consulenda est auctoritas prelatorum. Vbi autem est periculum anime...» (T f° 110 ra) [56]

§ 217 «...*Credimus* quod debet accedere ad prelatum et debet prelatus rogare dominum ut remittat iuramentum...» (T f° 110 rb)

⟨Cap. V.- Casus conscientie⟩.

§ 219 «...Peccant ne in celebrando? *Non credo*, quia necessitas eos excusat...» (T f° 110 va)

§ 220 «...Ad primum *dicimus* quod ordinatis nullo modo licet habere pregustatores, uel remittere poculum mortiferum...» (T f° 110 vb)

§ 221 «...*Credimus* quod prius debet dimittere ecclesiam siue prebendam si aliter effugere non potest...» (T f° 111 ra)

§ 222 «...Ad hoc *dico* quod nullo modo debet commutare. Si tamen commutauerit cum aliquo...» (T f° 111 ra)

⟨Cap. VI.- De uotis⟩.

§ 224 «...Nunc de uotis pauca *dicamus* ut appareat que dispensabilia et qualiter, et que dispensationem nullatenus admittant...» (T f° 111 rb)

«...Quedam enim sunt continentie de quibus *michi uidetur* quod non possit fieri dispensatio...» (T f° 111 rb)

«...Si ergo aliquis uouisset continentiam et postea dispensaretur ut contraheret, *credo* quod daretur ei licentia fornicandi. Vnde si rex etiam uoueret continentiam et non haberet heredem, *ego non consulerem quod* dispensaretur ut posset contrahere...» (T f° 111 rb)

«...Si ergo magis crutietur aliquis in ieiunando quam in dando elemosinam, *non consulerem* quod commutaretur ei...» (T f° 111 va)

«...*Credo* tamen quod non est tutum, quia *nescimus* quos pauperes *pascamus* bonos uel malos...» (T f° 111vb)

«...Sed alias non *credimus* commutationes debere fieri nisi a propriis sacerdotibus uel suis maioribus...» (T f° 111vb)

«...Contra hoc non *audemus* iudicare. Dicunt tamen quidam quod auctoritas ecclesie maior est in talibus...» (T f° 112 ra)

---

[56] On pourrait d'ailleurs citer tout le § 216.

«...uel cause cognitio sine auctoritate ecclesie. *Scio* quod mouet. Deus non irridetur...» (T f° 112ra)

§ 226 «...quia non uouit intrare nisi illud. *Credimus* quod tutius esset intrare aliquod quam nullum...» (T f° 112 vb)

«...Preterea. *Videmus* quod in Flandria eligitur canonicus regularis ad archidiaconatum...» (T f° 112 vb)

«...Nonne in tali casu *dicimus:* Dominus his opus habet. Nobis *uidetur* quod nisi decreta quedam obloquerentur, bene posset monachus in tali necessitate fieri sacerdos ruralis. *Vidimus* etiam in Remensi ecclesia quod, uacante decanatu, quidam abbas electus est...» (T f° 113 ra)

§ 227 «...*Habemus* tamen contra hoc exemplum in uitas patrum, de quodam habente neptem pauperculam...» (T f° 113 rb)

⟨Cap. VIII.- De elemosyna⟩.

§ 230 «...Ad primum obiectum *dicimus* quia forte ipsa res data, eo quod est elemosina, uirtutem quamdam habet...» (T f° 113 vb)

«...Ad secundum obiectum, *credimus* esse consilium quod semper detur illi cuius suffragium...» (T f° 113 vb)

⟨Cap. IX.- De usura⟩.

§ 232 «...*Quero* utrum usura sit in hoc casu. Esto etiam quod transferat in se omne periculum rei...» (T f° 114 rb *in fine*)

«...Non *credo*, licet enim cum peccato acquisierit, tamen uerus dominus effectus est...» (T f° 114 va)

§ 233 «...Quero ergo si clericus multa acquisierit per negotiationem que ei illicita est...» (T f° 114va)

«...Si *ego* autem *essem* confessor eius iniungerem ei ut totum lucrum resignaret in manus ecclesie et postea si indigeret, posset ecclesia reddere illi...» (T f° 114va-vb)

«...quare per diutinam detentionem liberatur a solutione? Istud *relinquimus* in dubio...» (T f° 114vb)

§ 235 «...*Credo* quod iste contractus fenebris est tantum in forma et non in substantia, nec peccat uxor illius...» (T f° 115rb)

⟨Cap. X.- De iuramentis⟩.

§ 237 «...Coget eum ecclesia ad alterutrum? *Credo* quod cogere debet...» (T f° 116ra)

«...*Credo* quod licet iurassem me nunquam iuraturum, si in tali casu iurarem, non peierarem. Talis enim conditio...» (T f° 116ra)

«...*Non michi uidetur*. Sed esset ne simile si iurasset abbati...» (T f° 116ra)

«...posset ne uterque absoluere alterum ? *Ego dubitarem*. Item. *Si iurarem* Deo quod ego fierem monachus si pater meus rediret a peregrinatione, et ipse non rediret, tenerer ne fieri monachus ? *Credo* quod tenerer, quia licet Deus non faceret michi illam petitionem, *certus sum* quod compensare poterit in alio...» (T f° 116rb)

«...*Credo* quod si esset simplex bubulcus et ipse parum acciperet, et grauaret eum seruitium illud, possent ei...» (T f° 116rb)

«...*Videtur michi* ita quia si iurasset abbati se sumpturum habitum ab illo, licet ille moreretur abbas...» (T f° 116rb)

§ 238 «...*Non uidetur michi* quod istud sit uerum. Quamuis enim aliquis iuret ad antecedens...» (T f° 116va)

§ 238 «...*Videtur nobis* quod ipse debet uti consilio ecclesie, et si ecclesia remittit ei iuramentum...» (T f° 116 vb)

⟨Cap. XI.- De excommunicatione⟩.

§ 240 «...Est peccatum ad mortem, pro eo *dico* ut non oret quis, id est aliquis modicus...» (T f° 116vb)

«...In primo casu *dicimus* quod si nominatio occulta est, sed de facili potest probari...» (T f° 116vb)

«...*Nos* tamen *uidimus* quemdam prelatum cuius canonicus infamabatur de morte cuiusdam seruientis sui...» (T f° 117ra)

§ 241 «...*Videtur nobis* quod quedam crimina sunt que quodammodo occultata sunt et dissimulatum est ipsa...» (T f° 117rb)

«...*ego non darem* ei eucharistiam, dum tamen diceret hoc coram omnibus...» (T f° 117rb)

§ 242 «...Sicut non *negamus* eucharistiam detentoribus decimarum, quia ipsi dicunt non esse peccatum laicos habere decimas...» (T f° 117rb)

«...*credo* quod non peccaret in caudando. Illi tamen artifices qui caudant...» (T f° 117va)

⟨Cap. XII.- De symonia et illicita taxatione pretiorum⟩.

§ 243 «*Credo* ergo quod abbas symoniacus fuit et clericus symoniace habuit illam ecclesiam et teneatur eam resignare. *Consilium ergo nostrum* est ut clericus ille resignet in manu abbatis...» (T f° 117vb)

«...*Credimus* quod non, ex quo ipse dignus est et nunquam aliquid dedit nec propositum dandi habuit. Similiter *credimus* quod licet prelatus conferat alicui beneficium intuitu sanguinis...» (T f° 117vb)

«...Tamen *credo* quod mortale peccatum est si det cognato indigno cum posset dare extraneo digno...» (T f° 117vb)

⟨Cap. XIII.- De excommunicatione⟩.

§ 246 «...A quo absoluetur? Nonne a metropolitano? Iste questiones potius sunt decretales quam theologice et ideo decretistis eas *relinquimus*...» (T f° 118va)

⟨Cap. XIV.- De residentia clericorum⟩.

§ 247 «...Nobis uidetur quod ex quo iurauit assiduitatem huic ecclesie, si postea ductus cupiditate...» (T f° 118vb)
«...*Dico* quod si clericus sic suscipit, uouet assiduitatem, et quia uouit tantum Deo, non potest eum aliquis absoluere...» (T f° 118vb)
«...*Dico* quod omnia iuramenta irrita sunt et contra Deum preter primum. In aliis enim...» (T f° 119ra)

§ 248 «...sed si sub uelamento studii recedat ut parcat expensis suis, uel ut delitiose uiuat, manifeste *dico* quod peierat...» (T f° 119ra)

⟨Cap. XV.- Questiones de iustitia⟩.

§ 249 «...*Quero* a simili si iudex sciret aliquem nocentem aliquantum et plebs tamen uellet dampnare eum...» (T f° 119rb)
«...*ego consulerem* iudici ut prius faceret innocentem flagellari, spoliari omnibus bonis, mitti in exilium, quam pateretur eum occidi. Sed si iudex non posset eum liberare sine truncatione membrorum, ibi *dubitarem*. Si obiciatur: quod tibi non uis fieri, etc., *respondeo: Si ego essem* in simili casu, *deberem* uelle istud et iste illud idem debet uelle. Tamen *credo* si iudex sola carnalitate ductus uellet innocentem liberari et flagellaret eum ne occideretur, *credo* quod peccaret mortaliter...» (T f° 119rb)

§ 251 «...*Nobis uidetur* ex quo alii habent securitatem et idempnitatem per dampnum aliorum, debent resarcire dampnum lesorum...» (T f° 119va)

⟨Cap. XVI.- De clericatu et potestate degradandi⟩.

§ 252 «...Sed *quero* si habuisset prius omnes minores ordines preter clericatum, esset ne sacerdos, et non clericus?...» (T f° 119vb)

§ 253 «...*quero* ergo si de facto aliquis abbas conferat clericatum libero homini uel seruo alterius, cum non sit ei data potestas nisi clericandi suos, utrum isti sint clerici ? Similiter *quero* si tonsoret aliquem alius abbas de facto, ita tamen quod non fiat monachus, est ne iste clericus. *Credo* quod in utroque casu clerici efficiuntur...» (T f° 119vb)

«...*quero* cum aliquis abbas sit exemptus a potestate omnium episcoporum et archiepiscoporum et primatum...» (T f° 120ra)

«...Est ne currendum in omni crimine talium clericorum ad summum pontificem ? De hoc casu *dubito*...» (T f° 120ra)

⟨Cap. XIX.- De remediis contra peccata venialia⟩.

§ 256 «...*Credimus* hoc specialiter esse dictum de eucharistia, quia ipsa est specialis medicina perfectorum contra uenialia...» (T f° 120va)

«...*Credo* quod confert. Vnde *si ego scirem* quod multa suffragia missarum fierent pro aliquo penitente, *ego iniungerem* ei minorem penitentiam...» (T f° 120vb)

«...Sed item, *quero* si diminuatur pena penitentialis alicui si ipse celebret pro se ipso ? Non *credo*, quia ex quo nondum satisfecit...» (T f° 120vb)

«...Si queratur quam missam debeat facere celebrare pro se, non *credo* quod requiem eternam...» (T f° 120vb)

§ 257 «...*Credimus* hoc esse dictum ut inuitaremur ad manuales elemosinas quas multi inuiti faciunt pro cupiditate...» (T f° 120vb)

«...Sed *quero* sicut supra. *Video* enim quod elemosine date pro mortuis diminuunt penam purgatoriam...» (T f° 120vb)

«...*Credo* quod diminuta est. Sunt enim duo purgatoria. Vnum purgatorium in futuro post mortem et illud...» (T f° 120vb)

«...Sed *quero* iterum de oblatione Iude Machabei quam fecit pro peccatis eorum...» (T f° 120vb)

⟨Cap. XXI.- De baptismo puerorum iudeorum⟩.

§ 259 «...*Credo* quod intelligendum est in his que ad hominem spectant...» (T f° 121rb)

«...Tenetur ne baptizare cum certissime credat eum moriturum ? *Ego si essem presens, baptizarem*. Sed iterum *quero* si nutrix posset aufugere cum paruulo iudeo et haberet unde aleret eum in remotis, peccaret ne si fugeret et baptizaret eum ? *Ego laudarem* factum, licet forte *non consulerem* faciendum. Item. *Quero* si nutrix occulte baptizaret puerum mansurum tamen cum parentibus, peccaret ne hoc faciendo ? *Ego non consulerem* quod ita faceret, quia per hoc non melioraretur conditio baptizati...» (T f° 121rb)

«...non *credo* quod debeat cogi ad obseruationem fidei nostre per excommunicationem...» (T f° 121va)

⟨Cap. XXII.- De missa presbyteri fornicatoris⟩.

§ 260   «...*Michi uidetur* quod non debet se subtrahere ab eo, precipue in festis principalibus...» (T f° 121va)
«...Sed est ne ueritas in periculo cum facit prece sua sacerdotem mortaliter peccare ? In hoc casu *dubito*. Similiter, si ego sim canonicus in aliqua ecclesia, in minoribus ordinibus, et accidit septimana mea de missa celebranda, et non sit ibi nisi manifestus fornicator aliquis sacerdos, *debeo rogare* talem ut celebret pro me ? Dicunt quidam quod non *debeo* rogare eum simpliciter ut celebret...» (T f° 121va-vb)
«...*Video* enim quod subditi non sunt in culpa operis illius, ita posito...» (T f° 121vb)

⟨Cap. XXIII.- De primitiis⟩.

§ 261   «...quid ergo *dicemus ?* An peccat ecclesia generalis quia non cogit dare primitias...» (T f° 122ra)

⟨Cap. XXIV.- De excommunicatione⟩.

§ 262   «...Valde *nos mouet* quid sit uitare aliquem ut ethnicum et publicanum...» (T f° 122rb)
§ 263   «...Sicut *uidimus* de quodam excommunicato nominatim occiso in exercitu quod per quadraginta annos iacuerunt ossa eius...» (T f° 122va)
«...*Credimus quod debet accedere ad sacerdotem ut absoluatur ab eo*. Dicet enim in ipsa satisfactione...» (T f° 122va)
§ 264   «...Si aliquis pugnaret pro capite suo defendendo, ita quod necessario oporteret eum mori uel se defendere, *dubitarem* an ei si peteret esset danda eucharistia...» (T f° 122vb)
§ 265   «...Et ut ad uerecundiam *redeamus*. Quedam nobiles puelle que suffocant partus...» (T f° 123ra)
«...*Credo* quod sacerdos expetere debet licentiam ab episcopo ut iniungat eis penitentiam...» (T f° 123ra)
«...Sed iterum *quero* si fur restituat rem ablatam uero do-

mino in occulto, dominus tamen ex nequitia instet ut excommunicetur, tenetur fur dare aliquid ei ut eius permissione desistat presbyter ab excommunicatione et absoluat eum? *Ego darem*» (T f° 123ra)

§ 266 «...*Credo* quod infra euangelium usque ad confectionem eucharistie qualibet hora potest desistere...» (T f° 123rb)

«...nec *credimus* si ille excommunicatus esset sacerdos et aliquis uiolenter eiceret eum ab ecclesia quod incidisset in canonem date sententie. *Est ergo consilium nostrum* quod si sacerdos...» (T f° 123rb)

§ 267 «...Si ergo sit aliquis egrotus in castro illo qui singulis noctibus pro tussi aliqua expectat mortem, et tamen superstes est, nec cubat in lecto egritudinis, danda est ei eucharistia? *Consilio meo* dabitur...» (T f° 123va)

«...*Meo consilio* omni petenti et cubanti in lecto egritudinis siue uere siue ficte danda est eucharistia...» (T f° 123va)

§ 268 «...Vnde *credimus* quod ecclesia posset cogere eam ut iuraret se appositura operam ut uir eius satisfaciat...» (T f° 123vb)

«...*credo* quod excommunicatus est si ei communicat. Similiter si alienus sacerdos sit de familia eius...» (T f° 124ra)

«...*Ego consulerem* quod adolescens talis in priuato desponsaret iuuenculam talem...» (T f° 124rb)

«...Simili modo, si leprosus uelit contrahere cum aliqua consentiente ei leprosa uel alia, *consulerem* quod in priuato...» (T f° 124rb)

«...Si autem ex tali matrimonio nasceretur proles, non *consulerem* quod baptizaretur in fonte communi...» (T f° 124rb)

⟨Cap. XXVI.- De officio seculari prelatorum⟩.

§ 270 «...*Credo* quod soluendi sunt milites, nec est simile de furioso repente gladium...» (T f° 124vb)

⟨Cap. XXVIII.- De mutatione uotorum⟩.

§ 272 «...Sed *quero* si aliquis uouerit iter peregrinationis et habeat iuuenculam uxorem pronam ad lubricum carnis...» (T f° 125rb)

«...*credo* quod uinculum matrimonii dissolueret uotum abstinentie factum Deo, quare non dissolueret similiter uotum peregrinationis Deo factum?...» (T f° 125rb)

§ 273 «...*De consilio meo*, tutius esset quod iter arripierent...» (T f° 125va)

⟨Cap. XXXIX.- Casus de matrimonio seruorum⟩.

§ 274 «...*Ego consulerem* quod ipse sequeretur si nec per christianitatem, nec alio modo posset eam reuocare...» (T f° 125vb)

«...Non *credo*. Ex incidenti etiam *dico* quod licet canones dicant non esse matrimonium ubi est error conditionis...» (T f° 125vb)

«...*Credo* quod non peccat, quia magis tenetur Deo quam domino suo...» (T f° 125vb)

⟨Cap. XXX.- De symonia et uotis⟩.

§ 276 «...Videtur nobis quod potest penitere retento beneficio...» (T f° 126ra)

§ 277 «...*Dicimus* quod in probatorio absorbentur omnia minora uota nec tenetur ad monachatum sed ad religionem quamcumque...» (T f° 126ra)

«...ergo ex hoc uoto non tenetur nisi ad religionem tantum, non ad accidens, id est monachalem regulam. Hic *dubitarem*...» (T f° 126rb)

§ 278 «...*Videtur nobis* quod debent participare nouis sicut antiquis redditibus. Monachi tamen obiciebant canonicis...» (T f° 126rb)

«...Sed utrum debeant esse subditi abbati loco decani de hoc *dubitamus*...» (T f° 126vb)

«...Nos *uidimus* de facto quod aliqua ecclesia conuersa est in hospitalarios, et remansit ibi clericus quidam...» (T f° 126vb)

«Sed *credo* quod post mortem eius deberent stipendia empta cedere in ius hospitalis. Clericus ergo ille...» (T f° 126vb)

«...de facto dissoluta est commutatio illa. *Nescio* si de iure...» (T f° 126vb)

⟨Cap. XXXI.- De excommunicatione⟩.

§ 279 «...Sed *quero* similiter cum aliquis excommunicatur, habet diabolus potestatem uexandi eum...» (T f° 127 ra)

«...*Quero* ergo utrum ipse sit per absolutionem illam minus pronus ruere in peccata quam prius, cum sit eque malus ut prius ?*Scio* quod diabolus...» (T f° 127ra)

«...Sed hoc *quero* utrum in ipso sit aliqua alleuiatio illius pronitatis ruendi in interitum quam prius habuit...» (T f° 127ra)

⟨Cap. XXXII.- De baptismo et extrema unctione⟩.

§ 280 «...*presumerem* eum baptizatum et *admitterem* eum ad sepulturam. Si conualesceret puer, *rebaptizarem* eum in forma integra ratione predicta...» (T f° 127rb)

§ 281 «...*Credimus* quod institutum est ab ecclesia ut non conferatur hoc sacramentum nisi illis...» (T f° 127rb)

«...*Credo* quod quam citius malitia in ipso supplet etatem, quando uersutus est ad peccandum...» (T f° 127va)

«...Ita *credimus*, etsi nunquam uidisset, habuit tamen uisum ymaginarium, quo ymaginatus est uanitatem...» (T f° 127va)

§ 282 «...*credimus* quod sicut dicitur ab Apostolo: Infirmatur quis ex uobis...» (T f° 127va)

«...Hic *dubitarem*, quia *uideo* quod uulneratis in bello et redeuntibus...» (T f° 127va)

§ 283 «...*Quero* ergo utrum aliquis caracter imprimatur in sacramento unctionis. Quod si est, ergo, cum iterum inungitur ut in ecclesia clareuallensi...» (T f° 127vb)

§ 284 «...*Credimus* quod frenetici inungendi sunt et communio debet eis dari si precesserunt in eis signa penitentie...» (T f° 128ra)

«...si aliquis adultus esset cathecuminus habens uoluntatem ut postea baptizaretur, et interim fieret freneticus, *consulerem* quod baptizaretur in frenesi...» (T f° 128ra)

«...Ego *inungerem*. Dato enim uiatico, *intelligo* quod similiter sit concessa inunctio...» (T f° 128ra)

⟨Cap. XXXIII.- Quid est implicare se secularibus negotiis⟩.

§ 285 «...Et hoc *probo* sententia Iohannis in euangelio ubi omni generi hominum conueniens dedit responsum...» (T f° 128ra)

«...*Credimus* quod ex quo aliquis uotum fecit contemplationis uix potest excedere in contemplatione...» (T f° 128rb)

«...contemplatores, ut supra *tetigimus*, non possunt se implicare suis negotiis...» (T f° 128va)

⟨Cap. XXXIV.- Questiones de baptismo et matrimonio⟩.

§ 286 «...Ad hoc dicimus quod baptismus est quiddam surgens ex aqua et uerbo et intentione baptizantis...» (T f° 128vb)

«...Consecratur *inquam*, quia per uerba illa uim regeneratiuam suscipit...» (T f° 128vb)

«...Si hoc, *inquam*, queratur, *dicimus* quod non *debemus* ad hoc respondere quia tria sunt genera scientiarum...» (T f° 128vb)

«...Et ita *credimus* loquitur accipi ibi sicut alibi accipitur enarrare...» (T f° 129ra)

§ 287 «...Non *uidetur michi* istud uerum, quia a Deo non sunt omnes prohibite...» (T f° 129ra)

«...Hic ergo primum *quero* quare non prohibeatur socrus sicut nurus, uel si prohibebatur...» (T f° 129ra)

«...Istud est *michi dubitabile,* quia non *credo* quod in ueteri testamento aliquis duceret aliquam cum prius duxisset filiam...» (T f° 129rb)

«...*Quero* quare permittebatur consobrinus contrahere cum consobrina, id est aliquis cum cognata germana sua...» (T f° 129rb)

§ 288 «...*Credo* quod consilium est, sicut si puer baptizaretur sine sollempnitate...» (T f° 129rb)

⟨Cap. XXXV.- De absolutione excommunicationis⟩.

§ 289 «...*Credimus* quod absolutus est in tali casu. Non enim est absolutio conditionalis...» (T f° 129va)

«...*credimus* quod ei communicandum esset a capitulo, cum capitulum non esset certum...» (T f° 129va)

⟨Cap. XXXVI.- De naturali affectione⟩.

§ 290 «...*Credimus* ergo quod quedam dilectio carnalis est et uitium. Quedam naturalis et bonum, sed non meritorium ex sui natura. Quedam gratuita et uirtus...» (T f° 130ra)

⟨Cap. XXXVIII.- De sacramento eucharistie⟩.

§ 293 «...Ego *consulerem* ita fieri in utroque casu tanta necessitate imminente uel ne quis decederet sine uiatico...» (T f° 130va)

«...Non enim *dubitamus* quin confectum sit si conficiatur de fermentato, quia Greci nunquam conficiunt in azimis...» (T f° 130va)

«...Non *dubito* si conficiat quin confectum sit. Sed peccat ne sic conficiendo ?...» (T f° 130va)

«...Similiter, nota quod non *credo* confici sanguinem Christi si tantum admisceatur de aqua quod absorbeat uinum...» (T f° 130vb)

«...*Credimus* quod nichil ibi actum est. Item. Nota quod quidam sacerdotes...» (T f° 130vb)

«...*Credimus* quod quedam sunt instrumenta sacre confectionis que consecrantur et inungantur, ut calix, lapis benedictus. Sine istis nunquam *consulo* quod celebret diuina, quia ista sunt quasi quodammodo de substantia confectionis, non tamen omnino, quia si etiam in cipho communi de facto conficeretur, *credo* quod confectum esset. Sed de substantia confectionis sunt ordo sacerdotii, panis et uinum, sacra uerba. Quidam addunt altare benedictum et habitum. Sed non *credimus* hoc esse de substantia confectionis. Si autem necessitas instaret, si quis non haberet albam benedictam et pallam altaris benedictam, et in aliis conficeret, non *credo* quod peccaret...» (T f° 130vb)

«...Istud *concedo* quia cera non ita adheret hostie sicut oleum uel saginem...» (T f° 131ra)

⟨Cap. XXXIX.- De ecclesiis et cymiteriis⟩.

§ 296 «...*Credimus* quod debet propter loci reuerentiam. Cum sepe *uideremus* de facto in gallicana ecclesia quod si fur aliquis euaserit...» (T f° 131va)

«...Sed hoc nullo modo *concederem,* nec *consulerem* faciendum quod si aliquis furaretur in ecclesia, quod ipsa ecclesia exponeret...» (T f° 131vb)

§ 297 «...Et *dicimus* quod quecumque sunt de substantia illius, lapides et ligna. Sed stalla illius ecclesie...» (T f° 131vb)

«...Item. *Credo* quod tota illa terra que est infra capacitatem murorum et parietum ecclesie, consecrata est...» (T f° 131vb)

«...*Credo* quod possent redigi ad honestos usus infra continentiam loci sacrati uel religiosi, id est solis religiosis deputati...» (T f° 132ra-rb)

«...*Consilium nostrum* est quod si domus illa deputata est ad usus inhonestos, nullo modo sustineatur...» (T f° 132rb)

§ 298 «...*Vidi* super hoc dubitationem et nichil discussum. Dixerunt tamen quidam...» (T f° 132rb)

«...quandoque super hoc *dubitauimus,* sed potest dici quod non consecratur quia non habet episcopus intentionem benedicendi aquam sed terram...» (T f° 132rb)

«...Non *habemus* hic certam metam. Tamen dici potest quod sacrum non potest trahere non sacrum ad se, nisi illud non sacrum minus sit...» (T f° 132rb)

«...Sed si aliquanta hora ibi maneat ex certa scientia tamquam de substantia ecclesie, consecratum est, nec de cetero *de consilio meo* redigendum est ad usus communes...» (T f° 132vb-133ra)

§ 299 «...Item. Ergo possunt cineres illi redigi ad communes usus sicut calix conflatus. Quod *credimus* si cineres illi...» (T f° 133ra)

§ 300 «...*Video* enim quod multa sollempnitas adhibetur in aspersione, in circuitione, in scriptura et ceteris multis...» (T f° 133rb)

«...Super hoc *non habemus* certam responsionem cum etiam *nesciamus* quid sit de substantia ordinationis sacerdotalis...» (T f° 133rb)

«...*Nescimus* aliquid certum determinare in hoc casu, nisi quod *uidimus* de facto in ecclesia remensi et ecclesia parisiensi, in quibus post multam discussionem...» (T f° 133va)

⟨Cap. XL.- De licita proprietate monachorum⟩.

§ 301 «...Non *credimus* nisi sit forte quod aliquis de illis nummis aliquid reseruet et colligat aceruum...» (T f° 133va)

«...*Credimus* quod tutius est ei reseruare sicut predictum est ex licentia abbatis et ita uiuere quasi de singulari. Nec *credimus* quod ob hoc sit proprietarius...» (T f° 133vb)

⟨Cap. XLI.- De canonica electione⟩.

§ 302 «...*Videmus* eligi aliquos cum omni unanimitate et concordia et omni caritate, qui postea in breui omnia confundunt...» (T f° 133vb)

«...Item. Quandoque multoties *uidemus* quosdam cum contradictione electos, postea optimos fieri, quia diabolus nititur impedire illam electionem, sed non potest...» (T f° 133vb)

«...Forte sub dubio, sine omni assertione tamen *dico. Possumus dicere* quod cum diabolus prenoscit ruinam alicuius bene electi...» (T f° 134rb)

«...*Dico* quod incendit illam bonam uoluntatem, non facit, quia diabolus est incentor cogitationum...» (T f° 134rb)

⟨Cap. XLII.- Questiones morales⟩.

§ 303 «*Credo* quod si ita allegaret episcopus, nullo modo impediret eum princeps, quin ipse accederet ad carcerem...» (T f° 134va)

§ 304 «...Talem causam nunquam *uidimus* uentilatam coram seculari iudice, nec *scimus* quid faceret in tali casu...» (T f° 134va)

§ 305 «...*Credimus* quod ex quo in nullo corrupit episcopum, quantum ad hoc quod minus gratis uel non gratis daret ei illud modicum beneficium...» (T f° 134vb)

⟨Cap. XLIII.- De ordine iudiciario⟩.

§ 307 «...queritur utrum peccatum sit peruertere ordinem iudiciarium pro ueritate. Verbi gratia. *Scio* quod aliquis eloquens uersutus...» (T f° 135rb)

«...Non *audeo* hoc dicere. Sed esto quod aliquis iniuste possederit et ego peruerti ordinem iudiciarium...» (T f° 135rb)

«...Hic audacter *dico* quod si quis ita fecerit, non *dico* quod ita debeat facere, peniteat inter Deum et se...» (T f° 135rb)

«...*Dico* quod argumentatio est falsa. Sicut Augustinus dicit quod si prelatus offenderit subditum...» (T f° 135rb)

«...a simili *dico* in hoc casu...» (T f° 135rb)

§ 308 «...*Credo* quod ius dat ei illam possessionem quia promulgatum est ius prescriptionis contra desides et negligentes...» (T f° 135rb-va)

«...Tamen, sicut alibi *diximus*, si pater meus tenuisset per triginta annos rem furtiuam uel raptam...» (T f° 135vb)

«...et de facili dicerem quod peccarem mortaliter nisi restituerem, quia non dimittitur peccatum...» (T f° 135vb)

§ 309 «...Et nota quod illud idem quod *diximus* de iudice, intelligendum est de aduocato et amplius etiam...» (T f° 136ra)

«...Immo etiam plus *dico* quia si presumpserit aduocatus quod aliquis habeat iniustam causam...» (T f° 136ra)

§ 310 «...Sed *possumus dicere* quod sancti non reprehendebant uoluntatem carcerariorum quia iusta fuit...» (T f° 136ra)

«...pie *inquam*, posset credi quod non peccaret precipue si timeret capiti suo si dimitteret eos...» (T f° 136rb)

⟨Cap. XLIV.- Casus conscientie⟩.

§ 311 «...*Consilium nostrum est* quod abbas imminente die professionis moneat eum quantum potest ut exeat et petat licentiam...» (T f° 136va)

«...Non *dico* quod abbas consulat ei ita mentiri, sed ostendat ei ex quo peccare uult ille, minus peccatum esse sic mentiri...» (T f° 136va)

§ 312 «...Multotiens *credimus* facere opus dextere, id est bonum meritorium uite eterne, et *facimus* opus sinistre penitus...» (T f° 136va)

§ 313 «...*Credimus* itaque si aliquis prelatus habet propositum benefaciendi alicui clerico et ideo uocat eum ut in futuro prouideat ei...» (T f° 136vb)

«...*Credo* quod symonia est, quia illo iuramento emit spem percipiendi beneficii...» (T f° 137ra)

§ 314 «...Hoc discutiant decretiste. *Meum consilium est* ut reddatur uiro, nec impedit uotum, quia ipsa non uouit simpliciter uirginitatem...» (T f° 137rb)

«...Tamen, secundum districtum ius, *credo* quod non teneatur nisi uelit, nec teneatur adimplere iuramentum...» (T f° 137rb)

§ 315 «...*Distinguimus*. Ecclesia illa aut iure possidet aut non. Si iure possidet, nullo modo potest redimere...» (T f° 137rb)

«...*Videmus* enim de facto quod si episcopus uellet auferre alicui ecclesie decimas quas iuste possidet...» (T f° 137rb-va)

§ 316 «...Non *credo* quod magis proficiat ad uitam eternam, sed proficit ei quod interim uitauit mortalia peccata...» (T f° 137va *in fine*)

§ 317 «...Sed si illi stipendiarii aliter possunt lucrari nec aliquam causam haberent quare succurerent, *credo* quod excummunicati essent si eis locarent operas suas...» (T f° 137vb)

⟨Cap. XLV.- De scandalo⟩.

§ 318 «...*Quero* ergo si ego insistam operi non necessario tempore non oportuno...» (T f° 138ra)

«...*Probo*. Si insistam operi non necessario et casualiter occido hominem, in rei ueritate reus sum homicidii...» (T f° 138ra)

«...quod *credimus*. Debemus enim prouidere nobis ne talibus operibus insistamus, et si probabiliter presumimus...» (T f° 138ra)

«...*ego* non minus pecco. Quod quidem *credimus* esse uerum. Item. Cum aliquis a me petit patrocinium...» (T f° 138rb)

«...nisi utilius *uideam* expendendum quod petit pauper, *pecco* mortaliter sic scandalizando...» (T f° 138rb)

§ 319 «...Sed si sit modica persona et talis habeat ornamenta, *credo* quod tali scandalo peccat mortaliter. Est ergo notandum quod dupliciter scandalizamus proximum...» (T f° 138rb)

«...*Debemus* ergo pro scandalo uitando abstinere ab omnibus licitis que possunt omitti...» (T f° 138va)

§ 320 (Tout le chapitre devrait être cité)

⟨Cap. XLVI.- De ordine iudiciario⟩.

§ 322 «...Hoc *michi* nunquam uidetur excusabile quod pro simplici furto occidatur...» (T f° 139va)

§ 323 «...*Credimus* quod illata iniuria clericis, ipsi possunt intimare iudici conquerendo in priuato, sed nunquam debent accedere...» (T f° 140ra)

§ 324 «...Si diceret iudex specialiter. Est ne iste occidendus si est maleficus ? *Ego* non *responderem* ad talem ypotheticam ex quo fit descensus ad certas personas...» (T f° 140ra)

§ 325 «...si in illa secunda discussione uideret illos non posse defendi, *credo* quod discederet...» (T f° 140rb)

§ 326 «...*Ego* tamen nunquam *redderem*, licet milies mea confiscasset. Immo *crederem* me esse homicidam si reddidissem. Item. In quibusdam ecclesiis est consuetudo...» (T f° 140rb-va)

«...*Meo consilio* hoc nunquam deberet fieri, propter hanc etiam causam quia hoc contradixit beatus Thomas...» (T f° 140va)

§ 327 «...Scio quid *dicerem* nisi papa ita respondisset. Item. Constat quod omnia peregrina iuditia, ut iuditium aque frigide...» (T f° 140va)

«...*Nescio* ergo quomodo sancta ecclesia sustineat sacerdotes benedicere aquam in tali iuditio, cum ipsi exhibeant ministerium suum effusioni sanguinis et quodammodo homicide efficiantur...» (T f°140va)

⟨Cap. XLVII.- De excommunicatione et homicidio⟩.

§ 329 «...*Item*. Si diceret percussor quod percussisset ioco sacerdotem, quis iocus posset excusare ? In primis *credo* quod si laicus...» (T f° 141ra)

«...Item. *Credo* si laicus excedat moderationem inculpati ioci, ut si ludat in pala et ipse...» (T f° 141ra)

«...Tamen *ego dubitarem* de hoc casu. Similiter, si sacerdos ueniret spectatum...» (T f° 141rb)

«...Hoc tamen audacter *dico* quod si quis in tali ioco enormiter lesisset sacerdotem, ut scilicet mitteret urinam...» (T f° 141rb)

«...Hoc tamen *credo* quod si leserit eum maligno animo occasione nacta ex ludo, incidit in canonem...» (T f° 141rb)

«...*Credo* quod incidit in canonem. Idem enim est tacere et consentire illo modo, cum ipsa posset facillime impendire...» (T f°141va)

«...Nonne eque reus fuit iste archidiaconus ita insinuando

ac si manifeste precepisset ? *Credo* quod per talem insinuationem incidit in canonem...» (T f° 141va)

§ 330 «...Item. Vt ad priora redeamus, mirum est quare sacerdos non possit excommunicare et denuntiare...» (T f° 141va)

«...Sed *credo* quod hoc inoleuit ex praua consuetudine. Coguntur enim sacerdotes iurare episcopis et archidiaconis...» (T f° 141va)

«...*Credo* autem quod talia iuramenta illicita sunt. Vnde *consulerem* sacerdoti in tali casu quod ipse peniteret...» (T f° 141va)

«...*Credo* quod perfectionis esset si ipse adiret sedem apostolicam, uel si nollet tantum honus sustinere, relinqueret parrochiam suam...» (T f° 141vb)

§ 331 «...Vnde *secundum meum consilium* quotiens aliquis dubitaret utrum incideret in canonem uel non, consuleret summum pontificem...» (T f° 141vb) ...

«...Resp. *Credimus* quod licet reus quoad reatum, non tamen incidit in canonem. Proniores enim *esse debemus* ad absoluendum...» (T f° 141vb)

«...*Dicimus* quod ebrietas nullo modo excusat quin inciderit in canonem si percusserit clericum, quia ebrietas uitium est...» (T f° 142ra)

§ 332 «...*Credo* quod nulli clerico liceat hoc facere, immo arceri debet a promotione si hoc faceret. Sicut enim non debet esse iudex in causa sanguinis...» (T f° 142ra)

«...*Nescio*, precipue cum ciues ad murum multum indigerent lapidibus, et caperetur ciuitas nisi mulieres ministrarent uiris lapides...» (T f° 142ra)

⟨Cap. XLVIII.- De proximitate spirituali⟩.

§ 334 «...Ad hoc *respondeo* quod ecclesia non reprobat talem iteratam compaternitatem in multis locis, *nescio* tamen qua de causa...» (T f° 142rb)

«...*Credo* quod si aliqua proximitas ibi contrahitur, non tamen tanta quanta in illis qui offerunt puerum et eum suscipiunt...» (T f° 142va)

«...Eadem ratione *dicimus* quod nutrix que tenet infantulum baptizandum, non contrahit aliquam spiritualem proximitatem...» (T f° 142va)

«...non *credo* quod inhiberetur ideo matrimonium inter filios talium patrinorum et talem filiolam, sicut nec in crismatione. Non enim *audiuimus* uel *uidimus* in ecclesia quod si aliquis teneret aliquam ad crismationem...» (T f° 142vb)

«...*Scimus* quod magister Iohannes Salebriensis episcopus

Carnotensis prohibuit in episcopatu suo ne aliquis iterum imponeret crismale...» (T f° 142vb)

⟨Cap. L.- Questiones de testamentis et usura, etc.⟩.

§ 337 «...*Videtur nobis* quod possit sine usura ex uoluntate testatoris. Nunquam enim aliter assignaret potestatem monasterio in terra sua...» (T f° 143ra)

«...*Credimus* quod non. Verisimile enim est quod sicut uoluit testator totam terram reddi toto legato soluto, ita uoluit medietatem reddi...» (T f° 143ra)

«...Si hoc fiat, *credimus* quod usura est. Iam enim mutuat monasterium quod suum est et uendit expectationem, et postea recipiet aliquid supra sortem...» (T f° 143rb)

«...Si ille hoc concedat, non tactus cupiditate lucri, sed dirigens oculum ad solam compensationem dampni, non *audeo* dicere quod sit usura...» (T f° 143rb)

§ 338 «...*Videtur nobis* in omnibus illis casibus quod ille qui allicit uirum ad stultas expensas uel qui...» (T f° 143va)

«...Sed quid dicemus de clericis qui despensant patrimonium Crucifixi, si emant sellas auratas...» (T f° 143vb)

«...*Scio* quid cogitem, sed dicere non *audeo*. Hoc tamen pro certo *scio* quod tutius esset restituere...» (T f° 143vb)

§ 339 «...*Videtur nobis* quod peccaret princeps mortaliter si exigeret a subditis de noua moneta nisi tantum quantum...»(T f° 144ra)

«...*Credimus* quod quando excreuit pretium monete in tantum quod manifestus est excessus...» (T f° 144ra)

«...Credo quod determinandum est pretium et quantitas pretii secundum tempus, sicut secundum locum...» (T f° 144ra)

§ 340 «...Resp. *credo* quod Augustinus non reprehendit Iudeos quia non insurrexerunt contra maiores ad eripiendum Christum sed ideo...» (T f° 144rb)

«...Et ita non *credo*, licet princeps iniuste dampnet aliquem quod plebs teneatur armis insurgere contra principem...» (T f° 144rb)

«...Et credo quod si episcopus scit pro certo aliquem iniuste dampnatum trahi ad patibulum ipse debet cum plebe occurere, et si sine armis potest fieri...» (T f° 144rb)

«...Sed item. Aliud est de quo magis *possumus moueri*. Cum enim penderet beatus Andreas in cruce...» (T f° 144rb)

«...*Nescimus* tamen quare ita factum sit, sed scimus quod aliqua fuit ibi causa quare bene fecit...» (T f° 144va)

§ 341 «...*Nescimus* tamen pro qua pecunia. Forte tamen aliqui dederant pecuniam Egee...» (T f° 144va)

« Sed reuertamur ad propositum. Clemens episcopus in matricula habuit scripta nomina omnium eorum quos ipse baptizauerat...» (T f° 144va)

«...peccat christianus si accipit ? Non *credo*. Videtur ergo nobis quod ideo prohibuit Clemens christianis...» (T f° 144vb)

«...Scio enim quod si fenerator occultus tamen uocauerit me ad cenam, non *debeo* interrogare. Est ne istud fenebre, sed *debeo* in generali detestari usuram...» (T f° 144vb)

§ 342 «...Et *credo* quod eadem modicitas est hodie si ita fiat que fuit tempore apostolorum. Apostoli enim non recipiebantur nisi a rusticis et uiduis et similibus pauperibus...» (T f° 145ra-rb)

«...Ad secundo obiectum *dicimus* quod aliud est hodie, aliud fuit tempore Pauli...» (T f° 145rb)

«...Immo etiam plus *dico*. Si sit episcopus in itinere pro necessitate alicuius ruralis ecclesie...» (T f° 145va)

§ 343 «...De detiariis precise *dicimus* quod illi inutilem panem comedunt et otiosum, quia usus detiorum ad nichil utilis est. De ioculatoribus autem qui non exponunt corpora sua ludibrio, nec turpia uel effeminata dicunt, *credimus* quod sustineri possunt...» (T f° 145vb)

§ 344 «...*Videtur* nobis quod istud ultimum sanum esset consilium. Item. Aliqua ciuitas obsidebatur...» (T f° 146ra)

«...*Ego consulerem* quod parceretur et fieret compositio aliqua etiam cum dampno ignorantium...» (T f° 146ra)

⟨Cap. LI.- De matrimonio⟩.

§ 346 «...Credimus itaque quod si quis conuersus ad fidem dimittat infidelem cohabitare uolentem...» (T f° 146rb)

«...Sed *quero* quando rumpitur illud uinculum, uel in prima uice blasphemie uel in secunda uel in tertia ?...» (T f° 146va)

«...*Credimus* quod licet infidelis blasphemet bis uel ter, non debet dimitti a fideli auctoritate propria...» (T f° 146va)

«...Ad hoc *dicimus* quod *nescimus* certam figere metam quando primo soluitur matrimonium per blasphemiam, sed pro certo *scimus* quod ex quo...» (T f° 146va)

«...Simili modo *dicimus* etiam de fidelibus quod si aliquis certissime scit quod uxor...» (T f° 146va)

«...*Dicimus* quod propter sollempnitates que precesserunt non oportet eas iterare. Sicut cum pueri copulantur...» (T f° 147ra-rb)

«...Idem etiam *dicimus* in alio casu, si infidelis discedit et de facto contrahit sollempniter...» (T f° 147rb)

«...Non *credo,* quia matrimonium non est nisi teneat indiuiduam uite consuetudinem. Ex quo ergo ista...» (T f° 147rb)

«...Hoc tamen *scio* quod si antequam iste secundus sciret prioris mortem, interuenit consensus sufficiens ad matrimonium, uerum matrimonium fuit inter eos...» (T f° 147va)

«...Poterit ne ille ducere aliam ? *Ego* non *consulerem.* Item. Dicit canon quod si iudeus conuertatur ad fidem...» (T f° 147vb)

«...*Nobis uidetur* quod iste canon continet iniquitatem. Cum enim Apostolus eque locutus esset ad gentiles...» (T f° 147vb)

«...Viderit ipse an bene fecerit. *Nobis* non placuit factum ex quo tam uehementer dilexit eam, spes erat quod ipsa posset conuertere eum...» (T f° 147vb)

«...Dicimus quod primam, quia nullum fuit matrimonium inter ipsum et alias. Sed esto quod dixerit in infidelitate sua simul duabus: Consentio in uos, utram habebit ? Resp. Si *uelimus* sequi decretales nostras...» (T f° 148ra)

⟨Cap. LII.- Questiones de iuramentis et matrimonio⟩.

§ 347 «...*Dicimus* ergo quod ad illum prius tenetur accedere quem credit magis peccatorem et magis indigere...» (T f° 148rb)

§ 348 «...*Consilium nostrum est* quod illi canonici qui iurauerunt transferant se ad aliam canonicam donec ille de medio tollatur...» (T f° 148rb)

«...Sed nos *credimus* quod si episcopus uocet eum, nullo habito respectu ad presentationem illius potentis...» (T f° 148va)

§ 349 «...*credimus* quod solus Deus potest eum absoluere, non homo. Sed item. Esto quod clericus aliquis...» (T f° 148vb)

«...In hoc casu *dubitarem.* Videtur enim indiscrete iurasse quando iurauit se ad talem statum transiturum...» (T f° 148vb)

§ 350 «...Istud ultimum nullatenus *consulerem,* quia hoc esset procurare uenenum sterilitatis, quod in omni casu prohibitum est. De primo *dubitarem*...» (T f° 149ra)

«...Sic etiam in alio casu *dubitamus.* Cum aliquis uertiginosus et inanitum cerebrum habet, certissime scit » (T f° 149ra)

§ 351 «...*Dico* quod tenetur, immo potius fugere debet a secundo et redire ad priorem, etiam si excommunicetur...» (T f° 149ra)

⟨Cap. LIII.- De oratione⟩.

§ 352 «...Si, *inquam,* possibile esset quod aliquis talis ibi esset et oraret pro nobis, nichil nobis ualeret...» (T f° 149rb)

«...prodest ne aliquid ille affectus naturalis cum oratione ?

Istud non *discutio*. Item. Nota quod si bonus oret...» (T f° 149vb)

«...cum sciat eum mortaliter peccaturum. Sed de hoc alibi *diximus*...» (T f° 150ra)

⟨Cap. LIV.- De homine assumpto⟩.

§ 353 «...*Nos* igitur modulum ingenioli nostri modificantes opiniones singulorum, ne quorumdam *dicamus* errorem in area disputationis *uentilabinus,* ut que digne reprobatione fuerint, si expugnare non *possumus*, saltem pro uiribus *impugnemus*. Cui autem inspectio nostra dicere elegerit 'Tu michi sola places', muro auctoritatis eam *muniamus* et multo rationum conserto robore contra sagittantium insidias clipeum responsionis *opponamus*...» (T f° 150ra).

«Sed quia ex quodam Apostoli uerbo in diuersum uariata est dissensio, auctoritatem illam in medium proponentes, pias super illa sanctorum dubitationes *exponamus*...» (T f° 150ra)

«...Si autem respondens causatur non procedere obiectionem, quia diuina natura supposita, non supponitur persona, *possumus dicere*...» (T f° 151vb)

«...*Quero* ergo de illo homine assumpto utrum ascenderit uel descenderit. Si descendit, ergo homo assumptus fuit ab eterno...» (T f° 152ra)

«...Quare similter *non possum* uere *dicere*: Iste homo creauit stellas, iste homo non creauit stellas, hinc demonstrata persona Verbi...» (T f° 152rb)

«...*Dicimus* ad priorem obiectionem quod utile est hic considerare id quod dicunt quidam...» (T f° 152rb)

«...Ad secundam obiectionem *dicimus* quod Cassiodorus, illa uerba exponit uero modo, et est expositio Cassiodori...» (T f° 152va)

«...A simili, cum *dico* Christus est tantum Deus, non possunt dicere quod ibi excludatur humanitas intellecta adiectiue et in habitu per hoc nomen homo...» (T f° 153ra)

«...Vnde non *concedo* quod socrates est iste homo, uel hoc aliquid secundum quod homo, quia nec etiam humanitate est iste homo. Cum ergo *dico*: Christus est humanitate homo, non potest queri quis homo, sicut nec de socracitate...» (T f° 153rb)

«...Sicut cum *dico:* duo significantur hoc nomine canis, pluralitas illa redundat in numerum significationum, non in numerum subiectorum...» (T f° 153rb)

«...Vnde etiam cum *dico*: Christus est aliquid secundum quod homo, non recipiunt relationem factam...» (T f° 153va)

«...Licet superius breuiter tetigimus de personalitate Chris-

ti, repetendum est hic ut discutiatur si Christus fuit Iesus...»
(T f° 154va)

«...Personalem *dico* proprietatem, quia omne nomen proprium personale est, non essentiale...» (T f° 154va)

⟨Cap. LV.- De patrinis et baptismo⟩.

§ 354 «...Et *dicimus* quod nisi possit impetrare ut per alium fidelem uirum instruatur ipsemet tenetur exire...» (T f° 155ra)

«...*Credo* quod tenentur, cum eadem intentione illic conueniant, et eadem uerba omnia respondeant, ut *abrenuntio, credo*...» (T f° 155ra)

«...*Scimus* quod Abraham pudicitiam uxoris sue commisit Deo, et sibi consuluit ne occideretur. Sed *nescimus* si idem fecisset si non timeret mortem sed seruitutem...» (T f° 155rb)

«...Simili modo *credimus* quod si maior pars plebis sue fuerit captiuata, tenetur sequi eos. Item. Solet queri utrum compaternitas contrahatur per interpositam personam, utrum scilicet possit aliquis suscipere paruulum pro alio, sicut potest iurare in animam alterius. Non *credimus*...» (T f° 155rb)

§ 355 «...*Dicimus* ad hoc quod non est exigenda ista sollempnitas quia baptismus omnibus patet, unde et ab omnibus potest dari in necessitate...» (T f° 155rb)

«...*Credimus*, si dixerit se non habere uxorem, relinquendus est suo ingenio, contrahat in nomine Domini...» (T f° 155va)

⟨Cap. LVII.- De suffragiis pro mortuis⟩.

§ 357 «...De singulis enim *dicemus* per ordinem. *Dicimus* ergo sicut supra *diximus* in tertio folio quod eucharistia semper prodest defunctis, quia ibi representatur generalis aduocatus...» (T f° 156ra)

«...Sed item *dubito* an presbyter sit in mortali peccato, uel forte certus sum. Si ergo *facio* eum celebrare, presto ei occasionem peccandi mortaliter. Ergo ego *pecco* mortaliter...» (T f° 156rb)

«...*Dicimus* enim quod omnes orationes institute ab ecclesia quamdam habent occultam uirtutem, quod a quocumque proferantur prosunt illis pro quibus fiunt...» (T f° 156rb)

«...Hoc non *credimus* quia si officium illud mortuorum semel celebratur pro uno et iterum pro altero, uterque participaret in exequiis alterius...» (T f° 156va)

«...Aliter, ut *prediximus* est, si pro duobus *orem* in communi, magis enim eis prodest si pro utroque specialiter, ratione predicta...» (T f° 156va)

«...De hoc tamen alibi *diximus*. Nunc autem *dicamus* de suffragiis elemosinarum. Primo ergo queritur cum elemosina...» (T f° 156va)

«...Quod *credimus*. Cum enim monachi recipiunt aliquem in fratrem, recipiunt eum in omnia beneficia domus sue...» (T f° 156va)

«...*Quero* ergo utrum ista elemosina aliquid prosit mortuo. Voluerunt quidam dicere quia omne bonum quod datur Deo sanctificatum est...» (T f° 156vb)

«...Hoc autem non est autenticum, nec hoc *credimus*, immo potius ex tali elemosina, nullum emolumentum consequitur mortuus...» (T f° 156vb)

«...*Video* iterum alium non ita indigentem sed meliorem eo, cuius oratio multum proderit mortuo meo...» (T f° 156vb)

«...Hoc tamen *dico* pro certo quod si haberem diuidere testamentum alicuius, *peccarem* nisi *darem* illi quem magis *scirem* uel *crederem* posse et uelle suffragari pro mortuo...» (T f° 156vb)

«...*Credimus* etiam quod ieiunium et disciplina corporalis ad idem ualent. Vt si iste sustineat ex deuotione corporeos crutiatus pro mortuo ualebunt ei...» (T f° 156vb)

⟨Cap. LVIII.- De uirtutibus⟩.

§ 359 «...*Dico* quod iste saluabitur sine omni fide quia fides non est nisi ex auditu. Quomodo enim crederet sine predicante?...» (T f° 157va)

⟨Cap. LIX.- Casus et expositio quarumdam auctoritatum⟩.

§ 360 «...Forte potest dici quod reddat debitum et non exigat, nec *consulerem* quod post tantam prolem susceptam et tantam moram temporis procuraret diuortium...» (T f° 157vb)

§ 362 «...Sed *quero* si non *intelligerem* Spiritum Sanctum esse, *possem* intelligere quod Pater diligeret Filium, ex quo sic Pater diligit Filium...» (T f°158ra)

«...Dicerem quod non prouenit quia ille amor et illa connexio non est nisi diuina essentia, sed quandoque in Sacra Scriptura appropriantur Spiritui Sancto...» (T f° 158ra)

§ 363 «...Item. Cum *dico*: Deus est, hec dictio est consignificat et significat idem quod...» (T f° 158rb)

«...Sed *possumus* dicere quod hoc uerbum est, quandoque consignificat eternitatem et est duplex eternitas...» (T f° 158rb)

⟨Cap. LX.- Questiones de actibus humanis et peccato⟩.

§ 364 «...Nos medio loco *procedimus* dicentes quod simpiliciter omnis actio est a Deo, et hec actio mala est a Deo, quia dignior est substantia actionis quam uitium et ideo ei potius attribuitur esse a Deo. Vnde et hanc *concedimus*: Hoc peccatum est a Deo...» (T f° 159ra)

«...Malitia enim et cetere priuationes, nichil sunt *secundum nos,* quia si malitia qualitas esset, a Deo esset. Hanc autem opinionem *confirmamus* auctoritate illa que habetur in Exodo ubi Dominus precepit filiis Israel quod ipsi spoliarent...» (T f° 159rb)

«...Ad hoc *dicimus* quod sicut iste homo est a Deo, non tamen est bonus, ita hec fornicatio est a Deo...» (T f° 159va)

«...Sed non *disputamus* ad presens de ueris uel substantiis uerorum sed de actionibus. Tamen ad presens *dicimus* quod nunquam *concedimus* tales...» (T f° 159va-vb)

«...Item. *Diximus* superius quod quedam actiones sunt male ex instrumento ex quo fiunt, quedam ex mala intentione agentis. Hoc autem *possumus* manifestius dicere quod actio quandoque contrahit...» (T f° 159vb)

«...Sed non est bona; ergo hec mala actio est a Deo et ita *habemus* propositum. Item. Hoc peccatum totum esse suum habet a Deo...» (T f° 160va)

«...Possent multa obici contra hanc opinionem, sed quia non est lis nisi de uerbis et non de ueritate rerum, plura dicere *recusamus*...» (T f° 160va)

§ 365 «...Ad quod *proponimus* illud uerbum Apostoli tamquam fundamentum: Quiquid non est ex fide peccatum est. Super quo *fundabimus* questionem. Verbum autem illud tripliciter exponitur...» (T f° 160va)

«...Sed hic latius *interpretamur* conscientiam. Queritur ergo utrum equaliter peccarent periti iudei...» (T f° 160vb)

§ 367 «...Quod ideo *dicimus* quia peccatum non est magnum uel paruum nisi ex contemptu. Cum uero aliquis traxit sagittam iam omnem suum...» (T f° 161vb)

§ 369 «...*Solemus* dicere quod tales peccantes peccant ex contemptu ultimi peccati commissi in sana mente. Non tamen ille contemptus est ex quo deformetur actio...» (T f° 162rb)

«...quia ipsa atrocitas facti in uno uidetur augere peccatum secundum ea que proximo *diximus*. Quid ergo dicetur?...» (T f° 162rb)

«...*Credimus* quod isti tyranni prorsus pares sunt ceteris circumstantiis paribus. Sed esto quod precipiant suis apparitoribus occidere duos...» (T f° 162rb)

«...Sed *dicimus* quod dupliciter intelligitur ista propositio: Iste est homicida actu...» (T f° 162rb)

«...In primo casu *dicimus* quod si ille qui iterat uerbum preceptiuum continue profert quasi ad unum preceptum...» (T f° 162va)

§ 370 «...Sed si omnes iaciant sagittas in incertum et occidatur, nesciatur tamen cuius ictu, *credo* quod cum omnibus debet dispensari...». (T f° 162va)

«...Tamen alio modo supra dictum est. *Diximus* enim quod cum occiditur in manu longinqua...» (T f° 162vb)

«...Sed non *credimus* hanc distinctionem esse ueram, quia quocumque modo occidatur in manu longinqua dummodo habeant intentionem occidendi, non dispensatur cum eis...» (T f° 162vb)

⟨Cap. LXI.- Casus conscientie⟩.

§ 375 «...*Nobis tamen uidetur* in priori casu quod non abest scrupulus symonie. Nunquam enim ecclesia conferret...» (T f° 164ra)

«...Vnde non *credo* quod daret alicui spiritualem fraternitatem...» (T f° 164ra)

«...non *michi uidetur* laudabile quod ex quo iam ibi est constituta spiritualis confraternitas, quod aliquis recipiatur tali modo...» (T f° 164ra)

«...Item. Aliter *uidetur nobis* quodam in casu celebri et frequentato irrepere latenter symonia. Vt si quis redimat de manu laici...» (T f° 164ra)

«...*Item.* Aliud factum uidetur reprobabile quod tamen hodie frequenter sit. Aliquis enim redimit decimas...» (T f° 164rb)

§ 376 «...Tamen *credimus* quod non minus tenet uotum, et cogenda est illa accedere ad aliquam inclusam ubi non liceat ei male uiuere...» (T f° 164rb)

«...*Credimus* ad minus quod ad aliquem statum debet cogi in quo non liceat ei male uivere...» (T f° 164rb)

«...*Credimus* quod hodie non deberet hoc sustinere ecclesia...» (T f° 164rb)

§ 377 «...Sicut *uidimus* de quodam prelato qui habuit ceruum domesticum qui mulierculam uetulam occidit. Prelatus ille prouidit familie illius...» (T f° 164va)

§ 378 «...Simile habemus de primo cysterciensium abbate qui cum ualde indigeret, misso conuerso ad uillam uicinam...» (T f° 164vb)

§ 379 «...*nec credimus* illam distinctionem magistrorum ualere: iuramentum quoddam est illicitum ex re iurata...» (T f° 164vb)

«*...Michi uidetur* quod distinguendum esset utrum ex obreptione an ex deliberatione iuratum esset, sicut supra dictum est...» (T f° 165ra)

«*...Dicimus* ergo quod ex quo scandalum non est si quis promiserit indigno, deceptus aliquo modo, uel per obreptionem...» (T f° 165ra)

§ 380   «*...Dico* quod si ea intentione emit ut lucraretur, quecumque secuta fuerit penitentia, tenetur simpliciter restituere illi...» (T f° 165ra)

«*...Dico* sine omni dubio quod iudex tenetur restituere, et hoc quod dedit iste iudici, et quod dedit fideiussori...» (T f° 165ra-rb)

«...non *dico* usura, quod ipsi acceperunt aliquid ab eo, cum ipsi illud idem tenerentur ei facere sine omni munere...» (f° 165rb)

«...Constat quod peccaui quia nocui digno, sed utrum tenear ei restituere pro uiribus, hoc non *discutio*...» (T f° 165rb)

«...Incurrit ille inde magnum dampnum. *Teneor* ne *ego* restituere. Istud non *discutio*...» (T f° 165rb)

⟨Cap. LXII.- Expositio quarumdam auctoritatum⟩.

§ 382   «*...Legimus* enim quod domus Dei habebit duos parietes, unum ex hominibus, alium ex angelis...» (T f° 165va)

⟨Cap. LXIII.- Utrum peccata dimissa redeant⟩.

§ 386   «...Nos *dicimus* quod peccata dimissa redeunt quantum ad reatum, non *dicimus* quod illa peccata, opera scilicet illa redeant...» (T f° 166ra)

«...Utrum autem sit idem reatus in essentia uel similis, non multum *curamus*. Hanc opinionem auctoritatibus et rationibus probamus. Dicit enim auctoritas: Caue commissa ne redeant dimissa...» (T f° 166ra-rb)

«...*Dicimus* ergo post dimissa peccata quod nouum peccatum est quare alia peccata redeant...» (T f° 166rb)

«...Non sequitur. Figuratiua enim est solutio. *Concedimus* quod fornicatio est causa adulteri, quando aliquis merito fornicationis...» (T f° 166va)

«...*Dicimus* quod isti sunt pariter mali istis peccatis, sed ille alius est magis malus, reatu peccatorum redeuntium...» (T f° 166va)

⟨Cap. LXIV.- Questiones circa symoniam⟩.

§ 387 «...Cum ergo fructus non redeant nisi de anno in annum, uidetur quod possunt reseruare sibi necessaria ad annum, plus autem nullatenus *credo* eis licere obseruare...» (T f° 167ra)

§ 388 «...*Credo* quod talis refusio omnino symoniaca est. Licet enim permissum sit spirituale cum spirituali commutare, tamen si aliquod pretium...» (T f° 167ra)

«...Hic *distinguerem*. Si enim edifitia sacrata sint et ita annexa loco sacro quod ipsi etiam si uellent uendere aliis non possent, symoniaca est talis refusio...» (T f° 167ra)

«...bene *credo* quod licite potest altera pars in commutatione ipsa pretium domus in augmentum recipere...» (T f° 167ra)

§ 389 «...*Dicimus* in primo casu quod peccant contrahendo cum aliis, quia ex quo ex certa scientia talem incestum commiserunt, secundum canones...» (T f° 167rb)

«...Vnde in secundo casu *credimus* quod discretus prelatus debet dare sententiam sub conditione uel uocali uel mentali ut: *Ego excommunico* te nisi uerum sit...» (T f° 167rb)

«...In ultimo casu *dicimus* quod si uenerit ad aliquem locum ubi non sit scandalum...» (T f° 167rb)

«...in tali casu *consulerem* ei quod faceret se baptizari, licet non absolueretur...» (T f° 167rb)

§ 392 «...Legitur quod olim ad excommunicationem sanctorum, statim diabolus corporaliter uexauit excommunicatos, hodie non ita. Vnde hoc? Nos *credimus* quatuor esse causas...» (T f° 167vb)

B.- *Textes à la troisième personne*.

⟨Cap. I.- De symonia⟩.

§ 158 «...Non *credit* et *distinguit* inter causam propter quam et causam sine qua non fieret cum fieri non possit...» (T f° 83ra)

«...Ita etiam *iudicat* in aliis casibus ut de pactione beneficiorum ad luminaria et usus ministrorum ecclesie...» (T f° 83rb)

«...Dicit quod ecclesia militans, in quantum potest, imitari debet ecclesiam triumphantem que respicit...» (T f° 83rb)

«...*Dicit* quod si ditissimus aliquis et paupercula aliqua pari deuotione, sed longe impari munere, petunt suffragia ecclesie...» (T f° 83va)

«...*Concedit* ergo quod dari possunt temporalia pro spiritualibus, quandoque in solatium et sustentamentum, quandoque in signum...» (T f° 83va)

«...*Dicit uideri sibi* symoniam esse, quotiens exercentur spiritualia officia habito respectu potius ad lucri perceptionem quam deuotionem animarum. Similiter *iudicat* de illis qui concedunt fraternitatem...» (T f° 83va-vb)

§ 161 «...*Dicit* symoniacum esse, nisi cum fit intuitu penitentialis remedii, et hoc raro faciendum est puta si parcus est. Et tunc...» (T f° 85ra)

«...*Dicit* sine preiuditio melioris sententie recurrendum esse excommunicato ad superiorem iudicem; summus pontifex...» (T f° 85ra)

«...Et huic satis *assentit magister* quia clericus uoluntates et intentiones habet concathenatas ad salutem...» (T f° 85va-vb)

«...in multis adulationibus in quibus apparet aspiratio ad beneficium, *dicit* non esse conferendum. *Querit* de quodam qui motus cupiditate ad tempus palpat unum de familiaribus episcopi obsequiis...» (T f° 85vb)

«...Episcopus dicit se non ideo dedisse quia preces faciebat iste familiaris concedit que ei ut retineat. *Querit* an bene faciat ?...» (T f° 85vb)

«...*Querit* an possit retinere. *Dicit* de hoc ultimo casu quod potest. De priori autem forte. Sed quid, si in priori casu...» (T f° 85vb)

§ 162 «...De notariis principum et officialium, ipse *dicit* hoc esse consilium salubre dandum clericis, ut nunquam prebeant ministerium suum...» (T f° 86rb)

«...*Dicit* quod cum esset in curia uidit quosdam examinatores hoc facientes et dictum est ei quod hoc esset ex consuetudine curie romane, ipse uero non ponens os in celum, sed quod ei uidetur asserens, *credit* hoc non licere sed potius parere symoniam» (T f° 86vb) ([57])

§ 163 «...ut ita preparetur uia sacre scripture. *Dicit* esse symoniam. Clericus autem, bona intentione...» (T f° 87ra)

§ 165 «...Idem *dicit* de adulto in eo casu, scilicet necessitatis, proiciat pecuniam...» (T f° 87ra)

«...*Dicit* deferendum esse ecclesie quantum fieri potest. Vnde hec que non sunt necessitatis, *credit* differenda quousque habeatur copia sacerdotis in parrochia qui gratis conferat...» (T f° 87rb)

([57]) On peut voir dans ces lignes une allusion à Pierre le Chantre qui, on le sait, se rendit probablement à la Curie romaine, au moins à l'époque du concile de Latran réuni par le pape Alexandre III. Il semble d'ailleurs que Pierre le Chantre n'ait pas gardé un excellent souvenir de la Curie.

«...*Magister* tamen *dicit* quod ius suum redimeret antequam careret, de manu tamen diaconi perciperet si posset...» (T f° 87rb)

«...Hic *dubitat* de unctione extrema. Idem *sentit* quod in predictis, scilicet redimat eger...» (T f° 87rb)

§ 169 « *Dicit* quod, ut *ei uidetur,* potest licite dari pecunia in predicto casu, potest et licite omitti...» (T f° 88rb)

«...In priori tamen casu dicit esse raptorem tantum illum qui accipit, pro secundo uero, et raptorem et symoniacum...» (T f° 88rb)

§ 170 «...*Distinguit.* Vbi commutationi adminiculatrix est cupiditas uel amor carnalis, symoniam uidetur facere...» (T f° 88vb)

«...Forte non, ut *dicit,* quia hic est specialis assignatio, ibi generalis facta, scilicet multitudini, sed nulli persone specialiter...» (T f° 89rb)

«...Item. De episcopo qui caput est, *querit* an possit commutare temporalia que habet, scilicet redditus molendinorum...» (T f° 89rb)

«...Forte non licebit. *Dubitat,* quia forte non licet episcopali auctoritate commutare ius percipiendi temporalia pro iure...» (T f° 89rb)

§ 172 «...*Contra.* Nonne emunt illi fraternitatem illam et iura spiritualia collatione bonorum suorum ? Non sic a principio. *Dicit* non uideri sibi puritatem esse...» (T f° 90rb)

«...A latere *quesiuit* si forte aliqua diues persona consueuit presentationem habere alicuius prebende an episcopus...» (T f° 90rb)

«...Istud sine illo non prouenit, utrumque ergo uel neutrum uidetur preciabile. *Dubitat.* Casus. Septem clerici uolunt auctoritate...» (T f° 90va)

«...*Dicit* non esse faciendum. Sed iam facto ingressu et constituta fraternitate licentius concedi poterit...» (T f° 90vb)

«...*Dicit* non licere. Idem iuditium si in ecclesia non habente decanum, uelit quis facere decanatum ea tantum conditione...» (T f° 90vb)

§ 173 «...*querit* an liceat preuenire dando ei de communi ecclesie, ut obstruatur os loquentis iniqua...» (T f° 90vb)

«...*Querit* an liceat. Videtur quod iuris nullius hic agitatur commertium. Contra. Ille qui offert pecuniam...» (T f° 91ra)

«...Querit an liceat eis dare ut repellatur ? Resp. Possunt. Hec questio exagitata est supra in simili suo...» (T f° 91ra-rb)

§ 174 «...*Querit* etiam an datio giezitica inducat resignationem. Resp: non, quia non uitiat donationem que precessit; si enim licita fuit, manet inuitiata. Agat, *ait,* condignam penitentiam...» (T f° 91rb)

§ 176 «...*Querit* an episcopus possit ita redimere prebendam. Contra. Ille dando pecuniam...» (T f° 91va)

«Sed *querit* an episcopus possit redimere prebendam de manu patris symoniaci exemplo episcopi redimentis decimam de manu laici...» (T f° 91vb)

«...*Querit* de episcopo ipso qui accepit pecuniam, an spirituali motus intentione, possit redimere de manu symoniaci...» (T f° 91vb)

«...*Distinguit*. Si ante inuestituram spirituali mouetur affectu, potest; carnali uero motu non potest. Aperta enim uidetur negotiatio. Tamen *ita dicit sine preiuditio melioris sententie*...» (T f° 91vb)

§ 177 «...De laico *dicit* quod non debet ei concedi pensio etsi corporale tantum sit, propter speciem mali. Adiuncta enim est rebus spiritualibus...» (T f° 92rb)

«...Queritur an liceat suppleri in pensione aliqua. Dubitat...» (T f° 92va)

§ 179 «...*Querit* item quare non possit calix uel huiusmodi aliud, quod spirituale dicitur, quia in eis conficiuntur spiritualia...» (T f° 92vb)

§ 180 «...De redemptione officii iuste suspensi ad annum *querit* an cum peniteat de peccato, pecunia interueniente, possit redimere reconciliationem ante annum...» (T f° 93va).

«...*Dicit* per pecuniam penitentialem hoc posse fieri sed non per pecuniam cupiditatis...» (T f° 93va)

«...Item. Pecunia pauperum non est facile proicienda, hoc enim est quasi pauperum bona inuadere. *Dubitat*...» (T f° 93va)

«...*Dubitat. Dicit* tamen quod non debent assignari laicis decime cum conferuntur ad pontis reparationem, uel ad opus templariorum...» (T f° 94ra)

§ 181 «...Item. Cum ideo dicatur non posse uendi ius tale quia spirituale est, *querit* in qua significatione dicatur spirituale. Nec enim...» (T f° 94vb)

§ 185 «...*Dicit* sine preiuditio emi regnum, non tamen emitur consecratio sicut et in matrimonio emitur coniux...» (T f° 96va)

«...Item. Incidenter *adiunxit* de eo quod quedam ecclesie adhibent presentiam suam iuditiis peregrinis hoc habentes ex consuetudine...» (T f° 96va-vb)

§ 189 «...*Dicit* distinguendum esse inter obsequium Dei et obsequium hominis...» (T f° 97va)

«...Nota quod dicit quod modus facit interdum symoniam. Ecce enim aliquis canonicus emit ab episcopo...» (T f° 97vb)

§ 190 «...*Querit* utrum potius sit consulendum, scilicet an dare pecuniam quod uidetur symoniacum, an habere...» (T f° 97vb)

«...*Consuluit* in hoc casu cuidam sacerdoti ut pro parrochiano suo proiceret pecuniam. Sed nonne consulendum erat...» (T f° 97vb)

«...Querit an debeat cum possit quia per ecclesiam cepit hoc esse illicitum. Videtur quod istud...» (T f° 98ra)

«...Sed *dicet* hoc ideo esse posse si episcopus resciuerit ante largitionem prepositure...» (T f° 98ra)

«...Item. Cum decime non possint possideri a laico, tamen ususfructus earum potest possideri a laico et uendi *ut dicit*. Cur...» (T f° 98ra)

§ 192 «...*Dicit* ut uidetur perpetuam resectionem de prebenda factam ab episcopo consensu capituli intuitu alicuius necessitatis...» (T f° 98va)

⟨Cap. II.- De furto et restitutione⟩.

§ 195 «...*Concedit* in eo casu quando ille non erat facturus sine huius consilio. Quod si sine eius consilio erat facturus...» (T f° 99rb)

§ 199 «...*Dicit* hoc licere fieri cum alterius agitur causa, scilicet Christi. Sed obicitur de filiofamilias, de uxore...» (T f° 100rb)

§ 200 «...Ita uidetur. *Respondit* ut prius. Contra. Reuera secundum ius humanum non habet actionem aduersum me...» (T f° 100vb)

«...*Dicit,* licet cum dubitatione, quod forte cum tali potest dispensari, ne restituat qui nunquam habuit conscientiam...» (T f° 101ra)

§ 201 «...*Responsio eius* secundum legem que, cum non habeat quod heredibus suis relinquat preter quamdam certam summam pecunie...» (T f° 101ra)

«...*Dicit* quod non minus tenetur sibi prouidere debitor, ne non sit facultas restituendi debitoribus debitum quam ne impossibilitas...» (T f° 101rb)

§ 203 «...*Concedit,* decipiuntur ergo qui in restitutione facienda utuntur tantum taxatione substantie rei, cum teneantur ad totum interesse...» (T f° 101vb)

«...*Dicit* quod credit dantem dampni occasionem teneri culpa sua interueniente. Vnde uenditor tigni uitiosi, cum sciret uitium...» (T f° 102ra)

«...*Dubitat.* Similiter, si uideris odientis te asinum iacere sub honere, non pertransibis, sed subleuabis. Queritur an tenearis restituere si pertransieris, et si hoc, quantum. *Dubitat.* Sed uidetur ualere ad solutionem quod dicitur Exodo LX de deposito. Nonne enim asinus quasi depositus tibi uidetur? *Dicit* quod *credi*t teneri ad restitutionem nisi maiori necessitate...» (T f° 102rb)

«...*Dicit* ad solutionem predictorum ex parte quod respicienda est persona, puta clericus...» (T f° 102rb)

«...Et hoc *dicit* esse arbitrium boni uiri. Sed nonne talis scandalizat proximum suum ? Forte recte offert sed non recte diuidit. Sanam habet conscientiam...» (T f° 102va)

§ 204 «...*Dixit* se hoc aliquando laudasse. Quidam autem uir litteratus iustus et timoratus contradixit...» (T f° 103rb)

§ 208 «...Resp. *Magister consulit* quod fugiat illa si possit et sequatur uirum suum quia fortiori uinculo...» (T f° 105rb)

«...*Probat* etiam hoc magister argumento sumpto a simili. Precipit enim Apostolus quod mulier fidelis habens...» (T f° 105va)

«...*Videtur magistro* quod fugere debet quamuis decreta contradicant. Item. Prescriptum est...» (T f° 105va)

§ 209 «...*Dicit magister* quod ipse faceret. *Dicit* preterea quod in omnibus predictis non est furtum uel rapina...» (T f° 105vb)

§ 211 «...Item. Esto quod aliqua sit occulta, nec sit elocati corporis et occulte multa acceperit a turpibus amatoribus, de ista *dicit magister* quod potius tenetur...» (T f° 107ra)

⟨Cap. VI.- De uotis⟩.

§ 225 «...Sed intrabit ne claustrum ita obligatus alieno ere ? *Magister consulit* quod intret quia minor est iactura in amissione pecunie quam anime...» (T f° 112rb)

«...Sed quid dicetur si culpa deuenerit in hanc necessitatem ? Sic perplexus esse uidetur...» (T f° 112rb)

«...Vnde *uidetur michi, inquit magister,* debere intrare claustrum cum habet facultatem...» (T f° 112va)

§ 226 «...Ad hoc *dixit magister* quod uidebatur sibi hoc non debere fieri, nec fuisse iustum iuditium, nisi quia timuit Alexander papa...» (T f° 113ra-rb)

§ 227 «...*Magister non consulit* quod symoniace intret claustrum. Non enim facienda sunt mala ut ueniant bona, nec est uitandum unum peccatum per aliud. *Consulit* ergo ut ipsa, ex quo timet lapsum, collocetur cum aliqua...» (T f° 113rb)

⟨Cap. IX.- De usura⟩.

§ 231 «...*Dicit magister* quod si dicit se posse intendisse labori in quo esset periculum dampni sicut spes lucri...» (T f° 114ra)

«...Ideo *consulit magister* quod de perfectione christiana satisfaciat commodatorio de labore suo...» (T f° 114ra)

§ 234 «...*Magister dicit* quod consilium eius esset quod emeretur ususfructus domus per annum, ita quod periculum transferretur...» (T f° 115ra)

⟨Cap. LVIII.- De uirtutibus⟩.

§ 359 «...*Magister dicit* quod quando paruulus baptizatur, nullam uirtutem habet, nec in habitu, nec in actu...» (T f° 157rb)

⟨Cap. LIX.- Casus et expositio quarumdam auctoritatum⟩.

§ 360 «...*Consilium magistri* est ut prius adimpleat iuramentum et contrabat et postea intret claustrum si uoluerit...» (T f° 157vb)
«...Huic tamen solutioni non *adquieuit magister*...» (T f° 157vb)

§ 361 «...*Dicit magister* quod debet denegari auctoritate Apostoli qui precipit curiosos non laborantes excommunicari et non communicari eis...» (T f° 158ra)

⟨Cap. LX.- Questiones de actibus humanis et peccato⟩.

§ 371 «...Quomodo cum primo fuit de genere uenialium, modo est de genere mortalium? Istud *noluit soluere magister*...» (T f° 163rb)
«...Nec hanc *uoluit soluere magister*. Item. Videtur quod concupiscentia carnis prestat causam impulsiuam ad omne uitium...» (T f° 163va)
«...*Dicit ergo magister* quod spirituales nequitie sine omni concupiscentia carnis impulsiua oriuntur in anima, tamen sepe incenduntur...» (T f° 163va)
«...*Dicit magister* quod alterius nature est spiritus humanus et alterius spiritus angelicus, quia si anima humana crearetur...» (T f° 163va)

⟨Cap. LXI.- Casus conscientie⟩.

§ 372 «...*Dicit magister* quod iste tenetur restituere quia ille coactus dedit, metu enim diuortii qui cadere posset in constantem uirum...» (T f° 163vb)
(in fine) «...Istud *noluit magister* determinare...» (T f° 163vb)

§ 373 «...*Consuluit magister* quod sacerdos quia dedit operam rei illicite et non adhibuit diligentiam quam debuit ut uisitet curiam romanam...» (T f° 163vb)

§ 374 «...*Dicit magister* quod licet episcopo ex aliqua leui occasione suspendere illum in perpetuum si possit...» (T f° 163vb)

§ 376 «...*Item.* Timet uenire contra iuramentum ad cuius obseruationem coget eam ecclesia, uelit nolit. *Dicit magister,* quod non restat ei consilium nisi ut intret claustrum...» (T f° 164rb)

§ 377 «...*Dicit magister* quod ad omnia tenetur. Sed contra. Videtur quod quilibet potest renuntiare iuri suo. Vnde si interim satisfaciat pupillis quod ipsi penitus...» (T f° 164va)

§ 378 «...*Consilium magistri* est quod uicarius accedat ad decanum et capitulum, et eorum auctoritate potest recipere inde stipendium...» (T f° 164vb)

⟨Cap. LXIV.- Questiones circa symoniam, iuramenta, etc⟩.

§ 384 «...*Dicit magister* hanc regulam: Quod tibi uis fieri, alii facias, intelligendam esse de operibus misericordie...» (T f° 166ra)

⟨Cap. LXIV.- Questiones circa symoniam, iuramenta, etc⟩.

§ 387 «...*Consulit magister* quod pecunia illa mittatur in manu prelati uel prelate, et per manum eius et prouidentiam subueniatur necessitatibus eius...» (T f° 166va)

Ces longues et fastidieuses séries de citations ne paraissent guère suggestives. Pour en faire apparaître l'utilité, il importe de les totaliser, d'en dresser en quelque sorte le bilan.

C'est ce que nous ferons dans le tableau suivant, où, en face du numéro de chaque paragraphe du texte du tome III, le lecteur trouvera le nombre de citations relevées ci-dessus. (L'astérisque * équivaut à la mention: *partim*).

PROLEGOMENA

Chapitres	Paragraphes	Interventions personnelles (Textes à la 1ère personne)	Allusions à l'enseignement d'un tiers (3ème personne)	Manuscrits
Cap. I	§ 156	4		T B W L
	§ 157			T B W L
	§ 158	2	7	T B P* W L Z*
	§ 159			T B P* W L Z*
	§ 160			T B W L
	§ 161	1	8	T B W L
	§ 162		2	T B W L
	§ 163		1	T B W L
	§ 164			T B W L
	§ 165		5	T B W L
	§ 166			T B W L
	§ 167			T B W L
	§ 168			T B W L
	§ 169		2	T B W L
	§ 170		4	T B P W L
	§ 171			T B P W L
	§ 172		5	T B P W L
	§ 173		3	T B P W L
	§ 174		2	T B P W L
	§ 175			T B P W L
	§ 176		5	T B P W L
	§ 177		2	T B P W L
	§ 178			T B P W L
	§ 179		1	T B P W L
	§ 180		4	T B P W L
	§ 181	2	1	T B P W L
	§ 182			T B P W L
	§ 183			T B P W L
	§ 184			T B P W L
	§ 185	1	2	T B P W L
	§ 186			T B P W L
	§ 187			T B P W L
	§ 188			T B P W L
	§ 189		2	T B P W L
	§ 190		5	T B P W L
	§ 191			T B P W L
	§ 192		1	T B P W L
	§ 193			T B P W L

PROLEGOMENA 153

Cap. II	§ 194			T B P W L
	§ 195		1	T B P W L
	§ 196			T B P W L
	§ 197			T B P W L
	§ 198			T B P W L
	§ 199		1	T B P W L
	§ 200		2	T B P W L
	§ 201		2	T B P W L
	§ 202			T B P W L
	§ 203		7	T B P W L
	§ 204	1	1	T B P W L
	§ 205	1		T B P W Z
	§ 206	1		T B P W Z
	§ 207			T B P W Z
	§ 208	1	3	T B P W Z
	§ 209	2	2	T B P W Z
	§ 210	2		T B PW Z
	§ 211	15	1	T B P W Z
	§ 212			T B P W Z
Cap. III	§ 213	10		T B P W Z
	§ 214	7		T B P W Z
Cap. IV	§ 215	1		T B P W Z
	§ 216	2		T B P W Z
	§ 217	1		T B P W Z
	§ 218			T B P W Z
Cap. V	§ 219	1		T B P W Z
	§ 220	1		T B P W Z
	§ 221	1		T B P W Z
	§ 222	1		T B P W Z
	§ 223			T B P W Z
Cap. VI	§ 224	10		T B P W Z
	§ 225		3	T B PW Z
	§ 226	5	1	T B P W Z
	§ 227	1	2	T B P W Z
	§ 228			T B P W Z
Cap. VII	§ 229			T B P W Z
Cap. VIII	§ 230	2		T B P W Z
Cap. IX	§ 231		2	T B P Z
	§ 232	2		T B P Z
	§ 233	3		T B P Z
	§ 234		1	T B P Z
	§ 235	1		T B P Z
Cap. X	§ 236			T B P W Z
	§ 237	9		T B P W Z
	§ 238	1		T B P W Z

	§ 239	1	T B P W Z
Cap. XI	§ 240	3	T B P W Z
	§ 241	2	T B P W Z
	§ 242	2	T B P W Z
Cap. XII	§ 243	6	T B P W Z
	§ 244		T B P W Z
Cap. XIII	§ 245		T B P W Z
	§ 246	1	T B P W Z
Cap. XIV	§ 247	3	T B P W Z
	§ 248	1	T B P W Z
Cap. XV	§ 249	6	T B P W Z
	§ 250		T B P W
	§ 251	1	T B P W Z
Cap. XVI	§ 252	1	T B P W Z
	§ 253	5	T B P W Z
Cap. XVII	§ 254		T B P W Z
Cap. XVIII	§ 255		T B P W
Cap. XIX	§ 256	7	T B P W
	§ 257	5	T B P W
Cap. XX	§ 258		T B P W
Cap. XXI	§ 259	9	T B P W
Cap. XXII	§ 260	5	T B P W
Cap. XXIII	§ 261	1	T B P W
Cap. XXIV	§ 262	1	T B P W
	§ 263	2	T B P W
	§ 264	1	T B P W
	§ 265	4	T B P W
	§ 266	3	T B P W
	§ 267	2	T B P W
	§ 268	5	T B P W
Cap. XXV	§ 269		T B P W Z
Cap. XXVI	§ 270	1	T B P
Cap. XXVII	§ 271		T B P
Cap. XXVIII	§ 272	2	T B P
	§ 273	1	T B P
Cap. XXIX	§ 274	4	T B P
Cap. XXX	§ 275		T B P
	§ 276	1	T B P
	§ 277	2	T B P
	§ 278	5	T B P
Cap. XXXI	§ 279	4	T B P
Cap. XXXII	§ 280	1	T B P
	§ 281	3	T B P
	§ 282	2	T B P
	§ 283	1	T B P

PROLEGOMENA

	§ 284	3	T B P
Cap. XXXIII	§ 285	3	T B P
Cap. XXXIV	§ 286	4	T B P
	§ 287	4	T B P W Z
	§ 288	1	T B P W
Cap. XXXV	§ 289	2	T B P W Z
Cap. XXXVI	§ 290	1	T B P W Z
Cap. XXXVII	§ 291		T B P W
	§ 292		T B P W
Cap. XXXVIII	§ 293	11	T B P W
Cap. XXXIX	§ 294		T B P W Z
	§ 295		T B P W Z
	§ 296	3	T B P W Z
	§ 297	4	T B P W Z
	§ 298	4	T B P W
	§ 299	1	T B P
	§ 300	5	T B P
Cap. XL	§ 301	3	T B P Z
Cap. XLI	§ 302	4	T B P Z
Cap. XLII	§ 303	1	T B P Z
	§ 304	2	T B P
	§ 305	1	T B P Z
	§ 306	1	T B P
Cap. XLIII	§ 307	5	T B P Z
	§ 308	3	T B P Z
	§ 309	2	T B P Z
	§ 310	2	T B P
Cap. XLIV	§ 311	2	T B P
	§ 312	2	T B P Z
	§ 313	2	T B P
	§ 314	2	T B P
	§ 315	2	T B P
	§ 316	1	T B P
	§ 317	1	T B P
Cap. XLV	§ 318	6	T B P
	§ 319	2	T B P
	§ 320	1	T B P
	§ 321		T B P W Z
Cap. XLVI	§ 322	1	T B P W Z
	§ 323	1	T B P W Z
	§ 324	1	T B P W Z
	§ 325	1	T B P W Z
	§ 326	2	T B P W Z
	§ 327	2	T B P W Z
	§ 328		T B P W Z

Cap. XLVII	§ 329	7		T B P W	Z
	§ 330	4		T B P W	Z
	§ 331	3		T B P W	Z
	§ 332	2		T B P W	Z
	§ 333			T B P W	Z
Cap. XLVIII	§ 334	7		T B P W	Z
Cap. IL	§ 335			T B P W	
	§ 336			T B P W	
Cap. L	§ 337	4		T B P W	Z
	§ 338	3		T B P W	Z
	§ 339	3		T B P W	Z
	§ 340	5		T B P W	Z
	§ 341	4		T B P W	Z
	§ 342	3		T B P W	Z
	§ 343	2		T B P W	
	§ 344	2		T B P W	Z*
	§ 345			T B P W	
Cap. LI	§ 346	16		T B P W	Z
Cap. LII	§ 347	1		T B P W	Z
	§ 348	2		T B P W	Z
	§ 349	2		T B P W	Z
	§ 350	3		T B P W	Z
	§ 351	1		T B P W	Z
Cap. LIII	§ 352	3		T B P W	Z
Cap. LIV	§ 353	15		T P W	
Cap. LV	§ 354	6		T B P W	
	§ 355	2		T B P W	Z
Cap. LVI	§ 356			T B P W	
Cap. LVII	§ 357	17		T B P W	
Cap. LVIII	§ 358		1	T B P W	Z
	§ 359	1	1	T B P W	
Cap. LIX	§ 360	1	2	T B P W	Z
	§ 361		1	T B P W	Z
	§ 362	2		T B P W	Z
	§ 363	2		T B P	
Cap. LX	§ 364	11		T B P W	
	§ 365	3		T B P W	Z
	§ 366			T B PW	Z
	§ 367	1		T B P W	
	§ 368	1		T B P W	
	§ 369	6		T B P W	Z
	§ 370	3		T B P W	Z
	§ 371		4	T B P W	Z
Cap. LXI	§ 372		2	T B PW	Z
	§ 373		1	T B P W	Z

	§ 374		1	T B P W
	§ 375	5		T B P W
	§ 376	3	1	T B P W
	§ 377	1	1	T B P
	§ 378	1	1	T B P W Z
	§ 379	3		T B P W Z
	§ 380	5		T B P W
	§ 381			T B P W
Cap. LXII	§ 382	1		T B P
	§ 383			T B P
	§ 384		1	T B P
	§ 385			T B P
Cap. LXIII	§ 386	6		T B P W
Cap. LXIV	§ 387	1	1	T B P W
	§ 388	3		T B P W
	§ 389	4		T B P W
	§ 390			T P W
	§ 391			T B P W
	§ 392	3		T B P W
	§ 393			T P W
Conclusio.	§ 394			T

Ce tableau pourrait donner lieu à des interprétations fallacieuses, aussi est-il indispensable d'en préciser la portée et le sens.

Tout d'abord, les sigles T.B.P., etc., représentent le nombre de témoins pour chaque chapitre et chaque paragraphe, ce qui ne signifie pas que ces manuscrits reproduisent dans leur totalité et avec fidélité les textes que nous avons cités. En fait, en général, il est possible d'affirmer que les textes cités et dont le nombre a été précisé pour chaque paragraphe, se retrouvent dans tous les manuscrits dont nous donnons les sigles. Mais il n'en est pas toujours ainsi. Les exceptions sont d'ailleurs peu nombreuses, mais comme elles présentent un intérêt certain, nous en dressons une liste:

A.- *Pour les formes à la première personne:*

§ 158: «... Unde *dicimus quod* si duo accedunt, parem habentes deuotionem, sed imparem facultatem, petentes sibi... » (T f° 82vb).
dicimus quod] *om.* PZ

§ 209:   «... Nunc de restitutionibus *dicamus*. Lex secularis habet, licet inciuiliter agat, non tamen iniuste... » (T f° 105vb).
dicamus] *om.* W

§ 226:   «... Nonne in tali casu *dicimus*. Dominus his opus habet ? Nobis uidetur quod nisi decreta quedam obloquerentur... » (T f° 113ra).
dicimus] *om.* BW

§ 286:   «...*Amen. Consecratur, inquam,* quia per uerba illa uim regeneratiuam suscipit; que sit illa uis regeneratiua, alibi discutitur...» (T f° 128vb).
consecratur inquam] *om.* T

«...*Et ita credimus* 'loquitur' accipi ibi sicut alibi accipitur 'enarrare', ut Deum nemo vidit unquam...» (T f° 129ra).
et ita credimus] *om.* P

§331:   «...Resp. *Credimus* quod licet reus quoad reatum, non tamen incidit in canonem; proniores enim esse debemus ad absoluendum...» (T f°141vb).
Credimus] *om.* P

§ 334:   *Rédaction différente dans* Z.

§ 339:   «...Videtur *nobis* quod peccaret princeps mortaliter si exigeret a subditis de noua moneta nisi tantum quantum ualet prior...» (T f° 144ra).
nobis] michi Z

§ 346:   «...*Credimus* itaque quod si quis conuersus ad fidem dimittat infidelem cohabitare uolentem, nisi ad meliorem uitam et meliora opera se transferrat peccat mortaliter...» (T f° 146rb-va).
Credimus... cohabitare uolentem] *om.* P

§ 388:   «...*Hic distinguerem*. Si enim edifitia sacrata sint et ita annexa loco sacro quod ipsi etiam si uellent uendere aliis non possent...» (T f° 167ra).
Hic distinguerem] Hic distinguendum est P

B. *Pour les formes à la troisième personne*

§ 161: «...*Dicit* symoniacum esse, nisi cum fit intuitu penitentialis remedii; et hoc raro faciendum est puta si parcus est. Et tunc debet precipi...» (T f° 85ra).
Dicit] dicitur W
...Episcopus dicit se non ideo dedisse quia preces faciebat iste familiaris conceditque ei ut retineat. *Querit* an bene faciat?...» (T f° 85vb).
Querit] *om.* W, queritur L

§ 162: «...Dicit quod cum esset in curia uidit quosdam examinatores hoc facientes, et dictum est ei quod hoc esset ex consuetudine curie romane, ipse uero non ponens os in celum, sed quod ei uidetur asserens, credit hoc non licere sed potius parere symoniam...» (T f° 86vb).
Dicit... parere symoniam] Dicit quod cum esset in curia: uidimus quosdam examinatores hoc facientes et dictum est nobis quod hoc esset de consuetudine curie romane, nos autem non ponentes os in celum, sed quod nobis uidetur asserentes credimus hoc non licere sed simoniam parere WL

§ 165: «...*Magister tamen dicit* quod ius suum redimeret antequam careret, de manu tamen diaconi perciperet si posset antequam quicquam daret...» (T f° 87rb).
Magister] ipse W

§ 170: «...*Distinguit.* Vbi commutationi adminiculatrix est cupiditas uel amor carnalis...» (T f° 88vb).
Distinguit] Distinguitur BP
«...Forte non, *ut dicit,* quia hic est specialis assignatio, ibi generalis facta, scilicet multitudini, sed nulli persone specialiter...» (T f° 89rb).
ut dicit] *om.* P
«...Item. De episcopo qui caput est *querit* an possit commutare temporalia que habet, scilicet redditus molendinorum uel huiusmodi...» (T f° 89rb).
querit] queritur P

§ 172:   «...A latere *quesiuit* si forte aliqua diues persona consueuit presentationem habere alicuius prebende an episcopus loci possit...» (T f° 90rb).
   quesiuit] queritur P

§ 173:   «...Sed esto quod ante electionem presciatur quod aliquis turbaturus est ecclesie electionem, disponente ecclesia eligere uirum litteratum et honestum, *querit* an liceat preuenire...» (T f° 90vb).
   querit] queritur P

§ 174:   «...*querit* etiam an datio giezitica inducat resignationem. Resp: non, quia non uitiat donationem que precessit; si enim licita fuit, manet inuitiata. Agat, ait, condignam penitentiam...» (T f° 91rb).
   querit] queritur P

§ 176:   «...*Querit* an episcopus possit ita redimere prebendam. Contra. Ille dando pecuniam facit se indignum pecunia...» (T f° 91va).
   querit] queritur P
   «...Sed *querit* an episcopus possit redimere prebendam de manu patris symoniaci exemplo episcopi redimentis decimam de manu laici...» (T f° 91vb).
   querit] queritur P
   «...*querit* de episcopo ipso qui accepit pecuniam, an spirituali motus intentione, possit redimere de manu symoniaci...» (T f° 91vb).
   querit] queritur P

§ 177:   «...sed necesse est ut refusio fiat pro altari ei qui accipiet decimam. Queritur an liceat suppleri in pensione aliqua. *Dubitat*...» (T f° 92va).
   Dubitat] *om*. L

§ 179:   «...*Querit* item quare non possit calix uel huiusmodi aliud quod spirituale dicitur, quia in eis conficiuntur spiritualia, uendi laico...» (T f° 92vb).
   querit] queritur P

§ 180:   «...De redemptione officii iuste suspensi ad annum, *querit* an cum peniteat de peccato, pecunia interueniente, possit redimere reconciliationem...» (T f° 93va).
   querit] queritur P

«...*Dicit* per pecuniam penitentialem hoc posse fieri sed non per pecuniam cupiditatis. Verbi gratia, ut detur pecunia penitentialis alicui laico...» (T f° 93va).

Dicit] dicitur P

«...Dubitat. *Dicit* tamen quod non debent assignari laicis decime cum conferuntur ad pontis reparationem uel ad opus templariorum sed potius...» (T f° 94ra).

Dicit] Dicitur P

§ 190: «...*Querit* an debeat cum possit quia per ecclesiam cepit hoc esse illicitum. Videtur quod istud preceptum est isti in periculum anime...» (T f° 98ra).

Querit] Queritur P

«...Item. Cum decime non possint possideri a laico, tamen ususfructus earum potest possideri a laico et uendi ut *dicit*. Cur non et ususfructus prepositure...» (T f° 98ra).

dicit] dicitur P

§ 199: «...*Dicit* hoc licere fieri cum alterius agitur causa, scilicet Christi. Sed obicitur de filiofamilias, de uxore. Tales enim persone excipiuntur ab excommunicatione...» (T f° 100rb).

dicit] dicitur P

§ 203: «...Concedit. Decipiuntur ergo qui in restitutione facienda utuntur tantum taxatione substantie rei, cum teneantur ad totum interesse...» (T f° 101va-vb).

Concedit] Concedimus P

«...*Dicit* quod credit dantem dampni occasionem teneri culpa sua interueniente. Vnde uenditor tigni uitiosi, cum sciret uitium, et non detegeret emptori...» (T f° 102ra).

Dicit] magister *add.* P

«...*Dicit* quod credit teneri ad restitutionem nisi maiori necessitate uel utilitate sit excusabilis. Casus. Fur furto aufert negociatori...» (T f° 102rb).

Dicit] magister *add.* P

«...*Dicit* ad solutionem predictorum ex parte quod

respicienda est persona, puta clericus, qui non debet recipere interesse forinsecum, scilicet preter naturalem prouentum et hoc ratione scandali...» (T f° 102rb).
Dicit] dicitur P
«...licebit ei *ut dicit* recipere casualem prouentum. Et hoc dicit esse arbitrium boni uiri. Sed nonne talis scandalizat proximum suum ? Forte recte offert sed non recte diuidit...» (T f° 102va).
ut dicit] *om.* P

§ 204: «...*Dixit se* hoc aliquando laudasse. Quidam autem vir litteratus iustus et timoratus contradixit, et ne interesset consuluit...» (T f° 103rb).
Dixit se] dixisse P

§ 208: «...*Videtur magistro* quod fugere debet quamvis decreta contradicant. Item. Prescriptum est: Si qua uult nubere, nubat in domino...» (T f° 105va).
Videtur magistro] Credimus P

§ 225: «...Vnde videtur michi, *inquit* magister, debere intrare claustrum cum habet facultatem. Sola enim facultatis conditio intelligitur in uotis et iuramentis de futuro indeterminato...» (T f° 112va).
inquit magister] *om.* W

§ 227: «...*Querit* ille utrum licitum sit ut ipse monachus querat auxilium a parentibus uel ab aliis, ut mediante pretio collocet eam inter moniales, cum aliter non possit eam collocare...» (T f° 113rb).
Querit ille] Queritur W

§ 371: «...uel ipsa ebrietas quarta uel quinta est mortale peccatum. Quomodo cum primo fuit de genere uenialium, modo est de genere mortalium ? *Istud*
Istud noluit soluere magister] *om.* P
noluit soluere magister...» (T f° 163rb).
«...et tamdem tactus gula ingurgitat se, videtur quod ex amore illius uoluptatis peccat mortaliter. *Nec hanc voluit soluere magister*...» (T f° 163va).
Nec hanc uoluit soluere magister] *om.* P

«...*Dicit ergo magister quod* spirituales nequitie sine omni concupiscentia carnis impulsiua oriuntur in anima, tamen sepe incenduntur per concupiscentiam carnis, ut auaritia per frigiditatem senectutis...» (T f° 163va).
Dicit ergo magister quod] *om.* P
«...*Dicit magister* quod alterius nature est spiritus humanus et alterius spiritus angelicus, quia si anima humana crearetur etiam extra corpus, talis qualis...» (T f° 163va).
Dicit magister quod] *om.* P

On remarque tout de suite que dans le manuscrit P, les verbes *dicit, querit,* etc. se muent assez souvent en formes impersonnelles: *queritur, dicitur,* ou sont parfois omis purement et simplement. Faut-il voir dans ces transformations une erreur du copiste ? Nous croyons qu'il ne s'agit pas d'une erreur, mais d'une modification intentionnelle. Cette opinion se heurte, il est vrai, à une objection: pourquoi le copiste, ou le rédacteur, s'il a réellement voulu bannir de son texte ces allusions à un tiers, en a-t-il laissé subsister un certain nombre ? On peut cette fois songer à une négligence, mais pour donner une réponse sûre et valable, il faudrait connaître le motif qui a incité le copiste ou le rédacteur à effectuer ces mutations. A-t-il voulu supprimer ces verbes dont le sujet n'est pas exprimé et dont la présence semble une anomalie ? A-t-il voulu écarter ce tiers pour donner au texte plus d'homogénéité ? Quelle que soit la fin qu'il s'est assignée, il faut admettre qu'il n'a pas su l'atteindre.

Cette remarque faite, il suffit de jeter un rapide coup d'œil sur ce tableau pour s'apercevoir que les allusions à un tiers dont la qualité de professeur n'est jamais précisée et dont le nom reste tout aussi secret, sont plus nombreuses dans les §§ 158-205, se raréfient à partir du § 212 et sont absentes des §§ 232-257, où, par contre, les interventions personnelles sont beaucoup plus nombreuses. A partir du § 358, les allusions à un tiers deviennent à nouveau plus fréquentes, sans jamais exclure les manifestations personnelles. Ces dernières sont au contraire excessivement rares dans les §§ 156-202. Jamais, notons-le, nous ne voyons apparaître le nom de Pierre le Chantre. Il faut aussi observer que toutes ces citations sont relativement peu nombreuses, si l'on considère les dimensions du texte du tome III.

D'autre part, il faut aussi signaler que les formes à la première personne et les formes à la troisième sont parfois mêlées au sein d'un même chapitre. Tel est le cas des §§ 158, 161, 181, 185, 203, 204, 208, 209, 226, 227, 359, 360, 376, 377, 378, 387. Ces formes sont par ailleurs totalement absentes d'un certain nombre d'autres chapitres. Lorsque de telles formes sont mêlées dans un même chapitre il est évident qu'un dualisme apparaît entre le rédacteur (texte à la première personne) et le maître (textes à la troisième personne). Ce dualisme n'aboutit pas à de veritables oppositions doctrinales, car, en général, les opinions attribuées à un tiers et les opinions exprimées à la première personne ne concernent pas le même sujet, ou le même point précis du débat engagé.

Si l'on prenait exclusivement en considération les citations de formes à la première personne et de formes à la troisième personne, l'on serait amené à dire que peuvent être considérés comme des notes de cours les textes contenant des allusions à un tiers (à moins d'admettre que Pierre le Chantre rapporte les sentiments d'un maître dont il ne veut pas dévoiler l'identité) et que les textes où l'on remarque des formes à la première personne sont dûs à Pierre le Chantre. Nous reviendrons sur cette hypothèse *a priori* assez puérile. Elle se heurte à plusieurs obstacles. A qui pourrait-on attribuer les textes impersonnels qui sont de beaucoup les plus nombreux ? Comment expliquer le mélange des formes dans un même chapitre ?

Si l'on considère en effet ces chapitres contenant des formes à la première personne et des allusions à un tiers, l'on peut se demander si ces chapitres ne sont que de simples notes de cours dans lesquelles le rédacteur a inséré des idées personnelles, ou bien s'ils sont l'œuvre du maître, à savoir Pierre le Chantre, complétée et enrichie de notes de cours d'un de ses disciplines.

Le problème se pose par exemple pour les §§ 194-212 (Cap. II). Cet ensemble, commun à tous les manuscrits, est assez solidement composé. Une lecture attentive permet d'y déceler de discrètes allusions à un tiers dont l'identité et la qualité ne nous sont pas dévoilées, mais qui, sans aucun doute, est un maître, et, à notre avis, Pierre le Chantre. Il semble peu probable que ce texte puisse être assimilé à de simples notes de cours; *a priori* nous y verrions plus volontiers un texte du **Cantor**, enrichi et complété par des notes de cours, encore que cette dernière hypothèse, nous aurons l'occasion de le voir, soit **insuffisante et quelque peu simpliste.**

Mais il reste qu'il faut admettre que cette partie de la Somme qui constitue le tome III de notre édition, porte la trace de remaniements, d'adjonctions. De ce fait, on sera tout naturellement incité à se demander si la Somme nous livre toujours une image fidèle de la pensée et de l'enseignement de Pierre le Chantre. Si l'on admet en effet que la Somme contient des notes de cours, l'on peut craindre que le rédacteur de ces notes ait de ci de là glissé une opinion personnelle, différente de celle de Pierre le Chantre. En fait, l'on ne relève guère d'oppositions doctrinales ou de contradictions entre les opinions exprimées à la première personne et celles attribuées à un tiers (ce qui, notons-le dès maintenant, différencie nettement le texte de base de tout ce qui lui est ajouté dans d'autres manuscrits).

Il est néammoins deux cas où il semble qu'il y ait désaccord entre le rédacteur et le maître: Tout d'abord dans le § 227, sur lequel nous reviendrons plus longuement. Ensuite le § 360 semble offrir matière à nos doutes. Dans ce § 360, la solution d'un premier *casus* est attribuée au maître:

> Aliquis iurauit alicui mulieri de contrahendo et e conuerso. Vult intrare religionem, non obsante iuramento. Videtur quod possit quia etsi contraxisset, posset ante carnalem copulam compare inuito intrare.
>
> Consilium magistri est ut prius adimpleat iuramentum et contrahat et postea intret claustrum si uoluerit ([58]).

Plus loin, nous trouvons un autre *casus*: la solution proposée n'est pas admise par le maître. Nous lisons en effet:

> Item. Celebratum est diuortium inter aliquos in facie ecclesie, quia dicebantur sibi attinere in remoto gradu, licet episcopus et omnes uiri religiosi consulerent eis quod non producerent testes, sed per dissimulationem ecclesie starent in matrimonio. Con-

---

([58]) T f° 157va; édition, tome III, § 360.

> traxit illa cum alio qui postea dicitur esse propinquus ei in propinquiore gradu, sed antequam hoc eis esset intimatum, genuerunt filios et filias et steterunt simul usque ad senectutem. Vir tamen non potest continere. Petit consilium a litteratis utrum producat testes et separetur ab uxore sua et ducat aliam. Presertim timet ne adulterium sit inter illum et uxorem, quia forte fuit matrimonium inter uxorem eius et priorem uirum et adhuc est, licet ecclesia decepta celebrauerit diuortium. Quid consuletur isti in hoc casu ?
>
> Forte potest dici quod reddat debitum et non exigat, nec consulerem quod post tantam prolem susceptam et tantam moram temporis procuraret diuortium. Sic habetur in quadam decretali Alexandri. Tamen tutum erit ei si interim mitteret ad curiam romanam, quia credimus quod in gradibus remotis ad eius dispentationem potest fieri matrimonium, alias non esset matrimonium. Perquirat ergo si potest quod dispensetur cum eo, et si reddat interim, excusat eum auctoritas ecclesie que iudicat non esse matrimonium inter ipsius uxorem et priorem uirum. Huic tamen solutioni non adquieuit magister [59].

Nous sommes cette fois en présence d'une opposition réelle entre le rédacteur et le maître: le premier propose une solution tout en ajoutant que celle-ci n'est pas admise par le maître, ce maître que nous supposons être Pierre le Chantre. Ce fait illustre particulièrement bien la complexité des problèmes posés par la *Summa Cantoris*.

II. *APPENDICES*

1.- *Appendice IV*

Cet appendice IV n'est autre en fait que la continuation immédiate de l'Appendice II du tome II [60]. Ce texte du manuscrit

---

[59] T f° 157vb, édition, tome III, § 360.
[60] Édition tome II, App. II, p. 421-426.

P ne contient aucune allusion à un tiers, mais par contre les interventions personnelles sont assez nombreuses, et nous pouvons en dresser une liste:

Formes à la première personne:

cap. 1 «...Circa autem usum clauium et officium de quibus dictum est, multiplex incidit corruptio quam symoniam solemus nominare, de qua *sumus tractari,* non ad ipsius detestationem, quoniam eam satis *detestati sumus* alibi, sed ad inuestigationem subtilium ipsius laqueorum...» (P f° 94rb)

«...Pleno consensu concipitur *addo* propter illos qui mouentur ad emenda spiritualia, ut Symon Magus. Non *dico* primo motu sed post consensum et deliberationem diutinam super hoc habitam, quod symoniacum est.

Attenditur *dico,* ad exclusionem consanguinitatis ob quam quis alii confert beneficium, quam consanguinitatem non dicitur aliquis facere.

Minus gratis *dico,* propter illos qui cum facturi sunt iusticiam, magis tamen accelerant propter munus inde acceptum.

Exerceantur *dico,* propter illos qui ob hoc tantum missas celebrant, ut inde nummos extorqueant.

Dicitur *appono,* propter adulatores qui beneficia que per adulationem adepti sunt, adeo symoniace tenent, ac si pecuniam numerassent.

Suscipiantur *addo,* propter illos qui hac sola causa accedunt ad obsequium alicuius prelati, ut remunerentur in beneficio spirituali, quod forte symoniacum est...» (P f° 94va-vb)

cap. 3 «...Ita tamen *dico* quod ipsi licet exigere precium, si propter edificationem animarum et excitanda corda auditorum tantum predicet, et non...» (P f° 96rb) ([61])

cap. 5 «...*Dicimus* quod non, quia nemo potest duobus dominis seruire, et si oculus tuus non fuerit simplex, totum corpus tuum tenebrosum erit...» (P f° 98rb)

«...Non tamen *dicimus* quin bene possint prelati dare clericis suis spiritualia beneficia, cum probauerint eos esse idoneos in multis operibus suis, sed ideo tantum...» (P f° 98vb)

cap. 7 «...Primo *uideamus* de obsequio. Videtur enim quod obsequi prelatis in spe spiritualis beneficii non sit symoniacum...» (P f° 99vb)

([61]) On peut d'ailleurs se demander s'il n'y a pas là une contradiction avec ce qui est dit sur le même sujet dans la Somme de Troyes, T f° 83va-vb, édition, tome III, 2, § 158.

cap. 8   «...*Dicimus* quod non. Neuter enim istorum tenetur resignare. Prior enim, quamuis peccaret in illa uoluntate, et inhoneste corrumperet collaterales prelati...» (P f° 100va)

«...De secundo *dicimus* quod receptio et donatio duo sunt, nec ita mutuo se implicant quod necessario una polluatur ab altera...» (P f° 100va-vb)

cap. 10   «...*Legimus* enim quod quidam promoueri non potuit quia ex precepto et ex coactione domini sui applicuerat equum suum ad suspendendum furem...» (P f° 101ra)

cap. 15   «...*Credimus* si duo sint quorum unus emat ex nimio desiderio uiaticum intendens redimere quod ei debetur, alter in tantum abhorreat...» (P f° 102va)

cap. 17   «...Tota die *uidemus* commutationes prebendarum fieri in ecclesia. Sed si talis pactio interueniret inter prelatos...» (P f° 103va)

«...Similiter esset si essent de diuersis ecclesiis, quia commutarent fraternitatem spiritualem pro temporali fraternitate et propter fructus temporales, ubi facile *uidemus* symoniam...» (P f° 104ra)

«...Vnde non *credo* quod liceat episcopo commutare temporalia cum spiritualibus bonis ecclesie. Hec questio quandoque fuit de facto...» (P f° 104ra-rb)

cap. 18   «...Sed potius *credimus* quod talis inuestitura sit de sollempnitate institutionis quam de substantia. Posset enim episcopus solo uerbo...» (P f° 104va)

«...Item. Vt *reuertamur* ad id quod supra dictum est, si episcopus uel capitulum resecet de aliquo cantuario decem libras et det clerico alicui, illud beneficium...» (P f° 104vb)

«...Certe *credimus* quod rapina est ita resecare portiones de cantuariis sacerdotum. Sunt enim temporalia illa annexa illi spiritualitati quam ipsi sacerdotes habent...» (P f° 104vb)

«...*Credimus* quod prelatus potest purgare ecclesiam suam, sicut purgauit niuernensis. Tamen, licet fructus non recipiat clericus, dummodo habeat stallum in choro et locum in capitulo...» (P f° 105rb)

«...Si aliqua ecclesia careat decano, potest ne ipse ibi facere decanum ea conditione ut ipse fiat ibi decanus? *Credimus* quod non » (P f° 105rb-va)

cap. 20   «...Dicet ne aliquis quod non est, quia etiam alicubi aliqua missa perpetua constituta est ut colligantur elemosine ab auditoribus ad refectionem pauperum. *Michi uidetur* quod nec hinc nec inde est omnimoda puritas...» (P f° 105vb)

cap. 21   «...Non *credimus* nisi ea cupiditate tangeretur ut ipse haberet eam uel aliquis eius amicus. Item. Nonne licet de consensu episcopi...» (P f° 105vb)

cap. 23 «...Nec hoc *dico* quin ueritas sacramenti tantum prosit illi per malum ministrum quantum per bonum. Sed pretera deuotio boni sacerdotis et eius oratio aliquid auget ei ad remedium quo modo priciatur...» (P f° 106vb-107ra)

«...*Nos* hoc dicere non *consueuimus* quia nulla auctoritate hoc reperitur. Item. Circa accipientem est fraus...» (P f° 107rb)

«...Non *possum* aliquam excusationem inuenire per quam possim alterutrum a restitutione excusare. Immo *credo* quod uterque tenetur restituere...» (P f° 107va)

cap. 24 «...Pari facilitate *dico,* quia si unus sit melior altero, sed difficilius potest impleri, non *pecco* si pretermitto melius et facio minus bonum...» (P f° 107va)

«...Si *dicimus* quod Deus consuluit hoc, ergo consuluit duo contraria; consuluit enim magis bonum esse preferendum...» (P f° 108rb)

cap. 25 «...Item. *Possumus* aliquid dicere de indignis qui recipiunt beneficium ecclesiasticum, uel de illis qui dant indignis...» (P f° 108va)

«...Dicit autem Petrus: Habenti in promptu reddere rationem omni petenti. Si ergo *ut prediximus* aliquis senserit in aliquo istorum trium...» (P f° 109ra)

«...Mensuram *dico* predicationis, consilii, consolationis, exempli honesti et talium. Et hoc in tempore, quia quandoque est predicandum, quandoque orandum...» (P f° 109ra)

«...*Diximus* superius quod ille qui sentit se insufficientem et indignum, tenetur resignare. Similiter ille qui posset esse ydoneus...» (P f° 109ra)

«...*Credimus* quod si ille uehementer presumit quod ipse defraudet uiuos uel mortuos aliqua utilitate magna quam ille magis ydoneus eis exiberet...» (P f° 109rb)

cap. 26 «...Nota quod omnium peccatorum nouitates *possumus* et *debemus* notare, et uigilare predicando uel confessiones audiendo, preter peccata carnis, quorum nouitates, si *exprimamus* inquirendo subtilitates circa ea...» (P f° 109rb)

Le fait que cette rédaction ne contient que des textes à la première personne (à côté des formes impersonnelles usuelles), semble *a priori* ne pas devoir poser de sérieux problèmes. Cette rédaction P ne se présente-t-elle pas sous un jour particulièrement favorable ? Ici, il ne semble plus qu'il y ait lieu de supposer que des notes de cours aient été ajoutées à un texte primitif. Ne sommes-nous donc pas en présence d'un «original» et d'un original de Pierre le Chantre ?

Voire ! Il convient de ne jamais oublier que l'Appendice IV (du tome III) et l'Appendice II (du tome II) ne constituent qu'un seul et même texte, dû à la même main, au même rédacteur. Or ce texte, nous l'avons vu, s'écarte de la Somme de Troyes, sur le problème très important et très discuté au XII° siècle, des clefs sacerdotales. La solution qui se présente comme celle de Pierre le Chantre dans les manuscrits TBWL ([62]) et qui l'était effectivement ([63]) n'est plus conservée dans la rédaction P ([64]), alors que la rédaction TBWL lui reste fidèle ([65]).

En ce qui concerne la simonie (App. IV du tome III), la rédaction P présente de très belles qualités et son début est particulièrement heureux. Raison insuffisante pour la préférer à la rédaction TBW, car, ne l'oublions pas, il n'existe pas moins de quatre rédactions, partiellement ou totalement différentes, de ces chapitres (TBW,-P,-Z,-M), et il n'y a pas de raison nécessaire et suffisante pour voir dans la rédaction P la «bonne» rédaction.

Certes, la rédaction TBW du chapitre *De symonia* porte la trace de remaniements, de retouches, d'adjonctions assez maladroites, mais ces remaniements nous semblent de bien meilleur aloi que la rédaction P pourtant plus unifiée. En effet, on peut supposer que le rédacteur de cette dernière a sciemment voulu conférer à ce texte un aspect plus homogène, et ceci rejoint les observations que nous avons faites sur les chapitres du texte de base communs à TBWP. Le rédacteur ou le copiste du manuscrit P s'est manifestement efforcé de supprimer les allusions à un tiers qui ne serait autre que Pierre le Chantre ([66]). Le résultat de son travail n'est d'ailleurs pas au-dessus de toute

---

([62]) «*Dicimus quod debitum uel obnoxietas uel auctoritas discernendi inter ligandum et soluendum est clauis*». Cf. Summa..., Édition, tome II, § 140, l. 28, p. 329, (et p. XI ss.).

([63]) Nous avons à ce sujet le précieux témoignage de Robert de Courçon: «Ideo dicimus absolute quod clauis non est scientia, nec officium, nec illud compositum ex scientia et potentia. Sed est potius, sicut solet dicere Cantor Parisiensis, auctoritas ligandi et soluendi, siue idoneitas, siue obnoxietas, siue debitum tale» (ANCIAUX, *op.cit.*, p. 570).

([64]) Cf. Tome II, p. XI-XIV.

([65]) «Non uidetur iuxta quod dictum est clauem esse obnoxietatem discernendi inter ligandum et soluendum. Ex cura namque pastorali uidetur potius oriri talis obnoxietas quam ex ordine. Dicimus tamen quod ex ordine» (édition, tome II, § 142, l. 2-6, p. 335.

([66]) *Supra*, p. 163.

critique. S'il est vrai qu'il apporte parfois d'intéressantes précisions doctrinales, il faut aussi remarquer que, s'il se montre plus abondant sur certains points, son exposé reste fort succint sur d'autres qui ont donné lieu à de beaux développements dans la rédaction TBW.

Le plan de la rédaction propre à P n'est d'ailleurs pas meilleur que celui de la Somme de Troyes, et l'on peut en particulier se demander ce que vient faire un chapitre *De confessore* ([67]) à la suite des questions consacrées à la simonie. Ce chapitre ne fait d'ailleurs que reprendre sommairement un problème soigneusement traité dans le chapitre *De confessione* ([68]).

Si, négligeant ces particularités, on veut néammoins affirmer que Pierre le Chantre lui-même ait operé cette refonte que constitue la rédaction propre à P, l'on se heurte à plusieurs objections. Pierre le Chantre aurait-il eu le temps d'élaborer une seconde édition de cette portion importante de sa *Summa* ? Aurait-il abandonné sa thèse sur les clefs sacerdotales ? Robert de Courçon aurait alors ignoré cet abandon, et surtout, on voit mal Pierre le Chantre attribuer à d'autres la thèse qu'il a lui même défendue ([69]).

Il est fort possible que des incertitudes régnaient sur la composition immédiate de toute la *Summa* de Pierre le Chantre, et c'est sans doute pour cette raison que certains se sont cru autorisés à la retoucher, avec d'autant moins de scrupules, qu'à cette époque, l'on n'avait aucune idée du droit moral de l'auteur sur son œuvre, tel que de nos jours, l'a dégagé la jurisprudence et que l'a consacré le législateur dans plusieurs pays.

2.- *Appendice V*

En ce qui concerne la confession et le pouvoir des clefs, nous avons montré que la rédaction propre à Z était composée à l'ai-

---

([67]) Édition, tome III, App. IV, cap. 26.

([68]) Édition, tome II, § 137, l. 1 ss., p. 320, § 138, l. 22-42, p. 323 (où la solution semble d'ailleurs différente de l'App. II, cap. 4, l. 125, p. 432). La fin de ce chapitre *De confessore* est retrouvé plus loin dans la *Summa*, § 385, ce qui est d'ailleurs commun à TBW.

([69]) «Alii dicunt quod scientia discernendi est debitum quoddam uel obligatio, uel obnoxietas, siue auctoritas quedam que confertur isti in sacris ordinibus. Huic tamen uidetur obuiare glosa...», *Summa...*, tome II, App. II, cap. 5, l. 30, p. 435.

de d'emprunts faits tantôt à la rédaction TB, tantôt à la rédaction P, le plus souvent remaniés, auxquels s'ajoutent des éléments strictement propres à Z.

L'Appendice V (du tome III) n'est autre que la prolongation de l'Appendice III (du tome II), aussi ne soyons pas surpris d'y retrouver les mêmes caractères: emprunts aux autres rédactions, éléments nouveaux qui sont en fait beaucoup plus nombreux et beaucoup plus importants.

Cette rédaction Z a d'ailleurs un champ beaucoup plus étendu que la rédaction P; elle ne se limite pas à la simonie, mais s'étend au vol et à la restitution, et avant de rejoindre la rédaction commune, réunit un certain nombre de *questiones* sur les sujets les plus divers. Celles-ci auraient pu figurer dans le volume des *Questiones et Miscellanea*. Nous avons néanmoins préféré les faire figurer dans le tome III, pour ne pas morceler exagérément le texte du manuscrit Z, et surtout parce que ces *questiones,* par les sujets qui y sont traités, se rapprochent beaucoup de maints chapitres de la *Summa*.

Dans cet Appendice V, nous pouvons découvrir des textes à la première personne et des allusions à un tiers.

A. *Formes à la première personne*

cap. 1 «...Dicitur *appono* contra adulatores qui beneficia per adulationem adepti sunt, adeo symoniace tenent ac si pecuniam numerassent...» (Z f° 211rb)

«...Non *dico* primo motu qui uenialis est, sed motu deliberationis et consensus super hoc habiti, quod scilicet ita moueri simoniacum est. Confertur *diximus* quantum ad illos qui conferunt et ad ea que possunt conferri ut baptismus, ordo, prebende...» (Z f° 211rb-va)

«...Attenditur *dixi* contra illos qui nepotibus et consanguineis suis ecclesiastica beneficia conferunt, attendentes in eis consanguinitatem...» (Z f° 211va)

cap. 2 «...Vt autem generaliter et sub compendio *dicamus*, quicumque uendet sacramenta uel sacramentalia precio...» (Z f° 211vb)

«...Quid ergo *dicemus* de Paulo. Legitur enim predicasse Corinthiis ut reciperet ab eis collectam unde sustinarentur pauperes in Iherusalem...» (Z f° 211vb) cap. 6 «...Preterea. Si potest uendi cum uniuersitate, *probo* quod cum parte. Potest enim uendere terram suam sine iure patronatus partim...» (Z f° 219vb)

«...*Credimus*, ut prenotatum est, quod ius patronatus merum sit corporale et uendi potest, et in perpetuum et ad tempus...» (Z f° 220ra)

cap. 7 «...Sed si principaliter det ei propter sanguinem licet ille dignus sit, simoniam tamen *credimus* esse, quia non dat ei gratis. *Auderemus* ne igitur manifeste dicere quod illi qui nepotibus suis paruulis conferunt...» (Z f° 219rb)

cap. 8 «...Quod *concedimus*. Sicut iste existens in mortali baptizat et prodest baptizato, tamen illa inmersio est ei mortale peccatum nisi summa necessitas excuset eum...» (Z f° 220vb)

cap. 10 «...Sub furto autem *intelligimus* omnia male adquisita. Item. Nota quod ille qui auctoritatem dat furandi, tenetur restituere, et ille...» (Z f° 221rb)

«...Sed secus *credimus* esse ante oculos iudicis cuncta cernentis, quia pecunia rapta in quantumlibet transeat donatorium secum importat debitum...» (Z f° 222ra)

«...Similiter ergo in casu quod *prediximus*, tamen si primus raptor restituat, alii non tenentur restituere...» (Z f° 222ra)

«...*Credimus* quod teneor. Ait enim auctoritas quod si infamauero aliquem, teneor eum restituere fame quantum possum...» (Z f° 222ra)

«...Item. Si quis corruperit aliquam coniugatam, tenetur ne satisfacere ei et petere ueniam ab ea ? *Credimus* quod tenetur, quia ipsa habet...» (Z f° 222ra)

cap. 12 «...Et ut generaliter *dicamus*, nullus conficere uel percipere debet eucharistiam qui fuerit in mortali, nisi peracta penitentia tota uel saltem...» (Z f° 241ra)

«...Et nota quod licet *dixerimus* quod confectio eucharistie non est iniungenda pro satisfactione mortalium, subintelligendum est de mortalibus propriis ipsius conficientis...» (Z f° 241ra-rb)

cap. 15 «...*Ego moueor* et multum *miror* cum Christus sit passus pro omnibus et omnibus uoluerit imprimi caracterem baptismi, sine quo non est salus...» (Z f° 242rb)

cap. 22 «...De uxore excommunicati *dicimus* quod etsi uiro suo communicet, non tamen est excommunicata, nisi forte delicto mariti consentiat...» (Z f° 243vb)

«...Sacerdotem uel diaconum uel subdiaconum commensalem licet pauperem nullatenus *excusamus*. Recedat enim ab eo et mendicet potius. Sed miserabilem personam, ut puta uetulam aliquam...» (Z f° 243vb)

cap. 29 «...In hoc casu *dicimus* quod talibus conferenda est elemo-

«sina coram pluribus, per quorum deuotionem, habitam inconspecta elemosine largitione...» (Z f° 245va)

«...Dicimus quod potest, si fiant cum sana conscientia et tantum caritatis intuitu, sicut elemosinarum largitio. Sed quia neuus mundane glorie lectioni...» (Z f° 245va)

«...De ieiunio et disciplina *dicimus* quod remediatoria sunt mortuis si ieiunans uel disciplinari se faciens habeat caritatem. Sed si quis ieiunet...» (Z f° 245vb)

«...Eque enim sunt illi omnia bona que facit meritoria, minus ut maius, ita *dico* si in pari caritate fiant...» (Z f° 245vb)

cap. 30 «...Hec generalia sunt, et si diligenter *consideremus*, singula uicia habent sua flagella quasi propria et specialia. Cupiditas...» (Z f° 246ra)

«...*Dico* quod multa sunt flagella peccatoris, sed sperantem in Domino, misericordia circumdabit, in presenti iustificando...» (Z f° 246ra)

cap. 32 «...A simili *dicimus* quod predicta mulier non est a periurio libera. Nubat priori uiro aut ipsa transeat ad frugem melioris uite uel perpetuam uoueat continentiam...» (Z f° 246vb)

cap. 33 «...Resp. *Credimus* quod tenetur exemplo Ieremie qui licet prelationem nullam habuit in populo sed propheta esset, secutus est populum suum in Egyptum...» (Z f° 246vb)

«...*Credimus* etiam quod in hoc teneatur obedire suo prelato. Nunc ad patrinos redeamus. Patrinorum duo sunt genera. Quidam enim baptismalis, quidam confirmalis...» (Z f° 247ra)

«...Resp. *Dicimus* uotum quo se astringit filiolo maius esse secundo et ideo preiudicat illi. Sed si uouit, sed se fortem esse...» (Z f° 247ra)

«...*Credimus* quod tenetur ne pereat ille pro fide cuius spopondebit. Sed nota quod non soluit patrinus si doceat filiolum suum in linguam quam non intelligit...» (Z f° 247ra-rb)

«...Si queratur qua etate debeat puer instrui, *dicimus* quod quanto capax est doli, quam cito errare potest in fide, quod accidere potest infra septem annos. Narrat enim Gregorius de quodam...» (Z f° 247rb)

«...Credo quod tenentur cum eadem intentione illuc conueniant et eadem uerba omnia respondeant ut abrenuntio, credo. Nutrix tamen...» (Z f° 247rb)

«...Item. Queritur utrum compaternitas possit contrahi per interpositam personam, ut scilicet aliquid suscipiat paruulum pro alio, sicut iurare potest pro alio. Non *credimus*...» (Z f° 247rb)

«...Item. *Dicimus* quod patrinus non solum spiritualiter, sed etiam corporaliter subuenire debet suo filiolo in necessitate, et quod filli carnales alicuius speciali quadam dilectione diligere debent fratrem suum...» (Z f° 247rb)

«...Nullum enim decretum prohibet carnales filios alicuius et filiolam eius confirmalem posse copulari, nec *audiuimus* tales unquam separari...» (Z f° 247rb-va)

cap. 34 «...Videtur tamen improbari posse duppliciter quod *dicimus* et quod ab euentu iudicandum sit peccatum maius uel minus, quoniam ille cuius pater...» (Z f° 261vb)

«...Quantum ad primum *dicimus* quod huiusmodi parue tristicie uel gaudiola non augent uel diminuunt summam debite pene dampnatis uel purgandis...» (Z f° 261vb)

«...Ad secundum *dicimus* quod ex euentu maior irrogatur pena propter attrocitatem facti ad terrorem aliorum, et quia presumitur ex euentu...» (Z f° 261vb)

«...*Credimus* quod equaliter, quia quantum in eo fuit, uterque occisus est, paribus aliis circumstantiis. Sed uidetur posse probari...» (Z f° 262ra)

B. *Formes à la troisième personne*

cap. 9 «...*Cantor* dicit quod peccatum est ei etiam sic predicare quia, cum sit indignus, usurpat sibi tale officium et locum occupat alterius...» (Z f° 221ra)

cap. 11 «...Licet hoc dicat canon, quia multitudo est in causa, et scandalum grauaretur in ecclesia, *dicit Magister* quod modo non est subsistendum doctrine huius canonis...» (Z f° 240rb)

cap. 12 «...*Non improbat Magister* quando aliqui dum uiuunt possint pro se facere celebrari et bene posset hoc consuli, dum tamen ad hoc cupiditas...» (Z f °241rb)

cap. 13 «...Occasione eius quod paulo superius tetigerat de collatione elemosine, subiungendo *querit* qualiter intelligendum est quod legitur de Iuda...» (Z f° 241va)

cap. 14 «...Non audemus, *inquid doctor,* consulere quod religiosus ille, licet tanta esset necessitas, esset inobediens. Sed tamen si hoc faceret, multum excusaret...» (Z f° 241vb)

cap. 15 «...Item. *Querit* utrum nutrix christiana que educat puerum iudeum, si uideat ipsum egritudine laborare et probabiliter desperet...» (Z f° 242ra)

cap. 18 «...si aliter non possit, cum non habeat equum ut modis omnibus uotum expleat? *Non diffinit.* Quid iterum si iuuenculam habeat uxorem existentem inter multos procos et...» (Z f° 242vb)

cap. 19 «...Sed si iam inchoauerit proferre hec uerba quibus conficitur eucharistia ut 'hoc est corpus meum', non consulit quod interrumperet uel dimitteret illa que secuntur, scilicet...» (Z f° 243ra)

«...Idem *dicit* faciendum esse si iam accepit sacramentum in forma panis, nam totum debet explere et accipere in forma uini. Nam si res ita districte ageretur ut penitus in nullo...» (Z f° 243ra)

«...Nunquid sumptionem illam differeret ? Vtique, *ut uidetur magistro,* quia hic nullum imminet periculum ex dilatione. Sed quid si ipse sacerdos excommunicatus est, nec hoc animaduersum est ante...» (Z f° 243ra)

«...Tolerabitur, *inquit,* sed statim postea, uel etiam ante si perpendi poterit quod ipse sit excommunicatus...» (Z f° 243ra-rb)

cap. 20 «...Sed nunquid propter aliam causam licebit ei intrare ecclesiam, puta si habeat ibi res suas ut inde eas extrahit, uel in periculo constitutus ad ipsam confugiat ? *Non diffinit.* Suspensus ob alienam culpam intrare poterit...» (Z f° 243rb)

cap. 21 «...Necessitas, inquit, non habet legem, et canon etiam in hoc consentiat, Causa XI, Questio ultima, Quod predecessor...» (Z f° 243va)

cap. 22 «...Sed si filiam habet nubilem, permittit ei ecclesia ut contrahat ? *Hic distinguit magister* quoniam aut periculum castitatis imminet, aut non, quia potest esse nobilis...» (Z f° 244ra)

«...Sed nunquid a predicatione arcebuntur excommunicati sicut a ceteris officiis ecclesiasticis ? Satis, *inquit,* sustinendi sunt interesse predicationi si prelatus qui predicat habeat iacula specialiter elimata...» (Z f° 244ra)

cap. 23 «...Item. Sententiam illius canonis ridiculosam *reputat,* quia quod in tali tempore fiat uel non fiat, non est de substantia sacramenti matrimonii, et ideo ridiculum est dubitare an sit matrimonium. *Consulit* etiam quod si mulier consenserit, contrahat cum ea priuatim, adhibitis tamen idoneis testibus, ne quando possit insidiari...» (Z f° 244rb)

cap. 25 «...*Consulit magister* quod impleatur, maxime si scrupulosam habeat conscientiam quod aliter non essent ueri coniuges et quod illa sollempnitas esset de substantia matrimonii. Et *inducit* exemplum de baptizato in necessitate, omni sollempnitate et circumstantiis baptismi omissis, que postea supplentur...» (Z f° 244va)

cap. 26 «...Quid ergo faciendum est ei ? *Licet super hoc dubitet,* magister in hoc magis consentire uidetur ut modis omnibus teneatur continere dimissa uxore...» (Z f° 244vb)

cap. 32 «...*Consilium magistri est* quia securius, ut adimpleat quod iurauit et ante corporalem commixitonem euolet ad quod suspirat. Huic uicinatur alia questio...» (Z f° 246va)

Il est intéressant de constater que les allusions explicites à un maître sont assez nombreuses. Nous avons respecté la division en chapitres et les titres que nous offrait le manuscrit Z, et de ce fait, nous pouvons affirmer que ces allusions sont parfois mêlées à des opinions exprimées à la première personne, au sein d'un même chapitre. Quant au maître, il s'agit sans aucun doute de Pierre le Chantre, celui-ci est d'ailleurs expressément désigné et d'autre part, les doctrines qui lui sont attribuées par le rédacteur peuvent être aisément retrouvées dans les pages parallèles de la *Summa Cantoris*.

Ces chapitres propres à Z ont été vraisemblablement composés a partir de notes de cours, mais il est fort probable que le rédacteur ait ajouté aux leçons de son maître divers élements portant l'empreinte de sa griffe personnelle.

Cette fastidieuse nomenclature va-t-elle faciliter notre tâche ? Appelle-t-elle une conclusion générale ? Faisons abstraction des rédactions propres, et réservons toute notre attention au texte de base.

Au lecteur pressé, au chercheur plus soucieux de proposer de claires mais simplistes explications que de cerner la réalité complexe, il semblerait sans doute nécessaire d'attribuer à Pierre le Chantre les textes à la première personne et de considérer comme notes de cours l'ensemble des textes à la troisième. Pouvons nous adopter pareille attitude ?

Gardons-nous en bien ! A qui faudrait-il attribuer la masse des textes impersonnels, naturellement les plus nombreux dans un ouvrage de ce genre ? D'ailleurs, il ne faut pas oublier que textes à la première personne, textes à la troisième et textes impersonnels, sont parfois étroitement mêlés au sein d'un même chapitre, si étroitement mêlés que leur dénombrement s'avère inutile pour séparer les textes *primitifs* d'avec les additions postérieures.

Il convient de souligner que les expressions: *magister dicit*, *magister consulit*, et similaires, sont assez nombreuses. Faut-il les attribuer à Pierre le Chantre citant un de ses contemporains ? Étant donné le nombre de ces allusions, auxquelles il importe d'ajouter les très nombreux textes à la troisième personne (*dixit, querit*, etc.), il faudrait supposer que notre auteur ait dû recourir aux opinions et même à l'enseignement d'autrui pour composer sa somme. Attitude surprenante — c'est le moins qu'on puisse dire — chez un maître jouissant d'un tel crédit, d'une telle autorité, composant au soir de sa vie le plus important de ses ouvrages. Si, faute d'imagination — ou de compétence — il s'était vu dans l'obligation d'emprunter le bien d'autrui, il l'eût fait plus discrètement. Aux XIIe et XIIIe siècles, le plagiat littéraire était fréquent, et ceux qui le pratiquaient avec le plus de brio et le moins de scrupules, n'en jouissaient pas moins d'une excellente réputation, — tel Pierre de Blois, spécialiste de cette fraude, qui fut considéré à l'égal d'un Père de l'Église ! Mais les plagiaires pillent et s'approprient le bien d'autrui avec prudence et habileté, et l'érudit doit s'armer de patience pour découvrir leur supercherie.

Plus scrupuleux, Pierre le Chantre a-t-il voulu laisser entendre qu'il ne faisait que reproduire l'enseignement d'un autre maître ? Mais pourquoi ne l'aurait-il pas nommément désigné, alors qu'il cite parfois les tenants d'opinions qu'il ne partage point ? D'aucuns supposeront peut-être que Pierre le Chantre a consigné dans sa *Somme* des notes de l'enseignement dont lui-même avait bénéficié dans sa jeunesse: mais cette hypothèse n'est pas recevable; car des textes qui, par leur forme s'apparentent à de telles notes de cours, contiennent des allusions au concile de Latran de 1179 ! A cette date, Pierre le Chantre était un maître connu, qui, vraisemblablement, occupait une chaire depuis de longues années.

C'est pourquoi il nous semble plus simple et plus judicieux d'admettre que maints fragments de la *Summa Cantoris* ne sont que des notes de cours d'un disciple ou de plusieurs disciples fervents, désireux de conserver l'enseignement de leur maître qui, peut-être, les encouragea et les guida dans ce travail. Nous reconnaissons cependant que cette opinion qui s'encadre assez aisément dans les limites du vraisemblable, fait aussitôt naître une autre question: Pourquoi Pierre le Chantre n'a-t-il pas rédigé lui-même toute sa somme ?

IV

LA DATE DE COMPOSITION
DE LA *SUMMA CANTORIS*

Le problème recevrait une certaine lumière si l'on connaissait la date précise de la composition de la *Somme*. Mais ici encore nous manquons de renseignements absolument certains. Il ne fait pas de doute que la *Somme* soit postérieure au *Verbum abbreviatum*, car, si dans le *Verbum abbreviatum* on ne trouve aucune référence à la *Somme*, cette dernière contient des allusions à un autre ouvrage qui ne peut être que le *Verbum abbreviatum* [70]. Malheureusement la date de composition du *Verbum abbreviatum* n'a pas été déterminée. Nous sommes néammoins en droit d'affirmer que les deux ouvrages sont postérieurs au IIIe concile de Latran (1179), car tous deux contiennent de fréquentes allusions aux décrets de ce concile qui portent manifestement l'empreinte d'Alexandre III [71].

D'autre part, Pierre le Chantre semble avoir visité la Curie Romaine [72]. Ceci impliquerait-il qu'il se soit rendu à Rome ?

---

[70] «propositum nostrum est tractare de symonia inquirendo casus circa eam subtiles. Alibi quidem de ea tractauimus sed alio fine, eius scilicet pestem detestando» (T f° 81rb, édition, tome III, 2, § 156). «Circa autem usum clauium et officium de quibus dictum est, multiplex incidit corruptio quam symoniam solemus nominare, de qua sumus tractari, non ad ipsius detestationem, quoniam satis detestati sumus alibi, sed ad inuestigationem subtilium ipsius laqueorum» (P f° 94rb, cf. édition, tome III, 2, Appendice IV, cap. 1; Z f° 211rb, cf. édition, tome III, 2, Appendice V, cap. 1).

[71] Cf. *Summa Petri Cantoris*, t. II, et t. III, tables; *Verbum abbreuiatum*, cf. *Summa*, t. II, p. 350, et PL, CCV, 139, 164, d'où il ressort que Pierre le Chantre n'avait pas goûté la doctrine latente dans le discours inaugural de Rufin, et n'admettait qu'avec réticences la possibilité pour le Pontife Romain d'édicter, d'interpréter, d'abroger les canons, de se déjuger, de rendre des jugements contraires aux canons; PL, CCV, 235, où l'auteur montre que les nouveaux canons du concile de Latran font de nouveaux transgresseurs de la règle; en particulier, les mesures concernant le mariage restent sans effet.

[72] «Adiungitur questio de examinatione testium. An qui examinat possit locare operas suas, aut uendere scripturam, aut etiam accelerationem sui officii, scilicet ut citius faciat ? Dicit quod cum esset in curia uidit quosdam examinatores hoc facientes et dictum est ei quod hoc esset ex consuetudine curie romane; ipse uero non ponens os in

Pas nécessairement si l'on songe que la Curie séjourna longtemps en France au début du long pontificat d'Alexandre III. La Curie se fixa en particulier à Sens et y fonctionna régulièrement (30 sept. 1163 - 7 avril 1165). C'est là peut-être que Pierre le Chantre eut l'occasion de rencontrer Thomas Becket. Néanmoins, l'on a pu supposer que Pierre le Chantre se rendit à Rome en 1179 et qu'il y séjournait au moment du concile de Latran, dont il semble parler en témoin oculaire ([73]).

D'autre part on trouve dans la *Summa* une anecdote relative aux troubles qui ensanglantèrent le pontificat de Lucius III (1181-1185). Ancien disciple de S. Bernard, vieillard peu enclin à transiger sur les principes, Lucius III s'était aliéné la faveur des Romains en leur refusant l'argent qu'ils avaient pris l'habitude de soutirer de chaque nouveau Pontife. L'agitation fiévreuse de Rome, qui ouvrit les hostilités contre les Tusculans, obligea le vieux pontife à se réfugier successivement à Segni, à Agnani. à Veroli et à Sora. Pendant ce temps, les Romains donnaient libre cours à leur violence: soldats et clercs fidèles au pape furent éborgnés, aveuglés, promenés en cortège dérisoire ([74]).

Lucius III, manifestement très embarassé et plein de défiance à l'égard des Allemands, sollicita les conseils des Cisterciens, car, nous l'avons dit, lui-même était disciple de Saint-Bernard. C'est ce que nous apprend la *Summa Cantoris*:

> «*Romani ciues infestabant patrimonium beati Petri, et quoscumque poterant capere de hominibus pape exoculabant. Habuit papa Lucius qui habuit utrumque gladium, uires et potentiam, quod si ipse uellet experiri contra eos in gladio materiali, posset facere obsidionem, ita ut ipsi infra annum computrescerent in stercore suo. Noluit tamen papa, immo consuluit per epistulam Cystercienses quia deficiebat humana sapientia, ut ipsi rescriberent ei, impetrato diuino oraculo, quid esset ei faciendum. Romani enim nullo modo parcebant ei. Rescripserunt Cys-*

---

celum, sed quod ei uidetur asserens, credit hoc non licere sed potius parere symoniam» (édition, Tome III, 2a, § 162).

([73]) Cf. textes cités *supra,* note 71, et tome II, p. 350.
([74]) *Annales Stadenses,* a. 1183. *Monumenta Germaniae historica, Scriptores,* t. XVI, p. 350.

tercienses quod ipsi erant assueti bobus et aratris, et de talibus dare consilium non poterant» ([75]).

On remarquera que Pierre le Chantre, lorsqu'il nous relate ces faits tragiques, semble en parler comme d'événements déjà lointains. Il y a là une précieuse indication chronologique qui nous permettrait de conclure que la *Summa Cantoris* est postérieure à 1185. Beaucoup cependant nous feront observer qu'ayant admis la présence d'adjonctions ultérieures dans maints fragments qui portent la trace de remaniements, nous n'avons plus le droit de nous prononcer avec trop de hâte. Et de fait, rien ne nous autorise à nier qu'avant 1181, les grandes lignes de la Summa n'aient déjà été tracées, et que cette allusion au pontificat de Lucius III doive être comptée au nombre des textes qui furent ajoutés ultérieurement. Néanmoins, le texte a un accent personnel certain, et nous croyons que cette indication chronologique peut être retenue.

Nous trouvons d'ailleurs dans la *Somme* un autre indice qui nous autoriserait à en retarder davantage encore la date de composition. Dans une question assez sommaire consacrée au mariage, l'auteur cite un jugement d'Aleandre III qui suscite son étonnement:

«Quidam contraxit cum quadam cuius uir dicebatur mortuus in peregrinatione, modo timet ne adhuc uiuat uir prior, mulier petit debitum, fornicabitur nisi uir reddat. Forsitan si reddat, committet adulterium; si non reddet, forte ipsa fornicabitur. Vtrum est ei minus peccatum. Item. Ipse iuuenis est et non potest continere, utrum est ei minus peccatum fornicari cum soluta, an cum illa que eius uxor esse dicitur quam timet esse uxorem alterius? Si fornicatur cum soluta, certa est fornicatio et suspitio adulterii, quia forsitan ipse est coniugatus si ille alius mortuus est in peregrinatione. Si dormit cum sua, ambigua est fornicatio et ambiguum adulterium, quia forte nec fornicatur, nec adulteratur. Ergo ex hac parte uidetur minus periculum.

Dicit Alexander III quod cum quidam adolescens in prima nocte ita lesisset uxorem suam quod nun-

---

([75]) Édition, Tome III.2, § 328.

quam de cetero poterat cognosci ab aliquo, nec ipse tunc cognouit, quod episcopus Ambianensis poterit dissimulare ut ipse ducet aliam, quia melius est ut habeat consuetudinem ad unam certam quam ad plures. Huius decretalis mirabilis fuit dispensatio quod aliquis uiuente uxore sua cum alia contraheret» ([76]).

Cette décision attribuée à Alexandre III n'est autre, sans aucun doute, que celle qui se trouve au quatrième livre de la *Collectio decretalium* de Grégoire IX ([77]). Il faut en effet retenir que la plupart des décrétales qui figurent au *Corpus Iuris Canonici*, magistralement édité par Friedberg, ont été retouchées. La pièce provient de la *Compilation II*, lib. IV, t. 9, c. 1 ([78]). Si, dans le deuxième volume du *Corpus Iuris Canonici* édité par Friedberg, cette décrétale est précédée d'une inscription réduite au seul mot *Idem*, dans la *Compilation II*, elle porte l'inscription *Alexander III*.

D'autre part, les collections plus anciennes possèdent l'adresse: *Ambianensi episcopo*, mais avec des noms de papes divers. Nous trouvons:

Alexander III, dans la *Collectio Brugensis*, 53,8 ([79]).
Clemens III, dans la *Collectio Peterhusensis*, I, 87.
Idem, dans la *Collectio Sangermanensis* ([80]).

À ces remarques, il convient d'ajouter que, parmi les sources de la *Compilation II*, Gilbert l'Anglais, qui réunit, en suivant le plan de la *Compilation II*, des décrétales d'Alexandre III à Inno-

---

([76]) T f° 130rb; B f° 116vb-117ra; P f° 153vb-154ra; W f° 80rb. Cf. édition, tome III, 2, § 292.

([77]) GRÉGOIRE IX, *Decretalium collectio*, lib. IV, tit. XV, c. 3.

([78]) Éd. Ae. FRIEDBERG, *Quinque compilationes antiquae necnon collectio canonum Lipsiensis*, Lipsiae, 1882.- ANTONIUS AUGUSTINUS, *Antiquae decretalium collectiones commentariis et emendationibus illustratae*, Parisiis, 1621.

([79]) BRUGES, *Bibl. comm.* 378 et 379; cf. E. FRIEDBERG, *Die Canones-Sammlungen zwischen Gratian und Bernard von Pavia*, Leipzig, 1897, p. 136-170.

([80]) PARIS, *Bibl. nat. lat.*, 12459; cf. H. SINGER, *Neue Beiträge über die Dekretalensammlungen*, dans *Sitzungsberichte der könig. Akad. der Wiss., Phil.-hist. Kl.*, t. CLXXI, I, Wien, 1913, p. 68-354, où la pièce est imprimée (p. 332 sv.).

cent III jusqu'à l'an 1202 inclus ([81]), et les collections qui lui sont apparentées, ont toutes l'inscription *Alexander III,* mais sans le nom du destinataire.

Or, la *Collectio Brugensis* est un recueil dans lequel sont réunis de nombreux documents de la province ecclésiastique de Reims et qui, de là, ont passé dans les *Decrétales* de Grégoire IX, éditées dans le *Corpus Iuris Canonici.* La pièce que nous trouvons dans la *Collectio Brugensis* s'accorde avec le texte de Pierre le Chantre, tandis que le texte de la même décision dans les *Décrétales* éditées par Friedberg, a été retouché par Raymond de Pennafort. La *Collectio Brugensis* ayant vu le jour sous le pontificat de Célestin III (dec. 1187 - fin 1911), il est problable que Pierre le Chantre ait connu cette *collectio* qui est la seule à nous transmettre avec l'inscription l'adresse complète, telle que nous la trouvons dans sa *Somme.* Cette observation nous oblige a reculer jusqu'en 1191 la date de la composition de la *Summa Petri Cantoris.*

Cette impression peut d'ailleurs, encore que dans une faible mesure, être corroborée par le fait que la *Summa Cantoris* contient de discrètes allusions à Saladin, personnage qui acquit une véritable célébrité en Occident après la chute de Jérusalem (1187). L'on sait d'autre part que la troisième croisade s'acheva assez piteusement par la trêve du 2 septembre 1192 ([82])

Il est parfois très difficile de déterminer si les textes de la *Summa Cantoris* relatifs aux croisés, concernent la seconde ou la troisième croisade. Le § 273 contient un de ces textes équivoques:

> «*Contigit in illo magno motu hominum ad urbem Iherosolomitanam quod multi susceperunt signaculum crucis cum uoto sollempni, etiam monachi et*

([81]) Cf. J. F. von SCHULTE, *Die Compilationen Gilberts und Alanus,* dans *Sitzungsberichte der kön. Akademie der Wiss., Philos.-hist. Klasse,* t.-LXV, Wien, 1870;- St. KUTTNER, *Repertorium der Kanonistik (1140-1234),* I, Citta del Vaticano, 1937, p. 310-313;- H. von HECKEL, *Die Dekretalensammlungen des Gilbertus und Alanus nach den Weingartener Handschriften,* dans *Zeitschrift der Savigny Stiftung für Rechtsgeschichte, Kanonische Abteilung,* Weimar, t. LX, 1940, pp. 116-357, voir p. 138 ss.

([82]) R. GROUSSET, *Histoire des Croisades et du Royaume Franc de Jérusalem,* tome III, p. 116 ss.

> *canonici de licentia abbatum. Postea uenientes ad sedem apostolicam, cum non uideret summus pontifex quod essent utiles ad pugnandum uel ad predicandum uel ad dandum consilium uel ad subministrandum aliis pecuniam, absoluti sunt ab eo et precepit etiam ut reuertentur. Vnde et nulla mulier permittebatur iter arripere ne honerarent exercitum. Modo pace facta...»* [83]

En réalité, l'on sait qu'au cours des deux croisades, des femmes accompagnèrent les Croisés, pour le plus grand dommage de l'expédition, mais sans doute étaient-elles plus nombreuses lors de la seconde, la reine Aliénor ayant donné un fâcheux exemple. Quant aux mots *ad urbem Iherosolomitanam*, si l'on veut y trouver un argument en faveur de la troisième croisade dont le but était précisément la reconquête de la ville sainte, il faut avouer qu'il est assez ténu.

Au chapitre 134, nous trouvons une très claire allusion à l'occupation de Jérusalem par les infidèles, et à la captivité de la vraie croix:

> *«Et credo quod hoc tempore magna sit circumstantia peccati illud aggrauans, si quis christianus, post captiuationem crucis et sepulchri dominici et terre promissionis in qua patrata sunt sacramenta nostre redemptionis peccauerit mortaliter, cum debeant fideles in merore et tristitia esse quamdiu archa Domini detinetur captiva.»* [84]

Cette seule indication permettrait d'affirmer que la Somme est postérieure à 1188.

La *Summa Cantoris* contient d'autres allusions à Saladin, le sultan victorieux, mais elles sont moins suggestives. Il est en effet très difficile d'y discerner si l'auteur en parle comme d'un personnage disparu ou toujours en vie. Dans le premier cas, Saladin étant mort en 1193, la *Somme* serait postérieure à cette date. Dans le second, la composition de la *Somme* se situerait avant la même date. Nous croyons que les textes de la Somme

---

[83] T f° 125vb; cf. édition, tome III, 2, § 273.
[84] édition, tome II, § 134, l. 3-8, p. 306.

sont plus favorables à la seconde opinion ([85]). Toutefois, pour préciser la date de composition, il faut retenir tous les indices que nous avons relevés, et ne pas perdre de vue que les divers fragments de la *Somme* ont pu être écrits à des dates différentes.

Les autres faits anecdotiques ne nous fournissent pas d'éléments de solution, car ils ont trait à des personnages ou trop obscurs, et sur lesquels nous ne possédons aucun renseignement, ou trop anciens, ayant évolué dans une époque trop reculée pour qu'ils puissent être retenus.

Bien que nous ayons pleinement conscience qu'établir la date exacte d'une œuvre littéraire sur laquelle on ne possède que peu de témoignages externes, soit une entreprise risquée et assez téméraire, nous proposerons les années 1191-1192 comme *terminus a quo* de la composition de la *Somme*. La mort venant surprendre notre auteur le 22 septembre 1197 ([86]), Pierre le Chantre a disposé d'environ cinq ans — au maximum — pour composer cette *Somme*, laps de temps apparemment suffisant. Mais il est probable que Pierre le Chantre n'a pu consacrer tout ce temps à la réalisation de ce grand ouvrage. Cette période de sa vie fut fertile en évènements. En 1191, c'est l'élection au siège de Tournai, élection qui n'aura pas de suite. En 1196, il est vraisemblablement pressenti pour le siège épiscopal de Paris laissé vacant par la mort de Maurice de Sully. Rencontra-t-il l'opposition de Guillaume de Champagne ? On ne sait, mais c'est peu probable, car la même année, Guillaume le nomme doyen de Reims. Ces évènements eurent sans doute une fâcheuse répercussion sur l'activité littéraire de notre auteur.

Or, il faut ajouter que pour cette même courte période, rien ne nous autorise à supposer que Pierre le Chantre ait freiné ses multiples activités. Multiples, disons-nous, car à ses fonctions proprement liturgiques, il faut ajouter celles de professeur, celles de juge dans le règlement d'affaires litigieuses. Ce dernier rôle a été heureusement mis en lumière par Ed. Dumoutet ([87]).

([85]) édition, tome II, p. 219; et T f⁰ 99ra, édition, tome III, 2, § 193 *in fine*.

([86]) Le millésime 1197 est fourni par le chroniqueur Alberic de Troisfontaines. Cf. M. GRABMANN, *Die Geschichte der scholastischen Methode*, t. II, Fribourg en Brisgau, 1911, p. 479. La date du 22 septembre étant fournie par l'obituaire de Notre-Dame, GUÉRARD, *Cartulaire de Notre-Dame*, Paris, 1850, tome IV, p. 159.

([87]) *Op.cit.*, p. 184, n. 2.

Peut-être y a-t-il lieu d'ajouter la prédication. Et il est également probable que Pierre le Chantre mettait la dernière main à l'une ou l'autre des nombreuses gloses sur l'Écriture Sainte qui lui sont attribuées ([88]). Même l'année de sa mort, on le trouve occupé à régler des différents ([89]). Il est possible que cette activité portait ombrage à Eudes de Sully, qui passa pour ne pas pleurer sa mort. Toujours est-il que son séjour — au début peut-être fortuit — à l'abbaye de Longpont, fut de courte durée. En effet, c'est en se rendant à Reims pour prendre possession de sa charge, que Pierre le Chantre s'arrêta à Longpont, et y tomba malade ([90]).

V

HYPOTHÈSES SUR L'ÉLABORATION ET LA TRANSMISSION DE LA *SUMMA*

I. *L'ÉLABORATION DE LA SUMMA CANTORIS*

L'ensemble de ces données où la conjecture tient encore une trop large place, nous permettra néammoins de proposer un essai de solution aux difficultés que nous avons évoquées.

Ayant admis le principe de remaniements profonds et notamment d'adjonctions de notes de cours, nous renonçons à en déterminer l'étendue avec la précision d'un comptable dressant un bilan. Nous avons déjà signalé que la division de l'ouvrage en deux parties (§§ 1-204, d'une part; §§ 205-394 de l'autre), était intrinsèquement assez artificielle ([91]). Dans le cod. T, ma-

---

([88]) C. Spicq, *Esquisse d'une histoire de l'Exégàse latine au moyenâge*, Bibliothèque Thomiste, t. XXVI, Paris, 1944, pp. 134-135.

([89]) En 1917, Pierre le Chantre rend une sentence dans un différend concernant le chapitre et un tiers, cette sentence fut rendue à Melun à la cour de la reine Adèle, mère de Philippe-Auguste (Guérard, *op.cit.*, t. II, p. 259). La même année, son nom figure à coté de celui d'Eudes de Sully, évêque élu de Paris, dans un acte concernant l'évêque de Paris et une abbesse récalcitrante des environs de la capitale (Guérard, *op.cit.*, t. I, p. 56).

([90]) *Histoire littéraire de la France,* tome XV, p. 285.

([91]) Cette division se rencontre dans les manuscrits T et W; L ne nous donne que la première partie (Cf. *Summa Cantoris,* tome I, p. XXXIX, LXVI).

nuscrit de base de la présente édition, ces deux parties sont séparées par une table ([92]), mais dans la première de ces parties, nous relevons déjà des indices de remaniements ([93]). Sans doute observera-t-on que c'est précisément pour les §§ 1-205 que nous possédons le plus de témoins ([94]). Mais cette observation n'entraîne que peu de conséquences, les manuscrits O, R, et A étant trop incomplets, et en ce qui concerne A et R, trop défectueux, pour que l'on en tienne compte. Il faut constater et retenir que seul le manuscrit L ignore la totalité de la seconde partie, ce qui pourrait constituer un indice de la division primitive de l'ouvrage en deux parties. Toutefois, dans les manuscrits B et P, la seconde partie ne se distingue pas nettement de ce qui précède: seule une lettrine orne le premier mot de cette seconde partie. Or dans le manuscrit P, les lettrines sont particulièrement nombreuses.

Enfin, il importe, croyons-nous, de souligner que nous n'avons point de *bon* manuscrit de la *Summa* de Pierre le Chantre. Il n'est pas nécessaire que nous reprenions ici la description de tous les manuscrits pour en convaincre le lecteur ([95]).

Nous supposerons donc que, vers 1191-1192, Pierre le Chantre forma le projet de composer une Somme de théologie sacramentaire et de théologie morale. Peut-être ce projet hantait-il son esprit de longue date, mais ce n'est qu'aux environs de 1191 qu'il le mit à exécution. Il avait alors certainement achevé le *Verbum abbreviatum*. Tout naturellement, il entreprit une première rédaction de ce qui devait être une *Summa*. Ce premier travail ne devait pas présenter pour lui de difficultés majeures, car il avait eu le loisir de préciser et d'exprimer sa pensée au cours de sa longue carrière de professeur. Il put de la sorte mettre au point un texte assez important groupant des questions sur les sacrements de l'Ancienne Alliance, le Baptême, la Confirmation, l'Extrême-Onction, la consécration des édifices

---

([92]) Dans le manuscrit W, les deux parties sont séparées par un espace blanc qui s'étend sur plusieurs colonnes; sans doute le scribe avait-il l'intention d'y ajouter une table (Cf. *Summa Cantoris*, tome I, p. XXXIX).

([93]) Cf. *Summa....*, tome II, p. VIII ss, et *supra*, p. 109 ss.

([94]) Il suffit, pour s'en convaincre, de se reporter aux *Index des Incipit des Chapitres,* que nous avons ajoutés à la fin de chacun des volumes: tome I, p. 199; tome II, p. 541; tome III.

([95]) Cf. *Summa Cantoris*, tome I, p. IX ss; pour les défauts du ms. T, voir *ibid.*, p. XII ss.

du culte, la Très Sainte Eucharistie ([96]), la Pénitence et le péché ([97]), et vraisemblablement le chapitre sur les devoirs envers Dieu, le prochain et soi-même ([98]), ainsi que le chapitre sur la confession ([99]) et le début des pages consacrées au pouvoir des clefs ([100]).

Il est également vraisemblable que Pierre le Chantre commença la rédaction d'un grand nombre d'autres questions qui devaient prendre place dans sa Somme, questions qui nous sont transmises par le manuscrit de Troyes et que l'on retrouve dans tous les grands manuscrits. Toutefois, ce travail devait être moins achevé que pour les chapitres précédents. Ayant peut-être eu le pressentiment que faute de temps, il ne pourrait terminer sa Somme, Pierre le Chantre aurait autorisé l'un de ses disciples fervents — et nous savons quelle admiration lui vouèrent ses élèves — à compléter cette ébauche par des notes de cours. Pierre le Chantre aurait peut-être révisé le travail, mais il est vraisemblable que le temps lui manqua pour en harmoniser le style ou qu'il n'en éprouva point le souci, ce qui expliquerait que la *Summa Cantoris* contienne aujourd'hui des textes, fort rares il est vrai ([101]), où nous trouvons exprimées des réserves à l'égard des opinions du maître, et qu'il faut probablement imputer à un disciple. Cette hypothèse d'une collaboration expliquerait le mélange assez déconcertant de formes verbales à la première personne (*dico, consulo, quero*) et à la troisième (*dicit, querit, dicit magister*, etc.). Une telle collaboration n'est nullement impensable, et nous en connaissons d'autres exemples ([102]).

([96]) *Summa Cantoris*, tome I.
([97]) *Summa Cantoris*, tome II, §§ 72-116.
([98]) *Summa Cantoris*, tome II, cap. II, §§ 117-129.
([99]) *Summa Cantoris*, tome II, cap. III, §§ 130-139.
([100]) *Summa Cantoris*, tome II, cap. IV, §§ 140-142. Cf. *supra*, p. 169.
([101]) Voir immédiatement ci-après.
([102]) Mr. Ph. DELHAYE nous en a cité un curieux exemple (dans *L'organisation scolaire au XIIe siècle*, An offprint from *Traditio*, vol. V, 1947, p. 211 ss., *Analecta Mediaevalia Namurcensia*, Hors série): «...un certain Laurent... suivait les leçons qu'Hugues donnait à Saint-Victor... Il est enchanté du cours *De Sententiis* que donne le maître. Certains élèves éprouvaient quelque peine à prendre des notes. Aussi proposèrent-ils à Hugues de leur donner un texte sûr en révisant et en authentiquant en quelque sorte ce que Laurent, cet élève studieux, avait transcrit sur ses tablettes. Hugues accepta sans difficulté. Chaque se-

On pourrait évidemment, et à bon droit, se demander si cette collaboration n'a pas laissé des traces fâcheuses dans la *Summa*. En effet, il y a lieu de craindre que le collaborateur de Pierre le Chantre ait infléchi certaines propositions de la Somme du vieux maître dans le sens de ses propres sentiments, de ses tendances et de ses goûts personnels. En un mot, on peut craindre que ce collaborateur n'ait quelquefois trahi son maître. Il semble qu'en général l'on puisse faire confiance au texte de la Somme tel qu'il nous est parvenu dans le manuscrit de Troyes. Qu'il s'agisse des textes rédigés par Pierre le Chantre lui-même, ou de notes de cours ajoutées par son disciple, ils nous livrent vraisemblablement la doctrine de Pierre le Chantre.

Parfois cependant, l'on peut se demander si le collaborateur de Pierre le Chantre ne laisse pas passer le bout de l'oreille. Nous en trouvons au § 227 de notre édition un exemple curieux:

> *Aliqua uouit continentiam, iuuencula est. Pulsatur ab adolescentibus, timet succumbere. Cum sit paupercula, non potest intrare claustrum cum pretium ab ea exigatur, uel uestes saltem ydonee, que sibi leui pretio non haberentur. Habet quemdam cognatum monachum qui uult ei subuenire, sed non de rebus monasterii sui, quia hoc non liceret. Querit ille utrum licitum sit ut ipse monachus querat auxilium a parentibus uel ab aliis, ut mediante pretio colocet eam inter moniales, cum aliter non possit eam collocare.*
>
> *Magister non consulit quod symoniace intret claustrum. Non enim facienda sunt mala ut ueniant bona, nec est uitandum unum peccatum per aliud.*
>
> *Consulit ergo ut ipsa, ex quo timet lapsum, collocetur cum aliqua sancta uidua que eam custodiat, et ibi lucretur uictum suum consilio manuum suarum, si aliunde non habet.*
>
> *Habemus tamen contra hoc exemplum in uitas patrum, de quodam habente neptem pauperculam*

---

maine il recevait l'élève et examinait ce qu'il avait écrit: ici il supprimait un développement inutile, là il suppléait à quelque omission, il rectifiait ou approuvait» Ph. DELHAYE, *op.cit.*, p. 245 sv.; texte édité par Bernhard BISCHOFF, *Aus der Schule Hugos von S. Victor*, dans *Mélanges Grabmann*, Munich, 1935, p. 246-250.

> *et iuuenculam qui timens ne corrumperetur, nec habens unde eam collocaret inter moniales exiuit de cella sua et queritabat a quibus poterat stipem ut eam alicubi collocaret. Cum autem ueniret Constantinopolim, nunciatum est archiepiscopo quod heremita talis circumducebat meretricem. Captus est ille, retrusus turpiter in carcerem. Nocte illa apparuit angelus archiepiscopo et eum super hoc facto grauiter increpauit, reuelans ei omnem ueritatem; qua cognita, fecit illum a carcere extrahi, et honoratum remisit ad heremum et neptem eius honestissime in quadam domo religiosa collocauit. Ex hoc facto uidetur posse haberi auctoritas, siue licentia querendi pecuniam et dandi ad monachandum aliquem uel aliquam. Nunquam enim ille aliquid quereret nisi cogitaret dare.*
> *Abbas etiam Bernardus Clareuallis dicebat non esse symoniam si aliquid detur ad monachandum aliquem, maxime si monasterium indigeat.*

Le chapitre pourrait se scinder en deux parties. La première (*Aliqua uouit... si aliunde non habet*) a incontestablement l'apparence de notes de cours. La seconde se présente au contraire comme un texte rédigé par l'auteur des opinions émises.

Si l'on se réfère à notre hypothèse générale, l'on dira d'une façon pour le moins simpliste: la première partie est faite de notes de cours ajoutées par un disciple; la seconde est un texte ajouté par Pierre le Chantre et vraisemblablement complémentaire. Les deux parties reflètent donc la pensée du Chantre.

Malheureusement, il y a une opposition entre les deux parties: même s'il n'y a pas à proprement parler contradiction, il y a tout au moins recul. Comment l'expliquer? Deux solutions semblent pouvoir être envisagées. Tout d'abord, il n'est pas impossible que Pierre le Chantre ait fait ajouter le second alinéa, corrigeant le premier dans ce qu'il avait d'excessif. Ce qui cadrerait assez bien avec l'hypothèse d'une collaboration entre Pierre le Chantre et un de ses disciples.

Mais il est aussi vraisemblable que ce soit l'étudiant auteur des notes de cours qui enrichissent la *Summa*, qui adjoignit au premier alinéa reflétant la pensée du Chantre, cet élément de son cru.

Des textes donnant lieu à semblables doutes sont, dans la Somme de Troyes, exceptionnels, mais ils sont monnaie courante dans les *Questiones,* où les oppositions entre maître et rédacteur sont d'ailleurs explicites.

En outre, nous serions personnellement enclins à voir dans les §§ 336, 359 des notes de cours ou des *questiones* rédigées à l'aide de notes de cours par le même disciple collaborateur.

Quoiqu'il en soit, cette rédaction originale, ou, pourrait-on, dire cette première édition, déjà intrinsèquement complexe du fait qu'elle était composée d'éléments d'origines diverses ([103]), devait tout naturellement comporter de nombreuses notes marginales, d'additions ultérieures réalisées sous la forme de gloses, elles aussi marginales, de corrections même interlinéaires; elle était certainement surchargée de ratures, mais devait aussi contenir tous les chapitres ou paragraphes que nous retrouvons aujourd'hui dans le manuscrit de Troyes (à l'exception, peut-être du § 394).

Toujours au sujet de cette rédaction originale ou première édition que nous pouvons désigner par le sigle S, l'on peut encore se demander si cet original S ne fut pas réalisé en quelque sorte par étapes.

Pierre le Chantre a pu fort bien confier son texte à un scribe, non pas en une seule fois, mais par tranches, au fur et à mesure que l'élaboration définitive en était achevée. On pourrait même supposer qu'un certain laps de temps non négligéable se soit écoulé entre la mise en page de chaque tranche de S. Nous avons déjà supposé que Pierre le Chantre n'avait peut-être pas eu le loisir de relire la totalité de cet original S. Mais si cet original S avait été réalisé par fractions, il serait alors permis de supposer que Pierre le Chantre eut la possibilité de relire les parties achevées de son vivant. C'est au moment de cette révision que Pierre le Chantre aurait ajouté et probablement de sa main, dans les marges de l'original S les additions ou gloses que nous a conservées la tradition manuscrite T B P, qui semble avoir eu beaucoup de peine à les utiliser convenablement ([104]).

([103]) Les §§ 1-142 étant attribués purement et simplement à Pierre le Chantre. Au contraire, à partir du § 143 (Tome III), on constate la présence de notes de cours, encore que l'ensemble puisse être attribué, pour la plus grande partie à Pierre le Chantre.

([104]) En se référant à notre édition, on peut ranger dans cette caté-

Quelles étaient les limites de ces fractions confiées à la plume alerte d'un copiste ? Il est évidemment très difficile, pratiquement impossible, de le préciser. Il est hors de doute que les §§ 1-142 aient été achevés du vivant de Pierre le Chantre. Si, à partir du § 143, l'on trouve les traces indiscutables d'une collaboration entre Pierre le Chantre et un de ses disciples, ceci n'implique pas que la rédaction S, à partir de ce même § 143, n'ait pu être connue de Pierre le Chantre. Nous croyons au contraire que Pierre le Chantre eut la possibilité de connaître le fruit de cette collaboration, admise par lui, non seulement jusqu'au § 204, mais même au delà, la division de la *Summa* en deux parties ayant été probablement voulue par lui ou tout au moins connue de lui, car si Pierre le Chantre a pu la vouloir, elle peut aussi résulter du hasard. Il est possible, en effet, que les mots *Grauius est incidere...* (§ 205), marquent le début d'une nouvelle fraction remise au copiste, ou à un autre copiste, car il n'est pas rare que le même ouvrage soit exécuté par plusieurs scribes ([105]); si ce dernier copiste a introduit une lettrine un peu plus grande au début du mot *Gravius,* s'il a laissé un espace inutilisé entre les deux fractions, ces particularités ont été suffisantes pour que l'on admette une division de l'ouvrage en deux parties. Bien que cette hypothèse soit recevable, nous pensons néammoins que cette division en deux parties a été connue de Pierre le Chantre et voulue, ou tout au moins acceptée par lui.

Il serait dès lors possible que les lignes 3-69 du § 158 ne soient qu'une glose marginale de Pierre le Chantre. Il reste toutefois difficile d'apprécier jusqu'à quel point Pierre le Chantre put prendre connaissance de ce manuscrit S. S'il en avait eu la faculté, n'aurait-il pas empêché de copier le § 227, tel qu'il se présente de nos jours, soulevant, nous l'avons vu, une sérieuse difficulté d'interprétation ? Nous sommes contraints d'avouer notre ignorance. La seconde partie du § 227 pourrait tout aussi bien être une note de Pierre le Chantre.

Il n'est d'ailleurs pas impossible que la seconde partie du § 227 ne soit qu'une glose marginale d'un disciple, insérée par

---

gorie; Tome I, § 2,l. 7-10, § 5,l. 20-22, 71-75, § 9,l. 41-61, 105-111, § 24,l. 90-92; Tome II, § 82,l. 39-74, § 90,l. 25-28; Tome III, § 158,l. 3-69.

([105]) Nous en avons vu de bons exemples dans les deux manuscrits de LONDRES, *Lambeth Palace Library,* 80 et 120, dont nous avons donné une description *supra,* p. 33.

la suite, bien que cette insertion n'ait laissé aucune trace dans la tradition manuscrite. Nous ne craignons pas de l'avouer: nous ne savons rien de précis sur ce sujet. Et d'ailleurs, le cas spécial du § 227 ne peut être examiné isolément: s'il mérite une solution, celle-ci doit pouvoir s'intégrer dans le cadre plus vaste d'une explication générale, valable pour toute la *Summa Cantoris*.

Quant au chapitre *De homine assumpto* ([106]), il constituerait vraisemblablement une autre œuvre de Pierre le Chantre, distincte de la *Summa,* et qui aurait été ajoutée à cette dernière par un disciple-collaborateur. De l'original S, ce texte a pu passer dans d'autres manuscrits: T, P, W. Mais l'original du *De homine assumpto,* continuant son existence à part, a pu donner lieu à d'autres copies, dont certaines sont connues: celles des manuscrits *Lambeth Palace 80* et *122.* On comprend aisément que ces traditions différentes pouvaient provoquer de graves confusions.

Est-il possible de préciser davantage et de tracer en quelque sorte dans la *Summa Cantoris,* telle qu'elle nous est parvenue et telle que nous l'éditons, les frontières qui séparent les textes dûs à Pierre le Chantre, de ceux qui sont le fruit d'une collaboration entre Pierre et l'un de ses disciples ?

L'hypothèse d'une collaboration entre Pierre le Chantre et ses disciples repose sur les seules données de la critique interne. Nous ne possédons aucune information extérieure à la *Summa,* susceptible d'accréditer l'idée d'une telle collaboration. C'est évidemment regrettable, la critique externe bénéficiant d'un préjugé beaucoup plus favorable que la critique interne. A défaut de celle-là, il est nécessaire d'utiliser toutes les indications que celle-ci peut fournir. Dans le cas présent, ces indications sont essentiellement tirées de la forme des verbes ([107]). Nous pouvons les schématiser et les résumer de la façon suivante:

TOME I:
    Les §§ 1-71, qui ne contiennent que des verbes à la première personne, ont été entièrement rédigés par Pierre le Chantre.

---

[106] Cf. Tome III, § 353.
[107] Cf. *supra*, p. 86.

TOME II :
>Les §§ 72-142, qui ne contiennent que des verbes à la première personne, ont été entièrement rédigés par Pierre le Chantre.
>Les §§ 143-155, qui ne contiennent que des verbes à la troisième personne, font figure de notes de cours.

TOME III :
>Il est plus complexe.
>Les §§ 156-234, contiennent surtout, en sus des verbes impersonnels, des verbes à la troisième personne personnelle, mais on y remarque un certain nombre de manifestations personnelles (verbes à la première personne). L'aspect «notes de cours» prédomine nettement sauf dans les §§ 210-224.
>Les §§ 235-357, ne contiennent que des verbes à la première personne. On peut supposer qu'ils ont été entièrement rédigés par Pierre le Chantre.
>A partir du § 358, le mélange est plus intime. Les §§ 362-370, 388-394, ne contiennent que des verbes à la première personne. Ils pourraient sans difficulté être attribués à Pierre le Chantre.
>   En résumé, en se basant sur les seules formes des verbes, l'on pourrait dire :
>1°) Les §§ 1-142, 210-224, 235-357 sont de Pierre le Chantre.
>2°) Tous les autres ne sont que des notes de cours.

Mais comment expliquer la présence des textes à la première personne dans ces notes de cours ? Quel est l'auteur de ces manifestations personnelles, fort rares il est vrai ?

Deux hypothèses s'offrent à l'esprit.

Dans la première, les §§ 143-209, 225-234, etc, auraient été écrits par Pierre le Chantre (à la première personne), mais par la suite, le vieux maître, jugeant son travail trop sommaire et n'ayant peut-être plus la force ou le loisir de l'achever, aurait autorisé un de ses disciples à le compléter. Hypothèse qui n'est pas invraisemblable. Mais on voit mal un maître laissant retoucher son travail par un étudiant, fût-ce à l'aide de notes de cours. D'autre part, il faudrait admettre que le texte de Pierre le Chantre eût été assez modeste, car il semble que l'apport en notes de cours fut important.

La seconde hypothèse se fonde sur un processus plus logique. Elle postule évidemment que Pierre le Chantre n'eut pas le loisir d'écrire toute sa Somme. Dans cette hypothèse, les §§ 143-209, 225-234, etc, n'auraient été à l'origine que les notes de cours d'un disciple studieux. Pierre le Chantre les aurait utilisées. Il aurait demandé à ce disciple soit ses tablettes, soit même le cahier dans lequel celui-ci en avait peut-être consigné la substance. Il est plus que probable que Pierre le Chantre révisa ces notes avec soin: ici il aurait retranché un alinéa superflu ou maladroit, là il se serait soucié de donner plus de fermeté à l'expression, ailleurs il aurait ajouté un paragraphe destiné à préciser sa pensée, ou même à rectifier une opinion précédemment émise mais quelque peu excessive. Dans ces notes de cours rédigées primitivement à la troisième personne, Pierre le Chantre aurait donc réintroduit des opinions personnelles exprimées à la première personne (*dico, consulo,* etc). Il serait donc en quelque manière le responsable de ce mélange irritant de textes à la première personne et de textes à la troisième.

Par la suite, Pierre le Chantre aurait confié ces notes révisées à un scribe, celui que nous supposons être l'auteur de l'original S. Un texte composé de cette manière était destiné à soulever dans l'avenir toutes sortes de difficultés, qui échappaient alors aux hommes du moyen-âge.

Cette hypothèse présente de multiples avantages:
a) En premier lieu, elle a le mérite de laisser à Pierre le Chantre la paternité de toute la Somme telle que le manuscrit de Troyes nous l'a transmise: en révisant les notes d'un disciple, en les retouchant, Pierre le Chantre les a authentifiées, il les a en quelque sorte faites siennes.
b) Cette hypothèse a un autre mérite. Elle permet d'expliquer de façon satisfaisante l'élaboration de textes dont l'interprétation semble difficile, tel le curieux § 227 ([108]). La deuxième par-

---

([108]) Cf. *supra,* p. 189.

tie de ce § 227, apparaît dans cette hypothèse, comme dûe à la plume de Pierre le Chantre qui aurait ajouté un second alinéa destiné à atténuer la rigueur de l'opinion conservée dans les notes de son disciple.

c) La même hypothèse nous autoriserait à admettre que Pierre le Chantre eut connaissance de toute la Somme telle que nous pouvons la lire dans le manuscrit de Troyes. En effet, il aurait présidé à son élaboration, et ne pouvait avoir aucune raison de s'opposer à ce que l'on enrichit sa *Summa* d'écrits qu'il avait lui-même composés, tels le *De homine assumpto* ([109]), la curieuse conclusion ([110]), etc.

Cette hypothèse, du moins si elle est admise, autorise à formuler cette conclusion: la totalité du texte que nous offre le manuscrit de Troyes est l'œuvre de Pierre le Chantre, soit qu'il en ait rédigé lui-même les chapitres (§§ 1-142, 210-224, 235-357, 362-370, 388-394), soit qu'il se soit contenté de corriger et d'authentifier les notes de cours d'un disciple (§§ 143-209, 225-232, 358-361, 371-387).

Dans cette hypothèse, une opposition aussi grave que celle que nous avons signalée au sujet du § 260 se résoud aisément ([111]).

Rappelons les dernières lignes de ce texte litigieux:

> *Forte potest dici quod reddat debitum et non exigat nec consulerem quod post tantam prolem susceptam et tantam moram temporis procuraret diuortium. Sic habetur in quadam decretali Alexandri. Tamen tutum erit ei si interim mitteret ad curiam romanam, quia credimus quod in gradibus remotis ad eius dispensationem potest fieri matrimonium, alias non esset matrimonium. Perquirat ergo si potest quod dispensetur cum eo, et si reddat interim, excusat eum auctoritas ecclesie que iudicat non esse matrimonium inter ipsius uxorem et priorem uirum. Huic tamen solutioni non adquieuit magister.*

Dans ce texte, il y a une opposition apparente entre le ré-

([109]) Tome III, § 353.
([110]) Tome III, § 394.
([111]) Cf. *supra*. p. 165

dacteur et son maître. On pourrait esquiver la difficulté en disant que Pierre le Chantre laissa insérer ce texte parce qu'il l'avait relu trop rapidement. Ce n'est pas impossible. Mais ce texte n'est vraiment pas très clair, et l'on peut penser, dans le cadre de l'hypothèse proposée, que nous sommes en présence d'un fragment de notes de cours, amendé par Pierre le Chantre au moyen de corrections marginales et interlinéaires qui furent ensuite incorporées au texte plutôt mal que bien.

Il semble que Pierre le Chantre ajouta ces deux petites phrases: *nec consulerem quod post tantam prolem susceptam et tantam moram temporis procuraret diuortium,* puis: *quia credimus quod in gradibus remotis ad eius dispensationem potest fieri matrimonium, alias non esset matrimonium.* De fait, si l'on enlève ces deux phrases, le texte gagne en cohérence. Les notes de cours devaient se réduire aux lignes suivantes:

> *Forte potest dici quod reddat debitum et non exigat. Sic habetur in quadam decretali Alexandri. Tamen tutum erit ei si interim mitteret ad curiam romanam. Perquirat ergo si potest quod dispensetur cum eo, et si reddat interim, excusat eum auctoritas ecclesie que iudicat non esse matrimonium inter ipsius uxorem et priorem uirum. Huic tamen solutioni non adquieuit magister.*

Le début du texte est de la sorte plus conforme à la décrétale d'Alexandre III. Certes l'on aurait pu maintenir la seconde phrase écartée: elle ne constitue pas nécessairement une manifestation personnelle, mais exprime une croyance générale. Il n'en était pas de même pour la première (...*nec consulerem*...).
d) Enfin, dans cette hypothèse, la division de la Somme en deux parties est attribuée sans réserves à Pierre le Chantre.

Si Pierre le Chantre eut la possibilité de voir S totalement rédigé, il ne semble pas en avoir été complètement satisfait, car il ajouta dans la marge de ce manuscrit un certain nombre de gloses, celles-là mêmes qui ont donné tant de mal aux copistes auxquels nous sommes redevables des manuscrits T, B, P et probablement Z ([112]).

([112]) Cf. *supra.* p. 191.

Évidemment, ne craignons pas de le répéter, cette seconde hypothèse ne repose que sur des données internes. La critique externe ne vient ni la confirmer, ni l'infirmer. Il semble donc qu'on puisse l'admettre à condition de ne pas exagérer ses mérites. Peut-être d'ailleurs dira-t-on de cette hypothèse: C'est trop ingénieux et trop beau pour être vrai ?

II. *LA TRANSMISSION DE LA SUMMA CANTORIS*

Le but essentiel de ces Prolegomena était d'apporter quelque lumière sur l'élaboration de la *Summa Cantoris*.

Néanmoins, il semble qu'il serait assez intéressant d'essayer de retracer en quelque sorte l'histoire de sa tradition manuscrite.

Tâche particulièrement délicate. Pourtant, une fois admise l'existence de l'hypothétique manuscrit S, détruit ou non retrouvé, il semble que l'on puisse s'avancer avec plus de certitude sur le terrain ferme que nous offrent les manuscrits qui nous sont parvenus.

Rien n'est moins sûr, et c'est pourquoi avant de réunir des éléments de solution et d'exposer des hypothèses il convient de rappeler les principales caractéristiques de chacun des manuscrits.

A. *Les manuscrits*

1°) Le manuscrit T, de la Bibliothèque de Troyes (fin du XIIme siècle), serait la première copie connue de la *totalité* (nous insistons sur le mot *totalité*) du manuscrit S. Le copiste à qui nous devons ce beau manuscrit de Troyes, désireux de faire un travail d'apparence soignée, s'efforça d'améliorer la présentation du texte qu'on lui confiait. Il y réussit, mais au détriment de l'intelligibilité de l'ouvrage. Les notes marginales incorporées au texte ne l'ont pas toujours été très adroitement [113]. Souvent le copiste a pris un mot pour un autre, n'a pas su transcrire des abréviations. Il a sauté d'un mot au même mot, omettant ainsi des membres de phrases, intervertissant l'ordre

---

[113] En se référent à notre édition, on peut citer à titre d'exemple: Tome I, § 5,l. 20-22, 71-75, § 9,l. 41-61 en dépit de la division en colonnes; Tome II, § 82,l. 39-74, § 90,l. 25-28; surtout Tome III, § 158.

des mots. Il ne s'est pas toujours aperçu que son texte en devenait affreusement obscur ([114]). Scribe pétri de bonnes intentions, mais peu intelligent et distrait. Nous croyons que T a pu être commencé en 1194, ou même 1195, du vivant même de Pierre le Chantre. Ce dernier eut peut-être la possibilité de connaître ce manuscrit, mais ne songea pas à l'annoter et le corriger. D'ailleurs comme S son modèle, le cod. T fut peut-être achevé du vivant de Pierre le Chantre.

2°) B (XIIIme siècle) dépendrait de T ou de S, sans qu'on puisse le préciser, bien que la seconde hypothèse semble la plus vraisemblable. Le scribe, plus intelligent, aurait parfois envisagé de remédier aux insuffisances de son modèle, mais pas toujours avec bonheur. Le texte primitif de B a été retouché après coup, soit par le copiste, soit par un lecteur attentif, qui, peut-être, eut la possibilité de recourir à l'original. Toujours est-il que le copiste a pris quelques libertés avec son modèle. Il n'a pas recopié le chapitre *De homine assumpto* ([115]), peut-être par souci de purisme, estimant que cette controverse dogmatique était déplacée dans un ouvrage de morale. D'autre part, il a modifié l'ordre des *questiones* à partir du § 342 ([116]), sans d'ailleurs parvenir à l'améliorer. En outre, il a cru utile de compléter le texte de Troyes (initiative qui lui fut peut-être imposée par autrui), par un groupe de courtes *questiones* qui ne peuvent être que des notes de cours et des réflexions personnelles du rédacteur, que l'on trouve parfois dans le manuscrit W: en un mot il s'agit là du travail d'un disciple et qui ne peut être attribué à Pierre le Chantre ([117]).

3°) Le manuscrit P (début du XIIIme siècle) est celui qui soulève le plus de difficultés, et ceci, aussi paradoxal que cela puisse paraître, en raison de ses qualités mêmes. D'une part, ce manuscrit semble dépendre de la même source que T sans dépendre directement de ce dernier. D'autre part, il possède un groupe de *questiones* qui lui sont propres. Mais la plus grande difficulté provient de ce qu'il renferme une rédaction différente des *questions* sur la confession, l'excommunication, la simonie ([118]). Comment expliquer l'origine de cette rédaction diffé-

---

[114] Cf. Tome I, p. XII ss.
[115] Tome III, § 353.
[116] Cf. Tome I, p. XIX.
[117] Cf. Tome I, p. XXIII, et sur les problèmes posés par ces pages, voire chapitre suivant, *infra*, p. 335.
[118] Cf. Tome II, Appendice II; Tome III, Appendice IV.

rente ? Celle-ci est parfois supérieure à la rédaction commune, comportant par exemple des précisions doctrinales plus nombreuses. Pourrait-elle être attribuée à Pierre le Chantre lui-même qui aurait, à deux reprises, entrepris la rédaction des mêmes questions ? La chose n'est pas impossible, mais il convient de rappeler l'analyse que nous avons donnée des formes verbales ([119]). Pour la commodité de notre édition, nous avons divisé en deux groupes l'ensemble de cette rédaction propre que l'on retrouvera dans l'Appendice II (Tome II) et dans l'Appendice IV (Tome III), mais il ne faut pas perdre de vue que dans le manuscrit P, l'Appendice II et l'Appendice III forment un tout.

Dans la partie constituant l'Appendice II, les formes à la première personne sont les plus nombreuses, mais on y rencontre néanmoins deux allusions fort explicites à un maître ([120]), la seconde partie constituant l'Appendice IV ne contient aucune allusion à un tiers ([121]). Ce qui n'éclaire pas le problème, bien au contraire. Peut-être s'agit-il d'une refonte opérée par Pierre le Chantre lui-même ? Peut-être sommes-nous en présence d'un remaniement opéré par un autre disciple, à l'aide de notes de cours, et même des derniers cours du Cantor qui aurait eu le souci de donner une rigueur toujours plus grande à sa pensée ? Les éléments de solution sont extrêmement ténus.

Cependant, nous serions tentés de voir dans cette rédaction propre à P, l'œuvre d'un disciple qui a remanié le travail de son maître. En effet, nous avons déjà signalé les divergences qui opposent les rédactions P et TBWL du chapitre *De clauibus* ([122]). La solution proposée dans les manuscrits T,B,W et L, nous est présentée comme une simple opinion dans P, ce qui, d'ailleurs rapproche P d'une *Questio De clauibus* que nous trouvons dans le manuscrit W ([123]). Il semble donc que cette rédaction P soit l'œuvre d'un disciple. Ce n'est pas en effet le manuscrit P qui nous livre l'enseignement de Pierre le Chantre, mais la Somme de Troyes ([124]). Nous avons à ce sujet le témoignage irréfutable de Robert de Courçon, qui écrit:

([119]) Voir *supra*, p. 112 ss.
([120]) Voir *supra*, p. 113.
([121]) Voir *supra*, p. 166 ss.
([122]) Cf. Tome II, Introduction, p. XI-XIV, édition § 140, p. 327 ss., App. II, 5, p. 434.
([123]) Voir *infra*, chapitre V, p. 278, n.76.
([124]) Cf. Tome II, *loc.cit.*, et p. 329.

> *Ideo dicimus absolute quod clauis non est scientia, nec officium, nec illud compositum ex scientia et potentia. Sed est potius, sicut solet dicere Cantor Parisiensis, auctoritas ligandi et soluendi, siue idoneitas, siue obnoxietas, siue debitum tale* ([125]).

Les *Questiones* supplémentaires soulèvent d'autres difficultés. S'agit-il pour la plupart de notes de cours ? C'est très vraisemblable, comme il est tout aussi plausible que ce disciple à qui nous devons ce suplément de *questiones* ait voulu compléter le texte primitif de la Somme en y ajoutant des éléments de son cru, alors que peut-être il avait subi l'influence d'autres maîtres ([126]). Ceci justifierait les différences légères qui ont été constatées entre la doctrine de ces dernières *questiones* et celle des chapitres précédents. Nous verrons que le manuscrit P apparaît comme une autre édition, une seconde édition de la *Summa Cantoris*, revue et augmentée par un anonyme.

4°) Quant aux manuscrits W et A, il serait intéressant de pouvoir connaître avec certitude lequel en est le plus ancien. Même si deux années séparaient leur rédaction respective, l'examen de l'écriture ne permettrait pas de le déceler, la manière d'écrire n'ayant pas évolué aussi rapidement. Ces deux manuscrits nous réservent un nouveau et assez sérieux sujet d'étonnement, en nous offrant une rédaction propre de questions sur la Pénitence ([127]), particularité que d'ailleurs ils partagent avec le manuscrit L. Quelques remarques s'imposent au sujet de ces *questiones*. Tout d'abord la doctrine est semblable à celle de la Somme commune, mais par contre la forme ne présente plus aucune similitude avec la rédaction de cette dernière. En outre, on n'y trouve pas les formes *Dixit, Dubitat, Querit*, mais cette observation vaut également pour les chapitres parallèles de la Somme de Troyes. *A priori*, le texte se présente donc comme original. Faut-il alors l'attribuer à Pierre le Chantre ? Si on l'admet, il faut alors supposer que Pierre le Chantre rédigea deux fois le même groupe de *questiones*. Dans la rédaction W A L, les citations scripturaires sont plus nombreuses; dans la rédaction T B P, l'argumentation tient une plus

---

([125]) Texte établi par P. ANCIAUX, *La théologie du sacrement de Pénitence au XIIme siècle*, Gembloux, Louvain, 1949, p. 570.

([126]) Ce problème fera l'objet d'une étude plus détaillée au chapitre V, *infra*, p. 368. (Voire aussi Tome I, p. XXXI-XXXVI).

([127]) Cf. *Summa Cantoris*, Tome II, App. I, p. 391 ss.

large place (§ 88), et le sujet est traité avec infiniment plus de maîtrise. Il est donc possible que Pierre le Chantre renonça à la rédaction W A L, esquissée la première. Mais l'on peut se demander pour quelle raison les copistes des manuscrits W et A l'ont préférée et ont écarté la rédaction commune T B P dans des mesures d'ailleurs différentes ([128]). L'examen des seuls manuscrits W A L, ne permet pas de répondre à cette question. Peut-être ces *Questiones* ne sont-elles qu'un petit traité *De exteriori Penitentia*, commencé par Pierre le Chantre quelques années plus tôt et qu'il aurait renoncé à utiliser, la rédaction d'un traité *De exteriori Penitentia* l'ayant amené à envisager la composition d'une somme complète de théologie morale spéciale. Peut-être enfin ces *Questiones* sont-elles tout simplement l'œuvre d'un disciple de Pierre le Chantre qui a voulu s'approprier purement et simplement l'enseignement oral de son maître, mais en se gardant bien de le laisser paraître. Cette dernière hypothèse nous paraît moins séduisante. Toujours est-il que ces *questiones* qui sont l'œuvre d'une seule et même personne, sont inférieures aux questions parallèles de la rédaction T B P que nous supposons dépendre de S.

Par ailleurs, nous n'attachons qu'une importance secondaire au manuscrit W, bien que de tous il soit le plus abondant. Son abondance même nous le rend suspect. Nous avons souligné les étonnantes anomalies que nous y rencontrons et qui s'expliquent partiellement par la pluralité de copistes ([129]). Cette pluralité suffit du moins à expliquer que toute une série de *questiones* ait été recopiée deux fois dans le même manuscrit. L'ouvrage mérite à peine le titre de *Summa Cantoris,* car s'il est vrai qu'on y retrouve un grand nombre de *questiones* de la Somme de Troyes, les copistes les ont fragmentées et transcrites avec une grande liberté. En outre, ils n'ont éprouvé aucun scrupule à y incorporer pêle-mêle d'importants groupes de *questiones* dont certaines constituent des chapitres de belles dimensions ([130]).

Le copiste — ou l'un des copistes — a eu conscience que le travail dépassait de beaucoup le cadre de la Somme de Pierre

---

([128]) L donne la rédaction commune intégralement, tandis que dans le ms. A son omis les §§ 87-89, §§ 107-109, et dans le ms. W, les §§ 88-109, Consulter l'*Index des Incipit des chapitres* du Tome II..

([129]) Cf. Tome I, Introduction, p. XXXVIII-XXXIX.

([130]) Voir *infra,* Chapitre V, p. 257 ss, p. 280 ss.

le Chantre. C'est pourquoi il a pris soin de signaler à l'attention du lecteur par des notes marginales telles que *Vacat, Non pertinet ad rem*, que certains chapitres — et non des moindres — ne devaient pas faire partie de l'ouvrage. Ces indications sont trop rares: il eût été nécessaire de les multiplier.

Il n'est pas possible que toutes ces *questiones* propres à W soient de simples notes de cours. Dans une certaine mesure, l'auteur de ces *questiones* reprend les idées de Pierre le Chantre, mais ceci s'explique suffisamment si l'on admet que le rédacteur a pu connaître Pierre le Chantre, ou même être un de ses familiers, l'a vu trancher des questions litigieuses, donner des avis, en solliciter de grands personnages, discuter diverses opinions qu'il ne partageait point ([131]). Il est d'ailleurs fort intéressant de relever que certaines de ces *questiones* semblent avoir été écrites du vivant même de Pierre le Chantre, l'auteur parlant de ce dernier comme d'un personnage toujours en vie. Mais peut-être y a-t-il lieu de ne pas accorder trop de crédit à ces apparences. L'auteur ne nous induit-il pas en erreur lorsqu'il veut nous faire croire qu'il a confié au parchemin le récit de controverses ou d'évènements tout récents? Leur nombre ne nous permet pas de croire que tous se soient déroulés dans le même temps. A ces *questiones* fort curieuses, nous consacrerons une étude plus complète ([132]).

Bien que A nous offre une Somme fort écourtée, on ne peut supposer qu'il dépende de W à moins d'admettre que ce dernier ne nous soit point parvenu dans son intégrité. En effet, A possède un certain nombre de chapitres du texte de base (§§ 99-106), que ne nous transmet pas le manuscrit W, tel du moins que nous le connaissons aujourd'hui.

5°) Le manuscrit L ne retiendra guère notre attention. Le scribe n'a ignoré aucun des chapitres *De exteriori penitentia* de l'original, reproduits par la tradition commune T B P et que W et A omettent dans des proportions différentes.

Est-ce à dire que L dépende, non pas de T, mais de l'original S? Nous sommes en présence d'un manuscrit tardif qui possède souvent les mêmes variantes que W et A. Il est très difficile de le dissocier du groupe W A. Or, nous le verrons, les rapports entre W, L, et A, ne peuvent être vraiment élucidés que si l'on justifie les rapports existant entre O, R et A.

([131]) Voir Tome I de notre édition, Introduction, p. LVII.
([132]) Voir *infra*, chapitre V, p. 338.

Pourrait-on croire que L dépende directement de l'original S ? Mais T, de son côté, dépendrait directement de S, et pourtant, L est en général bien différent de T. De plus, où le copiste du manuscrit L aurait-il pu trouver le texte de l'Appendice I ([133]) ? Certes pas dans l'original S, qui, par hypothèse, ne le possédait pas.

Mais L ne peut pas davantage dépendre de W ou de A, car il faudrait alors supposer que le copiste du manuscrit L ait été chercher dans un autre manuscrit les chapitres de la rédaction commune qui font défaut dans ces cod. W et A et que L possède. Toutefois, L pourrait dépendre de W, s'il s'avérait exact que ce dernier nous soit parvenu incomplet.

Enfin il faut observer que dans les cod. A, W, L, le texte de l'Appendice I précède directement la ligne 70 du § 110 ([134]). Il y a là une coïncidence troublante que le seul hasard ne permet pas de justifier.

Nous laisserons cette question en suspens. Il n'en reste pas moins que L dépend nécessairement d'un modèle que le copiste reproduit avec beaucoup de négligence, car chaque fois qu'il s'est trouvé en présence d'une difficulté, mot illisible, abréviation peu usitée, difficile à transcrire ou d'interprétation équivoque, soit excessive circonspection, soit paresse, il a laissé un intervalle, un vide, sans se soucier davantage, d'où de nombreuses lacunes. Le copiste n'a même pas eu la patience d'achever la rédaction de chapitres dont il avait transcrit les premiers mots ([135]).

Il importe de rappeler une fois de plus que le manuscrit L nous donne les *questiones* sur la pénitence extérieure propres à W et A, mais alors que dans ces derniers manuscrits, sa présence éliminait un bon nombre de questions de la rédaction T B P, le manuscrit L nous offre ces dernières en sus de ces questions parallèles propres à W et A et constituant l'Appendice I de notre édition ([136]).

Enfin, le manuscrit L, qui ignore la seconde partie de la Somme de Troyes, possède un certain nombre de *questiones,* séparées de la *Summa Cantoris,* et dont nous analyserons ultérieu-

---

([133]) Édition, Tome II, App. I, p. 391-415.
([134]) Édition, Tome II, p. 193.
([135]) Cf. Tome I, p. LXVI-LXVII.
([136]) Édition, Tome II, p. 391-420.

rement le contenu, en signalant les problèmes qu'il pose ([137]).

6°) Quant au manuscrit Z (XIIIme siècle), nous ne le connaissons que partiellement ([138]). Si la première partie de ce manuscrit ressemblait au texte acéphale que nous avons pu utiliser, il serait hors de doute que ce manuscrit n'avait pas la valeur qu'on lui a souvent reconnue. D'une part, il est fort probable que le copiste avait sous les yeux le manuscrit P, et il est tout aussi vraisemblable qu'il connaissait B. Souvent en effet, le copiste ne s'est pas borné à copier avec plus ou moins de bonheur le texte qu'il avait sous les yeux, fréquemment, il a opéré une véritable refonte de la *Summa Cantoris*. C'est ainsi que, parfois, pour composer un chapitre, il emprunte quelques alinéas à B, quelques autres à P, et ajoute enfin des éléments de son cru. Parfois encore, il se contente de résumer l'un et l'autre d'une façon assez personnelle. Il est donc indubitable que la Somme que nous transmet le manuscrit Z, porte la trace de retouches faites délibérément et dans un dessein déterminé. Sans doute pourrait-on supposer que le rédacteur, ancien disciple du Chantre, a préféré la rédaction de ses notes de cours à celles que lui fournissaient les manuscrits. Mais il a pris tant de liberté avec les textes originaux et opéré des remaniements si importants que nous sommes amenés à supposer que ce disciple, devenu maître à son tour, a utilisé la Somme de son ancien professeur, Pierre le Chantre, au début de son enseignement, tout en lui faisant subir quelques retouches pour qu'elle répondît à ses tendances et à ses goûts ([139]).

Z possède en propre un certain nombre de *questiones* qui seront éditées et pourront donner lieu à quelques observations complémentaires ([140]).

7°) Les manuscrits O (début du XIII[em] siècle) et R (fin du XIIIme siècle) ne nous transmettent que de bien modestes fragments de la Somme de Pierre le Chantre. Si l'on veut bien se référer à notre édition, l'on dira que O contient les §§ 4-110, l. 69 ([141]), tandis que R nous livre les §§ 1-110, l. 49 ([142]).

([137]) Voir *infra*, chapitre V, p. 392.
([138]) Cf. Tome I, p. LXVIII ss.
([139]) Cf. Tome I, p. LXIX ss.
([140]) Un certain nombre sont éditées au Tome III, Appendice V, cap. 7 ss. Les autres au Tome IV. Voir *infra*, chapitre V, p. 391.
([141]) C'est à dire, Tome I, p. 23-182, Tome II, p. 3-193.
([142]) C'est à dire, Tome I, p. 13-182; Tome II, p. 3-192.

Nous avons déjà donné une description du manuscrit O ([143]). Le manuscrit R a fait l'objet d'une étude similaire ([144]).

Ces deux manuscrits semblent assez proches parents, sans que l'on puisse établir entre eux un rapport de dépendance. O, plus ancien, ne peut dépendre de R et R, plus complet, car il possède les §§ 1-3 du début de la *Summa Cantoris,* ne pourrait dépendre de O.

Quoiqu'il en soit, si O et R sont proches parents — encore que chacun présente un nombre de variantes propres nullement négligeable —, O et R ne sont pas les témoins d'une tradition isolée, mais font partie d'une grande famille W L A O R, pour autant qu'il soit possible d'en juger, car O et R sont trop courts pour nous renseigner sûrement.

Mais si ces deux petits manuscrits rentrent dans la famille W L A O R, ils peuvent être opposés à W et A, puis à L, pour d'autres raisons, par suite de leurs caractères propres. Comme L, ils nous donnent les §§ 86-110, l. 69, de la rédaction commune, omis totalement par W, partiellement par A. Mais là où, dans L, commence la rédaction de l'Appendice I, O et R s'achèvent définitivement. La raison de cet arrêt brusque demeure bien mystérieuse. Le modèle de O et R, était-il lui-même tronqué à la ligne 69 du § 110 (R, il est vrai s'achève à la ligne 49) ? Ou bien, pris de doute sur l'origine de cette rédaction W L A sur la pénitence extérieure (Appendice I), les copistes ont-ils interrompu leur travail, provisoirement, jusqu'à plus ample informé, et le provisoire a, en général, la vie dure...

Il y a ici une énigme dans cette tradition W L A O R, et il est très difficile de l'élucider, faute de documents extérieurs.

Le manuscrit O, rappelons-le, nous transmet aussi le chapitre *De homine assumpto* ([145]). Dans ce manuscrit O, ce petit traité christologique se trouve nettement séparé de la *Summa Cantoris,* et revêt l'apparence d'un ouvrage distinct et anonyme ([146]). La présence du *De homine assumpto* dans le manuscrit O, ne nous autorise pas pour autant à envisager une dépendance directe du manuscrit O à l'égard de l'original S. Le *De homine assumpto* du manuscrit O peut directement dépendre du *De*

([143]) Voir *supra,* chapitre II, p. 33.
([144]) Cf. Tome I, p. LXII ss.
([145]) Édition, Tome III, § 353.
([146]) Voir *supra,* chapitre II, p. 45.

homine assumpto, par hypothèse distinct à l'origine. Mais il est bien probable que le *De homine assumpto* du manuscrit *Lambeth Palace Library 80* dépende de celui de O ([147]).

8°) Il semble que des rédactions P et Z — rédactions parentes encore que partiellement divergentes — des chapitres sur la simonie ([148]), dépende une *Questio Cantoris,* ou une *Questio de symonia,* contenue dans un manuscrit de Munich, datant du XVme siècle, que nous désignerons désormais par le sigle M, et dont nous donnerons une description détaillée ([149]).

9°) Le manuscrit LONDRES, *Lambeth Palace Library 80,* que pour faire court nous appellerons H ([150]), contient lui aussi le *De homine assumpto,* dont le texte (fin du XIIIme siècle) semble dépendre de celui du cod. O.

A priori, il semblerait que toutes ces observations puissent être schématisées de la façon suivante:

Appelons S: la rédaction originale ou première édition de la *Summa Cantoris,* que nous supposons perdue ou non retrouvée ([151]).
    X: l'ensemble des *Questiones de exteriori penitentia,* communes à W A L et qui ne constituent pas un remaniement ([152]).
    Dha: le *De homine assumpto* de la *Summa Cantoris* ([153]).

Nous obtenons le schéma ci-après (p. 208).

Cependant, ce schéma ne nous satisfait point. Il a certes l'avantage de faire ressortir la dépendance au moins probable de B à l'égard de S d'une part, celle de Z à l'égard de P et de B d'autre part. Nous croyons utile de préciser qu'un tel schéma exclut, en dehors des points précisés, toute interprétation stric-

---

([147]) Voir *supra,* chapitre, II, p. 60.
([148]) Voir Tome III, chapitre I, § 156 ss.
([149]) Voir *infra,* chapitre IV, p. 239.
([150]) Voir supra, chapitre II, p. 60.
([151]) Nous entendons par S l'original non pas exclusivement rédigé par Pierre le Chantre, mais le texte qui résulte de la collaboration de son disciple, disciple sur lequel nous ne possédons aucun renseignement.
([152]) Cf. Édition, Tome II, Appendice I, p. 391 ss.
([153]) Édition, Tome III, § 353.

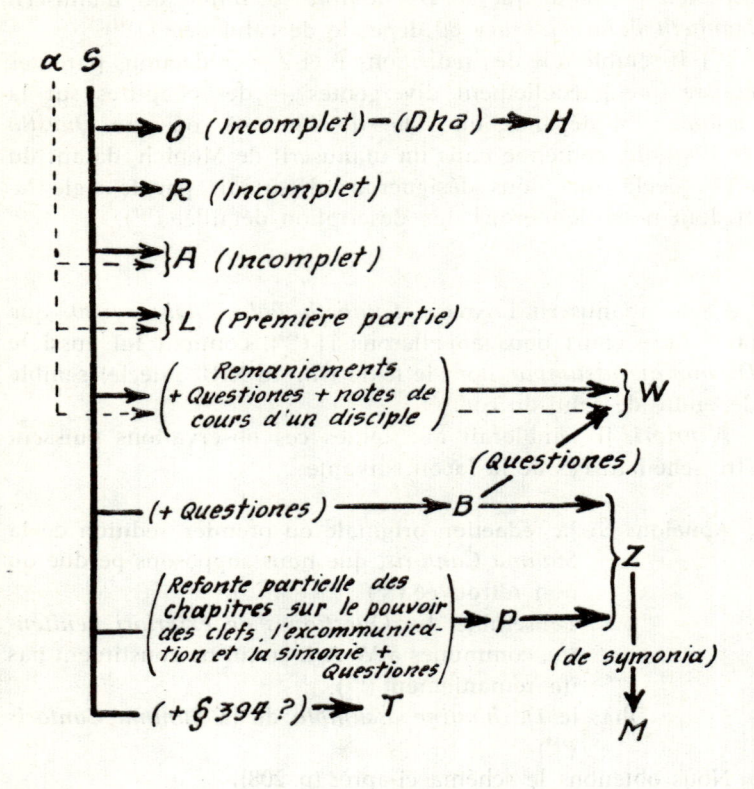

```
α  S
│
├──────► O (Incomplet) — (Dha) ──► H
│
├──────► R (Incomplet)
│
├┄┄┄──►} A (Incomplet)
│
├┄┄┄──►} L (Première partie)
│         ⎛ Remaniements              ⎞
├──────► ⎜ + Questiones + notes de  ⎟ ──────────►} W
│         ⎝ cours d'un disciple       ⎠ ┄┄┄┄┄┄┄►
│                                    (Questiones)
├─── (+ Questiones) ─────► B ────┐
│                                 ├──►} Z
│        ⎛ Refonte partielle des ⎞   │
├──────► ⎜ chapitres sur le pouvoir⎟──► P ──┘
│        ⎜ des clefs, l'excommunica-⎟
│        ⎝ tion et la simonie +    ⎠    (de symonia)
│                    Questiones              │
│                                             ▼
└─── (+ §394 ?) ──► T                        M
```

tement chronologique. S'il en ressort que P et B sont antérieurs à Z, que Z est antérieur à M, on ne peut rien en conclure quant aux autres manuscrits.

Mais nous croyons qu'un tel schéma ne peut rendre compte de la parenté qui existe entre W, A, L, auxquels on peut ajouter O et R; parenté qui ressort d'une lecture un tant soit peu attentive de l'apparat critique de la présente édition. Il ne justifie pas davantage la transmission de l'Appendice α dans les trois manuscrits W, L, et A. D'autre part, il est certain que les manuscrits T, B, P, W, L, A, O et R ne dépendent pas tous directement de l'original. C'est donc en faisant abstraction de ce schéma que nous devrons expliquer le cheminement du texte de l'original S dans les manuscrits qui nous sont parvenus.

B. *Premiers éléments de solution*

Le but de cette partie de notre étude est, rappelons-le, de rechercher les rapports qui existent entre tous les manuscrits qui nous livrent la Summa, pour retracer en quelque sorte l'histoire de sa tradition manuscrite.

Problème difficile en raison du nombre des manuscrits (T, B, P, Z, W, L, A, O, R) et plus encore de leurs divergences. Problème aussi dont la solution paraîtra à certains assez risquée, du fait que nous avons admis d'emblée l'existence d'un original S aujourd'hui perdu, aucun des grands manuscrits qui nous sont parvenus ne pouvant prétendre jouer le rôle de source à l'égard des autres.

Un grand pas néammoins serait fait vers la solution du problème si, d'une part l'on veut prendre en considération le fait que tous nos manuscrits se répartissent en deux groupes, et si d'autre part, l'on parvient à éclairer la genèse de l'un de ces groupes: la famille WLAOR.

1° *Répartition des manuscrits en deux groupes: la famille TBPZ et la famille WLAOR.*

En dépit de toutes les différences de contenu, d'étendue, de qualités, qui séparent les Sommes de Pierre le Chantre transmises par les manuscrits T, B, P, Z, W, L, A, O et R, l'on peut grouper ces manuscrits, ou si l'on préfère, les Sommes qu'ils contiennent, en deux familles: la famille T B P Z, et la famille W L A O R.

Ces groupements risquent de surprendre le lecteur, car nous avons signalé toutes les divergences qui opposent, au sein de la famille T B P Z, les cod. T et B aux cod. P et Z, les premiers étant sur certains points, et non des moindres, beaucoup plus proches de W L, et notamment au sujet du pouvoir des clefs, de l'excommunication, et de la simonie, dont P, suivi par Z, nous offre une longue rédaction profondément différente ([154]).

([154]) Pour le manuscrit P, cette rédaction différente est donnée dans les Appendices II (Tome I) et IV (Tome III); pour Z, dans les Appendices III (Tome II) et V (Tome III). On se souviendra, que dans ces manuscrits, le texte de l'Appendice IV suit immédiatement celui de l'Appendice II, de même celui de l'Appendice V suit celui de l'Appendice III.

Il n'en reste pas moins que T, B, P et Z ont un air de famille, présentent de nombreux points de contacts, de sérieuses similitudes. Les divergences constatées chez P et Z s'expliquent par des remaniements, profonds certes, mais qui, si graves soient-ils, n'ont pu altérer la physionomie primitive, au point que nous ne puissions plus la reconnaître.

Quant à la famille W L A O R, elle semble faite de la réunion de Sommes très dissemblables. Elle se compose d'un géant, le cod. W, et de plusieurs nains de différentes tailles: L A O R; le cod. O nous présentant le plus petit texte de la famille, celui de R étant un peu plus long, A l'étant davantage. Quant à L, le benjamin par la date de son élaboration, bien que le contenu de sa *Summa Cantoris* dépasse sérieusement celui des Sommes A, O, R, il ne nous offre quand même que la première partie de la Somme de Pierre le Chantre, soit les §§ 1-204 de notre édition. En ce qui concerne le géant W, sommes-nous bien sûrs qu'il nous soit parvenu intégralement, et non pas mutilé ?... Il est donc bien difficile et apparemment assez ridicule de faire de ces manuscrits W L A O R de très proches parents. En réalité, s'ils diffèrent par la taille, le contenu, l'âge, la beauté, ils ont des caractères communs. W, L et A contiennent un curieux texte sur la pénitence extérieure (Appendice I de notre édition, désigné par le sigle α). On ne peut affirmer que les deux autres O et R, trop courts, l'auraient aussi possédé si leur croissance s'était prolongée, mais c'est vraisemblable. Une lecture attentive de leurs variantes permet d'apprécier que tous ces manuscrits se ressemblent par leur petits détails.

D'autre part, entre les deux familles, il y eut des échanges. Le manuscrit W a manifestement subi l'influence de B en ce qui concerne les *questiones* qui y sont ajoutées à la *Summa*.

Il serait donc extrêmement intéressant de pouvoir préciser l'origine de cette famille W L A O R.

2° *Genèse de la famille W L A O R*

Si l'on admet que tous ces manuscrits nous sont parvenus dans leur intégrité et si l'on se réfère aux divisions introduites dans notre édition, l'on peut dresser le bilan de leur contenu respectif, et de leurs principales divergences.

Ce bilan se présente de la façon suivante (fig. 2):

ms.	Contenu	Observations
W	1°) § 1 - § 87, l. 8 2°) α 3°) § 110, l. 70 - § 204	Le § 2 est écrit dans la marge inférieure. Manquent le § 87, à partir de la ligne 9, et les §§ 88 - 110, l 69.
L	1°) § 1 - § 110, l. 69 2°) α 3°) § 110, l. 70 - § 204	Le § 2 est écrit dans la marge inférieure.
A	1°) §§ 1 - 86 2°) §§ 99 - 106 3°) α 4°) § 110, l. 70 - § 136	Les §§ 86 et 99 ne sont donnés que partiellement. Le § 2, les §§ 87 - 98, 106 - 110 (jusqu'à la ligne 69) manquent totalement.
R	§ 1 - § 110, l. 49	Le § 2 est écrit dans la marge.
O	§ 4 - § 110, l. 70	Manquent les §§ 1 - 3.

(fig. 2)

A ce bilan, il faut ajouter une observation complémentaire: la tradition manuscrite W L A O R ne semble pas avoir tenu compte des gloses qui ont été retenues et souvent insérées dans le texte même de la *Summa* dans la tradition T B P (Ne parlons pas de Z, détruit et dont nous n'avons pu connaître qu'une faible partie).

Les manuscrits W L A O R représentent en quelque sorte une tradition puriste, hostile aux gloses marginales (ou insérées) de l'original S (bien que dans le manuscrit L on retrouve dans la marge quelques-unes de ces gloses). Au contraire, les manuscrits T B P Z représentent la tradition exhaustive, désireuse de ne rien perdre de ces gloses dont l'origine était peut-être connue et qui reflétaient en tout cas un enseignement. Les copistes les ont donc tantôt insérées plus ou moins adroitement (T, B. P), tantôt rejetées en fin de volume. *A priori,* il semblerait que l'esprit des copistes des manuscrits W, L, A, O, n'ait pas été effleuré par cette préoccupation.

Il y a ici plusieurs raisons de s'étonner.

Tout d'abord, cette constance dans le mépris des notes et gloses marginales, semble bien remarquable et pour le moins surprenante chez des copistes appartenant à des époques et des milieux totalement différents. Certes le fait serait plausible s'il existait des rapports de dépendance entre ces cinq manuscrits, mais nous savons que c'est impossible, du moins si ces manuscrits nous sont parvenus dans leur intégrité (Le cod. L, possède dans la marge un certain nombre de ces gloses, mais elles ont pu être ajoutées après coup en recourant à un manuscrit de l'autre famille, soit le manuscrit B, soit le manuscrit S).

Plus curieux encore le fait que ces copistes, travaillant parfois à plus d'un siècle de distance, aient eu la même idée d'insérer ce texte α (Appendice I), véritable doublet qui ne se trouvait pas dans l'original, à la même place, juste avant la ligne 70 du § 110 de notre édition, place bien mal choisie, puisque l'Appendice I tronçonne le § 110, que l'on peut considérer comme un tout, en deux fragments. Ici encore le fait s'expliquerait s'il existait une source commune aux manuscrits W L A O R, et contenant ce texte α à la même place, ou encore s'il existait un rapport de dépendance entre les manuscrits que nous possédons. Ces rapports sont impossibles à imaginer dans l'état actuel de nos manuscrits.

Le problème qui se pose est donc le suivant: Les manuscrits W L A O R, ou plus précisément les Sommes de Pierre le Chantre qu'ils nous livrent, dépendent-ils d'une source commune aujourd'hui perdue, et qui s'interposerait entre l'original S et cette étrange famille W L A O R ?

Ou bien cette Somme dont sont censés dépendre W L A O R, ne s'identifierait-elle pas à l'une de celles qui sont contenues dans ces cinq manuscrits qui nous sont parvenus, mais en supposant qu'à l'origine elle n'était pas telle que nous la connaissons aujourd'hui, mais plus complète, ce qui revient à supposer une mutilation de l'un de ces textes.

Examinons tout d'abord cette seconde hypothèse. Quel manuscrit pourrait prétendre avoir joué le rôle de source à l'égard des autres ?

Nous pouvons tout d'abord écarter le manuscrit L, trop tardif. On voit mal en effet comment L — manuscrit du XIVe

siècle — pourrait avoir servi de modèle à W, qui fut vraisemblablement écrit pendant la première moitié du XIII⁰ siècle. Ces dates ont été retenues par d'éminents spécialistes. Néanmoins, si quelque esprit subtil s'efforçait de rapprocher ces dates pourtant éloignées, en insinuant que W pourrait avoir été écrit à la fin du XIII⁰ siècle et L à la même époque, de telle sorte que L pourrait être antérieur à W de quelques années, son subterfuge serait gratuit, car il ne pourrait affirmer que le cod. W dépende de la Somme du manuscrit L. En effet, si le copiste à qui nous devons W, ou du moins une partie de ce manuscrit, avait eu pour modèle le manuscrit L, il aurait fait preuve d'une intuition remarquable si, de sa propre autorité, il avait corrigé toutes les fautes, comblé toutes les lacunes du manuscrit L. Mais peut-être dira-t-on encore que pour ce faire, il a pu recourir à un meilleur manuscrit, T ou P par exemple. En réalité, W ne reproduit guère les leçons de T ou de P; fait plus remarquable encore, il possède des variantes qui lui sont propres, et que son scribe n'a pu trouver dans le manuscrit L.

Nous pouvons aussi écarter les manuscrits A, O, R, qui ne livrent à notre curiosité que des Sommes manifestement écourtées.

Reste donc le manuscrit W.

Nous croyons que le manuscrit W nous est parvenu mutilé mais qu'avant sa mutilation il a pu être la source commune dont dépendraient les manuscrits L A O R [155].

Affirmation gratuite ? Nous ne le pensons pas.

En effet, au f° 20vb, le texte du manuscrit W s'achève brusquement sur ces mots: « *...non est uere penitentialis*». (§ 87 de notre édition, ligne 8).

Au f° 21ra, on trouve, dû à un autre scribe, le texte de α (Appendice I).

Il est évidemment surprenant que le texte du § 87 s'achève aussi brusquement au f° 20vb. Aussi croyons-nous qu'entre les folios 20 et 21, manque un cahier contenant le reste du § 87 et les §§ 88-110 (jusqu'à la ligne 69 de ce dernier).

Nous croyons donc que le texte du manuscrit W était semblable à celui de L, que ce cahier manquant était de la plume du copiste qui écrivit l'actuel f° 20, que c'est le copiste de l'actuel

---

[155] Nous aurons l'occasion de voir que les deux choses ne sont pas nécessairement liées.

f° 21 qui est responsable de l'insertion aberrante de l'Appendice I (α), qui de là passa à cette même place dans les autres manuscrits de la famille.

Sur quoi prétendons-nous fonder cette assertion ? Sur les deux seuls indices que nous avons signalés: le fait que le texte du § 87 tourne court, — le fait qu'au folio suivant, nous découvrons et une autre écriture, et un texte étranger à la tradition T B P, et commençant par une lettre ornée (ce qui est exceptionnel dans le manuscrit W).

Y a-t-il d'autres indices ? La foliotation du XXme siècle ne peut nous être d'aucune utilité. Quant aux signatures, elles devaient se trouver dans le coin inférieur des folios, mais elles ont disparu avec le rognage. Le manuscrit se présente actuellement sous une reliure Charles X, restaurée récemment. Est-ce lorsque la reliure fut refaite sous le court règne de ce prince malheureux qu'un cahier fut égaré par le relieur ? Nous ne savons.

D'aucuns estimeront que nous nous appuyons sur des indices nettements insuffisants. Nous avons personnellement la conviction que cette hypothèse peut expliquer et justifier l'origine et la cohésion de la famille W L A O R. Certes, l'on peut aussi y parvenir en recourant à d'autres explications, mais celles-ci ne reposent que sur des éléments bien plus fragiles encore.

Les défaillances du manuscrit A s'expliquent probablement par la paresse d'un copiste qui semble avoir été désireux d'en finir au plus vite avec une besogne fastidieuse.

L'on comprendrait aussi que les copistes des manuscrits O et R, ayant W pour modèle, aient été décontenancés par ce changement d'écriture de l'actuel folio 21, ou par son contenu. Pris de doute, ils n'auraient osé poursuivre, et leur copie en resta là, tout simplement.

3° *Conséquences*

La mutilation du manuscrit W étant admise, la genèse de la famille W L A O R paraît dès lors élucidée, et l'on peut songer à retracer avec plus de certitude l'histoire de la transmission de la *Summa Cantoris*. Pour ce faire, nous retenons deux éléments de solution:

— répartition des manuscrits en deux familles
— le manuscrit W, aujourd'hui incomplet, est la source dont dépendent L, A, O et R.

Mais notre façon de voir ne sera sans doute pas partagée par tous nos lecteurs, et c'est pourquoi nous jugeons utile et prudent de ne pas limiter nos investigations en ne retenant comme point de départ que ces deux seuls éléments.

Il ne semble pas que l'on puisse sérieusement contester la répartition des manuscrits en deux familles (T, B, P, Z et W, L, A, O, R). Par contre, l'on pourrait plus facilement nous objecter que nous nous sommes fondés sur des données trop fragiles pour admettre que W ne nous soit pas parvenu dans son intégrité. Par ailleurs, il est possible que d'aucuns admettent la mutilation de W, tout en refusant de faire de ce manuscrit W la source dont dépendent L, A, O et R.

Selon que l'on adopte l'un ou l'autre de ces points de vue, l'on aboutit à deux groupes d'hypothèses de transmission de la Summa Cantoris.

a) *Hypothèses fondées sur le refus d'admettre que W ait été mutilé, ou tout au moins qu'il ait été la source du groupe L, A, O, R.*

Ces hypothèses ne se heurtent pas à de sérieuses difficultés aussi longtemps qu'il s'agit d'expliquer les rapports entre T, B, P et Z, mais il n'en est plus de même quand il faut éclairer l'origine du groupe W, L, A, O R.

Il est possible tout d'abord de songer à une élaboration progressive par tranches, de la *Summa Cantoris,* nos manuscrits reflétant en quelque manière les différentes étapes de cette élaboration. Cette hypothèse (hypohèse n° 1), nous le verrons, peut-être écartée.

On peut choisir une orientation bien différente (deuxième hypothèse) et tenter d'expliquer la formation de la famille W, L, A, O, R, par la dépendance de ces cinq manuscrits à l'égard d'une autre source. C'est évidemment partir à l'aventure dans l'imaginaire et le fictif. Est-il sage de vouloir tenter un tel plongeon ? Nous jugeons néanmoins honnête de devoir envisager réellement le cas où le manuscrit W n'aurait jamais été plus complet qu'il ne l'est aujourd'hui d'autant plus que, même si le manuscrit W fut autrefois plus complet il serait possible de contester qu'il ait joué le rôle de modèle à l'égard des autres manuscrits de sa famille, auquel cas, il y aurait lieu de supposer que W, L, A, O, R, dépendent d'un autre manuscrit aujourd'hui perdu.

Dans cette perspective, l'on sera facilement amené à admettre que W L A O R dépendent pour les §§ 4-110,1.69, d'une source commune, d'un archétype, qui aurait reproduit S assez exactement, mais sans tenir compte des notes et gloses marginales.

Cet archétype ne peut être identifié au manuscrit O, bien que celui-ci soit le meilleur du groupe, car la Somme du manuscrit O est privée de ses premiers chapitres. On pourrait certes supposer que cette Somme ait été «accidentellement» dépouillée de son début, par suite de la mutilation d'un cahier. Mais l'examen du manuscrit est nettement défavorable à cette hypothèse.

Il resterait donc que W L A O R dépendraient d'un manuscrit que nous appellerons X et qui aurait contenu, au minimum, les §§ 1-110 (jusqu'à la ligne 69), sans les gloses marginales. Cet archétype X n'aurait pas été retrouvé.

D'aucuns estimeront que ce manuscrit X, disparu, apparaît comme le *deus ex machina* d'une explication très complexe. Évidemment, il a pu exister, mais on objectera qu'il est tout aussi vraisemblable qu'il n'eut jamais d'autre existence que dans l'imagination trop fertile de quelque critique désireux de tout expliquer. Pour tout dire, cet hypothétique manuscrit apparaît quelque peu encombrant.

b. *Hypothèses fondées sur la dépendance des manuscrits L, A, O et R à l'égard de W*

La première de ces hypothèses (hypothèse n° 3) se heurte à quelques objections, mais nous aurons l'occasion de voir qu'elle est la plus sage et de beaucoup la plus simple.

La seconde (hypothèse n° 4) ne retiendra guère notre attention. *A priori,* elle semble plus justifiée, car elle postule que tous les manuscrits de la *Summa Cantoris,* nous sont parvenus. En un mot, elle revient à identifier l'original S à l'un de nos manuscrits. Nous avons maintes fois souligné que c'était impossible.

C'est à l'examen détaillé de ces quatre hypothèses que nous allons maintenant procéder.

C. *Examen des hypothèses relatives à la tradition manuscrite de la Somme de Pierre le Chantre*

a) *Hypothèses fondées sur le refus d'admettre que W ait été mutilé, ou tout au moins qu'il ait été la source du groupe L, A, O, R.*

1° *Première hypothèse: L'élaboration progressive de la* Summa Cantoris

C'est une hypothèse bien compliquée, mais il semble que ce soit la seule que puissent présenter ceux qui, tout en admettant l'indépendance réciproque des manuscrits W L A O R, refuseraient de reconnaître, ou que le manuscrit W est aujourd'hui mutilé et fut autrefois le modèle de L A O R, ou tout au moins qu'il existait autrefois un manuscrit X, archétype de la tradition représentée par W L A O R.

Cette hypothèse, que nous appellerons *hypothèse chronologique*, bien que le terme soit inadéquat, se fonde sur une supposition en soi fort valable. L'original S a pu être élaboré par fractions successives ([156]). Il est fort possible qu'entre la mise en page de la première fraction s'étendant du § 1 au § 110, l. 69, et celle de la deuxième, dont on peut placer le début à la ligne 70 du § 110, entre la mise en page par le copiste, disions-nous, un laps de temps non négligeable a pu s'écouler. La première fraction de l'original S aurait alors joui d'une diffusion assez large, dont les manuscrits W L A O R, seraient les témoins (pour ces §§ 1-110, l. 69, bien entendu). Que W, A et O ne reproduisent pas la totalité de cette première fraction ne devrait pas nous surprendre exagérément quand on sait toutes les libertés prises à cette époque par les copistes. Bien plus tard, quand une seconde fraction fut ajoutée à la suite de celle qui se trouvait déjà dans l'original S, Pierre le Chantre aurait voulu retoucher la première partie au moyen de gloses marginales, qui de ce fait seraient restées étrangères aux manuscrits W L A O R.

L'insertion des *questiones* sur la pénitence extérieure propres à W L A (Appendice I de notre édition), ne fait pas difficulté. Il est possible que, pendant ce laps de temps qui s'écoula entre la copie des deux premières fractions de l'original S, les scribes des manuscrits W L A introduisirent ce texte sur la pénitence.

Évidemment, les textes des manuscrits O et R, qui ne possèdent pas le moindre fragment des gloses conservées dans la tradition T B P, devaient être achevés avant que les retouches

---

([156]) Ce que nous avons nous-même admis. Cf. *supra*, p. 187 ss.

de la première fraction eussent été apportées, ce qui revient à dire qu'ils étaient achevés au plus tard en 1196-1197.

Pour tout ce qui suit la ligne 70 du § 110, les manuscrits W et L seraient tributaires des fractions suivantes ajoutées aux précédentes dans l'original, très certainement avant la fin du XIIe siècle, car le manuscrit de Troyes, qui date de cette époque, les reproduit.

Cette hypothèse de l'élaboration progressive a certes le mérite d'expliquer logiquement l'origine de la tradition W L A O R sans invoquer d'autres sources que l'original lui-même. Mais elle recèle une très grave contradiction: elle oblige à admettre que les premiers chapitres (§§ 1-110, l. 69) aient été copiés au XIIme siècle finissant, même dans les manuscrits R et L, qui en réalité, datent, le premier de la fin du XIIIme siècle, le second du XIVme siècle.

Certes, au XIIIme siècle, l'original S existait peut-être encore, mais depuis longtemps déjà, il était complètement achevé, enrichi de notes dont l'antiquité ne peut être mise en doute. Pourrait-on penser que les copistes des manuscrits A R L aient en quelque manière expurgé l'original S, c'est à dire, qu'ils n'aient tenu aucun compte des additions marginales ? Cette supposition, si légitime soit-elle, n'éclaire rien, car si L dépend de S, une question surgit: où le copiste a-t-il été chercher les *questiones* sur la pénitence extérieure ? Si l'on admet qu'il eut la possibilité de recourir à W, pourquoi n'a t-il pas adopté le texte de W purement et simplement ? Le scribe du manuscrit W se serait-il, de son côté, livré au même travail ? Et le plus curieux, c'est que ces copistes aient procédé de la même manière.

A cette hypothèse qui s'enferme dans les limites étroites des manuscrits qui nous sont parvenus, T, B, P, Z, W, L, A, O, R et l'original supposé S, on pourrait adresser d'autres objections. Il est assez surprenant, en effet que les manuscrits W, L, A, d'époques si différentes, reproduisent tous l'Appendice I, et à la même place, avant la ligne 70 du § 110. De plus, si tous les manuscrits W, L, A, O, R, dépendent de S, l'air de famille que l'on constate chez ces manuscrits, n'est pas expliqué, et la similitude de variantes apparaît comme le simple fruit du hasard. Si le hasard fait parfois bien les choses, il est rare qu'il aboutisse à une telle convergence.

Cette hypothèse, qui n'éclaire rien et aboutit à une solution absurde doit évidemment être rejetée.

2° Deuxième hypothèse: Existence d'un archétype X

Si l'on tient à expliquer l'existence et la formation de cette tradition W L A O R tout en refusant de considérer W comme le modèle dont dépendent les quatre autres manuscrits, il faut essayer de reconstituer le chaînon qui doit nécessairement relier la tradition W L A O R, au manuscrit original de la *Summa*. Ce chaînon ne peut être qu'un manuscrit que nous désignerons par le sigle X, archétype du groupe W L A O R, mais aujourd'hui ou détruit ou non retrouvé.

Cette hypothèse paraît osée, mais l'on y est acculé si l'on considère que le manuscrit W nous est parvenu dans son intégrité, et que de ce fait, il n'a pu être le chef de file de O A R L.

Peut-on tenter de préciser le contenu et la physionomie de ce manuscrit X ? La tâche, quoique très délicate, n'est pas impossible, car il suffit de se référer aux cinq manuscrits qui dépendent de cet archétype X.

Il est très probable que ce manuscrit X contenait la première partie de la Somme de Pierre le Chantre (§§ 1-204 de notre édition).

En ce qui concerne les §§ 1-110, l. 69, le copiste aurait suivi assez fidèlement son modèle. Peut-être oublia-t-il le § 2, et le recopia-t-il ensuite dans la marge, ce qui justifierait les errements constatés au sujet de ce § 2 dans la tradition manuscrite. Par ailleurs, il aurait délibérément négligé toutes les gloses marginales de son modèle, ce qui justifierait leur absence dans les manuscrits W L A O R.

Puis le copiste du manuscrit X aurait ajouté les *questiones* sur la pénitence extérieure (Appendice I de notre édition) — première liberté prise avec son modèle — et serait ensuite revenu à ce dernier à partir de la ligne 70 du § 110.

Pourquoi a-t-il voulu insérer ce texte à cet endroit ? Peut-être a-t-il vu dans la similitude des sujets traités un motif d'opportunité. Peut-être une lettrine un peu plus grande au début de la ligne 70 lui a-t-elle fait croire qu'avec cette ligne 70 commençait un nouveau chapitre ? L'insertion de ces *questiones* à cet endroit était pour le moins aberrante, car le § 110 semble former un tout, bien cohérent.

Quoi qu'il en soit, cette hypothèse, fondée sur l'existence d'un manuscrit X, explique de façon satisfaisante les anomalies qui caractérisent la famille W L A O R: suppression des notes insérées dans la tradition T B P, insertion de l'Appendice I entre les lignes 69 et 70 du § 110, déchéance du § 2 au rang de note marginale, etc. La même hypothèse justifierait aussi les graves errements que l'on peut relever dans les manuscrits L et B au sujet des §§ 170-178, errements qui laissent supposer que ces manuscrits dépendraient d'une même source, encore que leurs copistes se soient comportés à son égard de façon bien différente.

Seul de la famille W L A O R, le manuscrit W nous transmet la seconde partie (§§ 205 et suivants) de la *Summa Cantoris*. De quelle source ou de quel modèle dépend cette deuxième partie du cod. W ? L'on peut supposer que pour cette seconde partie, le manuscrit W dépende encore de l'archétype X; lequel aurait par conséquent contenu la seconde partie de l'original S. On pourrait également supposer que, pour cette seconde partie, W dépende directement de S. Quelle que puisse être la solution, il est certain que le copiste a pris avec son modèle les plus grandes libertés, introduisant de-ci de-là de très nombreuses *questiones* qui méritent une étude très détaillée ([157]), et dont certaines semblent provenir du manuscrit B.

L'existence de cet hypothétique manuscrit X justifie l'air de famille des manuscrits W L A O R qui en dépendent. Mais il reste à résoudre quelques difficultés:

1°) Pour quelle raison les copistes des manuscrits O et R ont-ils brusquement arrêté leur travail à la ligne 69 du § 110 ? (plus exactement à la ligne 49 en ce qui concerne R.) Ce n'est pas là une objection bien sérieuse. On serait en effet en droit de riposter: Pourquoi le copiste du manuscrit O a-t-il omis les §§ 1-3 de la *Summa Cantoris*, alors que les autres manuscrits les reproduisent ? En ce qui concerne l'arrêt brutal de ces manuscrits sur la ligne 69 du § 110, on pourrait supposer qu'au moment où ils se trouvèrent en présence du texte α (Appendice I), les copistes, ou ceux qui leur confiaient cette tâche, ayant éprouvé des doutes, les copistes déposèrent la plume, provisoirement, jusqu'à plus ample informé; ils ne la reprirent jamais. Ce n'est là évidemment qu'une simple supposition.

2°) Pour quelle raison les copistes des manuscrits W et A ont-ils pris tant de liberté avec les paragraphes de la tradition com-

---

([157]) Cf. *infra,* chapitre V, p. 280.

mune qui, dans le manuscrit L comme dans le modèle X précédaient le texte α (Appendice I) ? On sait que dans le manuscrit W sont omis les §§ 88 (à partir de la ligne 8) à 110 (jusqu'à la ligne 69), dans le manuscrit A, les §§ 86 (à partir de la ligne 103: *Preterea. Sicut dicit Apostolus...*) à 99 (jusqu'à ces mots de la ligne 292: *...nisi illud esset quod*), puis les §§ 107-110 (jusqu'à la ligne 69 de ce dernier). C'est là une attitude bien bizarre. Elle s'explique peut-être par la paresse, la négligence. Cette réponse nous paraît pleinement satisfaisante en ce qui concerne A. Nous doutons de sa valeur en ce qui concerne W.

Cette hypothèse étant admise, on pourrait la schématiser comme suit:
Appelons

S^1 la première partie de l'original (§§ 1-204)
S^2 la seconde partie du même original (§§ 205 ss.)
α les *Questiones de exteriori penitentia* propres à à W L A (Appendice I)
X l'archétype dont dépend la famille W L A O R.
W^1 la première partie de W (correspondant à la première de S ou S^1)
W^2 la seconde partie de W (correspondant à la seconde de S ou S^2)

Si l'on admet que $X = S^1 + α$, la tradition manuscrite se résume de la façon suivante (ci-après, p. 222, fig. 3):

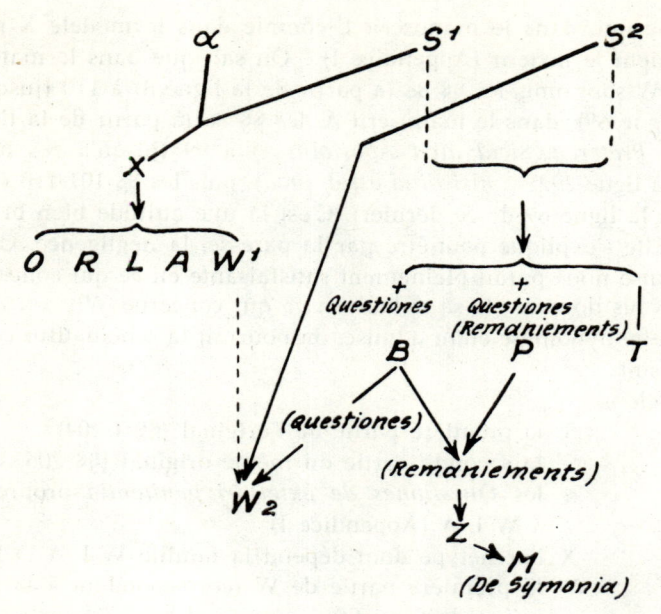

Fig. 3

Si l'on admet que X s'étendait au delà du § 205, le schéma se simplifie comme suit (fig. 4) :

X = S + α (c'est à dire X = S¹ + S² + α).

Fig. 4

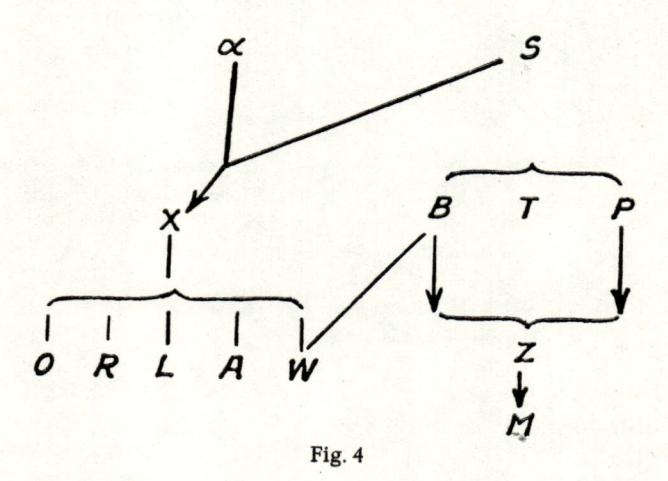

Sous ses deux formes, cette hypothèse apparaît donc extrêmement séduisante. Elle rend compte de toute la tradition manuscrite. Le seul reproche qu'on puisse lui faire est de multiplier les manuscrits non retrouvés. Elle repose non seulement sur l'existence d'un original S, dont l'élimination est d'ailleurs très difficile, mais en outre sur celle d'un manuscrit X, modèle dont dépendent W L A O R. (Le fait que L contienne dans la marge un certain nombre de gloses conservées dans la tradition T B P peut s'expliquer par une addition réalisée par un copiste ou un lecteur avisé qui en aurait pris connaissance vraisemblablement dans le manuscrit B).

Cette hypothèse appelle d'ailleurs des corollaires au sujet de la transmission du *De homine assumpto* dans les manuscrits T P W O et H *(Lambeth Palace Library 80)*

Si l'on admet que $X = S + \alpha$, la translation du *De homine assumpto* ne fait pas difficulté. Évidemment l'on comprend aisément que de X, le *De homine assumpto* soit passé dans le manuscrit W, mais la transmission de cet écrit du manuscrit X au manuscrit O semble plus surprenante du fait que le manuscrit O ne nous livre qu'un fragment de la première partie de la *Summa Cantoris*, et que le *De homine assumpto* s'y présente comme une œuvre anonyme et distincte de la *Summa* dont elle est séparée par d'autres écrits ([158]). Il faut alors supposer que cette *questio de homine assumpto* ait été en quelque sorte détachée de la seconde partie de X, pour des raisons que l'on ignore. Mais, détachée de la *Summa Cantoris,* en connaissance de cause, cette *questio de homine assumpto* ne portait plus le sceau de son origine, et il ne faut pas dès lors être trop surpris de ce que dans le manuscrit H qui, pour cette *questio* dépend de O, le copiste n'ait pas hésité à l'attribuer à un autre auteur ([159]).

Si l'on admet que $X = S^1 + \alpha$, le problème est autre. La *questio de homine assumpto* du manuscrit O ne peut plus dépendre de S^2, par le truchement de X. Le *De homine assumpto* était sans doute à l'origine un petit traité distinct de la *Summa Cantoris,* mais qui lui fut ajouté postérieurement, sans que ceci implique que cette insertion ait été réalisée après la mort du Chantre. Elle a pu être effectuée de son vivant ([160]). De l'original

---

([158]) Cf. *supra,* chapitre II, p. 35-45.
([159]) Cf. *supra,* chapitre II, p. 65, et *infra,* chapitre VI, p. 437.
([160]) Pour l'admettre, il faut se rallier à l'hypothèse que nous avons

S², le *De homine assumpto* est passé avec les autres chapitres de la *Summa,* dans les manuscrits T, B, W. Mais le *De homine assumpto* original a continué son existence à part et donné lieu à cette copie du manuscrit O reproduite ultérieurement dans le manuscrit H. Ce qui se schématise comme suit:

Appelons *Dha* le *De homine assumpto* original (fig. 5):

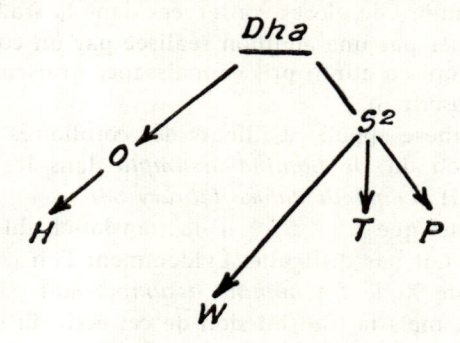

Fig. 5

De ce schéma, il ressort nettement que si X = S¹ + α (S² lui restant étranger), la translation du *De homine assumpto* dans le manuscrit O et de là dans le manuscrit H, s'est faite indépendamment de l'archétype X et de l'original S. Ce dernier manuscrit au contraire aurait servi de lien entre le *De homine assumpto* original et les manuscrits T P W.

b. *Hypothèses fondées sur la dépendance des manuscrits L, A, O et R à l'égard de W*

1° *Troisième hypothèse*

L'hypothèse précédente peut être retenue. Logique, cohérente, elle ne se heurte à aucune objection de principe. Elle risque cependant de rencontrer des réticences, car elle oblige à multiplier les manuscrits perdus: l'original S, l'archétype X dont dépendraient W L A O R, l'Appendice α dont l'origine est bien mystérieuse. N'est-il pas possible de la simplifier ?

---

proposée quant à l'élaboration de la *Summa,* problème qu'il ne faut pas confondre avec celui de la tradition manuscrite. Voir *supra,* p. 194.

A priori, il semble que cette possibilité nous soit offerte: il suffirait de substituer le manuscrit W à l'archétype X et de le considérer comme le modèle dont dépendent les manuscrits L A O R.

La tradition manuscrite se serait ordonnée selon le processus suivant, que nous schématisons (abstraction faite des remaniements opérés dans les manuscrits P, Z, etc.) (fig. 6).

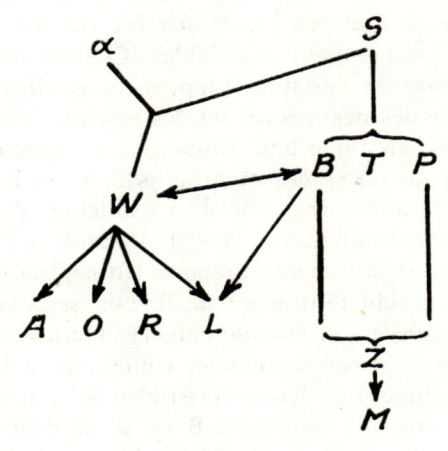

Fig. 6

Évidemment, ce rôle dévolu à W suppose admise la thèse d'une mutilation que nous avons proposée [161]. Il est en effet certain que pour jouer ce rôle d'archétype, W devait être plus complet qu'il ne l'est aujourd'hui. Effectivement, nous croyons qu'il est possible de déceler la perte d'un cahier entre les folios portant aujourd'hui les numéros 20 et 21 [162]. Cette thèse se fonde sur des indices modestes mais non négligeables (changement d'écriture, interruption brutale d'un chapitre à peine commencé), encore que l'on doive déplorer l'absence d'éléments confirmatifs (signatures, réclames, foliotation d'époque).

Il faut reconnaître que la substitution de W à l'archétype X paraît chose relativement aisée. Comme ce manuscrit hypothétique, W présente le § 2 dans la marge, et ses copistes ont négligé toutes les gloses et additions marginales de S passées dans

---

[161] voir *supra*, p. 211.
[162] Voir *supra*, p. 212.

la tradition T B P. L'Appendice α, dû à un second scribe, est immédiatement suivi de la seconde partie du § 110 commençant à la ligne 70. On comprend dès lors que L et A qui, par hypothèse, dépendent de W, ne possèdent pas davantage de transition.

Cette hypothèse paraît devoir recevoir confirmation de l'examen de nombreux détails. W, L, A, O, R, possèdent un très grand nombre de leçons identiques ou tout au moins très voisines, mais il ne faut pas croire que les variantes de L, A, O et R, soient constamment semblables. Chaque manuscrit possède un nombre de variantes propres, mais elles s'expliquent en général par des négligences ou des erreurs de copistes.

Comme le schéma que nous proposons le suggère clairement, il y eut entre les textes des manuscrits B, W et L des rapports ténus, et par là même très délicats à expliciter. Certaines notes marginales sont communes à W et L, d'autres à B et L, ce qui ressort également du schéma proposé. Un copiste du manuscrit W a nettement subi l'influence de B, non seulement pour les *Questiones* ajoutées à la *Summa* dans ces manuscrits, mais aussi pour quelques gloses marginales communes à B et W. L'on pourrait évidemment se demander si c'est le copiste du manuscrit W qui recourut au manuscrit B, ou si, au contraire, ce n'est pas un lecteur du cod. B qui eut connaissance du manuscrit W. Il est très difficile de le préciser en toute certitude, mais il semble que B soit non seulement antérieur à W, mais en outre plus complet, et plus exact pour les fragments qu'ils ont en commun. De ce fait il est préférable de songer à une dépendance de W à l'égard de B pour ces seules *questiones* et ces rares notes marginales, comme à un dépendance de L à l'égard de B pour les gloses et notes marginales ajoutées ultérieurement dans ce manuscrit L.

Cependant, à cette thèse, l'on peut adresser une objection qu'il est difficile de passer sous silence. Il arrive, exceptionnellement, que les copistes du manuscrit W aient, soit déformé un mot, soit sauté d'un mot au même mot, et que les manuscrits O, A, R qui sont censés en dépendre, ne reproduisent pas toujours la même erreur, ce qui paraît surprenant. On ne peut, pour tous les cas, songer à une correction effectuée par référence à d'autres manuscrits, bien que de telles corrections existent, non seulement dans le manuscrit L, mais aussi dans le manuscrit R. Dans d'autres cas si A O R L dépendent de W, ces corrections demeurent bien mystérieuses ([613]). Supposer que les copistes de ces derniers manuscrits aient rétabli d'eux mêmes le texte omis ou altéré de W reviendrait à leur attribuer du génie. Évidemment l'on pourrait croire que de telles défaillances du manuscrit W aient été palliées dans ce manuscrit au moyen de notes marginales qui disparurent avec le rognage ou les rognages successifs. Or, on trouve effectivement quelques exemples de mots tronqués qui apparaissent au bord des pages. Cette supposition est néanmoins assez gratuite.

Il y a donc là un écueil, de très petite taille, certes. Peut-on l'estimer suffisant pour que vienne s'y briser une hypothèse par ailleurs construite sur des bases apparemment solides ?

Tel n'est pas notre avis. A ceux toutefois qui, pour cette raison, se croiraient obligés d'écarter cette hypothèse, il ne reste qu'une seule ressource: se rallier à la précédente.

2° *Quatrième hypothèse*

Cette quatrième hypothèse paraît destinée à réunir les suffrages de tous ceux qui, soucieux de ne retenir que des données extrêmement solides, rejettent tout recours à des manuscrits aujourd'hui perdus.

Dans le cadre étroit de cette hypothèse, on ne tient compte que des seuls manuscrits W L A O R T B P Z. On rejette toute référence à un original S aujourd'hui perdu et a fortiori à un archétype X; on admet que W, mutilé, put servir de modèle à L A O et R. Le manuscrit T est considéré comme l'original dont dépendent tous les autres jusque et y compris le manuscrit W qui donne naissance à une tradition particulière. Néanmoins, on retient un certain nombre d'observations dégagées dans l'exposé des deux hypothèses précédentes, mais qui ne leur sont pas étroitement liées. Cette dernière hypothèse peut donner lieu à

([163]) Par exemple, citons: Tome I, p. 26. Le copiste du manuscrit W, saute d'un mot au même mot et de ce fait omet une ligne (§ 4,l. 60-61): «*caute istud dictum est, quia proprius finis et specialis remissionis originalis peccati*», erreur qui n'est pas reproduite par les autres manuscrits L A O R. Dans le cadre de l'hypothèse précédente, il n'y aurait pas là matière à difficulté, et l'on serait même tenté de dire que dans l'archétype X, les deux derniers mots étaient intervertis, comme ils le sont dans le manuscrit R, on comprendrait alors que W ait sauté d'un mot au même mot.

deux combinaisons représentées par les schémas suivants, assez explicites pour se passer de commentaires (fig. 7 et 8).

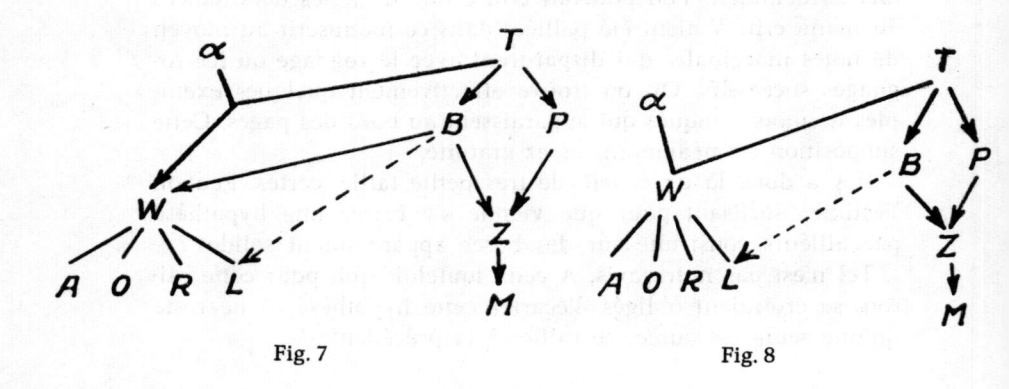

Fig. 7 Fig. 8

Cette hypothèse mériterait d'être appelée hypothèse des améliorations successives. En effet, dans ces grandes lignes, le manuscrit T est sans doute le plus fidèle non pas à un original inexistant, mais à ce que Pierre le Chantre lui-même voulait réaliser. D'autre part, étant le plus ancien manuscrit et le seul de la fin du XIIe siècle, il est clair que seul ce manuscrit pourrait avoir été connu de Pierre le Chantre.

Toutefois, dès que l'on passe à l'examen des détails, les difficultés surgissent, car c'est le manuscrit B qui, en général, nous offre les meilleures variantes. Il faudrait donc croire que le copiste du manuscrit B ait délibérément retouché le manuscrit T. Ces retouches intrinsèquement heureuses ne sont certes pas impensables.

Mais cette hypothèse s'écroule sous de nombreuses objections beaucoup plus sérieuses. Que B dépende de T peut à la rigueur être admis: le copiste a pu procéder à des retouches de détail. Il a pu aussi vouloir incorporer plus nettement au texte de la *Summa Cantoris*, ce qui subsistait à l'état de notes séparées dans des colonnettes distinctes du reste du texte. Incorporation bien maladroite, il est vrai, et qui complique sérieusement la lecture.

Mais dès que l'on songe à faire dépendre W de B ou de T, ou même à la fois de B et de T, on se heurte à des difficultés insurmontables. Sur quels critères le copiste du manuscrit W s'est-il fondé pour écarter des fragments qui apparemment faisaient partie intégrante de la *Summa* ? ([164]). D'autre part, le problème de l'insertion du texte α (Appendice I) dans le manuscrit W n'est pas pour autant élucidé. De plus, même si l'on admet que W dépend à la fois de T et de B, — de T pour les grandes lignes, de B pour les détails (chose difficilement concevable) — un certain nombre de difficultés subsistent et non des moindres. L'on pourrait d'ailleurs multiplier les arguments en ce sens. Enfin, nous avons montré que l'hypothèse d'une dépendance des manuscrits L A O R à l'égard de W, se heurte à quelques objections ([165]).

Si nous écartons cette quatrième hypothèse, ce rejet n'implique en aucune manière que T soit un mauvais manuscrit. Son antiquité le recommande. Si l'on tient à lui préférer d'autres manuscrits postérieurs (XIIIe et XIVe siècles), que Pierre le Chantre n'a donc pu connaître, l'on est amené à supposer que ces manuscrits retenus pour leurs qualités dépendent nécessairement d'un modèle aujourd'hui perdu et composé du vivant de Pierre le Chantre. L'on retombe alors dans les hypothèses précédentes fondées sur l'existence d'un original S, aujourd'hui perdu.

Le manuscrit T se recommande aussi par le souci louable

([164]) Signalons quelques unes de ces difficultés. En ce qui concerne le Tome I, § 2, les lignes 7-10 forment un texte inséré sous forme de colonnette dans T, inséré sans distinction dans B. Dira-t-on alors que W dépend de T qui lui offrait une base de ségrégation ? Pour le § 5, les lignes 20-22 ne se distinguent pas du reste dans T, sont écrites dans la marge dans B. Dira-t-on que W qui omet ces lignes dépend de B ? On arriverait à une conclusion identique pour les lignes 71-75. Au § 9, il faudrait dire que pour les lignes 41-61, W dépend de T où elles sont insérées sous forme de colonnettes alors que dans B elles ne se distinguent pas du reste, le copiste les ayant incorporées maladroitement.
Au tome II, § 82, le problème s'avère insoluble, car T et B incorporent sans discrimination les lignes 39-74. W qui les omet ne semble pas pouvoir dépendre de ces manuscrits.
Au Tome III, les lignes 3-69 du § 158 sont omises par W, alors que ces lignes étaient incorporées au texte dans les manuscrits B et T. Ce qui n'est pas favorable à l'hypothèse d'une dépendance de W à l'égard de ces manuscrits.
On peut invoquer dans le même sens le fait que le copiste du manuscrit W a bouleversé sans raison les §§ 170-178.
([165]) Cf. *supra*, p. 214-215.

dont a fait montre son copiste de ne pas mêler des gloses ou additions postérieures au texte. Malheureusement, le copiste eut parfois le tort de se départir de cette prudente réserve ([166]).

Mais, comme nous l'avons signalé au début de cette étude, quelle que soit la valeur du manuscrit T, quelle que soit son antiquité, il n'est pas et ne peut pas être le bon manuscrit dont tous les autres dépendent. Il fourmille d'erreurs grossières quoique insignifiantes ([167]), mais qui de toutes façons nuisent à l'intelligibilité du texte. Si l'on admet que les copistes des manuscrits B et W, ou tout au moins ceux qui leur confièrent ce travail, furent capables de réparer les erreurs et omissions de T, on leur prête certes beaucoup d'intelligence et d'intuition. Personnellement, nous hésitons à le faire, d'autant plus que cette concession nous entraînerait sur une pente glissante: il nous faudrait aussi admettre que les copistes des manuscrits O, R, A aient été doués des mêmes qualités et procédèrent parfois à un travail similaire à l'égard du manuscrit W.

Comme on le constate aisément, des quatre hypothèses que nous signalons, une seule, la seconde, rend compte de la genèse de toute la tradition manuscrite sans se heurter à des objections tirées de la date, de la forme, du contenu, en un mot, des caractéristiques des manuscrits qui nous sont parvenus, mais elle multiplie abusivement les manuscrits disparus.

La troisième en est très proche, mais se heurte à de menues difficultés de détail. Ce n'est pas suffisant pour la rejeter, et c'est à elle que nous apportons nos suffrages. Ceux qui ne partageront pas notre point de vue et préféreront se rallier à la seconde hypothèse devront néanmoins en retenir que si W ne fut pas le modèle dont dépendent L A O R, il nous est parvenu incomplet, et par conséquent, devait être très proche de son modèle X

([166]) Il faut aussi ajouter que dans le manuscrit T, un lecteur avisé a porté d'utiles corrections qui semblent refléter la pensée du Chantre. Nous en avons un bon exemple au Tome I, § 8, l. 8-9, où nous lisons: «...*uenditio filie a parente propter matrimonium contrahendum, symonia est*», opinion rapportée dans tous les manuscrits. Dans le manuscrit T, un lecteur avisé introduisit cette correction interlinéaire: (*symonia*) *non* (*est*), conforme à l'enseignement du Chantre, comme le prouve la lecture du tome III.

([167]) Par exemple au tome I, p. 1, au lieu de *opus illud*, T donne la variante *opus iude*.

On nous objectera peut-être que les difficultés auxquelles nous nous heurtons proviennent de ce que nous avons mal choisi le manuscrit de base.

Nous avons déjà maintes fois devancé cette objection en manifestant les raisons de notre attachement au manuscrit T. Il importe d'ajouter que le manuscrit P ne peut faire figure d'original. La rédaction propre qu'il possède sur le pouvoir des clefs, l'excommunication, la simonie, ne reflète pas exactement la pensée du Chantre ([168]). En outre, l'auteur de ce remaniement a manifestement voulu harmoniser le style des *questiones* communes aux grands manuscrits dans le but d'effacer des traces trop visibles de l'élaboration très particulière de la *Summa,* mais il ne sut y parvenir ([169]). Enfin, si P était l'original, il serait bien plus difficile encore d'expliquer et de justifier la formation d'une tradition manuscrite dont les témoins ont été si peu fidèles à leur modèle, d'autant plus que P est, de tous les manuscrits, celui où l'incorporation des gloses a été le plus largement utilisée. Car s'il est facile à un scribe d'incorporer au texte des notes marginales (la clarté du texte dut-elle en souffrir), il est beaucoup plus difficile d'écarter des fragments supposés être des interpolations. Si P était l'original, comment les copistes des autres manuscrits qui en dépendent auraient-ils eu vent de ces interpolations que rien ne permettait de distinguer; or il apparaît que les copistes des manuscrits T, et W L A O R, ont parfois réussi à opérer cette sélection. Ce sont d'alleurs les mêmes raisons auxquelles s'ajoute un argument de date, qui s'opposent à ce que l'on fasse de B l'original.

Reste le manuscrit W. Ici encore il y a une question de date qu'on ne peut éluder. Le manuscrit W aurait été écrit au milieu du XIIIme siècle, le manuscrit T à la fin du XIIme. Certains éprouveront peut-être la tentation de rapprocher ces deux dates, invoquant le prétexte qu'il est très difficile de préciser si deux écritures différentes appartiennent au même quart de siècle ou au même demi siècle. Ce serait peine perdue. Passons sur la première partie du manuscrit W. Il suffit de rappeler le désordre de la seconde partie du manuscrit W pour se rendre compte qu'il est absolument impossible que T B et P en dépendent.

([168]) Cf. *supra,* p. 114-170.
([169]) Cf. *supra,* p. 163.

Nous avons éprouvé la tentation de laisser au lecteur le soin de choisir entre ces diverses hypothèses. Seules les deuxième et troisième peuvent être retenues. Nous avouons que la seconde pourrait à la rigueur recueillir nos suffrages: Elle ne bouscule pas les données de la tradition manuscrite, mais les concilie harmonieusement et les enserre dans un cadre logique. On peut néanmoins déplorer — et nous sommes les premiers à le faire — que cette construction logique soit si complexe et fasse appel à tant d'éléments dont il est impossible de contrôler l'existence. Ce qui justifie d'autant mieux notre prise de position en faveur de la troisième bien qu'elle laisse dans l'ombre de petits détails dont il convient de ne pas exagérer l'importance.

Nous terminerons ce long chapitre bien abstrait en signalant au lecteur un texte curieux et intéressant qui le ferait passer de l'aridité et de la sécheresse de la critique à la fraîcheur naïve de la spiritualité médiévale.

La somme contenue dans le manuscrit de Troyes s'achève en effet par un assez long chapitre qui ressemble à une exhortation pieuse ou à un sermon. L'authenticité de ce texte pourrait être contestée. Ce morceau n'est sans doute pas déplacé à la fin d'une somme de théologie morale consacrée à des *casus conscientiae*, à des conseils pour la vie chrétienne. Par sa facture, il présente des affinités avec maints fragments du *Verbum abbreviatum*. Peut-être s'agit-il d'un sermon du Chantre qui fut ajouté à la Somme par le disciple qui prêta son concours à son élaboration, avec l'assentiment du vieux maître ?

Ce n'est d'ailleurs qu'un centon de citations scripturaires assez habilement groupées autour du thème de l'agriculture appliqué à la vie chrétienne. De ce champ qu'est l'âme, bien que l'auteur ne le précise pas), il importe tout d'abord d'arracher les ronces et les pierres, figures du péché, et de les rejeter ensuite au dehors par la confession. Mais le champ purifié ne doit pas rester stérile, il convient d'y répandre la bonne semence des œuvres de miséricorde et ensuite de le clore pour le protéger, afin qu'il ne soit point dévasté par les passants et les bêtes féroces dont la principale est la luxure. Il faut enfin veiller à ce que les mauvaises herbes n'y croissent plus. Ce labeur d'agriculture spirituelle comprend huit phases, sept ici-bas: la confession, le jeûne, les œuvres de miséricorde, l'humilité, la continence, la prière, la mort symbolisée par la moisson; la huitième et dernière phase étant le repos dans les greniers de la béatitude céleste.

La circoncision fournit à l'auteur un autre thème de comparaison. Il ne s'agit d'ailleurs pas de la circoncision du seul membre viril, mais de la circoncision de tous les membres «internes et externes» chez l'un et l'autre sexe. A ceux qui ne craignent pas cette circoncision spirituelle, l'auteur rappelle que le Christ leur a promis la paix du cœur en ce monde et la paix éternelle dans l'autre ([170]).

ADDENDA

Nous publions ici une Questio de consecratione euchastistie *propre au manuscrit* P, *et dans laquelle l'abbé* E. Dumoutet *voyait un post-scriptum de Pierre le Chantre.* ([171]). *Nous aurons plus loin l'occasion de revenir sur le contenu de cette* questio ([172]).

P f° 195ra-vb

De consecratione eucharistie

De consecratione eucharistie queritur hoc modo. Panis iste conuertetur in corpus Christi. Ergo in corpus animatum uel non animatum.

Si dicis quod in non animatum. Ergo cum ipsum fuerit animatum, conuersio fiet in corpus eius mortuum.

Si dicis quod conuertatur in corpus animatum. Ergo anime unitum est; ergo in altari est anima Christi sicut et corpus Christi, et ita anima Christi in multis locis eodem tempore, ubicumque scilicet corpus Domini consecratum est.

Sane concedi potest quod sicut miraculose est ibi corpus Christi, ut sit ibi corpus animatum, et quod anima Christi sit in pluribus locis licet sit creatus spiritus. Dicitur enim quod omnes spiritus creati locales sunt siue loco circumscriptibiles. Quod sic est intelligendum, non quod partium suarum interpositione aliquam faciant in loco distantiam. Sed cum sint alicubi, non sunt ubique, licet Deus sit ubique.

([170]) Édition, tome III, § 394.
([171]) Cf. *supra,* p. 85.
([172]) Cf. *infra,* chapitre V, p. 378.

Item. Queritur utrum corpus Christi sit uisibile uel non. Dicit enim auctoritas: *Corpus Christi uelatum est omni sensui,* id est uisui, qui anthonomasice sensus dicitur.

E contra. Dicit auctoritas quod *corpus Christi et res et sacramentum est,* id est et figuratur per panem uisibilem et corpus suum misticum, id est ecclesiam. Et si sacramentum est, ergo est *inuisibilis gratie uisibilis forma.*

Sane possumus dicere quod hec sacramenti descriptio, scilicet *inuisibilis gratie forma uisibilis,* non conuenit generaliter omni sacramento, sicut sillaba dicitur comprehensio litterarum. Vel modica adiectione potest compleri prephata descriptio, ut omni conueniat sacramento sic: *Sacramentum est inuisibilis gratie uisibilis forma,* uel aliquid adiunctum uisibili forme, quia sub forma illa latet. Vel possemus corpus Christi uisibile esse dicere, quia angelis et sanctis in celo fortassis uisibile est. Sed quia nobis est inuisibile, dicitur simpliciter inuisibile.

Item. Queritur quare forma illa dicatur sacramentum corporis, cum potius ipse panis uidetur debere dici sacramentum, quia maiorem similitudinem habet panis cum corpore Christi quam illa species.

Sicut enim corpus Christi constat ex purissimis et uirginibus membris, scilicet fidelibus, ita panis ex purissimis granis tritici. Sane dicimus quod ipsa forma constat ex suis partibus, sicut corpus Christi constat ex suis, et in hoc est quedam similitudo. Quedam enim forme composite sunt. Vel quandoque res alia per aliam significatur cuius tamen non habet similitudinem, sicut per palmites appensos ante domum uel per circulum significatur uinum.

Item. Iste panis fit corpus Domini. Ergo aliquid fit corpus Domini, et ita cotidie fit aliquid corpus Domini. Sane quidem potest hoc concedi. Si uero concluserit: 'Ergo corpus Christi fit', non est dicendum. Sic dicimus quod aliquid fit album, uel aliquid incipit esse album, non tamen album incipit esse.

Item. Aliquid factum est corpus Christi in conceptione, quod nec desinit, nec desiit, nec desinet esse, et aliquid fit modo corpus Christi. Ergo uerum est et unum et aliquid fuisse corpus Christi.

Non accidit. Aliquid ab eterno fuit Deus quod nec desinit,

nec desiit, nec desinet esse, et aliquis homo in tempore factus est Deus. Ergo uerum est unum et aliquid fuisse Deum.

Salubriter in hoc sacramento concedere possumus: 'Iste panis fit corpus Domini' et omnia uerba que mutationem significant. Sed non est concedendum: 'Iste panis erit corpus Domini', uel 'incipit esse corpus Domini', uel 'potest esse corpus Domini'. Et generaliter, uerbum substantiuum ibi nunquam recipimus, quia panis substantia non remanet. Vnde significantius mutatio illa dicitur transmutatio, uel *transsubstantiatio*. In naturalibus enim mutationibus manent subiecta, sed forme uariantur. Hic autem eque substantia uariatur, et accidentia remanent.

Si quis autem sic institerit: 'Panis iste mutatur in corpus Christi, ergo erit corpus Christi', sic insta: V uocalis mutatur in V consonantem, ergo V uocalis erit V consonans'. Expressa est similitudo: Sicut enim manente eadem forma, littera uocalis mutatur in consonantem, manente eadem forma, panis substantia et uini mutatur in substantiam corporis et sanguinis Christi.

Item. Caro Christi sine sanguine non esse potest, nec sanguis sine carne. Sacerdos modo, manducat carnem, ergo simul bibit et sanguinem. Sane potest concedi quod percipiendo carnem, simul comedit et bibit, et percipiendo sanguinem simul bibit et comedit, quoniam in utroque utrumque sumitur, et uterque et potus et cibus est, licet uterque per se conficiatur. Et sic insta: Iste qui comedit panem infusum aque, comedit panem cum aqua, ergo simul comedit et bibit.

Item. Queritur quando sacerdos in canone retractans uerba Domini dicit: *Hoc est corpus meum, etc,* utrum statim sub hiis uerbis fiat transsubstantiatio. Si hoc est, superflua uidentur uerba Domini que secuntur. Et si in hec uerba sacerdos expiraret, esset tamen ibi corpus Christi.

Queritur etiam quid demonstret sacerdos cum dicit: *Hoc.* Si enim demonstrat corpus Domini, iam ergo est ibi corpus Domini. Si uero aliud demonstrat, falsum est quod dicit: *Hoc est corpus meum.*

Sane credimus quod quando Dominus protulit hec uerba in cena: *Hoc est corpus meum,* facta est transsubstantiatio, et corpus suum demonstrauit, utens demonstratiuo pronomine in ui sue significationis.

Aliter tamen credimus quando sacerdos eadem uerba profert. Ipse enim retractat ea tamquam alterius, non profert ea tamquam sua nec ad significandum, sed materialiter utitur eis.

Vnde dicimus quod pronomen demonstratiuum non ponitur ibi demonstratiue, sed tantum materialiter, nec in prolatione illorum uerborum fit transsubstantiatio. Quando autem fiat, Deus scit, non homo. Sed quando completum est, et peracto misterio, credo quod tunc facta est.

Item. Dicit auctoritas: *Quando infidelis immolat, fidelis non offerat,* scilicet in die Parasceues, et ideo non conficitur. Sicut et tunc mutue salutationis officium pretermittitur, nec salutat pius quia tunc salutauit impius, dicens: *Aue, rex iudeorum.* Vel ideo illa die non conficimus quia quando conficimus, mortem Christi representamus. Sed illa die facta fuit uera immolatio, unde tunc non debet fieri immolationis representatio, quoniam simul non sunt ueritas et imago.

Item. Dicit sacerdos: *Iube illud deferri in sublime altare tuum per manus angeli,* sociandum corpori tuo. Et hoc credimus fieri. Vnde queritur si aliquis confecisset in spacio illo, inter resurrectionem scilicet et ascensionem, utrum corpus Christi deferretur in celum per manus angeli. Sic enim ascendisset ante ascensionem.

Dicimus quod istud tunc non erat de canone, scilicet: *Iube illud deferri, etc,* et si quis tunc confecisset, non protulisset fortassis nisi quantum Dominus protulit, scilicet: *Hoc est corpus meum, Hic est sanguis meus.* Sed nunquam aliquem legimus apostolorum tunc confecisse.

Aquam que uino commiscetur, non credimus conuerti in sanguinem et sine illa posset consistere integritas sacramenti. Sed quia sanctorum Patrum auctoritate iubetur apponi, nefas esset non apponere.

Credimus quod singule particule de substantia panis transeunt in totum corpus Christi et in singularum partium sumptione totum et uerum corpus Christi sumitur. Similiter de uino.

Fractio quoque illa que ibi fit, in solis accidentibus fit. Panis enim materialis cum ibi non sit, non frangitur. Nec panis ille supersubstantialis frangitur, quoniam in partes diuidi non potest et ubicumque est, totus est. Sola ergo ibi franguntur accidentia que Deus et ineffabili miraculo, uel in aere, uel sine omni subiecto facit subsistere, qui eadem de nichilo fecit existere. Ipsa uero panis substantia, uel in nichilum redigitur, uel in periacentes causas resoluitur.

Nota quod auctoritas dicit: *Mirabiliter unita est humanitas diuinitati nunquam passura discidium.* Ex quo uidetur innui quod postea nunquam fuit diuinitas sine humanitate. Sed diuina natura est ubique. Humana uero etsi in locis sit, non tamen ubique. Et ita alicubi est diuina, ubi non est humana. Ergo alicubi sine ea. Quod quidem uerum est. Sed non sequitur quod ideo sit a Deo separata. Sicut iste alicubi est sine pallio suo, non tamen est eo spoliatus; uel sine uxore sua, non tamen est ab ea separatus.

II

C'est encore une questio *sur l'eucharistie que nous publions. Nous l'empruntons aux* Questiones et Miscellanea *propres au manuscrit* W. *Rédigée par un disciple de Pierre le Chantre, elle nous fait connaître la doctrine du vieux maître sur l'instant précis de la consécration dans ses ultimes cheminements* ([173]).

W f° 138vb-139ra
⟨De transsubstantiatione⟩

Multa fercula, multas egritudines et multa infortunia, multas peperunt questiones.

De facto contigit pridie quod quidam clericus minister cuiusdam sacerdotis uasa aquaticum et uinarium commutauit ita ut in uinario aquam et in aquatico poneret uinum. Sacerdos huius commutationis ignarus nimium de aqua, quasi duas uel tres guttas de uino commiscuit in calicem, credens maiorem partem esse de uino et minorem de aqua, sicut solet facere. Facta autem consecratione corporis primo et post forma illa que conficit sanguinem prolata et corpore iam confecto et assumpto, cum gustauit calicem, presentit aquam et parum uel nil de sapore uini.

Triplex oritur hic questio:

Prima est utrum sanguis sit confectus ex illo commixto.

Secunda utrum cum sacerdos presenserit aquam, non debuit plus gustare, quousque apposito uino conficeret ut solet, repe-

---

([173]) Voir *supra,* p. 85, et *infra,* chapitre V, p. 378 ss.

tendo illam formam debitam confectioni sanguinis. Nam forma illa iterata et apposito uino fieret ita efficaciter confectio sanguinis sicut si ab inicio appositum esset uinum. Sed nonnisi ieiunus debet quis conficere, ergo ille non debuit nec potuit conficere si pregustasset aliquantam partem aque.

Tercia questio est utrum ille qui sic pregustauit aquam iterum ⟨possit⟩ celebrare aliam missam in natali die Domini.

De prima questione sic Boetius, in *Libro de duabus naturis et una persona Christi,* ait quod *cum modicum aque admiscetur uino magne quantitatis totum efficitur uinum, unde aqua absorbetur a uino.* Vnde nil dicunt illi qui asserunt aquam conuerti in sanguinem uel in illam aquam que fluxit de latere Christi. Dicitur tamen quod ex aqua et uino fit sanguis; per compositionem uera est; per diuisionem, falsa est; et est sensus: 'ex illis', id est ex composito ab illis quod totum est uinum, ut dicit Boetius, fit sanguis.

Contra. Decretum est quod ex aqua illa fit sanguis, non est uerum in proprio sensu, sed ex uino pocius absorbente aquam. Quid ergo dicendum est de predicta confectione. Dico quod ex illo modico uino factus est sanguis. Eadem ratione ex granulo frumenti cum farina sigali factus est corpus.

Item. Si multum uinum absorbet parum aque, eadem ratione multum aque absorbet parum uini. Ergo nil est ibi factum de uino.

Item. Multum uinum absorbet modicum aque. Est replicatio: multum farine ordeacee absorbet parum farine triticee. Ergo ex modico farine tritici admixto multe farine ordei non fit corpus Christi. Ergo nec ex modico uino admixto multe aque, non fit sanguis.

Tamen dicit Magister quod ipse preproperus respondit quod in tali casu propter ignorantiam sacerdotis eodem miraculo quo transsubstantiauit panem in corpus, mutauit illud modicum uinum cum modicissima particula aque quam illud uinum absorsit in sanguinem. Et pium est sic credere. Sed non credit hoc esse factum si sacerdos ex certa scienta, fecisset talem admixtionem. Per hoc patet responsio ad sequentes questiones.

Sed queras utrum factum fuerit corpus ante confectionem sanguinis, quod quandoque negauit Magister; modo ponit hoc in dubium. Probabilius est ut dicat quod confectio corporis completa est, completa prolatione forme uerborum que illud conficiunt.

CHAPITRE IV

LES QUESTIONES DE SIMONIA

Du cod. MUNICH, Clm. 5426

Nous avons jusqu'ici gardé le silence sur un manuscrit de Munich qui, selon le Dictionnaire de Théologie Catholique ([1]), —seul ouvrage qui, à notre connaissance, en fasse mention — contiendrait une œuvre de Pierre le Chantre, distincte de sa *Summa:* les *Quaestiones de Symonia.*

Ce manuscrit proviendrait d'un monastère sis sur les rives du *Chiem See,* lac des Alpes bavaroises à 100 km environ au Sud-Est de Munich. Au bord du lac se trouvent un monastère de moniales bénédictines fondé au IXe siècle, et une abbaye de moines bénédictins fondée à la même époque, mais qui passa à la vie canoniale en 1130. Ce manuscrit appartient aujourd'hui à la Bibliothèque d'État de Bavière où il est classé sous la référence suivante: MUNICH, *Staatsbibliothek, Codd. lat. (Clm), 5426.* Nous le désignerons désormais par le sigle M.

Ce manuscrit en papier de 167 folios (306 × 211 mm.), se présente sous une reliure du XVème siècle.

Sur le côté intérieur de la couverture, on trouve ces indications, apposées au XVème siècle:

([1]) Article PIERRE LE CHANTRE. - MAX MANITIUS (*Geschichte der lateinischen Literatur des Mittelalters,* t. III, p. 159-162), Mgr. M. GRABMANN (*Die Geschichte der scholastischen Methode,* t. II, p. 476 ss.) l'ignorent; de même A. LANDGRAF, *Einführung in die Geschichte der theologischen Literatur der Frühscholastik,* Regensburg, 1948. Voir CHMEL, *Bericht über die von ihm im Frühjahr und Sommer 1850 unternommene literarische Reise, Sitzungsberichte der kaiserlichen Akademie der Wissenschaften,* Vienne, *Philosophisch-Historische Classe* V (1850), 361-450; 591-728; C. HALM, G. LAUBMANN, etc. *Catalogus codicum latinorum Bibliothecae Regiae Monacensis,* 2 vols., Munich 1868-1881.

> *Qui libros aperis hos claudere ne pigriteris*
> *A fatuis sordide libri tractantus ubique*
> *Sed nocens litteras tractat eos ut margaritas*

puis:
> *Constantinus imperator et conciues Romani. Cum alias naciones, etc.*

et enfin:
> *Bernardus. Cognitio peccati inicium est salutis.*

Les différentes écritures du manuscrit sont toutes du XVème siècle. Le manuscrit contient plusieurs ouvrages:

1º Les *DISTINCTIONES THEOLOGICE* d'ALAIN de LILLE ([2])

f° 1r — *Reuerendissimo patri et domino Hermengaldo Dei gratia sancti Egidii abbati Alanus dictus magister. Cum mundus diuersis... in eternum*

Nous trouvons le Prologue de l'ouvrage:
Incipit prologus magistri Alani in distincciones theologicarum diccionum per ordinem alphabeti.

Incipit du Prologue: *Quoniam iuxta Aristotelice...*

f° 1v — Explicit du Prologue: *...Subsidio*

Puis cette mention:
Incipit liber magistri Alani et primo sumitur ille terminus anima.

Incipit: *Anima animale...*

f° 123v — Explicit de l'ouvrage: *...id est non inuiteris, etc.*

Il est suivi de cette note:
Laus tibi sit Xhriste, quia liber explicit iste.
Laus tibi sit Xhriste, tibi finem lassatus adiui.

A la suite de cette curieuse note, nous découvrons cette précieuse indication:
Finitus est liber iste sub anno dominice Incarnationis, anno Mº CCCCº XXIIIº in uigilia assumptionis Virginis Marie.

([2]) Ces *Distinctiones* d'Alain de Lille sont une sorte de lexique théologique qui présente quelque similitude avec la *Summa Abel* de Pierre le Chantre. Elles sont éditées dans la Patrologie latine de Migne (PL, CCX, 685-1012). Dans les différents manuscrits, ces *Distinctiones* sont gratifiées de titres divers signalés par Mgr. M. GRABMANN (*op.cit.*, II, p. 466, n. 2). Cf. Max MANITIUS, *op.cit.*, t. III, p. 803, f.

L'ouvrage d'Alain de Lille a été copié par plusieurs copistes, comme en font foi les diverses écritures allemandes du XVème siècle.

2⁰ Le *CONTRA HERETICOS* d' ALAIN de LILLE (³)

f° 124r Titre: *Liber disputationum magistri Alani theologi contra hereticos Waldenses, Iudeos et paganos.*
Prologue: *Reuerendo domino suo Willelmo Dei gracia Montispessulani principi...*
Incipit: *Cum inter universos mundi principes...*

f° 147v Explicit: *...ascendant quod eis prestare dignetur qui uiuit et regnat per omnia secula seculorum Amen.*
Explicit liber disputationum mag. Alani theologi contra hereticos, Baldenses, Iudeos, paganos.
(autre main).

3° *ERRORES HERETICORUM IN DIOCESI EISTETTENSI*

f° 147v A la suite de l'*explicit* du *Contra hereticos* d'Alain de Lille, une autre main a écrit:
Anno Domini 1460.
Articuli et errores hereticorum qui in diocesi Eystetensi latuerunt et examinati sunt.
Incipit: *Primo dicunt se habere quosdam magistros*
Explicit: *...non sunt talia confessa aliis sacerdotibus.*
D'assez nombreuses propositions sont réunies sur deux colonnes.

(³) Il s'agit du fameux ouvrage d'Alain, *De fide catholica contra haereticos libri* IV, édité dans la Patrologie latine de Migne (PL, CCX, 307 ss.). Cf. MANITIUS, *op.cit.*, t. III, p. 802 e; M. GRABMANN, *op.cit.*, t. II, p. 455-457; p. 462 ss.

4⁰ *PETRI CANTORIS QUESTIONES DE SIMONIA.*

f° 148r   Titre, en plus grands caractères: *Questio Cantoris*. Près de la bordure supérieure, une autre main a ajouté en petits caractères: *Questio Cantoris Parisiensis*.
Incipit: *Sincerum nisi uas quodcumque infundis acescit...*
Écriture allemande anguleuse du XVème siècle. Texte en deux colonnes.
Quelques-uns des *Item Queritur* ou passages semblables commençant un alinea, sont surmontés du titre intercalé *Questio*.

f° 163rb   Explicit: *...Doctor uero tradit eam, non ad usum sed ad cautelam.*

En réalité, même s'il y a là un seul ouvrage, il ne concerne pas exclusivement la simonie. Nous en analyserons le contenu en détail. Notons dès maintenant que la *questio de simonia* s'arrête au f⁰ 159vb, et s'achève par ces mots: *que prius erat illicita per simplicem commutationem*. Ces mots sont immédiatement suivi de l'*incipit* d'une nouvelle *questio: Sedentes super cathedram Moysei debent iudicare cathedrales questiones.*

Après le f⁰ 163, on remarque deux folios non numérotés, contenant un choix de citations de S. Grégoire. Le folio portant le numéro 164 est vide.

Il peut paraître quelque peu surprenant qu'au XVème siècle on se donnait encore la peine de copier des ouvrages dépassés par les œuvres des grands scolastiques du XIIIème siècle. Il faut croire que ces vieux textes étaient encore appréciés. La fortune des écrits d'Alain a été maintes fois soulignée. Nous lisons dans une étude récente: «Il ne faudrait pas oublier que les œuvres d'Alain ont été longtemps appréciées et commentées au moyen-âge. L'*Anticlaudianus* a été un texte classique... La fortune de l'*Anticlaudianus* décline à la fin du XIIIème siècle, mais il semble que le *De planctu naturae* prenne alors le relais. Quant aux œuvres théologiques, elles sont également copiées aux XIII°, XIV° et XV° siècles. Il ne faut faire exception que pour le *Pénitentiel* qui, avec les autres ouvrages de cette expèce, fait place aux *Summae confessoriorum* à la fin du XIII° siècle. Sur les

36 manuscrits qui nous en sont parvenus, 5 seulement datent du XIV⁰ et 7 du XV⁰ siècle. Par contre, les *Regulae theologicae* sont représentées dans la tradition manuscrite par une copie du XII⁰ siècle, 12 du XIII⁰, 15 du XIV⁰ et 20 du XV⁰. Il est évident que les scribes qui ont transcrit ces textes ne se sont pas amusés à reproduire une œuvre qui n'intéressait plus personne» (⁴).

Par contre, le fait qu'au XVème siècle, on copiait encore ce *De symonia Petri Cantoris,* qui, nous le verrons n'est qu'un extrait à peine remanié de sa *Summa,* auquel font suite de courtes *Questiones* de médiocre valeur, ce fait, disons-nous, est beaucoup plus surprenant.

Seules, évidemment, les *quaestiones de symonia* attribuées à Pierre le Chantre vont retenir plus longuement notre attention. L'opuscule est précédé du titre: *Questio Cantoris Parisiensis.* Une lecture attentive nous montre qu'en fait il ne s'agit pas d'une seule *quaestio* sur un sujet déterminé, la simonie, ni même d'une œuvre totalement nouvelle, distincte de la *Summa de Sacramentis et Animae consiliis.* Au contraire, il s'agit plutôt d'un fragment de ce dernier ouvrage, auquel furent ajoutées de courtes *quaestiones,* n'ayant pour la plupart aucun rapport avec la simonie.

L'analyse du contenu de cette *Questio Cantoris* de Munich sera plus aisée si l'on veut bien y distinguer trois parties. Cette division tripartite, quelque peu arbitraire ,étant exclusivement motivée par la commodité de l'exposé.

1⁰ M f⁰ 148ra-150va

Incipit: *Sincerum nisi uas quodcumque infundis...* Explicit:... *non uidebitur michi a uero deuiare* (⁵).

(⁴) Ph. DELHAYE, *Gauthier de Châtillon est-il l'auteur du Moralium Dogma* (Analecta Mediaevalia Namurcensia, fasc. 3), Namur-Lille, 1953, p. 27-28. On peut d'ailleurs remarquer que la Bibliothèque Nationale de Bavière contient plusieurs manuscrits tardifs du *Contra hereticos* d'Alain de Lille, les cod. MUNICH, *Staatsbibliothek, Clm 1464* (XIV⁰ siècle), *23991* (XV⁰ siècle). Un manuscrit de la Bibliothèque Royale de Bruxelles, cod. 1532, date aussi du XV⁰ siècle, mais ne contient qu'une première partie de l'ouvrage d'Alain. R. DE LAGE, *Alain de Lille, poète du XII⁰ siècle,* Paris-Montréal, 1951, p. 175 ss., appendice: Manuscrits d'Alain de Lille.

(⁵) Cf. app. VI, cap. 1-8.

Cette première partie a été divisée en huit chapitres dans l'édition que nous en offrons à la fin du Tome III, 2b. Nous y retrouvons des développements qui nous paraissent familiers. De fait nous les avons déjà rencontrés dans les nombreux chapitres que la Summa consacre à l'étude de la simonie ([6]). M nous offre tout simplement une rédaction différente — une de plus — des mêmes questions.

Celle-ci commence par la même citation d'Horace ([7]): *Sincerum est nisi uas quodcumque infundis acescit* ([8]), que nous avons rencontrée chez T B W L ([9]), P ([10]) et Z ([11]). Il est d'ailleurs curieux que Pierre le Chantre ait placé ce texte en tête — et en quelque sorte en exergue — de son traité de la simonie, alors que d'autres auteurs l'ont utilisé dans des traités sur la tempérance ou sur la prudence ([12]).

On relève la même intention d'étudier des cas difficiles:

In ecclesiastica autem sanctitate deterrimum fermentum est flagitium simonie, cuius subtilissimos laqueos hic explicare, non ipsum crimen detestari hic proponimus... ([13]).

et l'allusion à un autre ouvrage, qui ne peut être que le *Verbum abbreviatum*

...non ipsum crimen detestari hic proponimus, eius detestatione alibi diligenter ostensa ([14]).

On y remarque aussi la division quadripartite des *spiritualia* ([15]).

([6]) Cf. *Summa Petri Cantoris*, Tome III, 2a, § 156 ss., Tome III, 2b; App. IV, cap. 1, App. V, cap. 1 ss.

([7]) Horace, Epîtres, I, 54-57.

([8]) Tome III, 2b, App. VI, cap. 1, l. 1.

([9]) Tome III, 2a, *Summa*, § 156, l. 1.

([10]) Tome III, 2b, App. IV, cap. 1, l. 1.

([11]) Tome III, 2b, App. V, cap. 1, l. 1.

([12]) Par exemple, Guillaume de Conches, dans son *Moralium Dogma Philosophorum,* utilise le texte d'Horace dans le chapitre qu'il consacre à la tempérance (*ed.cit.*, p. 41). - De même l'auteur du *Florilège Moral d'Oxford* (*Bodl. libr.* 633) au début de son texte sur la prudence, cf. Delhaye, *Le Florilège Moral d'Oxford, Extrait de la Revue bénédictine,* n°s 1-4, 1950, p. 180 ss.

([13]) M f° 148ra, cf. Tome III 2b, App. VI, cap. 1. Cf. Tome III 2a, *Summa,* § 156, l. 2 ss., Tome III 2b, App. IV, cap. 1, l. 2 ss, App. V, cap. 1, l. 2 ss.

([14]) M f° 148ra, Tome III, 2b, Ap. VI, cap 1. Cf. Tome III, 2a *édition*, § 156 l. 2 ss et *supra,* p. 68.

([15]) M f° 148ra, App. VI, cap. 1, l. 6 ss., Cf. *supra,* p. 74.

Déjà d'ailleurs le texte de M se montre plus proche de P ou de Z que T B W L. C'est ainsi que dans la première catégorie des *spiritualia,* M range les *spiritualia quibus habetur sanctitas et religio.* Le terme *religio* est une réminiscence des rédactions P et Z; au contraire T,B,W et L l'ignorent.

M: *Sunt enim quedam spiritualia quibus habetur sanctitas et religio, uel presumitur haberi, ut uirtutes quibus habetur, miracula quibus quandoque presumitur haberi sanctitas et religio* ([16]).

P: *Sunt quedam spiritualia per que habetur religio et Spiritus Sanctus, ut uirtutes et miracula. Per uirtutes quidem habetur Spiritus Sanctus, per miracula haberi presumitur* ([17]).

Z: *Sunt quedam spiritualia per que habetur religio et Spiritus Sanctus, ut uirtutes et miracula. Per uirtutes quidem habetur Spiritus Sanctus, per miracula uero haberi presumitur* ([18]).

T B W L: *Ea scilicet per que habetur Spiritus Sanctus uel haberi presumitur, ut uirtutes et miracula que sunt impreciabilia et de iure et de facto* ([19]).

Par contre, à la différence de P et de Z, qui donnent une formule descriptive de la simonie et en commentent tous les termes ([20]) le rédacteur de M a suivi une démarche plus sinueuse; sa progression est lente, presque hésitante. Il donne tout d'abord une brève formule descriptive de la simonie:

Simonia est studiosa uoluntas emendi uel uendendi spiritualia ([21]).

définition que nous avons déjà rencontrée chez TBWL ([22]), puis une autre plus longue, plus descriptive, que l'on a également rencontrée chez T B W L ([23]):

([16]) M f° 148ra, Cf. Tome III, 2 b, App. VI, cap. 1.
([17]) P f° 94rb-va, Cf. Tome III, 2b, App. IV, cap. 1.
([18]) Z f° 211rb, Cf. Tome III, 2b, App. V, cap. 1.
([19]) Édition, Tome III, 2a, § 156.
([20]) Cf. *supra,* p. 71 ss.; Tome III, 2b, App. IV, cap. 1; App. V, cap. 1.
([21]) M f° 148ra, Cf. Tome III, 2b, App. VI, cap. 2, 1. 1.
([22]) Édition, Tome III, 2a, § 188. Encore la définition de M est-elle plus concise, et par là ressemble-t-elle davantage à celle donnée par Maître Rufin dans sa *Summa Decretorum* (ed. Singer, p. 137).
([23]) T f° 95ra, édition, tome III, 2a, § 182.

> *Simonia est quicquid fit uel consideratur quo non gratis uel minus gratis conferantur spiritualia* ([24]).

définition dont les termes sont brièvement commentés.

Enfin nous retrouvons la grande définition de la simonie:
> *Simonia est quicquid fit uel dicitur uel omittitur uel pleno consensu concipitur uel attenditur uel consideratur quo non gratis uel minus gratis conferantur uel suscipiantur uel exerceantur spiritualia uel admittuntur inepta* ([25]).

telle que T,B,W,L,P et Z nous l'ont livrée, mais avec quelques modifications de détail ([26]), et de cette définition, M nous transmet un commentaire qui lui demeure propre, beaucoup plus d'ailleurs dans sa forme que dans son esprit ([27]).

Après cette étude descriptive de la simonie, le rédacteur de M a voulu très correctement préciser les catégories de *spiritualia* qui pouvaient donner lieu à des tractations simoniaques ([28]): ici la rédaction M diffère totalement de celles de P et de Z, sans pour autant ressembler à la rédaction commune TBWL.

À partir du chapitre 4 de notre édition ([29]), le texte de M se rapproche insensiblement de celui de P ([30]). Les divergences se limitent à de simples variantes de détail. On y rencontre les mêmes *autorités* ([31]), la même allusion à Yves de Chartres ([32]). Peut-être la rédaction M est-elle plus ferme.

Le chapitre 5 de notre édition ([33]) se rapproche de même de la rédaction P. Aux chapitres 6 et 7, nous remarquons quelques

---

([24]) M f° 148ra, édition, Tome III, 2b, app. VI, cap. 2.

([25]) M f° 148ra, édition, Tome III, 2b, app. VI, cap. 2.

([26]) T f° 81va (Édition, Tome III, 2a, § 156); T f° 82rb (Édition, *ibid.*); P f° 94va (Édition, Tome III, 2b, App. IV, cap. 1); Z f° 211rb (Édition, Tome III, 2b, App. V, cap. 1); et *supra*, p. 71 sv.

([27]) M f° 148rb, Édition, Tome III, 2b, cap. 2.

([28]) M f° 148va, Édition, Tome III, 2b, App. VI, cap. 3, l. 1 ss.

([29]) M f° 148va - 149va, Édition, Tome III, 2b, App. VI, cap. 4.

([30]) P f 95ra, Édition, Tome III, 2b, App. IV, cap. 2.

([31]) Comparer:
P f° 95ra-rb (édition, Tome III, 2b, App. IV, cap. 2., l. 1 ss.), et M f° 148ra-va (édition, Tome III, 2b, App. VI, cap. 4, l. 2 ss.), et de façon plus générale Tome III, 2b, App. IV, cap. 2 et App. VI, cap. 4.

([32]) «Nonne fecit similiter Yvo carnotensis»: M f° 148vb (édition, Tome III, 2b, App. VI, cap. 4); «Et hoc ad exemplum Ivonis espiscopi carnotensis...»: P f° 95rb (édition, Tome III, 2b, App. IV, cap. 2).

([33]) M f° 149ra (édition, Tome III, 2b, App. VI; cap. 5); cfr. P f° 95rb (édition, Tome III, 2b, App. IV, cap. 2).

divergences, après un début identique chez P et M ([34]). On sait que P suit alors d'assez près la rédaction TBWL pendant quelques pages ([35]). Or, M s'écarte davantage de cette rédaction commune, néanmoins les variantes ne sont que de pure forme. L'on retrouve les arguments et les exemples proposés par la somme de Troyes. Notons cependant que M apporte une intéressante précision, qui lui demeure propre, en appliquant aux *casus symonie* la distinction entre la cause *propter quam* et la cause *sine qua non* ([36]), bien que Pierre le Chantre en fasse usage en d'autres chapitres de sa Somme. Nous retrouvons ensuite la rédaction propre à P, mais assez remaniée [37]).

Au chapitre 8 ([38]), c'est encore le plan et la rédaction propres à P qui apparaissent sous les modifications assez nombreuses et plus importantes ([39]). On note toujours l'application de la distinction entre les causes *sine qua non* et *propter quam* ([40]); on constate une solution plus ferme et des arguments nouveaux ([41]), notamment au sujet des prédicateurs. Il n'est plus possible de parler de variantes, mais plutôt de rédaction différente.

2⁰ M f 150va-159vb.

Incipit: *Post hec accedendum est ad spiritualia beneficia, annexa scilicet spiritualibus...* Explicit: *...que prius erat illicita per simplicem commutationem.*

Avec le chapitre 9 de notre édition, nous retrouvons non plus la rédaction P, mais la rédaction Z. Le chapitre 9 ([42]) correspond très exactement au chapitre 4 de Z ([43]), en dépit de simples va-

---

([34]) Début identique: P f° 95va (édition, Tome III, 2b, App. IV, cap. 3, l. 1 ss.), et M f° 149rb (édition, Tome III, 2b, App. VI, cap. 6, l. 1 ss.).
([35]) P f° 95va (édition, Tome III, 2b, App. IV, cap. 3) qui se rapproche de T f° 82va (édition, Tome III, 2a, § 158).
([36]) M f° 149va, Cf. édition, Tome III, 2b, App. VI, cap. 7.
([37]) M f° 150ra (édition, Tome III, 2b, App. VI, cap. 7), Cfr. P f° 96ra (édition, Tome III, 2b, App. IV, cap. 3).
([38]) Édition, Tome III, 2b, App. VI, Cfr. P f° 96ra (édition, Tome III, 2b, App. IV, cap. 3).
([39]) Comparer:
P f° 96ra-rb (édition, Tome III, 2b, App. IV, cap. 3) et M f° 150ra-rb (édition, Tome III, 2b, App. VI, cap. 8, l. 1 ss.), etc.
([40]) M f° 150ra (édition, Tome III, 2b, App. VI, cap. 8).
([41]) M f° 150rb (édition, *loc. cit.*).
([42]) M f° 150va (édition, *loc. cit.*, cap. 9).
([43]) Z f° 212vb (édition, Tome III, 2b, App. V, cap. 4).

riantes de détail. Et dès lors, M ne s'écarte plus de Z, et Z lui-même reproduisant P, nous avons pour les chapitres 5-22 de l'appendice IV de la présente édition, une rédaction commune P Z M ([44]).

Deux remarques s'imposent à ce sujet. Tout d'abord, M ne donne de P que le même fragment (chap. 5-22) donné par Z. D'autre part, une lecture attentive des variantes de ces chapitres, montre que s'il s'avère exact que si M possède un certain nombre de leçons qui lui sont propres, il reproduit la quasi-totalité des variantes de Z. Pour ces chapitres P s'oppose donc nettement au groupe Z M. Et il convient encore d'ajouter que le texte de Z, et plus encore celui de M, sont parfois nettement supérieurs à P, et c'est pourquoi, si la rédaction P a été choisie comme texte fondamental de l'Appendice IV, elle a dû parfois céder devant les variantes de M ou Z.

3⁰ M f⁰159vb-163rb.

Incipit: *Questio. Sedentes super cathedram Moysei debent iudicare cathedrales questiones... Explicit:... Doctor uero tradit eam non ad usum sed ad cautelam.*

Aussitôt après les *questiones de symonia* consituant les deux premières parties de la *Questio Cantoris* de Munich, nous avons un groupe peu important de modestes *questiones* propres à M, que nous citerons par *incipit* et *explicit,* tout en précisant leur contenu.

f° 150vb-160ra	*Questio. Sedentes super cathedram Moysi debent iudicare cathedrales questiones... quam per ignorantiam.* Groupe de questions relatives à l'adultère, aux empêchements au mariage (notamment l'inceste), au devoir conjugal.
f° 160rb-va	*Constat apud omnes... sacerdos sit presens.* Glose de ce texte:'Nolite pugnare contra Amalech, quia ego non sum uobiscum'.
f° 160va	*Quatuor attenduntur in quouis ordinato ...deponatus amittere.* Quelques remarques sur le sacrement de l'ordre.

([44]) Édition, Tome III, 2b, App. IV, cap. 5-22.

	In primitiva ecclesia... in seruo suo. Bref chapitre sur les effets de l'excommunication.
f° 160va-161rb	*Inter natos mulierum... quilibet sanctus precellat ceteros.* Commentaire de ces textes: 'Inter natos mulierum non surrexit maior Iohanne Baptista', et 'Non est inuentus similis illi qui conseruaret legem excelsi'.
f° 161rb	*Pax in ecclesia datur...* Raison de cet usage.
f° 161rb-va	*Execrabile est quod hodie... iniusta excommunicatio.* Sur la simonie.
f° 161va-vb	*Ignorantia iuris... Nobis autem Deus loquitur in lectione.* Groupe de courtes définitions ou notions sur l'ignorance, — le parricide, — les juges, — le mariage, — la signification de l'imposition des cendres, etc.
f° 161vb-162ra	*Item. Sicut legitur in quadam... si non indiges mortaliter peccas.* Sur les avocats.
f° 162ra-162va	*Si obsequium tantum... ne in celum proiciam os meum.* De la simonie.
f° 162va-vb	*Antiquiores preferuntur... humana natura sumere.* Groupe de courtes définitions et sentences.
f° 162vb-163rb	*Dicitur et est uerum et credimus quod scripture sacre... non tamen est peccatum.* Des contradictions dans l'exposition de l'Écriture sainte.
f° 163rb	*Omnis scientia est a Deo... sed ad cautelam.* Sur l'art d'aimer.

Ce groupe de *questiones* constituera la XVIIème partie (ou les chapitres CCCXIX-CCCXXXII) des *Questiones et Miscellanea e Schola Petri Cantoris*. Pour cette raison, nous ne reviendrons plus ici sur les problèmes que peuvent poser ces questions propres à M. Ils seront étudiés ultérieurement (infra, p. 427).

Limitant donc notre exposé aux *questiones de symonia* au

sens strict contenues dans le manuscrit de Munich, rappelons que nous y avons distingué deux parties ([45]).

Dans la première, M se montre assez indépendant. Certes, il possède certains alinéas en commun avec P et Z, mais son indépendance est parfois totale. Le plus souvent on y découvre de nombreuses réminiscences des autres rédactions, mais il est très difficile de préciser s'il s'agit de P ou de Z. En fait la difficulté n'est parfois que purement apparente; fréquemment en effet le même texte est commun à P et à Z, mais alors M semble plus proche de Z, comme les variantes le prouvent. Il n'en est pas toujours de même. Si l'on veut lire attentivement le chapitre 4 de notre édition du manuscrit de Munich l'on constate que celui-ci est plus proche parent de P que de Z ([46]). Que faut-il en conclure ? Il est impossible de décider lequel de M ou de Z se montre le plus fidèle à P.

La seconde partie ([47]) pose moins de problèmes. Le chapitre 9 de notre édition des *questiones* de Munich ([48]) réédite tout simplement la rédaction Z ([49]), puis, comme Z, nous donne les chapitres 5-22 ([50]) de P. Il est d'ailleurs évident qu'une étroite parenté existe entre Z et M pour ces chapitres.

Comment expliquer de telles anomalies ?

Il nous paraît tout d'abord hors de toute contestation que ces *questiones de symonia* de Munich ne constituent pas un traité distinct, mais un fragment isolé de la *Summa*. Il est également probable que Pierre le Chantre ne soit pas l'auteur de toutes ces rédactions assez différentes. Rappelons qu'en ce qui concerne la simonie, nous nous trouvons en présence de quatre rédactions totalement ou partiellement divergentes: la rédaction commune à T,B,W,L; et les rédactions respectivement propres à P,Z,M; qui constituent en fait deux groupes: TBWL d'une part, PZM d'autre part. En ce qui concerne les *questiones* de Munich, bien qu'il n'y ait pas a priori de raison d'en refuser la paternité à Pierre le Chantre, il semble — mais ceci n'est qu'une simple hypothèse — que nous nous trouvons en présence d'un rema-

---

[45] *Supra*, p. 243.
[46] Édition, Tome III, 2b, App. VI, cap. 4. Cfr App. IV, cap. 2, l. 1 ss., App. V, cap. 2, l. 1 ss.
[47] *Supra*, p. 247.
[48] Édition, Tome III, 2b, App. VI, cap. 9.
[49] Édition, Tome III, 2b, App. V, cap. 4.
[50] Édition, Tome III, ,2b, App. IV, cap. 5-22.

niement partiel effectué par un disciple qui a voulu extraire de la Summa les *questiones de symonia* pour en faire un traité isolé, auquel il a ajouté par la suite un certain nombre de modestes *questiones,* d'intérêt médiocre, et qui probablement ne sont que des notes de cours.

Si l'on veut s'efforcer de tirer des conclusions des parentés de forme entre les manuscrits, il convient tout d'abord d'observer que M ne dépend en aucune manière de T,B,W ou L. Certes, l'on relève dans le texte du manuscrit de Munich quelques indices permettant de supposer que son rédacteur n'a pas complètement ignoré l'un des témoins de la tradition TBWL. En effet, M donne deux définitions de la simonie qui restent l'apanage du groupe TBLW ([51]) et sont ignorées de P et de Z; et de plus M contient une allusion à Saint Landry, évêque de Paris ([52]), que nous avions découverte dans le groupe TBW ([53]). Faut-il en conclure que le rédacteur de M eut sous les yeux un manuscrit du groupe précité ? Ce serait trop hâtif. L'exemple de Saint Landry devait être assez connu dans les écoles. Quant aux définitions de la simonie que nous avons alléguées, il ne semble pas qu'elles soient le bien exclusif de Pierre le Chantre ([54]), et elles ont fort bien pu être transmises par l'enseignement oral. Aussi rien ne nous oblige à supposer que le rédacteur de la *Questio Cantoris* de Munich ait connu l'un des membres de du groupe TBWL.

Il serait plus intéressant de pouvoir préciser les rapports existant entre P,Z et M. Nous avons précédemment supposé que Z dépendait de P. Restent à déterminer les rapports entre M d'une part, P et Z de l'autre. Et en particulier faut-il supposer que M

---

[51] Cf. *supra,* p. 245 sv., cf. p. 71.
[52] Édition, Tome III, 2b, App. VI, cap. 21, notes.
[53] Voir table alphabétique, Tome III, 2b.
[54] Nous rencontrons par exemple chez Maître RUFIN: «*Simonia est studiosa cupiditas emendi uel uendendi aliquod spirituale*» (*Summa Decretorum,* in C. I. ed. SINGER, 197); chez GUY D'ORCHELLES: «*Simonia est studiosa uoluntas uendendi uel emendi spirituale uel annexum spirituali*» (*Tractatus de Sacramentis,* n. 195, ed. DAMIANI et O. VAN DEN EYNDE, p. 185). Cette définition est d'ailleurs passée dans la Somme théologique d'ALEXANDRE DE HALÉS (édition citée, t. III, p. 789). ALANUS DE INSULIS, *De virtutibus et vitiis* (ed. O. LOTTIN, *Le Traité d'Alain de Lille sur les Vertus, les Vices et les Dons du Saint-Esprit,* Mediaeval Studies, vol. XII, 1950, cap. 2, art. 1, p. 43): «Simonia est studiosa emendi uel uendendi cupiditas spirituale uel annexum spirituali».

dépende de Z ? Pour répondre à cette question, il faudrait tout d'abord supposer résolu un autre problème, d'ordre plus général: lorsque l'on se trouve en présence de rédactions différentes d'un même ouvrage, le texte le plus long est-il antérieur au texte le plus court ? Le texte le plus clair est-il antérieur au texte obscur ? On serait a priori tenté de croire que le texte le plus long et le meilleur est le plus ancien: les coupures, les lacunes, les dégradations seraient le fait des scribes ultérieurs. C'est là une vue trop théorique. Il n'y a pas de raison de faire du premier rédacteur un copiste modèle et de ravaler ceux qui le suivent chronologiquement au rang d'individus ignares, paresseux et sans scrupules. Un copiste intelligent — pourquoi lui refuser cette qualité — peut fort bien souhaiter améliorer son modèle et lui ajouter des éléments de son cru. Le fait ne devait pas surprendre à une époque où l'on n'avait aucune idée du droit moral de l'auteur sur son œuvre, tel que les civilistes modernes l'ont analysé dans ses dernières conséquences. Rien ne nous empêche de supposer que telle ne fut pas l'intention du copiste auquel nous sommes redevables de la *questio Cantoris* de Munich; ce copiste a d'ailleurs pu agir de la sorte sous l'impulsion et sur l'ordre d'un tiers assumant le rôle de rédacteur. Le texte de Munich est incontestablement supérieur à celui de Z. mais en dépit de ces retouches et améliorations intentionnelles, il est possible que M dépende de Z. Par ailleurs, certaines réminiscences de fragments spécifiquement propres à P, nous laissent supposer que le rédacteur de M a pu connaître P directement.

L'hypothèse inverse, selon laquelle P et Z dépendraient non pas de M, mais d'un manuscrit ayant servi de modèle à ce dernier, ne nous semble pas pouvoir être retenue. Elle nous obligerait en effet à supposer que P, ou plus précisément son rédacteur, ait opéré une sélection entre trois sources: l'original supposé S [55], une rédaction propre pour les questions sur la pénitence [56], et enfin la *questio Cantoris de symonia* transmise par le manuscrit de Munich sérieusement altérée et allongée de quelques chapitres [57]. Non content de cette sélection, le rédacteur aurait ajouté d'assez abondantes notes de cours [58].

---

[55] *Supra,* p. 191. Cf. p. 186 ss.
[56] Cf. Pierre LE Chantre, *Summa de Sacramentis et Animae consiliis* (édit. J. A. Dugauquier, tome II, Louvain, 1957), App. II, p. 421-466.
[57] Édition, Tome III, 2b, App. IV, cap. 23-26.
[58] Elles seront publiées au tome IV dont elles formeront la XIIème partie.

C'eût été là un gros travail. De ce labeur, nous n'avons aucun indice, et nous ne voyons pas pour quelle raison le rédacteur se serait acharné à composer ce puzzle. Il convient, croyons-nous, de ne pas trop compliquer un problème qui l'est déjà suffisamment.

Est-il donc possible d'expliquer la genèse de cette nouvelle rédaction de Munich, distincte des autres en son début ([59]) ? Il faudrait tout d'abord pouvoir éclairer le mystère qui entoure l'origine de la rédaction propre à P et qui s'étend bien en-decà et au delà des *questiones de symonia* ([60]). Or nous en sommes réduits à des conjectures ([61]). Peut-on croire que les chapitres de la *Summa* consacrés à l'étude de la simonie aient été remaniés à plusieurs reprises par Pierre le Chantre, et que le codex de Munich nous offre l'un de ces remaniements ? En faveur de cette opinion, l'on pourrait invoquer quelques manifestations personnelles particulièrement remarquables dans un texte qui n'en est pas riche :

dicemus	cap. 3 (M f° 148 va)
dicimus	cap. 6 (M f° 149 va)
	cap. 7 (M f° 149 va)
diximus	cap. 6 (M f° 149 rb)
docemus	cap. 6 (M f° 149 va)
habemus	cap. 9 (M f° 151 ra)
predixi	cap. 4 (M f° 148 va)
proponimus	cap. 1 (M f° 148 ra)
scimus	cap. 8 (M f° 150 rb)

et plus particulièrement :

> *Quia tamen fere omnis ecclesia hoc modo mittit predicatores ad colligendam peccuniam, non ausim asserere ibi esse simonia, ne uidear deinde dampnare ecclesiam, licet tamen non omnino ausim negare, quia amministrantur*

([59]) Édition, Tome III, 2b, App. VI, cap. 1-8, et plus particulièrement les trois premiers chapitres.
([60]) Elle se compose exactement de l'Appendice II du IIe volume de notre édition, et de l'Appendice IV édité au Tome III, 2b.
([61]) *Supra*, p. 113, 166.

spiritualia pro temporalibus. Si enim non esset spes fructus recipiendi, cessaret ut arbitror predicatio ([62]).

...non ausim confiteri, ut supra dictum est, ibi esse simonia ([63]).

On pourrait tout aussi bien supposer que cette rédaction ait été effectuée par un disciple fervent d'après des notes de cours.

Quoi qu'il en soit, en ce qui concerne la simonie, le manuscrit de Munich ne nous livre pas un nouveau traité de Pierre le Chantre, mais un simple fragment de la *Summa de Sacramentis*. L'intérêt de ce fragment réside en ce qu'il nous apporte une rédaction partiellement nouvelle, et que son existence accuse la complexité des problèmes qui entourent l'élaboration de la *Summa Cantoris*.

Les quelques questions propres à M et qui, rappelons-le, seront éditées au tome IV, ne présentent qu'un intérêt fort secondaire. Simples notes de cours, elles émanent peut-être d'un disciple du Cantor, disciple qui connut aussi d'autres maîtres influents dont il nous livre les noms: *Magister Prepos.*, — probablement Prévostin de Crémone —, un certain Maître Adam, et un autre Pierre, *Petrus Pict*, qui fait songer à Pierre de Poitiers. Ce problème sera examiné ultérieurement avec plus de soin ([64]).

En utilisant le manuscrit M, nous ne croyons pas avoir alourdi inutilement le texte du présent volume. Son édition, même si elle n'apporte que peu d'éléments nouveaux, détruira du moins la légende d'un *Traité 'De Symonia'* de Pierre le Chantre.

([62]) Édition, Tome III, 2b, App. VI, cap. 8.
([63]) Édition, Tome III, 2b, App. VI, cap. 8 (M f° 150rb).
([64]) Voir *infra*, ch. V, p. 427.

CHAPITRE V

JUSTIFICATION DE L'ÉDITION DISTINCTE DE
QUESTIONES ET MISCELLANEA
E SCHOLA PETRI CANTORIS

Nous avons déjà souligné le fait que le texte de la *Summa de Sacramentis et Anime Consiliis* que nous avons présenté comme tel, contient manifestement un certain nombre d'apports secondaires réalisés par les disciples de Pierre le Chantre et qui consistent pour la plupart en notes de cours ([1]), mais parfois sont peut-être d'authentiques écrits de Pierre le Chantre, distincts à l'origine, ultérieurement ajoutés à la *Summa* par les mêmes disciples. Tel serait le cas du *De homine assumpto* ([2]). Le tout a pu être réalisé non seulement avec l'assentiment, mais encore sous le contrôle du Chantre.

Nous avons en outre montré qu'il était impossible de tracer une frontière précise entre le texte primitif — et par là nous entendons le texte que Pierre le Chantre a lui-même rédigé — et les notes de cours dont ses disciples ont voulu l'alourdir ([3]). En présence de chaque texte, l'on pourrait à bon droit hésiter.

Pourquoi alors réunir dans un volume ([4]) un certain nombre de fragments sous le nom de *Questiones et Miscellanea,* alors que le texte appelé *Summa* contient manifestement des *questiones* de semblable origine ?

En fait, ce que nous appellerons désormais *Summa Cantoris,* c'est le texte du manuscrit de Troyes, qui, en dépit de ses imperfections, nous semble le meilleur. (Seul aurait pu rivaliser

---

([1]) *Supra,* p. 186 ss.
([2]) Édition, Tome III, 2b, § 353.
([3]) *Supra,* p. 186 ss.
([4]) Le tome IV de notre édition *Questiones et Miscellanea Petri Cantoris* (en préparation).

avec lui le codex P qui représente une autre tradition manuscrite).

Pour être plus précis, l'on pourrait appeler *Somme de Troyes* la *Summa Cantoris* telle que nous la livre le manuscrit de Troyes et *Questiones et Miscellanea e schola Petri Cantoris* tout ce qui vient s'y ajouter dans quelques autres manuscrits à l'exception des rédactions parallèles que nous avons éditées en même temps que la Somme de Troyes ([5]). Mais pratiquement, le lecteur connaissant maintenant les réserves qu'il convient d'apporter à semblables appellations, nous appellerons *Summa Cantoris* la *Somme de Troyes* et les rédactions parallèles de certains chapitres de cette Somme ([6]), et *Questiones* tous les fragments qui n'y ont pas trouvé place et constitueront notre tome IV ([7]).

En ce qui concerne la *Summa,* nous avons relevé un certain nombre de traits qui nous incitèrent à chercher la trace de remaniements et l'adjonction de notes de cours adjonctions qui d'ailleurs, ont pu être révisées et authentifiées par Pierre le Chantre. Ces traits se retrouvent nettement plus accusés dans les *Questiones* et *Miscellanea,* et il faut en ajouter plusieurs autres qui sont pratiquement communs à toutes les *Questiones.* Ces caractères communs sont tout d'abord: en général une extrême brièveté, — une absence de plan et d'idée directrice au sein de chaque groupe de *questiones,* — à côté de manifestations personnelles, la présence d'opinions de maîtres anonymes ou nommément désignés, ce qui fait songer à des notes de cours, — plus curieusement enfin, les opinions de maîtres désignés ou anonymes sont souvent étroitement mêlées à des propositions et conclusions propres au rédacteur, ce qui laisse supposer que l'auteur de ces *Questiones* et *Micellanea* a utilisé des notes de cours, tout en se réservant le droit de les incorporer dans un contexte de son cru.

Avant de procéder à un examen plus attentif de chacun de ces caractères communs, il convient de préciser dans quels manuscrits — et dans quels feuillets de chacun d'entre eux — les *Questiones* ont été trouvées. Il apparaît tout de suite que

---

([5]) Édition, tome II, App. I, p. 391 ss.; App. II, p. 421 ss.; App. III, p. 467 ss.; tome III, 2b, App. IV; App. V: App. VI.
([6]) Pratiquement, les tomes I, II, III de notre édition.
([7]) En préparation.

c'est le manuscrit W qui nous fournit le plus gros contingent, tandis que l'apport des manuscrits P,B,L,Z et M reste plus modeste. La plupart de ces *questiones* restent propres à chacun des manuscrits, mais quelques groupes sont néanmoins communs à deux manuscrits.

W f° 1ra-3ra Incipit: *Spiritus Sanctus est tercia persona in Trinitate, friuole exponitur: id est, non est prima...* Explicit: *...quia paternitate est Pater. Sicut hec est uera: Socrates humanitate est homo et humanitate est albus.*

Texte mutilé ou plus précisément acéphale que nous retrouverons plus loin dans le même manuscrit (f° 111vb-114rb), composant la seconde partie d'un assez long chapitre sur la Trinité (f° 109rb-114rb), incipit: *Recte studentium speculationem triplicem assignauit Boeciana auctoritas...* ([8]).

W f° 3ra-4rb Titulum: *De homine assumpto.*

Incipit: *Queritur utrum Christus sit unum et plura. Quod sit unum patet...* Explicit: *...quando fuit unita diuinitati propter maiorem superuenientem dignitatem, ut prius dictum est, modo uero est persona* ([9]).

W f° 48rb-49ra Incipit: *Ampliatur aliqua ecclesia et occupatur de cimiterio aliqua pars...* Explicit: *...per quadraginta annos solee eorum non erant attrite, neque uestes concise.*

Courtes *questiones* dont nous avons déjà donné l'analyse ([10]).

W f° 49va-50ra Incipit: *Item. Si aliquis pecuniosus deposuit pecuniam suam penes abbatem ea con-*

([8]) Tome IV (en préparation) de notre édition, IXème partie, cap. LXXVIII.

([9]) Tome IV (en préparation) de notre édition, pars XIV, cap. CCLXXXIX. Quelques détails sur ce chapitre seront donnés *infra*, cap. VI, p. 446, 2°.

([10]) Pour l'analyse de ces *questiones,* voir tome I, p. XLII-XLIII. Elles seront éditées au tome IV (en préparation) de notre édition, pars. I, cap. I-XIII.

ditione... Explicit: *...quia si interim aliquid distribuero, et ipse petat, oportet ut ei reddam....*

Deux *questiones* fort brèves sur les dépôts et sur les testaments ([11]).

W f° 56va-vb — Incipit: *Nota super illum locum ubi dicitur quod scribe et pharisei dederunt pecuniam de templo custodibus...* Explicit: *...subtrahat sibi aliquid de cibis et uestibus et inde soluat, quia, ut dicunt, de bonis ecclesie non debet soluere.*

Courte question dans laquelle il est montré que les clercs qui ont dilapidé leur fortune en dépenses honteuses, ne peuvent pas acquitter leurs dettes avec des biens ecclésiastiques.

On retrouve cette même courte *questio* plus loin dans le même manuscrit, W f° 79ra-rb ([12]).

W f° 63ra-67ra — Incipit: *Domus quedam distabat a frequentia hominum. Vocabatur sacerdos quidam...* Explicit: *...id est, de infidelitate recedit, quia incipit credere et esse fidelis, nec ulterius est ignorans* ([13]).

Groupe de *questiones* dont nous avons déjà analysé le contenu ([14]).

De ce groupe, le manuscrit Z donne de larges extraits, en suivant d'ailleurs un ordre différent. On relève d'assez nombreuses variantes de détail, et quelques-unes beaucoup plus importantes qui font songer à une seconde rédaction.

Nous citons ces *questiones* communes à W et à Z par *incipit* et *explicit*:

1° W f° 63ra: *Domus quedam distabat a frequentia hominum... presentiam suam et*

([11]) Tome IV (en préparation) de notre édition, pars. II, cap. XIV-XV.
([12]) Tome IV (en préparation) de notre édition, pars. III, cap. XVI.
([13]) Tome IV (en préparation) de notre édition, pars. IV, cap. XVII-XXXII.
([14]) Tome I, p. XLIV-XLV.

ministerium tali contractui exhibuit, cf. Z f° 263rb-va ([15]). L'invalidité d'un mariage imposé par contrainte et violence ([16]).

2° W f° 63rb-va: *Aliqua abbatia indigebat sepe fauore principis alicuius... Consulit magister quod resignaret*, cf. Z f° 263va-vb: *Abbatia quedam indigebat fauore cuiusdam principis... Consulit magister quod resignaret* ([17]). Peut-on accepter une récompense et un salaire immérités ?

3° W f° 64ra-rb: *Quidam accepit pecuniam mutuam a feneratore... Immo oporteret eum penitere de mutatione et soluere promissum*, cf. Z f° 263vb: Faut-il payer les intérêts promis aux usuriers ? ([18]).

4° W f° 64rb: *Delicta iuuentutis, etc. Sicut ait... nescientia circa talia dicitur ignorantia*, cf. Z f° 265va-vb. De l'ignorance ([19]).

5° W f° 64va-vb: *Mouet nos uerbum Domini ad Martam: Marta, Marta, sollicita es... Potest haberi solutio de eo quod obiectum est de Moyse*, cf. Z f°265va-266ra. De la modération qu'il faut montrer dans l'exécution de certains devoirs ([20]).

6°W f° 65rb-va: *Dixit Dominus in euuangelio: Reges gentium dominantur... ut non habeatis quod aliis conferre possitis*, cf. Z f° 264ra. Sur les bénéfices ecclésiastiques ([21]).

7° W f° 65va: *Aliqui monachi transtulerunt se de loco suo... lapides et tigna, quare non ad manendum* cf. Z f° 266ra: *Monachi quidam transtulerunt... lapides et tigna, qua-*

---

[15] Tome IV (en préparation) de notre édition, pars IV, cap. XVII.
[16] Nous analysons en quelques mots le contenu de chacune des *questiones* communes à W et Z.
[17] Tome IV (en préparation) de notre édition, pars IV, cap. XIX.
[18] Tome IV (en préparation) de notre édition, pars IV, cap. XXI.
[19] Tome IV (en préparation) de notre édition, pars IV, cap. XXII.
[20] Tome IV (en préparation) de notre édition, pars IV, cap. XXIII.
[21] Tome IV (en préparation) de notre édition, pars IV, cap. XXV.

re non integrum. Item. Si possunt uendere ad diruendum, quare non ad manendum. De la vente d'un monastère abandonné ([22]).

8° W f° 65va: *Mouent nos uerba Domini in euuangelio... thesauros ecclesie pauperibus,* cf. Z f° 265ra-rb. De l'aumône ([23]).

9° W f° 65vb-66ra: *Legitur in legenda Sancti Augustini... et continuo legit usque ad mortem,* cf. Z f° 265rb-va. Sur le baptême, la pénitence et la mort de St. Augustin ([24]).

10° W f° 66ra:*Aliquis in adolescentia sua ductus aliqua angustia sacrificauit demoni... Consuluit ei magister quod consuleret maiorem, scilicet summum pontificem uel eius legatum,* cf. Z f° 265va: *Adolescens quidam clericus multa perdiderat ad talos... aut ipse consulat super hoc summum pontificem uel eius legatum.* Celui qui a sacrifié au démon ne peut plus accéder aux ordres ([25]). Notons que Z nous offre ici une rédaction différente.

11° W f° 66va: *Dicitur quod licet aduocato... Similiter dicimus de mediocris,* cf. Z f° 264rb: *Queritur quare licet aduocato... Similiter de medicis.* Dans quels cas l'avocat peut-il justement recevoir un salaire ([26]) ?

W f° 80rb-81va   Incipit: ⟨Item⟩ ⟨Inter⟩ *aliquos religiosos et aliquas etiam religiosas, hec est consuetudo...* Explicit... *precipue claustralibus qui omni die, omni hora, habent sacerdotes ad manum* ([27]).

De ce groupe de *questiones,* Z donne à nouveau de larges extraits, cf. Z f° 248va-249vb. Ici encore, les variantes sont parfois

---

([22]) Tome IV (en préparation) de notre édition, pars IV, cap. XXVI.
([23]) Tome IV (en préparation) de notre édition, pars IV, cap. XXVII.
([24]) Tome IV (en préparation) de notre édition, pars IV, cap. XXVIII.
([25]) Tome IV (en préparation) de notre édition, pars IV, cap. XXIX.
([26]) Tome IV (en préparation) de notre édition, pars IV, cap. XXXI.
([27]) Tome IV (en préparation) de notre édition, pars V.

si nombreuses et si importantes qu'il faut songer à une rédaction parallèle.

Comme précédemment, nous citerons par *incipit* et *explicit*, les *questiones* communes à W et Z:

1° W f° 80rb-vb: *Item. Aliquos religiosos et aliquas etiam religiosas... ad quid profert illam orationem absolutoriam,* cf. Z f° 248va-249-ra: *Inter aliquos religiosos et aliquas religiosas... et contra hostium insidias excubare.* Sur le même sujet, à savoir la confession et le choix du confesseur, Z nous offre une rédaction partiellement différente, mais allongée de quelques lignes qui lui sont propres [28].

2° W f° 80vb-81ra: *Consuetudo est alicubi quod mulier in obitu uiri... Sed est ne hec fraus pia dicenda,* cf. Z f° 249ra-249rb. Sur les dépôts [29].

3° W f° 81ra-rb: *Nota quod si aliquis frater confessus... ne recipiat illam obedientiam,* cf. Z f° 249ra. Le secret sacramentel dans la confession [30].

4° W f° 81rb: *Contigit de facto quod quidam sacerdos ditauit... Ita contigit in predicto exemplo,* cf. Z f° 249rb-va: *Contigit de facto quod quidam sacerdos... nam hoc faciens furtum committeret conferendo sua pauperibus.* Sur ce même sujet: De quelle façon doivent être utilisés les biens ecclésiastiques, le manuscrit Z nous offre une rédaction différente [31].

5° W f° 81va: *Aliquis laicus multa pecunia interueniente receptus est... ergo de canonico non potest fieri conuersus,* cf. Z f° 249

---

[28] Tome IV (en préparation) de notre édition, pars V, cap. XXXIII.
[29] Tome IV (en préparation) de notre édition, pars V, cap. XXXIV.
[30] Tome IV (en préparation) de notre édition, pars V, cap. XXXV.
[31] Tome IV (en préparation) de notre édition, pars V, cap. XXXVI.

va. Cas du chanoine régulier qui veut devenir convers ([32]).

6° W f° 81va: *Dicit decretalis quod si aliquis... ordinibus quicumque interfuerunt,* cf. Z f° 249va-vb. Des incendiaires et homicides ([33]).

W f° 82ra-87va.
W f° 94rb-va. cf. *infra* B f° 155ra-166vb
Incipit: *Nunquam bono bonum contrarium...* Explicit: *...Ergo uidetur quod non posset irasci nisi precessisset peccatum* ([34]). Sur ce sujet: *De ira per zelum.*

W f° 95va-96rb
Incipit: *Queritur utrum uirtutes antiquorum...* Explicit:... *Precipiuntur nichil exigere supra* ([35]). Groupe de *questiones* dont nous avons donné une brève analyse ([36]).

W f° 97rb-101vb
Incipit: *Collecta dicitur oratio in qua petuntur ea que christiano sunt declinanda uel optanda...* Explicit:... *peccat nisi restituat hereditatem ueris heredibus* ([37]).

Citons ces *questiones* qui demeurent propres à W par incipit:

f° 97rb: *Collecta dicitur oratio in qua petuntur ea que christiano...* Titre inscrit dans la marge: *Quod fere omnia licita de facili fiunt illicita.*

f° 97rb: *Miles quidam decepit ecclesiam et separatus est ab uxore...* Titre inscrit dans la marge: *De separato ab uxore per falsos testes.*

f° 97va: *Estote factores uerbi...* Titre inscrit dans la marge: *De quadruplici natiuitate et de uerbo hoc: Estote factores uerbi.* Plus loin, près de cette ligne: *De eo autem*

([32]) Tome IV (en préparation) de notre édition, pars V, cap. XXXVIII.
([33]) Tome IV (en préparation) de notre édition, pars V, cap. XXXIX.
([34]) Tome IV (en préparation) de notre édition, pars VI, cap. XLI.
([35]) Tome IV (en préparation) de notre édition, pars VII, cap. XLII-XLV.
([36]) Cf. tome I, p. XLVII, 14°.
([37]) Tome IV (en préparation) de notre édition, pars VIII, cap. XLVI-LXVI.

quod dicit: Non refrenans linguam... On trouve dans la marge ce sous-titre: *Quod lingua conciliatrix sit omnium uiciorum.*

f° 97vb: *Quedam mulier in necessitate baptizauit...* Titre dans la marge: *Casus de baptismo.*

f° 98ra: *In aliquo loco erat capella quedam in qua princeps habebat ius patronatus...* Titre dans la marge: *Casus dubius de symonia.*

f° 98rb: *Iaspis mediocriter uiret. Saphirum aerium habet colorem sed distinguitur quibusdam maculis. Calcedonius...* Sur la couleur des pierres précieuses. A côté de ces quelques lignes le copiste a écrit dans la marge: *ua... cat. Non pertinet ad rem.*

f° 98va: *Quidam in obitu fidei alicuius committit....* Titre inscrit dans la marge: *Vtrum restituendum sit primo creditoribus an spoliatis.*

f° 98vb: *Solet dici quod duo casus sunt in quibus coniugatus meritorie...* Titre inscrit dans la marge: *Quod uir reddendo debitum uxori meretur.* Ce titre doit être complété, car l'auteur traite surtout du témoignage dans les causes matrimoniales.

f° 99ra: *Seruit aliquis prelato in procurationibus...* Titre dans la marge: *Casus simonie.*

f° 99ra: *Consuetudo est alicubi locorum...* (Coutume aberrante consistant à mêler, le jour de Pâques, le sang du Seigneur au vin).

f° 99rb: *Item. Quidam religiosus ita lacrimosus erat in consecratione eucaristie...* Titre dans la marge: *De lacrima lapsa in calicem.*

f° 99rb: *Quidam prepositus deprehendit clericum in latrocinio...* Titre dans la marge: *Quid faciat ⟨aliquem⟩ iniectorem manuum.*

f° 99va: *Est parisius quidam laicus conuersus...* (Peut-on accepter les aumônes des usuriers pour subvenir aux pauvres) ?

f° 99vb: *Secundum Cantorem ratio institutionis huius nominis persona in Trinitate...* Titre inscrit dans la marge: *Que proprietates sunt factiue et que probatiue et quid predicet hoc ⟨nomen⟩ persona.* Mais sous ce titre le copiste a écrit: *uacat, non pertinet ad rem.* Ce texte sera analysé et publié *in extenso* plus loin ([38]).

f° 100va: *Cum datur alicui corpus Domini...* Titre dans la marge: *Quare dicatur: Corpus Domini sit tibi in remissionem peccatorum, pocius quam in cumulum gratie.*

f° 100vb: *Aliquis ex ignorantia sua coniunctus est matrimonialiter sorori sue sed non potest hoc probare...* Titre dans la marge: *Casus matrimonii.*

f° 100vb: *Aliquis sacerdos per confessionem cuiusdam parrochiani sui scit ipsum esse conuersum fugitiuum et apostatam. Ille nichilominus in publico uult contrahere...* Titre dans la marge: *An sacerdos in aliquo casu possit reuelare confessionem.*

f° 101ra: *Dicit auctoritas: Ille facit...* Titre dans la marge: *Quod ille facit cuius auctoritate aliquid fit.*

f° 101ra: *Dicitur in baptismate: Abrenuncio Sathane...* Titre dans la marge: *De pompis diaboli.*

f° 101rb: *Dixit Petrus ad Dominum: Ecce nos...* Titre dans la marge: *Qui iudicabunt cum Domino.*

f° 101va: *Apprehendite disciplinam...* Titre dans la marge: *Quid sit apprehendere disciplinam.* Titre qui ne donne qu'une faible idée du contenu de la *questio.* L'auteur a effleuré plusieurs sujets: les richesses,

---

([38]) Cf. *infra,* cap. VI, p. 471; et quelques remarques p. 450, 4°.

l'individu lubrique peut-il rechercher la frigidité à l'aide de médicaments, l'exercice de métiers inutiles ou dangereux pour la collectivité.

W f° 106vb-140vb Incipit: *Aliquis obligauit se ad faciendum tricennale pro anima defuncti... Explicit: ...et diuitias contempnere debemus in memoriam crucis Christi que hec a nobis expellere debet* ([39]).

De ce groupe assez important de *questiones* et *de casus conscientie,* nous avons déjà donné une analyse sommaire ([40]).

On y remarque notamment un assez long traité dogmatique sur les mots *persona* et *natura* appliqués à la Sainte Trinité (f° 109rb-113vb) qui nous livre un dernier écho de querelles déjà anciennes ([41]). La fin de ce traité (f° 111vb-113vb) n'est autre que le texte acéphale sur lequel s'ouvre notre manuscrit (f° 1ra-3ra) et que nous avons signalé ([42]). Les deux textes ne sont d'ailleurs pas rigoureusement identiques.

Toutes ces *questiones* demeurent propres à W, à l'exception d'une seule que nous rencontrons dans le manuscrit P. Citons:

W f° 127va-128ra: *Verebar omnia opera mea, quia ut dicit Gregorius... Nam ociositas loquendi incaute fuit in causa quare mortaliter peccauit,* cf. P f° 111vb-112rb ([43]).

Passons maintenant à d'autres manuscrits.

B f° 150ra-154vb Incipit: *In adultis, circumcisio nichil conferebat nec aucmentum gratie... Explicit:*

([39]) Tome IV (en préparation) de notre édition, pars IX, cap. LXVII-CLXXXVIII.
([40]) Tome I, p. XLIX-LVI, 18°.
([41]) Cf. *infra,* cap. VII, p. 445.
([42]) Cf. *supra,* p. 257.
([43]) Tome IV (en préparation) de notre édition, pars IX, cap. CXXIV.

...id est naturalia, operaretur in uinea Domini, id est in sacra scriptura ([44]).

Ce groupe de *questiones* dont nous avons donné une analyse sommaire ([45]), commence par une série de simples notes sur les sujets les plus divers. Il s'agit moins de notes de cours que de réflexions purement personnelles.

Les *questiones* qui suivent sont un peu plus importantes, encore que bien modestes. La plupart sont propres à B; trois d'entre elles sont cependant communes aux manuscrits B et Z:

1° B f° 152ra-va: *Notandum quod uicium lingue multiplex est... Collatio enim decet philosophum, non contentio*, cf. Z f° 266va-267ra: *Multiplex est uicium lingue... non contentio.* (les divers péchés de la langue).

2° B f° 152va-vb: *In aliquo loco monachi quidam fecerunt uillam et ecclesiam... Hec questio magis est decretalis quam theologica*, cf. Z f° 266va: *Monachi quidam fecerunt... quam theologica* (cas relatif aux dîmes).

3° B f° 152vb: *Item. Aliquis habet aliquod beneficium propter quod... etiam si peniteret, illud sibi posset retinere*, cf. Z f° 266rb-va (Celui qui donne pour empêcher une ordination est-il simoniaque?)

B f° 155ra-163ra   Incipit: *Queritur utrum ille qui simoniace adeptus est prebendam in aliqua ecclesia...* Explicit: *...uel quod eam recipiat, uel det ei licentiam intrandi religionem* ([46]).

On trouve ce groupe de *questiones* dans le manuscrit W f° 82ra-87vb.

B néanmoins possède quelques lignes qui

([44]) Tome IV (en préparation) de notre édition, pars X, cap. CLXXXIX-CCXX.

([45]) Tome I, p. XIX-XXI.

([46]) Tome IV (en préparation) de notre édition, pars XI, cap. CCXXI-CCXLVIII.

lui restent propres: f° 155va-vb: *Iudas Machabeus inuenit penes suos occisos donaria ydolorum... orandum sicut scis et sicut uis* (Peut-on prier pour tous ?)

Ce fragment de B a déjà fait l'objet d'une analyse ([47]).

B f° 163ra-166vb Incipit: *Queritur utrum Deus propter se tantum aut propter temporalia sit diligendus...* Explicit: *...Quidam sic uoluntate carnis uoluit corporalem subuersionem, ne deprehenderetur menciens* ([48]).

Questions propres à B, qui ont été analysées à la suite des précédentes ([49]).

P f° 193ra-206rb Incipit: *Magna est dignitas animarum...* Explicit: *...Sic sine scriptura non confers dicere plura* ([50]).

P nous offre à la suite de quelques *questiones* assez intéressantes, un curieux mélange de citations, de maximes, de sentences didactiques, etc ([51]).

Le manuscrit Z contenait lui aussi un certain nombre de *questiones*. Nous en avons déjà signalé quelques-unes:

Z f° 263rb-266ra   Voir *supra* W f° 63ra-67ra ([52]).
Z f° 248va-249vb   Voir *supra* W f° 80rb-81va ([53]).
Z f° 266rb-267ra   Voir *supra* B f° 150ra-154vb ([54]).

Mais quelques *questiones* restent propres à Z ([55]).

([47]) Tome I, p. XXI-XXII.
([48]) Tome IV (en préparation) de notre édition, pars XI, cap. CCIL-CCLV.
([49]) Tome I, p. XXII-XXIII.
([50]) Tome IV (en préparation) de notre édition, pars XII, cap. CCLVI-CCLXXXVII.
([51]) Voir tome I, p. XXXI-XXXVI, 9°. - L'une de ces *questiones* a été publiée *supra,* chapitre III, *Addenda,* p. 233.
([52]) Voir *supra,* p. 258.
([53]) Voir *supra,* p. 261.
([54]) Voir *supra,* p. 266.
([55]) Tome IV (en préparation) de notre édition, pars XV, cap. CCXC (Z f° 264rb-va; *idem* Z f° 267rb); cap. CCXCI (Z f° 266ra-rb); cap. CCXCII-CCXCIII (Z f° 267va-vb); cap. CCXCIV-CCIC (Z f° 269rb-vb).

Z f° 264rb-va   Incipit: *Licitum est laico negotiari, sed non circumuenire proximum...* Explicit: *...Et ita factum est.* (De la restitution qui s'impose en cas de vente frauduleuse et dans des cas similaires). Il convient de signaler que Z nous donne une seconde fois le même chapitre (f°267rb). Cette anomalie ne peut être expliquée par une pluralité de copistes, car le manuscrit est tout entier de la même main.

Z f° 266ra-rb   Incipit: *Quidam accensus amore cuiusdam mulieris...* Explicit: *...ex magna culpa incidit in hanc necessitatem.* (Des serments et des conditions sous-entendues dans les serments).

Z f° 267va-vb   Incipit: *Quidam sacerdos habet parrochianum publicum feneratorem...* Explicit: *...pro quo degradatus fuit, an incidat in canonem.*

Pratiquement nous avons ici deux courtes questions que nous citerons par *incipit*:

Quidam sacerdos habet parrochianum... (Le desservant d'une paroisse peut-il de son chef excommunier un de ses paroissiens usurier notoire?).

Quidam natus satis de magna gente... (Cas d'un abbé qui provoqua occasionnellement la mort d'un moine).

Z f° 269rb-vb   Incipit: *Hereticum hominem post terciam correctionem deuita...* Explicit: *...Aliter non posset saluari* ([56]).

Groupe de très courtes *questiones* auxquelles se mêlent quelques sentences:

Nous citerons les unes et les autres par *incipit*:

Hereticum hominem post terciam correctionem... (comment prier pour un excommunié).

([56]) Tome IV (en préparation) de notre édition, pars XV, cap. CCXCIV-CCIC.

Quidam post adulterium cum matre... (Le secret sacramentel et la révélation d'un adultère).

Cum dicitur: Deus habet scientiam... ([57]).

Aliquis plus obtulit... (Cas de restitution, de réparation du dommage).

Minus latine dicitur: Antequam Abraham... (sentences didactiques).

Partus suppositus iam adolescens... (Cas de restitution d'un héritage).

L contient aussi un groupe non négligeable de *questiones* ([58]).

L f° 138ra-148rb Incipit: *Queritur quid sit consulendum ei puelle que uotum habens...* Explicit: *...Vnde sicut episcopus sententiare et excommunicare potest inter subditos, ita et sacerdos* ([59]).

Ces *questiones* sont un peu plus importantes. Nous les citerons par *incipit* en précisant leur contenu par un titre latin que nous n'empruntons pas au manuscrit.

f° 138ra: *Queritur quid sit consulendum ei puelle que uotum habens et firmum propositum conseruande uirginitatis...* (Vtrum aliquis intraturus claustrum possit licite dare aliquid monasterio).

f° 138ra: *De commutatione penitentialis satisfactionis, dubitatur an passim et indifferenter sit admittenda...* (De uotis, de commutatione uotorum et penitentialium satisfactionum).

f° 138va: *Predictis adnectendum est quod cum aliquis distribuit bona sua manu, quare hoc ei melius est quam si distribuen-*

([57]) Ce petit alinéa est publié *in extenso*, plus loin chapitre VI, p. 455, 11°.

([58]) Tome IV (en préparation) de notre édition, pars XVI, cap. CCC-CCCXVIII.

([59]) Le lecteur pourra trouver quelques détails sur cette partie du manuscrit L au tome I, p. LXVI-LXVII.

da disponit... (Vtrum deuotio dantis uel recipientis possit prodere defuncto).

f°138vb: *Illud iterum repetendum est ut euidentius distinguatur quod uota prime necessitatis, ut prelibatum est, generalia sunt et perpetua, ut sunt prohibitiones...* (De distinctione uotorum).

f° 139ra: *Vt dictum est supra, duo sunt necessaria in dispensatione facienda, causa et persona...* (De eis que necessaria sunt in dispensatione uoti).

f° 139rb: *Facite uobis amicos de mammona iniquitatis, recipiant uos in eterna tabernacula...* (Vtrum deuotio accipientis elemosinam prosit danti uel defuncto qui precepit dari elemosina illa).

f° 139rb: *Vouete et reddite. Preceptum est. Et uouere et reddere de hiis que sunt prime necessitatis, citra aliquod commutationis remedium...* (De uotorum dispensatione et dilatione eorum completionis).

f° 140ra: *Votum est (pollitio) (pollicitatio) mentis Deo facta de hiis que ad religionem uel salutem humanam pertinent, uerbis, uel quodam alio modo expressa...* (De dilatione et reuocatione uotorum).

f° 140rb: *Sed quid si forte clericus aliquis perutilis et ualde necessarius ecclesie, puta decanus...* (De decano migrante ad claustrum, de monacho qui promoueatur in episcopum, et de consimilibus questionibus de uotorum completione uel mutatione; — utrum qui uouit quod propriis renuntiabit, possit fieri heremita).

f° 140va: *De facto contigit quod quidam uir religiosus abbas secreto recipit pecunam cuiusdam amici...* (Casus de deposita pecunia).

f° 140vb: *Quidam, cum testamentum concederet, cauit ita: illa ecclesia habeat illum fundum donec heredes mei persoluant ei centum...* (Casus de interpretatione testamenti).

f° 141ra: *Quedam nobilis collatiua indigenti cenobio celebrauit in hunc modum donationem...* (Casus subtiles usure).

f° 141ra: *Querit preterea cum omnia que facit uel approbat ecclesia debeat astruere de medio duorum montium, id est de medio ueteris et noui testamenti...* (Quare ecclesia utitur in contrarium preceptorum moralium ueteris testamenti).

f° 141rb: *Quia latebrosa est usura et subtiles habet meatus, adhuc resumit quod superius quesitum fuerat...* (Subtiles casus circa usuram).

f° 141 rb: *Inter medium montium pertransibunt aque ut prelibatum est...* (De diuersis questionibus et prohibitionibus).

f° 141vb: *Cum ea que hodie optinent, probari debeant per nouum uel ueterem canonem ut sepe dictum est, et ut multis probatur auctoritatibus...* (Vtrum omnes consuetudines et credulitates ecclesiastice debeant probari per nouum uel ueterem testamentum).

f° 141vb: *Nos sumus regale sacerdotium, gens sancta, gens electum, populus acquisitionis. Quod precipue de nobis clericis ⟨intelligitur⟩. Vnde...* (Vtrum clericus possit esse accusator uel iudex uel assessor uel testis in causa sanguinis, — quomodo clericus possit respondere questionibus circa causam sanguinis, et quid debeat facere prelatus habens utrumque gladium, — quod iudicium peregrinum omnimode prohibetur clerico).

f° 143ra: *Post predicta querit utrum ille qui asserit se iocose uiolentas manus in clericum iniecisse, possit excusari a canone...* (Vtrum excommunicati sint omnes qui iniecerunt uiolentas manus in clericis).

f° 143rb: *Superioribus adiungit de sacerdote in cuius conspectu et totius parrochie aliquis iniecit manum in clericum...* (Vtrum ruralis sacerdos possit excommunicare uel uitare quemdam parrochianum suum qui iniecit uiolentas manus in clericum).

Quelques remarques s'imposent au sujet de cette série de *questiones* que nous offre le manuscrit L. Tout d'abord, l'on constate qu'en dépit de leur nombre, ces *questiones* auraient pu être groupées en quelques chapitres, car plusieurs d'entre elles concernent le même sujet. Les vœux y tiennent la part la plus large. Quelques lignes sont consacrées aux aumônes faites pour le repos de l'âme d'un défunt, aux dépôts et aux testaments. Les dernières *questiones* sont consacrées à la participation des clercs à l'administration de la justice et à l'excommunication.

L'auteur semble avoir rédigé ces *questiones* sans aucun plan, car il passe d'un sujet à l'autre, puis revient au premier qu'il n'a pas épuisé, pour enfin reprendre le second. C'est ainsi qu'au milieu de développements sur les vœux [60], s'insère une question sur les offrandes faites par un défunt et les aumônes distribuées *post mortem* [61]. Après avoir traité des diverses sortes de vœux et des dispenses [62], l'auteur reprend le problème des aumônes *post mortem* [63] et achève ensuite sa dissertation sur les vœux. De même, quelques remarques sur l'inobservation par l'Église des préceptes moraux de l'Ancien Testament [64], sont scindées par une *questio* sur l'usure [65] dont l'étude avait été commencée auparavant [66].

Enfin, il importe de rappeler quelques particularités de la présentation de ces *questiones* dans le manuscrit L. Comme pour le texte de la *Summa Cantoris* qui les précède, l'écriture est fort petite, encore qu'assez nette: nul doute que nous ayons

---

[60] L f° 138ra-140 va (t. IV, cap. CCC-CCCVIII).
[61] L f° 138va-vb (t. IV, cap. CCCII).
[62] L f° 138vb-139rb (t. IV, cap. CCCIII-CCCIV).
[63] L f° 139rb (t. IV, cap. CCCV).
[64] L f° 141ra-141rb-vb (t. IV, cap. CCCXII, CCCXIV-CCCXV).
[65] L f° 141rb (t. IV, cap. CCCXIII).
[66] L f° 141ra (t. IV, cap. CCCXI).

affaire au même copiste. On ne trouve pas de titres. Quelques lettres, à peine plus grandes que les autres, signalent à l'attention du lecteur, le début de quelques *questiones,* mais non pas de façon constante.

Il convient de s'attarder sur un autre fait plus intéressant. Quelquefois les deux colonnes du texte sont subdivisées en petites colonnettes. Cette subdivision semble pouvoir s'expliquer aisément. Le texte de la grande colonne se prolonge dans l'une des deux colonnettes qui est toujours celle de droite, tandis que l'autre colonnette, celle de gauche, contient une note, qui s'apparente à une note marginale. On serait d'ailleurs tenté de supposer que le copiste a utilisé ce dispositif ingénieux (?) pour éviter de surcharger les marges de son manuscrit de notes assez longues, qu'il a voulu insérer dans le texte tout en leur laissant leur individualité.

Nous donnons la liste de ces notes insérées sous forme de colonnettes en les citant par *incipit.* (Rappelons que ces notes sont toujours écrites dans la colonnette de gauche).

f° 138vb — *Illud etiam accedit ad hanc rationem diuersitatis quod in uoto continentie non inuenitur dispensatio in ueteri testamento...* (Cette note se prolonge f° 139ra).

f°139rb — *Ad hoc multe consonent auctoritates: Quod uni ex minimis meis feceritis...*

f° 139rb — *Licet uota prime necessitatis fere omnia instituta sunt sub negatione...* (Cette note se prolonge f° 139va).

f° 139va — *Idem optinere uidetur consanguineorum matrimonium. Distinguitur enim utrum scientes an ignorantes...* (Cette note se prolonge f° 139vb).

f° 140rb — *Ideo enim conceditur de monacho ut in episcopum promoueatur et non in archidiaconum uel alium personatum...*

f° 142va — *Summa omnium dubitationum que circa hanc questionem uersantur, uidelicet in hiis consistit...*

f° 142vb — *Quando autem prelatus ita interuenit ad liberandum non habet plene officium iudicis, uel assessoris...*

Ces notes sont en général dénuées d'intérêt. Elles semblent parfois reprendre mais sous une autre forme, ou même en les résumant, quelques alinéas du texte. La plus curieuse est certainement celle qui constitue une sorte de sommaire d'un groupe de questions traitées ([67]), mais paradoxalement elle est assez éloignée du début de celles-ci.

Il est évidemment impossible de préciser l'identité de l'auteur de ces *questiones*. Celles-ci ont l'apparence de notes de cours recopiées sans beaucoup de soin et sans souci d'ordre et de logique. Ont-elles été rédigées par un disciple de Pierre le Chantre ? Nous ne pouvons le présumer, car le texte de ces *questiones* ne contient aucune donnée susceptible de faciliter notre recherche. Le nom de Pierre le Chantre n'apparaît jamais, et nous n'y découvrons pas plus le nom d'un autre maître ([68]).

([67]) C'est la note du f° 142va, commençant par ces mots: *Summa omnium dubitationum que circa hanc questionem uersantur, uidelicet in hiis consistit...* Elle résume curieusement les problèmes traités L f° 142rb-143ra.
Nous citons le reste de cette note: «...scilicet: Qualiter deponat clericus passus iniuriam uel dampnum, suam querimoniam in causa que habet admixtam effusionem sanguinis, sine periculo sui ordinis. - Qualiter respondebit consultus a principe, quid debeat facere de maleficis, cum sciat in lege scriptum ipsos occidendos. - Quid faciet prelatus ecclesiasticus qui habet materialem gladium, cum causa a subditis ad ipsum defertur, quod insufficientes sunt iudicare. Vel quomodo poterit subditum suum, si uiderit negligentem, arguere de negligentia, quoniam eo ipso uidetur a principe occidere. - Vtrum rei sint sanguinis humani prelati qui contra paganos militant et qui contra eos prouocant ad arma christianos». C'est à ces questions que repond le texte principal de L.

([68]) A la fin du manuscrit L, f° 144r, on trouve un tableau schématique, dont nous devons la transcription à l'obligeance de Monsieur H. TALBOT. Cette page est écrite en très petits caractères à peine lisibles Les dimensions de ce schéma nous obligent à le rejeter en *addendum* à la fin du présent chapitre p. 434.
Monsieur TALBOT nous a en outre communiqué ce très intéressant renseignement sur l'origine du manuscrit L. Une inscription se trouve sur la première feuille du manuscrit. Elle est en partie effacée, mais on peut lire néanmoins:
«...*contulit frati Petro de Stanschawe in presentia fratrum G. de Stanschawe magistri et sociorum de Kayrlyon*».
«*Istum librum frater P. de Stanschawe contulit fr... in presentia fratris Willelmi melonbe bachillarii, et aliorum plurimorum*».
Caerleon serait le monastère cistercien de *Strataflorida* dans le *Monmouthshire* (Wales), fondé le 22 Juillet 1179.

Il est assez curieux de trouver dans ces *questiones* un certain presbytérianisme, qui se manifeste au sujet du pouvoir des prêtres dans l'excommunication, et qui, bien entendu, se fonde sur l'autorité de St. Jérôme ([69]).

Enfin, à la suite des *questiones de symonia,* nous trouvons dans le manuscrit M (f° 159vb-163rb), un groupe de courtes *questiones* et de mélanges théologiques dont nous avons déjà donné l'analyse ([70]) et qui ne nécessitent plus d'autre commentaire.

Ayant situé en quelque sorte les *questiones* dans la tradition

---

([69]) L'auteur de cette dernière *questio* du manuscrit L (f° 143rb-va) pose ce problème: le desservant d'une église rurale peut-il excommunier (ou du moins éviter comme un excommunié), l'un de ses paroissiens (tome IV, en préparation, cap. CCCXVIII). L'auteur signale tout d'abord une coutume, fâcheuse à son gré, de certains evêques. Il écrit en effet: «Hic non est pretermittenda quorumdam prelatorum consuetudo praua, qui compellunt iurare sacerdotes quotienscumque eos in ecclesiis instituunt, quod illi sacerdotes omnia iura eorum obseruabunt, male interpretantes quod sub sacramento hoc clauditur ut omnes causas et querelas parrochianorum ad eos deferant et quod nullos ad inuicem reconciliare possunt, nisi prius delato litigio ad episcopum...» Dans la *Summa,* on trouve une allusion à la même coutume (édition, Tome III, 2, § 330. L'auteur de la *questio* du ms. L critique vivement cette coutume et déclare qu'il ne faut pas en tenir compte: «Dicit ergo quod tale sacramentum sic intellectum, illicitum continet, et ideo nullatenus obseruandum nec reatus periurii in eo timendus...» (Remarquons que ce texte se présente à la 3ᵉ personne, comme des notes de cours). Mais cet auteur reconnaît que les prélats brisent toutes les sentences portées par leurs prêtres: «...et sententia est, si qua est lata, a non iudice lata, et ideo episcopus dicit se licite ipsam contempnere». Et il conclut: «Sed contra tales episcopos est auctoritas Ieronimi dicentis quod olim idem episcopus quod sacerdos, et licet multam usurpauerit sibi eminentiam episcopus, Ieronimus tamen modicam inter uoluit esse distantiam. Vnde sicut episcopus sententiare et excommunicare potest inter subditos, ita et sacerdos». Les textes de St. Jérôme auxquels l'auteur fait allusion sont: *Commentaire de l'Epitre à Tite,* I, 5 (PL, XXVI, 596), la *lettre 69* à Oceanus, n. 3 (PL, XXII, 656), la *lettre 146* à Evangelus (PL, XXII, 1192-1195). Dans le premier de ces textes, St. Jérôme écrit: «Ita episcopi nouerint se magis consuetudine quam dispositionis dominicae veritate presbyteris esse maiores». On a souvent tenté de réduire la portée de ces textes de St. Jérôme. L'interprétation en est malaisée, mais il ne faut pas les édulcorer, et il demeure qu'ils restent favorables aux tendances presbytériennes. Pour plus amples renseignements, consulter J. FORGET, article *Jérôme (saint)* dans le *Dictionnaire théol. cathol.,* col. 894-983; Dom L. SANDERS, *Études sur saint Jérôme,* Bruxelles, 1903).

([70]) Voir *supra,* chapitre IV, p. 248.

manuscrite, nous pouvons maintenant passer à un examen plus détaillé de leurs caractères communs.

Le premier de ces caractères est en général, avons-nous dit, la brièveté. La plupart en effet, n'occupent que le tiers ou même le quart d'une colonne d'un manuscrit. Et encore faut-il ajouter aux *questiones* dignes de ce nom les simples notes ou remarques de quatre ou cinq lignes sur les sujets les plus divers et dont nous avons signalé la présence chez B, P et Z ([71]). Il y a d'ailleurs des exceptions. L nous offre quelques *Questiones* un peu plus longues. W surtout contient plusieurs exposés dogmatiques assez importants ([72]). Enfin, P lui-même, contient quelques *questiones* de belles dimensions ([73]). Comme on le voit il y a des exceptions, et elles sont nombreuses.

([71]) Le lecteur trouvera plus loin quelques exemples de notes de ce genre, chapitre VI, *infra,* p. 453, 9°, p. 455, 11°. Nous avions de même édité, au tome I, à titre d'exemples deux *questiones* assez courtes mais de caractère particulier, cf. t. I,p. LV, note 15.

([72]) Nous les signalerons plus loin, chapitre VI, *infra,* p. 445 —, 1° (W f° 109rb-114rb); p. 446, 2° (W f° 3ra-4rb); p. 450, 4⁰ (W f 99vb-100va), que nous publions d'ailleurs *in extenso,* p. 471.

([73]) L'analyse de ce groupe de *questiones* propres à P a été faite au tome I (p. XXXI ss.). Nous citerons par *incipit* les plus importantes de ces *questiones,* en faisant précéder cet *incipit* de l'indice de la foliotation manuscrite, et en le faisant suivre du numéro et du titre qui seront attribués à chaque *questio* dans notre édition (tome IV, en préparation):

P f° 193ra   *Magna est dignitas animarum. Quia unicuique deputatus est unus angelus bonus ad custodiam...* (c. CCLVI, De uoluntate et utilitate angeli cui preficitur homo).

f° 194ra   *Queritur utrum aliquis decedens cum ueniali et mortali...* (CCLVIII. Vtrum ueniale peccatum puniatur eternaliter).

f° 194va   *Queritur utrum expediret Paulo ignorare Christum...* (CCLIX. De ignorantia et de circumstantiis peccatorum).

f° 195ra   *De consecratione eucharistie queritur hoc modo... (*CCLX. De consecratione eucharistie). Cette *questio* a été publiée *in extenso,* dans une note du chapitre III, *supra, Addenda,* p. 233.

f° 195vb   *Cum non possit arbor bona fructus malos facere queritur...* (CCLXI. Vtrum ex caritate aliquod malum opus possit procedere).

f° 196rb   *Dicit Augustinus quod hoc preceptum: Diliges Dominum Deum...* (CCLXII. De caritate et aliis uirtutibus).

f° 197vb   *Queritur utrum bona opera alicuius uiuentis possint...* (CCLXIV. De suffragiis pro mortuis).

f° 199va   *Item. Queritur utrum magis uitandum...* (CCLXVIII.

Ce qui est plus constant, c'est l'absence de plan. Certes, ne parlons pas de plan au sujet du manuscrit W, où l'on trouve des *questiones* éparses dans tout le manuscrit, intimement mêlées au texte de la *Summa*. Mais là où les *Questiones* et mélanges théologiques forment des ensembles assez importants, comme dans P,B,L et occasionnellement dans W, il n'y a aucun plan. Il est vrai que la fin de la Summa n'est pas mieux construite.

Ces questions, ces écrits théologiques d'inégale importance méritent-ils le labeur, le soin et le coût d'une édition ? Nous croyons pouvoir répondre par l'affirmative.

Certes, l'on pourrait essayer de démontrer le peu d'intérêt de ces *Questiones*. Effectivement, dans le nombre se glissent des alinéas, de courtes questions qui, du point de vue doctrinal, n'ont que peu de valeur. Il ne faut pas espérer y trouver une construction logique, une argumentation ferme et solide. Un grand nombre d'entre elles ne font que reprendre des problèmes traités dans la *Summa*. Mais on ne doit pas exagérer leur manque d'intérêt. D'une part, certaines abordent des problèmes qui sont ignorés dans la *Summa* ([74]). D'autre part, celles qui reprennent un sujet traité dans la *Summa,* le font d'une manière toute autre, et on peut relever entre la *Summa* et les *questiones* non seulement de nombreuses divergences de détail, mais aussi des oppositions doctrinales. C'est ainsi, par exemple, que l'on trouve parmi les *Questiones* et *Miscellanea* un traité *de clauibus* qui diffère assez profondément de celui de la rédaction TBWL ([75]) et ceci est d'autant plus remarquable que cette *questio de clauibus* est trouvée dans le manuscrit W.

     Vtrum magis uitandum sit mortale peccatum quam pena eterna).
f° 200rb *In Apocalipsi legitur quod cum Iohannes humiliaret se coram angelo...* (CCLXXI. De dulia et latria).
f° 201va *Nomine legis quandoque totum uetus testamentum intelligitur quandoque libri Moysi, quandoque...* (CCLXXV. Vtrum legalia iustificare potuerunt).

([74]) On le comprend sans peine: la *Summa* est avant tout un ouvrage de théologie sacramentaire et morale. Les *questiones* ne se limitent pas à ces problèmes, certaines ont pour sujet un problème dogmatique (Voir *infra,* chapitre VI, p. 443 ss. où l'on trouve l'énumération de ces *questiones* christologiques ou trinitaires.

([75]) Cf. tome II, p. XI-XIV, § 140, p. 327 et App. II, c. 5, p. 436. - Voir *supra,* p. 114.

La solution au problème des clefs proposée par TBWL, non seulement est présentée comme une simple opinion que l'on peut réfuter, comme dans la rédaction P, mais est assez vivement combattue ([76]). Nous avons déjà signalé le problème différent, il est vrai, posé par la *questio* de P sur l'eucharistie,

([76]) Pour que le lecteur puisse apprécier en connaissance de cause, nous transcrivons dès maintenant le début de cette *questio* du manuscrit W (f° 114va). (Cette *questio* sera éditée au tome IV, c. LXXIX).
«De clauibus *(titulum in marg. scr.)*.
«Quidam dicunt quod una clauis est soluendi, altera ligandi. Sed contra uidetur quod sicut eadem clauis est qua aperitur et clauditur, ita eadem clauis est potestas ligandi et soluendi. Item. Sacerdos ex hoc ipso quod potest aliquem ligare, potest eumdem soluere. Ergo ex eadem potestate potest ligare et soluere, ergo potestas est ligandi et soluendi. Ergo eadem clauis».
«Alia opinio est quod scientia discernendi inter lepram et lepram est una clauis. Alia est potestas ligandi et soluendi. Sed cum multi sint sacerdotes qui non habeant illam scientiam, uocant scientiam discernendi, etc, illam obnoxietatem uel debitum quo astringitur ut sciat discernere, et hanc obnoxietatem habet quilibet sacerdos. Sed sicut quedam obnoxietas est quedam clauis ut sciat discernere, quare non est alia clauis obnoxietas qua tenetur ligare et soluere. Item. Clauis non est nisi qua aperitur uel clauditur. Ergo, si illa obnoxietas est clauis, illa obnoxietate aliquid agit, quid aliud nisi discernitur ? Item. Super illum locum: Tibi dabo claues regni celorum, dicit auctoritas: Dabo dixit, non do, quia si tunc dedisset, nunquam in eo postea error locum haberet, sed cum omni obnoxietate potest esse error, ergo obnoxietas clauis non est».
«Alii dicunt quod non est nisi unica clauis, sed duplex est eius usus, scilicet scientia discernendi inter lepram et lepram, et potestas ligandi et soluendi. Secundum hoc frustra dictum est claues in plurali numero».
«Alii dicunt quod scientia discernendi inter lepram et lepram non est aliqua clauis, sed potestas ligandi atque soluendi unica clauis est. Scientia autem ipsa est quasi manubrium securis, quia sicut sine manubrio non potest aliquis bene secare, immo seipsum ledi, ita sine discretione nullus bene ligabit aut soluet, immo seipsum occidet...».
(Après ces lignes, l'auteur de la *questio* aborde un autre problème). On peut à bon droit se demander si l'auteur de ces lignes se rallie à la dernière opinion émise. Certes, il n'indique pas expressément qu'il s'y range, cependant, on peut supposer à juste titre qu'il la considérait favorablement. Il ne présente pas d'objections à cette dernière thèse, et, puisqu'il la propose en dernier lieu, on peut présumer qu'il la préfère aux autres. Cette dernière thèse, rappelons le, a été attribuée à Robert Pulleyn, par Pierre le Chantre et Robert de Courçon, mais on n'en trouve pas trace dans ses sentences (cf. ANCIAUX, *op.cit.*, p. 338). On trouve aussi l'attribution de cette opinion à Robert Pulleyn dans des gloses sur le Décret de Gratien. CAMBRIDGE, *Caius and Gonville College, MS 676 (283)*, f° 165vb, cf. Stephan KUTTNER and Eleanor RATH-

plus fidèle à la pensée de Pierre le Chantre dans ses derniers cheminements ([77]).

Souvent d'ailleurs, même quand il n'y a pas d'opposition doctrinale, le sujet est traité par l'auteur des *questiones* dans un esprit différent.

Enfin, les *questiones* et les notes les plus insignifiantes nous révèlent au moins des faits, l'activité théologique de certains maîtres, des préoccupations scolaires, parfois même des jeux de mots qui traduisent une mentalité. Et c'est pourquoi on ne peut les négliger.

Il importe de compléter ces observations en recourant à un élément du style: la personne des verbes. Le rédacteur (ou les rédacteurs) des *Questiones* usent assez souvent de la première personne, tandis que les formes impersonnelles telles que *queritur, uidetur, dicitur, etc.* sont moins nombreuses que dans la *Summa*. Mais tout aussi fréquemment, ce rédacteur utilise la troisième personne, de telle sorte qu'il semble que le maître n'a pas rédigé lui-même ses *questiones,* et que cette rédaction ait été effectuée par un disciple ou plusieurs disciples. Cette opinion se trouve confirmée par le fait que l'expression *Magister dicit* et d'autres similaires, émergent assez fréquemment du texte, ce *magister* étant le plus souvent anonyme mais parfois nommément désigné. Enfin, mais plus rarement, le rédacteur oppose ses propres opinions à celles d'un maître ou même de plusieurs maîtres, et ce dualisme d'opinions est peut-être l'élément le plus curieux de ces *Questiones*.

Nous dresserons donc, pour chacun des manuscrits une liste de ces diverses manifestations. Cette énumération de courtes citations est sans doute fastidieuse, mais la longueur de cette liste est suggestive. Chaque citation sera précédée de l'indice de la foliotation manuscrite et suivie du numéro du chapitre dans lequel elle sera retrouvée au IV⁰ tome (en préparation).

BONE, *Anglo-Norman Canonists of the twelth Century,* dans *Traditio,* New-York, vol. VII, 1949-1951.

([77]) Voir ci-dessus, chapitre III, p. 84.

I.- QUESTIONES ET MISCELLANEA DU MANUSCRIT W ([78])

A.- *FORMES A LA PREMIERE PERSONNE:*

Addimus: f° 98rb: ...Addimus etiam quod plus est... (c. L).

f° 123rb: ...secundum quod distinguitur a Gregorio in quatuor species et nos addimus quintam... (c. CXI).

Addo: f° 139va: ...Hiis tribus addo quasi tercium, scilicet curiosam consuetudinem... c. CLXXXI).

Angor: f° 135va: ...Sed magis angor de illis qui peccant ex macie... (c. CLX).

Auctoritas nostra   f° 80vb: ...Non debemus enim nostra auctoritate peruertere leges et consuetudines... (c. XXXIV).

Certum: f° 119ra: ...Non enim certum est nobis quando sufficienter predicatum est ubique... (c. XCVI).

Consulo, consulere, etc.:

f° 49ra: ...Ego in istis duobus ultimis casibus non consulerem ita fieri... (c. XI).

f° 99rb: ...Vnde nullo modo consulerem quod de illa commixtione que fere... (c. LV).

f° 126rb: ...consulo ut uiuens det sic bona sua... (c. CXVII).

f° 130rb: ...Vbi coactus facit hoc, excusatur. Aliter autem consulo ei ut relinquat... (c. CXXXV).

f° 133va: ...ego enim, tali spe precedente, non consulerem ei... (c. CL).

([78]) Après l'indice de la foliotation du manuscrit W, nous ajoutons parfois, entre parenthèses, le sigle d'un autre manuscrit qui possède le même texte. Pour ce second manuscrit, nous avons jugé inutile d'ajouter l'indice de foliotation. Par ailleurs, les textes communs à B et à W seront mentionnés sauf exception dans la liste de citations du manuscrit B.

f° 138va: ...Nam mulieri consulerem... (c. CLXXV).

Consilium: f° 100vb: ...Consilium nostrum est quod absolutionem petat... (c. LXI).

f° 136ra: ...Ego darem hic alius consilium quam illud... (c. CLXIII).

f° 49rb: ...Consilium nostrum est quod cum' uir exigit ab uxore...

Concedo, concedimus:

f° 3va: ...Sed hanc non concedimus: Christus est non simplex... (c. CCLXXXIX).

f° 3vb: ...Sed nos eam concedimus et hanc... (id.).

f° 4ra: ...Quod concedimus. Dicimus ergo quod aliud est ponere... (id.).

f° 66rb: ...quod concedimus, pie presumentes quod possunt mereri et sibi et nobis... (c. XXX).

f° 108rb: ...Sed concedimus quod peccatum ignorantie est ex libero arbitrio... (c. LXXI).

f° 118ra: ...Bene enim concedimus quod Christus... (c. XCI).

f° 126vb: ...ergo nulla in tali contractu est usura. Quod concedimus, sed usura esset in equo... (c. CXVIII).

f° 128vb: ...eadem ratione quilibet modo est corpus et anima. Quod concedimus... (c. CXXVII).

f° 130vb: ...Quod concedimus, dicentes quod nusquam potest sacerdos uel alius accusare alium de eo... (c. CXXXVI).

f° 131rb: ...Quod concedimus quamuis sint serui, tamen zelo christiane religionis... (c. CXXXVII).

f° 131vb: ...que sic extorserint tenentur ad resignationem. Quod concedimus... (c. CXLIII).

f° 134rb: ...Quod concedimus, sed per episcopum loci corripi et puniri debet... (c. CLV).

Compungor:

Credo, credimus:

f° 136va: ...Quod concedimus, adherentes consilio cardinalis... (c. CLXVI).

f° 125rb: ...In me sepe compungor et confundor recolens hoc quod Ieronimus uocatus... (c. CXVII).

f° 49rb: ...ut liberet dominum suum. Credimus quod non... (c. XI).

f° 49rb: ...Credimus quod per sagaces amiculas uideri debet... (c. XII).

f° 49vb: ...Nos credimus si tanta sit pecunia quod destruetur eius ecclesia... (c. XIV).

f° 65rb: ...Credimus quod Deus talibus uerbis nullam uirtutem indiderit, nec propter uerba illa... (c. XXIV).

f° 80vb: ...Ego credo quod depositarius debet reddere ratione... (c. XXXIV).

f° 81ra: ...Et credimus quod peccasset si passus esset se excommunicari... (id.).

f° 81ra (et Z): ...credimus quod sine omni peccato potest dicere... (c. XXXV).

f° 94va: ...Credimus quod in ira per zelum, non impeditur usus discretionis... (c. XLI).

f° 97va: ...Et credimus quia lingua conciliatrix est et quasi artifex omnium uiciorum... (c. XLVIII).

f° 101rb: ...Vnde credo quod Habraham qui multa habuit... (c. LXV).

f° 107rb: ...Tamen credimus quod Deus per illam generalitatem que sit in missa... (c. LXVII).

f° 115vb: ...Credo quod ipsa tenetur reuelare dampnificato... (c. LXXXIII).

f° 117rb: ...Et credimus quod res alterius speciei specialiter... (c. LXXXVIII).

f° 117rb: ...Sed nos non credimus unquam ita posse fieri separationem ... (c. LXXXVIII)....

f° 117vb:...Non credimus quod aliquod caracterem susceperit in baptismo... (c. XCI).

f° 118ra: ...Credimus quod non tenentur nisi ad contritionem... (c. XCII).

f° 121rb: ...De istis credimus quod omnes fuerunt perfecti, et ideo... (c. CII).

f° 121va: ...Et credimus, licet glose aliter uideantur uelle, quod cum omnibus... (c. CII).

f° 121vb: ...Credo quod si tales dampnentur, ad maiorem cumulum dampnationis aperientur... (c. CII).

f° 121vb: ...Nos credimus quod aliquem dolorem habebunt paruuli pro carentia glorie... (c. CII).

f° 128ra: ...non debet ei communicare in sepultura. Quod melius credo... (c. CXXV).

f° 131rb: ...Et credo quod si habuit intentionem baptizandi et eo more et eo fine quo baptizat ecclesia... (c. CXL).

f° 131va: ...Credo tamen quod cum illud sit de grecismo, sine eo... (c. CXL).

f° 133vb: ...Dico quod non, nec credo quod tantum prosit tibi missa communis pro multis celebrata licet... (c. CLIII).

f° 135vb: ...Et credo quod illa forma uerborum que tunc profertur quando fit innunctio... (c. CLXII).

Dicimus:

f° 3ra: ...Solutio. Dicimus ad primum quod Deus est unum solum... (c. CCLXXX IX).

f° 3ra: ...Ad sequens dicimus quod humanitas non facit *quid* in Domino... (id.).

f° 3rb: ...Ad primum dicimus quod hec est falsa: Christus est hoc secundum quod homo ...Ad sequens dicimus quod iste terminus substantia potest sumi dupliciter... (id.).

f° 3vb: ...Ad aliud dicimus quod non potest demonstrari per hunc terminum iste homo... (id.).

f° 4ra: ...Contra. Simus ante incarnationem, quemadmodum ...Ideo dicimus quod ante incarnationem non subfuit dictum illi uoci, sed postea subfuit et dicemus quemadmodum... (id.).

f° 4ra: ...Quod concedunt quidam. Nos dicimus quod sicut eadem uox ut ...Quod concedimus. Dicimus ergo quod aliud est ponere quod Christus assumat hoc... (id.).

f° 48vb: ...Ad hoc dicimus quod triplici de causa bene potest homo occultare malitiam suam sine ypocrisi, causa naturalis erubescentie... (c. VII).

f° 49vb: ...Quare ergo credetur si iste esset mortuus ? Dicimus quod ideo faveabilior est causa defuncti... (c. XIV).

f° 65ra: ...Sed dicimus forte quod natura humana ita subtilis... (c. XXIV).

f° 65vb (et Z): ...Ad hoc dicimus qualitercumque quod nullum opus... (c. XXVII).

f° 66rb: ...Dicimus quod non est orandum pro anima talium specialiter... (c. XXX).

f° 66rb: ...Dicamus tamen pie quod omnibus dampnatis prosunt orationes ecclesie... (id.).

f° 66va (et Z): ...Dicimus ergo quod si iurisconsultus habundat et de facili potest dare consilium ...Dicimus quod peccat mortaliter si plus accipit quam ille... (c. XXXI).

f° 66vb: ...Dicimus ergo quod ignorantia dicitur esse peccatum quia ipsa est consequens ad peccatum... (c. XXXII).

f° 81rb: ...Dicimus quod fides nulla est, immo cogendus est stare cum priore, licet ipsa... (c. XXXVII).

f° 95vb: ...Ad hoc dicimus quod non fuit

necessarium quod genus humanum haberet uitam eternam... (c. XLII).

f° 97rb: ...uel sequi uagam libidinem. Istud ultimum dicimus esse pessimum... (c. XLVII).

f° 99rb: ...Dicimus precise quod sanguis Domini... (c. LV).

f° 101va: ...Non. Sed dicimus quod ille apprehendit disciplinam... (c. LXVI).

f° 107va: ...Dicimus quod non recipitur talis comparatio, quia cum dicitur... (c. LXIX).

f° 107va: ...Dicimus quod bonum esset ita facere sed non audemus dicere quod dampnati sint omnes... (c. LXIX).

f° 107vb: ...Dicimus quod duplex est perfectio, una interior... (c. LXIX).

f° 108rb: ...Item. Queritur utrum aliquis peccet ex ratione. Dicimus quod locutio... (c. LXXI).

f° 108rb: ...Dicimus quod nonnisi in carnalibus peccatis tantum quia diabolus... (c. LXXI).

f° 108va: ...Dicimus ad hoc quod uim irascibilem habuit et irasci potuit ...Dicimus quod principalia officia et simplicia distincta sunt, non composita... (c. LXXII).

f° 104 (et W f° 2va(: ...Post hec restat ut dicamus de aliis quibusdam dubitationibus et... (c. LXXVIII).

f° 116ra: ...Dicimus ergo quod si ipsa potest aliquo modo... (c. LXXXIII).

f° 116va: ...Item. De Caifa dicimus quod malam habuit intentionem et uoluit dicere Christum... (c. LXXXIV).

f° 117rb: ...non de facili diceremus de pane illo confici corpus Christi... (c. LXXXVIII).

f° 117va: ...Tamen dicimus quod priuilegium datum est tribus linguis... (c. LXXXVIII).

f° 119ra: ...Dicimus ergo quod non tenebantur statim acquiescere uerbis eius et licite poterant dubitare... (c. XCVI).

f° 119vb: ...Dicimus etiam quod si clericus habuit bona mixta ecclesiastica et proprii... (c. XCVII).

f° 120rb: ...Et dicimus quod omnis omissio actio est... (c. XCVIII).

f° 120rb: ...Neque dicemus quod canonici illi sint cogendi uiolenter accusare... (c. IC).

f° 121rb: ...Ad quod dicimus quod sic, id est quales in aere fiemus... (c. CII).

f° 121va: ...Et dicimus quod stultum est super hoc sollicitum esse... (c. CII).

f° 122ra: ...penam paruulorum, dicimus quod non negant sancti quod non possit... (c. CII).

f° 122rb: ...In primo casu dicimus quod ille frater cartusiensis... In secundo casu dicimus quod episcopus cum canonicat aliquem, non solum confert ei prebendam assignatam... (c. CIV).

f° 122va: ...Simile dicimus si in rurali ecclesia simili modo ex ignorantia aliquem ordinasset... (c. CIV).

f° 125ra: ...Simili modo dicimus quod si uideas quo quis proponit alium interimere... (c. CXV).

f° 129vb:...Non enim ut diximus, uerba uouentis sed fructus attendere debemus... (c. CXXXIII).

f° 133rb: ...sunt in adulterio copulati. Quid ergo dicemus ?... (c. CXLVIII).

f° 135vb: ...Quid ergo dicemus de accidia. Nonne si tedio afficior circa misterium diuinum, accidiosus sum ?... (c. CLXI).

f° 137ra: ...Quid ergo dicemus ? An dicendum est quod prior sacerdos...
(c. CLXIX).

f° 138rb: ...Sed quid dicemus de illo placere quod nec est hoc, nec illud... (c. CLXXV).

Dico: f° 98va: ...Dico quod plus debet restituere isti pauperi quam diuiti... (c. LII).

f° 111vb: ...Cum dico Pater et Filius et Spiritus Sanctus. ...Item. Cum dico: Deus est... (c. LXXVIII).

f° 113rb (et W f° 2ra): ...Solutio. Cum dico: Idem est quo est Deus et quo est Pater... (c. LXXVIII).

f° 118rb: ...Et bene dico quod iste principalis fenerator per alium... (c. XCV).

f° 121ra: ...de illa morte dico unde aliquid mortuum, non unde aliquid moriens... (c. CI).

f° 128rb: ...sicut morbus ille exigit sub tanto periculo mortis. Dico quod non... (c. CXXVI).

f° 130rb: ...Dico quod non militi sed in manu episcopi debet illud resignare... (c. CXXXV).

f° 131ra: ...Dico quod possint. Contra: illa uisa ideo tecta sunt per confessionem... (c. CXXXVI).

f° 132va: ...Dico quod tenetur. Ergo si ex condicto... (c. CXLV).

f° 133vb: ...Dico quod debet, et licet Moyses dicat... (c. CLII).

f° 133vb: ...Dico quod non, nec credo quod tantum prosit missa communis pro multis celebrata... (c. CLIII).

f° 134ra: ...Dico quod talis questio non posset solui nisi ab illo qui haberet spiritum prophetie... (c. CLV).

f° 136rb: ...Si communico tali qui incidit in illum canonem, an sum excommunicatus. Dico quod non... (c. CLXVI).

f° 139ra: ...Dico quod ex illo modico uino factus est sanguis... (c. CLXXVIII).

Dixi: f° 133va: ...Et dixi quod si ex deliberatione fecisset illum suspendi... (c. CIL).

Dicere: f° 97va: ...Preter communem glosarum expositionem, possumus dicere quod speculum istud... (c. XLVIII).

f° 115ra: ...et certum michi quod non deleas eos. Possumus tamen dicere quod sancti... (c. LXXXI).

f° 124ra: ...Vbi aliquid facit ecclesia cuius causam nescimus, debemus nostram accusare ignorantiam. Possumus tamen dicere quod Dominus... (c. CXIV).

f° 124rb: ...Simus in illo tempore et Herodes, Christo facto grandiusculo, querat illum ad occidendum et loco eius interficiat alium et simillium inbaptizatum, an audebimus dicere... (c. CXIV).

Dicerem: f° 136va: ...Dicerem tamen quod omnes qui scienter opus exercent ex quo nil nisi occasio mali accidit... (c. CLXVII).

Dicebo: f° 139vb: ...Dicebo quod secundum uendicionem presentem... (c. CLXXXII).

Discutimus: f° 99rb: ...uel remaneat ibi pura lacrima, sed hoc modo non discutimus... c. LVI).

Distinguo: f° 198va: ...Nec distinguo utrum illi quibus facienda est restitutio sint creditores... (c. LII).

f° 132va: ...Solutio. Hic distinguo. Refert utrum socii tui in lucro uel dampno... (c. CXLV).

Dubito: f° 98vb: ...si adquirere posset expenderet in pias causas. Hic dubito... (c. CIV).

f° 122rb: ...Sed de hoc dubitamus utrum teneatur ei prebendam dare... (c. CIV).

f° 122va: ...Sed de hoc dubitamus si postea uacaret sedes utrum deberent... (c. CIV).

f° 135vb: ...Sed hic dubito que forma uerborum confert uim huius sacramenti... (c. CLXII).

Expono, exponimus, etc:

f° 65va (et Z): ...Nos exponimus uerba illa dupliciter. Erant enim quidam... (c. XXV).

f° 107vb: ...Nos sic exponimus: Simulata equitas duplex est iniquitas... (c. LXX).

f° 122ra: ...Nos autem ita exponimus: Homo qui habet propositum peccandi licet quandoque proponat penitere ...Similiter exponimus quod sequitur: Si semper uiueret, semper peccaret... (c. CII).

Intelliximus: f° 97vb: ...Per seculum intelliximus omnia aduersa uirtutibus que in seculo accidunt... (c. XLVIII).

Inquam: f° 99rb: ...questio, inquam, posset esse an filius teneretur resignare... (c. LIV).

f° 116va: ...quare, inquam, fleuit postquam uidit non subuersam corporaliter in malo... (c. LXXXIV).

f° 131va: ...sed excitare illum ad compunctionem et deuotionem, cum, inquam, hoc sit, dubitat sacerdos... (c. CXL).

f° 131vb: ...et cum inde lucratus esset decem libras quesiuit, inquam, an teneretur restituere hec que sic acquisiuit... (c. CXLII).

Iudico: f° 133va: ...Vnde periculum magnum iudico ubi aliquis prelationem uel quodcumque beneficium... (c. CL).

Laudo: f° 130rb: ...Nec laudo sacerdoti quod furetur priuatim aliquid de decima militis... (c. CXXXV).

f° 133va: ...et ut tollat omne scrupulum laudaui ut cardinali habenti potestatem relaxandi super talibus occurrat... (c. LIII).

Legimus: f° 132ra: ...sed in ueteri testamento nusquam legimus quod suspendendi sunt fures... (c. CXLIII).

Nescio, nescimus: f° 119ra: ...Quanto autem tempore liceret eis dubitare et fluctuare nescimus. Sicut etiam multi erant... sed quanto tempore post passionem poterat aliquis saluari in iudaismo, nescimus. Non enim certum est nobis quando sufficienter predicatum est ubique... (c. XCVI).

f° 125rb: ...nescimus adhuc ad paruulas querelas uetularum respondere... (c. CXVII).

f° 129va: ...sed nescio si clericis sit licita, maxime si fiat de patrimonio Crucifixi... (c. CXXXII).

Nouimus: f° 101ra: ...Nouimus prelatos ecclesiarum qui etiam in causis ecclesiasticis tenentur... (c. LXIII).

Offendo: f° 123vb: ...in quibus omnibus offendo et offendor qui omnes michi scrupulos... (c. CXIV).

Ostendo: f° 137vb: ...Quod per similem ostendo... (c. CLXXIII).

Permitterem: f° 125ra: ...Ego, ut feci tunc, in primo casu dissimulando permitterem tam pessimum truncari ab aliis ad ... (c. CXVI).

Pono: f° 3vb: ...Similiter pono per impossibile quod una essentia sit homo... (c. CCLXXXIX).

Probo: f° 125rb: ...accipientes ad restitutionem. Quod sic probo... (c. CXVII).

f° 125vb: ...quero utrum ille debeat restituere illa. Quod probo quia scit illa esse de furto... (c. CXVII).

f° 126va: ...Sed contra sic probo quod canonicus non habet proprium sicut nec monacus officialis... (c. CXVII).

f° 126va: ...Probo quod in hoc casu interuenit usura... (c. CXVIII).

f° 129rb: ...Sed probo quod ad plus tenetur, quia qui dat ignem incendiario... (c. CXXIX).

f° 132vb: ...Quod probo ,ipse scit quod talis adolescens nil habet nisi id quod est alterius... (c. CXLV).

f° 133rb: ...Si dicat quod non teneor, probo quod teneris. Esto quod in tali loco... (c. CXLVIII).

f° 136ra: ...Queritur utrum ille qui sub

conditione promisit possit iurare: nisi promisi tibi. Quod probo... (c. CLXIV).

f° 136va: ...Possunt ne saluari tales uictum querentes. Probo quod non...
(c. CLXVII).

f° 137rb: ...Probo quod non quia ipsa scit eum nil habere nisi de patrimonio Crucifixi... (c. CLXXI).

f° 137vb: ...Quod probo. Hic acreuit aliquid sorti. Ergo intercessit usura... (c. CLXXIV).

Preostendimus: f° 124va: ...Nota ut preostendimus quod melius diceretur: Ex morte infantium... (c. CXIV).

Quero, querimus: f° 4ra: ...quo posito, quero utrum Christus sit duo homines... (c. CCLXXXIX).

f° 80rb: (et Z): ...Quero ergo utrum hec traditio sit legitima et sustinenda... (c. XXXIII).

f° 80va (et Z): ...Quero ergo utrum ex talibus uerbis prioris... (c. XXXIII).

f° 81ra (et Z): ...Sed iterum quero si aliquis habeat uxorem lecatricem et dilapidatricem... (c. XXXIV).

f° 118ra: ...Sed modo quero utrum teneatur baptizari. Quod si est... (c. XCII).

f° 119rb: ...Occasione huius questionis querimus generaliter de restitutione bonorum... (c. XCVII).

f° 124rb: ...Item. Quero quod plus me mouet unde ecclesia celebrat festum decollationis... (c. CXIV).

f° 125ra: ...quero an pecces in hoc, an statim debeas eum intromittere ne occidatur... Item. Si habes anulum medicinalem, quero an debeas illo inflaturam huius pessimi... (c. CXVI).

f° 125vb: ...Quero quod consilium sit ei dandum, an restituet omnia que ab illo recepit ...quero utrum ille debeat restituere illa... (c. CXVII).

f°126rb: ...Sed quero qualiter christianus ad plenum discerneret hanc indigentiam... (c. CXVII).

f° 127va (et P): ...Sed quero quid fiet si non sit secutum tale factum. Videtur quod non sit secutum tale... (c. CXXIV).

f° 128rb: ...Quero ergo quid dicendum sit tali medico consulenti super hoc et quid egrotanti... (c. CXXVI).

f°129va: ...Quero si liceat ei illos denarios in pias causas expendere... c. CXXXIII).

f° 130va: ...quero an sacerdos dicet illi matri sic: Domina, laudo ne permittas filiam tuam copulari illi... (c. CXXXVI).

f° 130vb:...Quero ergo utrum possint intendere accusationem in illum ...quero ergo utrum sacerdos dabit ei illam ut predictum... (c. CXXXVI).

f° 131ra: ...quero utrum postmodum possint ferre testimonium contra illum de uisis... (c. CXXXVI).

f° 131ra: ...Quod si fecerint, statim interficerentur. Hic quero quid consulet illis archiepiscopus... (c. CXXXVII).

f° 133rb: ...A simili quero. Ecce aliquis copulatus in sexto uel septimo gradu... (c. CXLVIII).

f°134va: ...Quero qua conscientia comedunt isti aulici uel prelatorum clerici aut ipsi prelati... (c. CLVI).

f° 135va: ...Quero cuiusmodi penitentia sit iniungenda matri uel tali filio spurio uel adoptiuo... (c. CLX).

f° 135va: ...Quero ergo si quis aspiciat ueniale in corde, utrum exaudiet Dominus... (c. CLXI).

f° 135vb: ...Item. Quero si unus primarius motus ad aliquod peccatum sit grauior alio primario motu ad illud peccatum... (c. CLXI).

f° 137ra: ...Sed quero quomodo potest

plus absolui cum prior sacerdos plene illum absoluerit... (c. CLXIX).

f° 139vb: ...Quero secundum quam estimationem restituetur ei illa annona... (c. CLXXXII).

Questio: f° 66va (et Z): ...Sed utrum teneatur restituere, hoc pono in questione... (c. XXXI).

f° 124: ...Alia me pungit hic questio, scilicet hec... (c. CXIV).

f° 132va: ...Aliam hic formo questionem... (c. CXLV).

Restringo: f° 115va: ...Si non restringerem orationem uocaliter quin apponerem signum uerbale, restringerem saltem mentaliter... (c. LXXXI).

Relinquo: f° 123ra: ...aliter enim destrueretur ab ea. Hoc tamen indiscussum relinquimus... (c. CX).

Sacerdos: f° 80vb: ...Si ego essem sacerdos, non consulerem quod hoc faceret. Non debemus enim nostra auctoritate peruertere leges et consuetudines et manifesta fronte uenire contra iura ...(c. XXXIV).

Tardarem: f° 125ra: ...In secundo casu tardarem aperire ecclesiam si tam prauus esset ille qui quereretur occidendus... (c. CXVI).

Refutarem: f° 65rb: ...et posset fieri sine scandalo, non refutarem... (c. XXIV).

Respondemus: f° 107va: ...Similiter respondemus ad illam obiectionem qua uidetur probari quod aliquis magis diligit librum... (c. LXIX).

f° 121rb: ...Sed ad hoc respondemus quod ista Deo nota sunt et illi soli possibilia... (c. CII).

Video, uidemus, uidimus:

f° 50ra: ...Nos uidimus frequenter hanc questionem fieri de facto et multotiens fuisse factam... (c. XIV).

f° 119va: ...Sepissime enim uidimus quod seruientes et alii qui ita ditati sunt de bonis ecclesie ut predictum est, ad maximam paupertatem deuenerunt in se uel saltem in successoribus suis. Vidimus etiam... (c. XCVII).

f°125rb: ...Item. Sepe uidemus pomposos canonicos in ecclesia qui non habent aliquid nisi de ecclesia... (c. CXVII).

f° 140ra: ...Multos uidemus uolentes nocere aliis qui prius sibi nocent... (c. CLXXXIV).

Videtur nobis, michi uidetur:

f° 66va: ...Videtur nobis obuiare illa auctoritas... (c. XXX).

f° 80va (et Z): ...Nobis ergo uidetur quod minus circonscripta fuit ista traditio... (c. XXXIII).

f° 98rb: ...In tercio casu uidetur nobis incidere manifestam simoniam. Spiritualia enim... credo quod non esset simonia. Sicut uidemus apud sanctam Genouefam... (c. L).

f° 99ra: ...Hoc michi uidetur quod nullo uel pro precio uel sine precio debet aliquis offere se ad testificandum de re de qua nil scit... (c. LIII).

f° 99rb: ...In primo casu uidetur nobis quod salubre est filio resignare... (c. LIV).

f° 100va-vb: ...Videtur / nobis istud non esse faciendum. Sed si egrotus non possit deglutire... (c. LX).

f° 118rb: ...Videtur ergo nobis sicut in priori casu quod uterque tenetur in solidum, sed si alter restituerit... (c. XCV).

f° 119va: ...Videtur ergo nobis per predicta quod mulier predicta tenetur ...Pari ratione uidetur nobis quod si clerici turpiter dederint consanguineis suis ...Nobis uidetur hec opinio falsa quia si fieret iniuria ecclesie... (c. XCVII).

f° 120va: ...Incidit ne in canonem ? Michi uidetur quod incidit... (c. IC).

f° 134ra: ...Solutio. Michi uidetur quod

nisi pro necessitate non sunt cantande hore... (c. CLVIII).

f° 136vb: ...Michi uidetur quod sic est distinguendum. Aut probatum est sufficienter ecclesie quod consanguinitas... (c. CLXVIII).

f° 137vb: ...Michi uidetur in primo casu usuram intercesse et non esse simile... (c. CLXXIII).

f° 139vb: ...Ergo illud integre debet ei reddere uel probare quod non potuit illud tale seruare. Quod michi uidetur... (c. CLXXXII).

Voco: f° 108rb: ...Voluntatem uoco potentiam anime, non motum uoluntatis...

Le nombre de ces textes à la première personne fournis par le seul manuscrit W est déjà assez impressionnant, et encore notre liste ne prétend-elle pas être exhaustive ([79]). Ces textes nous mettent en présence d'un rédacteur, ou si l'on préfère, d'un auteur, qui expose son propre point de vue *(consulo, concedo, credo, credimus, dicimus, dico, distinguo, iudico...)* ou fait appel à ses souvenirs *(uidimus...)*

Notons tout de suite qu'il semble que l'auteur — ou l'un des auteurs — de ces *questiones* n'était pas prêtre, du moins au moment où il les rédigeait. Nous lisons en effet:

W f° 80vb   Primo ergo queritur utrum peccauerit ille uir qui ita defraudauit uxorem suam iure suo. Si ego essem sacerdos, non consulerem quod hoc faceret. Non debemus enim nostra auctoritate peruertere leges et consuetudines, et manifesta fronte uenire contra iura. Tamen forte simplicitas et auctoritas sacerdotis excusant illum mortuum. (c. XXXIV).

On pourrait néanmoins objecter, non sans subtilité, que l'auteur a voulu dire: «Si j'étais ce prêtre...» (celui dont il est question, qui a donné un conseil au moribond), et non pas: «Si j'étais prêtre...». Si l'on se rend à cette objection, l'on ne peut plus rien tirer de ce texte.

([79]) A cette liste de textes à la première personne il conviendrait d'ajouter tous les textes communs à W et à B, et que l'on trouvera dans la liste de citations du manuscrit B.

Mais à cette liste de textes à la première personne, il faut ajouter des citations plus typiques et beaucoup plus significatives:

C'est ainsi que pour justifier la position qu'il adopte dans l'étude d'un cas de simonie, l'auteur semble faire appel à ses souvenirs.

f° 98ra   Casus dubius de symonia ([80]).
             In aliquo loco erat capella quedam in qua princeps habebat ius patronatus...
             In primo casu uidetur nobis licitum...
f° 98rb   ...Addimus etiam quod plus est...
             ...In tercio casu uidetur nobis incidere manifestam simoniam ...credo quod non esset simonia. Sicut uidimus apud sanctam Genouefam cum canonici expellerentur a summo pontifice et instituerentur regulares, non sunt spoliati canonici reddittibus suis, sed quamdiu uixerunt certam quantitatem a regularibus pro fructibus prebendarum suarum reciperent... (c. L).

Les premières lignes d'un chapitre consacré aux saints Innocents ont elles aussi, un accent personnel évident. Nous lisons en effet:

f° 123vb   Pes debilis cito offendit quod ad singulos experior lapillos in quibus omnibus offendo et offendor, qui omnes michi scrupulos, malis meritis exigentibus, mouent ex quo in singulis passibus meis insipientie mee recordor.
             Preterea. Difficilima est sacra scriptura ei quem non docet unctio de omnibus, que tamen nec ubique est difficilis, nec ubique facilis, quia si ubique esset facilis, non te pasceret, sed ⟨si⟩ ubique esset difficilis non te exerceret... Hoc plurimum me mouet quod legitur de innocentibus: ex ore infantium et lactantium... (c. CXIV).

On pourrait toutefois se demander si ces quelques lignes, qui constituent une sorte de préambule de la *questio,* ne sont par farcies de réminiscences littéraires d'ouvrages que nous ne connaissons point, et dans ce cas, l'intérêt de ces lignes serait quelque peu amoindri.

([80]) Titre écrit dans la marge du manuscrit.

Par contre on ne peut émettre aucun doute sur le caractère personnel de trois cas de conscience ayant trait à la justice, ou, plus précisément, à la conduite que les clercs doivent adopter à l'égard d'un meurtrier :

f° 125ra   ...Esto ergo quod tibi ⟨qui⟩ es magnus in ecclesia, scilicet decanus uel cantor uel episcopus, commissa sit cura alicuius uille in qua furtifer et latro notorius deprehensus sit, cuius iusticia ad te pertinet, et alius potens superueniat ad illum eumdem interficiendum, ad quem talis potestas in illa uilla non pertineat. Quero hic quid facies ? An pertransibis cum silentio, permittendo illum interfici, cui potes succurrere ; an succurres ei non permittendo illum tangi ab eo ad quem iustitia non pertinet. Si enim ille superueniens permittatur punire illum reum, hoc fiet in iniuriam ecclesie ad quam solam spectat illa iusticia. Si uero non permittatur, quicumque retinebit illum ad iudicium ecclesie erit causa quare non morietur quia ecclesia neminem interficit. Et constat quod mors talis et tanti latronis admodum utilis fieret populo, quia ipso singulis diebus alios iugulat.

Item. Si tam enormis sicarius confugiat ad ecclesiam et tamen habens claues, aliquantulum differas aperire ecclesiam ut ipse apparitoribus capiatur, quero an pecces in hoc an statim debeas eum intromittere ne occidatur, cum scias mortem eius plurimum ecclesie prodesse. Item. Si habes anulum medicinalem, quero an debeas illo inflaturam huius pessimi sicarii uel Saladini sanare si potes.

Solutio.

Ego, ut feci tunc, in primo casu dissimulando permitterem tam pessimum truncari ab aliis ad quos etiam iurisdictio illa non tantum pertineret quantum ad nos.

In secundo casu tardarem aperire ecclesiam si tam prauus esset ille qui quereretur occidendus, nec in hoc fierem reus homicidii.

f° 125rb   In tercio casu similiter non laborarem ad / sanationem tam pessimi, nisi aliquantulam concipuerem spem de eius correctione, licet quidam dicunt quod tenerer quantumcumque malo mederi quia Deus posset illum conuertere.

Ce texte est fort intéressant, non seulement parce que les solutions sont présentées avec fermeté, mais aussi par la discrète allusion de l'auteur à un fait similaire du passé (...*Solutio. Ego, ut feci tunc, in primo casu*...). Il semblerait que l'auteur ait occupé une charge ecclésiastique importante, qu'il ait joué le rôle de juge.

A la suite de ce texte, nous trouvons immédiatement quelques lignes formant une curieuse introduction à d'autres cas de conscience relatifs aux clercs qui dilapident honteusement les biens ecclésiastiques:

f° 125va   In me sepe compungor et confundor recolens hoc quod Ieronimus uocatus a Damaso papa, solaque biblioteca adiutus ad omnem consultationem uniuersi orbis sufficienter respondit, et nos qui habemus canones patrum et infinitas alias editiones aliorum, nescimus adhuc ad paruulas querelas uetularum respondere, quia non habemus illam unctionem quam ipse habuit, peccatis nostris exigentibus.

Nuper uenit ad me paupercula mulier, ex qua quidam abbas susceperat filios et filias, et cui ille dederat possessiones mobiles et immobiles, que ducta penitentia, querit utrum teneatur ad restitutionem omnium que accipit ab illo abbate... (c. CXVII).

A ce texte s'apparentent des remarques personnelles que nous trouvons de-ci de-là:

f° 127ra   ...Plurimum anxiatus est spiritus meus pridie cum quidam laicus retulit michi que uideat in nundinis, ubi omnium opera quocumque modo uidit excusabilia preter sacerdotes qui prostant quasi caupones et prostibularii clamantes... (c. CXX).

f° 127ra   ...Quidam religiosus mecum conferens quiddam ad modum memorabile quod plurimum preoptaueram, michi retulit quod cum aliquando esset in mortali et disposuerit committere mortale, per ruminationem psalmorum quos de more ruminauit non corde sed ore, liberatus est ab illo prauo proposito, quod intendit tunc perducere ad effectum, nam interim sensit intime quod uis psalmorum extinxit in eo omnem pruritum et affectum perpetrandi quod inceperat. Vnde nobis sciendum est... (c. CXXI).

f° 128rb ...Item. Arcius me pungit cirurgicus consulens me super hoc, scilicet an incidet tales precipue cum sciat incertum esse sibi... (c. CXXVI).

f° 130va ...Qui descendunt in mare cum domino in nauibus, uident enim in profundo, quia mirabilia Dei in aquis multis, que aque nos submergunt in fluctus mundi, descendimus ad dubitationes quas parit nobis, quia quod distat inter declamatorem in scolis et oratorem in foro, hoc interest inter ruminantes litterarias questiones scolasticas et illos qui ad consultationes singulorum tenentur respondere.

Pridie accidit quod adolescens quidam dedit fidem cuidam iuuencule de contrahendo matrimonio cum illa, sed postmodum cognouit matrem eiusdem iuuencule... (c. CXXXVI).

f° 131va ...Secundum hanc uel consimilem intentionem hesito et pungor in me quid debeam dicere, nam certum... (c. CXL).

f° 131vb Qui est debili et torti pede, cito ad lapidem offendit, quia non habet unctionem ab illo de quo dictum est: *In manibus portabunt te ne forte offendas ad lapidem pedem tuum.* Vnde titubaui nuper cum quidam timoratam habens conscientiam quesiuit a me de hoc quod cum ad nundinas diu seruauit mercatori in scribendo debita usurarum suarum et cambiaciones et cetera licita cum illicitis, et cum inde lucratus esset decem libras, quesiuit, inquam, an teneretur restituere hec que sic acquisiuit... (c. CXLII).

f° 132ra ...Cum igitur per sacras litteras nobis sit prescripta regula bene uiuendi et credendi, plurimum dolere debemus quod peccatis nostris exigentibus illam regulam bene uiuendi et credendi omnino ignoramus, quia nil omnino ubi opus est scimus. Plurimum perturbor in me et confundor de quadam consultatione michi facta ad quam quid respondeam nescio. Quidam episcopus spiritualibus adiuncta habet regalia quedam ...Vnde idem episcopus epistulam michi misit consultatoriam super huius fora ei prescribenda. Cum plurimum hesitem quid rescribam, dissero mecum quia remote sic in nouo testamento non inuenio alicubi aliquid de armata ista iurisdictione ...Sed in ueteri testamento nusquam legimus quod suspendendi sunt fures pro quantocumque furto... (c. CXLIII).

f° 132rb ...Si enim nullus dampnatur nisi propter mortale et talis dampnatur, propter hoc medela est imponenda, sed quomodo ? Certe hoc malleo. Questionis ita suffocatus fui quod nesciui quid dicerem... (c. CXLIV).

...Nudius tercius proposuit michi quidam timoratus casum talem: Ego, diu lusibus in deciis indultus, solebam prouocare... (c. CXLV).

f° 132rb ...Augustinus: Noli credere litteris meis nisi quicquid scripsero probauero deriuari ab alterutro testamentorum. Sicut enim per riuum probatur cuiusmodi sit fons riui et ex gustu fontis scitur de riuo an processerit ex illo, ita qui plene hausit in ueteri uel nouo testamento ...Sed puteus altus est et hauritorium non habemus. Vnde nescimus discernere inter siluam traditionum et ea que de puritate ueteris uel noui testamenti

f° 133va / deriuantur. Multa itaque illicita sunt quia prohibita que alias essent licita ...Abbas premonstrensis ordinis, cum esset magister nobilis adolescens, quasi sompnolentus de nocte sine deliberatione dixit clerico suo: Vade ad fratrem tuum et dic ei ut suspendat hunc latronem quem audio gradientem super tectum et qui euasit de carcere ipsius. Quod cum per uenisset fratri, frater suspendit illum. Vnde ille abbas scrupulosam habens conscientiam quesiuit a me an liceret ei celebrare. Et dixi quod si ex deliberatione fecisset illum suspendi... et ut tollat omne scrupulum laudaui ut cardinali habenti potestatem relaxandi super talibus occurrat cum possit et omnia ei confiteatur... (c. CIL).

f° 133vb   Querit sacerdos an debeat ferre uiaticum ad scortum in lupanar si illud exigat. Dico quod debet, et licet Moyses dicat quod non erit scortum in Israel, tamen non debemus eas uiolenter expellere... (c. CLII).

...Quidam pessimi mercennarii uendentes indiscretis tricennalia, unum tricennale per annum celebrant loco decem uel uiginti, qui querunt a me an sic liberentur. Dico quod non, nec credo quod tantum prosit tibi missa communis pro multis celebrata licet in ea pro te dicatur specialiter oratio, quam specialis pro te solo celebrata... (c. CLIII).

f° 134rb-va   ...Nuper solitarius equitans dum multa retractarem / acrius punctus sum quadam questione pulsante michi a quodam aduerbio quod legi in epistola... (c. CLVI).

f° 135ra   ...Modicum est quod perturbat pupillam oculis tam corporalis quam spiritualis, quia cum infirmum habeam exteriorem ad litteram, infirmiorem habeo interiorem oculum, scilicet lippientem lippitudinibus sordium quam aculeis questionum. Pridie ego et quidam litteratus contulimus de horis cantandis attendentes... c. CLVIII).

f° 135rb   ...Non ergo cum Paulo ad minorum questiones condescendentes sollicitamur super tali questione nobis proposita... (c. CLIX).

...Iuxta uerbum canonici, cum ualemus, facile consilia egrotis damus. Sed si tu hic esses, aliter sencias. Nos autem etsi ualeamus corporis sanitate, non tamen ualemus ualitudine scientie, nec omnia scripta sunt in canone, aut in ueteri aut nouo ad unguere... (c. CLX).

f° 135vb   ...Cogitanti michi de his que necessaria sunt his qui in extremis laborant. Videtur quod quatuor sunt... Sed hic dubito que forma uerborum confert uim huius sacramenti... (c. CLXII).

f° 136ra   Facile est ad consueta reuerti. Reuertor igitur ad consueta, dubitans ut soleo, et mecum retractans illam questionem quam Magister Lotharius cardinalis michi nuper proposuit sic ([81]). Due mulieres traxerunt quemdam in causam, quarum utraque dicebat quod ille duxerat illam in uxorem... (c. CLXIII).

Legista Boloni pulsauit me hac alia questione ([82]). Quidam promisit sub hac forma... (c. CLXIV).

...Et huic probationi consentio... (id.).

Cardinalis quidam hanc questionem michi proposuit. Accidit quod quidam... (c. CLXV).

f° 136va   ...Quod concedimus, adherentes consilio cardinalis... (c. CLXVI).

Solutio. Vix aliquid est de quo consulere anime christiane sciamus. Vnde inscientie mee singulis passibus meis recordor. Dicerem tamen quod omnes qui scienter opus exercent... (c. CLXVII).

f° 136vb   Dubitatum est plurimum in curia a cardinalibus de hoc facto. Quidam habens uxorem occulte eam dimisit et alii nupsit... Michi uidetur quod sic est distinguendum. Aut probatum est sufficienter ecclesie quod consanguinitas tanta est inter primam et illum, quod ecclesia non possit dispensare in illo gradu; aut probatum est quod sunt in gradu dispensabili. In primo casu adiudicarem illum tercie, in secundo casu adiudicarem illum secunde, quia tantus est fauor matrimonii et tanta auctoritas instituentis, ut pro illo sit semper sententiandum, secundum primariam legis institutionem pocius quam secundum hu-

---

[81] A la lecture de ces lignes, cette réflexion vient aussitôt à l'esprit: l'auteur devait être un personnage d'une certaine importance, puisqu'un cardinal venait le consulter.

[82] Ce texte venant directement à la suite du précédent, on pourrait supposer que le cardinal Lothaire cité précédemment était ou avait été maître à Bologne. Néanmoins, cette hypothèse ne peut recevoir aucune confirmation, car, quelques lignes plus loin on trouve une allusion à un cardinal anonyme.

	manam et modernorum traditionem... (c. CLX-VIII) (⁸³).
f° 137rb	...Nam tunc dicerem: Habeas uoluntatem reddendi et sufficit. Sed si multa habeat raptor, debeo dicere: Redde omnia, aliter non potes optinere confessionem. Ipse nil aget, quid faciam tunc? Sepe uidetis... (c. CLXXI).
	Cum pridie Romam ire disposui, statui in testamento reddere non solum que mutuo accepi (⁸⁴), set etiam omnia que gratis ab aliis quos in nullo remuneraui. Memini me acepisse nam apud Athenienses qui nequissima ingenia sed equissima habebant iura, statute sunt leges et pene circa ingratos, quia nil miserius est quam accipere et nil gloriosius quam dare... (c. id.).
f° 138va	...Omnipotenti debemus reddere rationem de fide et spe que in nobis sunt, ut dicit Apostolus, et non de illis, set de hiis omnibus que ad bonos mores pertinent ...Quidam sacerdos audiens confessiones monialium ...*querit* ergo a me an propter hoc desistat... (c. CLXXVI).
f° 139va	...Cepi meditari super illud poeticum... (c. CLXXXI).

(⁸³) Relevons que cette hostilité aux usages des «modernes» concorde avec celle que l'on rencontre dans la *Summa* et dans le *Verbum abbreviatum*.

(⁸⁴) Au sujet de ces quelques lignes, le lecteur pourrait se poser plusieurs questions. S'agit-il d'un exemple d'école? Si on l'admet, aucun problème. Mais si l'on suppose que l'auteur fait allusion à un voyage ou à un projet de voyage authentique, on se heurte à plusieurs difficultés. Cet auteur ne serait-il pas Pierre le Chantre? En effet, il est très probable que Pierre le Chantre se rendit à Rome pour assister au III⁰ concile général de Latran, réuni par Alexandre III. Mais alors, ces lignes auraient été écrites avant le concile, et par conséquent avant le *Verbum Abbreviatum* et avant la *Summa de Sacramentis et Animae Consiliis*. Comment se fait-il que nous les retrouvions mêlées au texte de la *Summa* et de *questiones* qui ne peuvent être l'œuvre de Pierre le Chantre? Mais Pierre le Chantre n'est pas le seul à s'être rendu à Rome, et il est possible que ces lignes aient été écrites par un autre personnage. Ces remarques soulignent la complexité du problème. D'autres éléments viennent encore l'aggraver, comme nous le verrons ultérieurement.

f° 139vb   ...Cepi mecum cogitare illud quod in legenda Sancti Marcelli notaui: Qui aliorum amat profectus sibi proficit. Quero ergo utrum quicumque alii prodest, sibi prius proficiat... (c. CLXXXIV).

f° 140ra   ...Multos uidemus uolentes nocere aliis qui prius sibi nocent, qui instrumento sui offensionis puniuntur... (id.).

A cette liste, il importe d'ajouter quelques textes communs à W et B:

f° 83rb-va   (et B f° 157rb): ...Vidimus et audiuimus quod cum quidam fur traheretur ad suspendium, pertransibat quidam clericus in minoribus ordinibus. Rogabant apparitores quod concederet equum suum supponendum pedibus latronis suspendendi. Concessit ...Concederem ergo in tali casu et ligna et equum principi... (c. CCXXX).

f° 83va   (et B f° 157rb): ...Si heretici essent coram iudice parato occidere eos si essent conuicti, esset ne michi clerico licitum cum eis disputare de fide et conuincere eos si possem. Ego conuincerem eos disputando si possem, dummodo per eos... (c. CCXXX).

f° 84ra   (et B f° 158ra-rb): ...Vnde ut ad primam auctoritatem respondeamus, possumus dicere quod ideo dicitur caritas prima omnium uirtutum, quia sola caritas eodem numero et specie que est in uia erit in patria sed fides euacuabitur quia tunc sciemus quod modo credimus, et scientia destruetur quia scientia quam modo habemus de Deo, respectu illius scientie quam habebimus in futuro... (c. CCXXXV).

f° 87rb   (et B f° 162va: ...Scimus tamen quod summus pontifex ordinauit quendam caldeum in sacerdotem, qui nullam linguam nouit preter caldeam... (c. CCXLVII).

Cette liste de textes à la première personne est assez impressionnante, et si nos données se limitaient à ces seules citations, l'on serait tenté de dire: Pourquoi se donner la peine de construire des hypothèses compliquées? Tout ces textes n'émanent-ils pas d'un même auteur? Cet auteur n'était vraisemblablement pas prêtre ([85]), il s'était rendu à Rome ([86]), avait été consulté par des cardinaux et canonistes ([87]) et avait parfois joué le rôle de juge. Ne s'agirait-il donc pas de Pierre le Chantre qui, lui aussi, n'était pas prêtre, se rendit à Rome à l'occasion du concile de Latran, exerça les fonctions de juge, et fut interrogé par des cardinaux ([88]) ? Hélas ! Cette séduisante mais hâtive conclusion ne pourra être retenue, car de nombreux textes viendront tout remettre en question, et c'est à l'examen de ces textes que nous allons maintenant procéder.

B.- *FORMES À LA TROISIEME PERSONNE*

Il est tout d'abord assez intéressant de constater que les *questiones* du manuscrit W ne contiennent pas les formes *querit, dicit, consulit, credit,* etc ...que nous avions rencontrées assez souvent dans la troisième partie de la *Summa* ([89]). Par contre, les allusions précises à un maître sont nombreuses, et nous en donnerons la liste en distinguant les références à un *magister* anonyme et celles à un maître nommément désigné.

1°) *Allusions à un* magister *anonyme:*

f° 3rb ...Potest tamen aliter dici secundum opinionem magistri et omnium fere theologorum quod humanitas... (c. CCLXXXIX).

f° 48vb ...Magister ita distinguit. Si prelatus iniunxit ei quod ipse iret Romam... (c. VIII).

...*Consilium* Magistri est quod religiosi possunt dicere generaliter prelatis quod latrones eis nocuerunt... (c. IX).

f° 63ra ...(et Z) ...Consuluit magister quod si posset fieri, induceretur ille uulneratus ad consentiendum cum ea... (c. XVII).

---

[85] Voir *supra,* p. 295.
[86] Voir *supra,* p. 303, note 84.
[87] Voir *supra,* p. 302, note 81.
[88] Voir par exemple: Stephan KUTTNER, Eleanor RATHBONE, *Anglonorman canonists of the twelfth Century,* dans *Traditio,* vol. VII, 1949-1951, p. 327.
[89] Voir *supra,* p. 144.

f° 63va	...quia datum est ei beneficium hac de causa ut deseruiet Deo in caritate. Consulit magister quod resignaret... (c. XIX).
f° 66ra	...Consuluit ei magister quod consuleret maiorem, scilicet summum pontificem uel eius legatum... (c. XXIX).
f° 97vb	...Dixit magister non iterandum esse baptisma quia cum Dominus diceret: Ite docete omnes gentes, baptizantes eos in nomine Patris, etc, usus est hoc participio... (c. XLIX).
f° 98va	...Dicit magister quod sepe cum unus in nullo egebat, alter plurimum egebat, parcum uel nichil restituit de pecunia tali modo sibi commissa illi qui habundabat... (c. LII).
f° 98vb	...Queritur utrum iste peccet dando talibus. Et dicit magister quod non, sicut non aliquis dando pecuniam feneratori pro mutuo quia redemit quod ei debetur. Sed testes in causa matrimoniali iurant quod nec fauore, neque precio, neque odio hoc dicunt. Dicit magister sic esse temperandum... (c. LIII).
f° 99rb	...Consilium magistri fuit quod in nomine Domini conficeret et diligentiam quam posset apponeret, ne lacrime stillarent in calicem... (c. LVI).
	...Dicit magister quod statim ex quo prepositus negauit eum episcopo petenti, fuit uiolentus detentor... (c. LVII).
f° 100vb	...Dicit magister quod non uidetur ei dicendam ueri nominis confessionem quam non committatur penitentia... (c. LXII).
f° 101rb	...Item. Dicit magister: si quis habet rem hereditariam quam auus uel atauus male adquisiuit, quam cito aduertet, debet si potest restituere... c. LXVI).
f° 107ra	...absolutus quantum ad diem illum ? Dicit magister quod credit eum absolutum... (c. LXVII).
f° 108ra	...Tenet ne matrimonium ? Dicit magister quod tenet, quia matrimonium quiddam uniuersale est et quiddam substantiale... (c. LXX).
f° 108vb	...Dicit magister quod si habeat aliunde unde uiuat uel ex mutuo uel ex elemosinis, non debet

ipse aucupari uel uenari ad opus iudeorum... (c. LXXIII).

...Consulit magister quod resignet eam penitus et si uoluerit tunc episcopus, dat ei sine omni tamen pactione... (c. LXXIV).

f° 114rb   (et W f° 3ra): ...Magister tamen dicit quod ideo hec est falsa: Deus non est Pater... (c. LXXVIII).

f° 115ra   ...Dicit Magister quod non potest amittere aliquo modo ordinem, uel ius conficiendi, etiam si degradetur uel deponatur... (c. LXXIX).

...Consilium est Magistri quod mittatur ad abbatem ut ipse dissimulat illam sententiam si nolit omnino relaxare quia... (c. LXXX).

f° 116ra   ...Magister non soluit nisi de illis qui prebuerunt consensum suum furto et ministerium... (c. LXXXIII).

f° 118ra   ...Dicit magister quod sicut habens panem in extrema necessitate famis et panem unum debeat, non tenetur in tali articulo... (c. XCIV).

f° 118rb   ...nec approbat magister opinionem quorumdam dicentium ipsam posse procurare uenenum sterilitatis... (c. XCIV).

...et dicit magister quod si ambo penitent, sufficit utrique restituere quod rapuit per usuram... (c. XCV).

f° 118vb   ...Distinguit magister si ille qui mutuum accepit tenebatur offerre et sacerdos daret ei mutuum ut reciperet ab eo quod ei debebatur... (c. XCV).

f° 120ra   ...Et dixit magister in transcursu quod in rei ueritate innascibilitas non est aliqua notio sed notat tantum modum loquendi... (c. XCVIII).

f° 122va   ...Et tamen dicit magister quod omni opere suo idem meruit nobis quod passione, unde statim humanatus hoc quod ipse nobis meruit... (c. CV).

f° 122vb   ...Dicit magister quod si aliquantum firmus est ita quod non timeat sibi de lubrico, multum inclinatur animus eius ad hoc quod tenetur exire ad satisfaciendum lesis... (c. CVIII).

f° 123va   ...Magister dicit quod idem est transgressio,

	superbia, inobedientia, quod ipsum peccatum in quo superbit quis uel transgreditur... (c. CXI).
f° 124va	...Magister dicit quod non consulet ei ut hac causa precipitet se sic ad mortem quia forte in odium fraternum sic moreretur et dampnaretur... (c. CXIV).
f° 125vb	...Soluit ad hoc magister sic: Ego nescio aliquam differentiam inter monacum officialem ut celarium uel priorem... Solutio magistri est quod estimatiue consideret talis prelatus quantum fisco uel guerre regis debeat... (c. CXVII).
f° 126ra	...Quod magister concedit si ille mercator sciat illa sic esse data illi fornicarie; sed si ignoret hoc, sine peccato et non sine dampno... (c. CXVII).
f° 126va	...Solutio. Magister ita demum sentit quod nullam habet proprietatem clericus, nec maiorem quam monacus officialis... (c. CXVII).
f° 128rb	...Solutio magistri est quod ut dicit Iacobus et auctoritas super illum locum: Respice inimicos meos Domine... (c. CXXV).
	...Solutio. Magister dicit quod si herniosus posset sine periculosa incisione diu per colligaturas uiuere... (c. CXXVI).
f° 128va	...Ad hoc triplicem adhibet expositionem magister. Prima est: Clamat caro moritura separatione diuinitatis, non facta a carne... (c. CXXVII).
f° 128vb	...Item. Tunc fuit corpus et anima secundum magistrum. Ergo tunc fuit corpus animatum... (c. CXXVII).
f° 129rb	...Michi uidetur, dicit magister, quod fructus predicti sunt dimiandi. Et ita aliquis metet quod non seminauit... (c. CXXIX).
f° 133rb	...Solutio. Magister dicit quod si Gregorius uiueret, hec retractaret et ipse non iuraret de talium contractu quod matrimonium esset... (c. CXLVIII).
f° 134ra	...Quod non credit magister nisi per ecclesiam loci uel per alios, ibi maior excitetur deuotio... (c. CLIV).
f° 135ra	...Quidam ad hoc soluit sicut magister quod

non debet exire sed per episcopum loci debet corripere et corrigere eos... (c. CLVII).

...Tamen magister excipit uesperas et completorium que dicit celebranda in suis tantum horis... (c. CLVIII).

f° 137ra ...Magister multum hic hesitat. Sed Augustinus hoc soluit per illud: Non dimittetur peccatum nisi... (c. CLX).

f° 135va ...Magister dicit quod satis posset ita dici, uel ut aliis uidetur idem bis et amplius absoluitur... (c. CLXIX).

...Consuluit magister summum pontificem super hoc articulo. Ipse cum alio constitutus iudex delegatus ([90]) super quadam controuersia... (c. CLXX).

...Mortuo collega ipsius et illi contumaci redeunte ad penitentiam, querit magister utrum illi soli liceat absoluere eum, quem non solus potuit excommunicare... (id.).

f° 137vb ...Solutio generalis magistri. In omnibus hiis et similibus que non sunt expressa in iure est ut quociens in dubium uenit ut hoc sit simonia... (c. CLXXII).

f° 137vb ...Magister suspendit solutionem... (c. CLXXIII).
f° 138ra ...Dicit magister quod tale additamentum super limpiditatem illius caritatis motus... (c. CLXXIV).

...Solutio. Dicit magister quod triplex potest esse excusatio. Vnum uinculum maritale... (c. CLXXV).

f° 138va ...Magister consuluit ut non propter hoc dimitteret nam multus fructus inde sequitur nisi sciat se nimis esse lubricum et pronum ad lapsum... (c. CLXXVI).

f° 138vb ...Magister autem scrupulosus est in hoc. Decretiste clamant quod impossibile est laicum esse canonicum in ecclesia... (c. CLXXVII).

([90]) Cette allusion aux fonctions de juge délégué du maître dont il est question doit être retenue. D'aucuns, pressés de conclure, y verraient un indice favorable à l'identification de ce maître et de Pierre le Chantre.

f° 139ra ...Tamen dicit magister quod ipse preproperus respondit quod in tali casu propter ignorantiam sacerdotis... (c. CLXXVIII).

f° 139rb ...Michi dicit magister: Est facilis cognitio in uniuersalibus set circa particularia est omne delictum... (c. CLXXIX).

A cette liste ajoutons les textes communs à W et à B:

W f° 83va (et B f° 157rb): ...Dicit magister quod de iure penitentiali totum restituere tenetur quod recepit... (c. CCXXXI).

f° 83va (et B f° 157va): ...Dicit magister quod cum iuratum sit soli Deo, si passibilitas carnis eius sufficit ad tantam abstinenciam... (c. CCXXXII).

f° 83va-vb (et B f° 157va): ...Dicit magister quod ipsa debuit consulere episcopum et si episcopus dispensaret cum ea, non teneretur illam fictionem reuelare. Ad secundam questionem dicit quod ille miles... (c. CCXXXIII).

f° 83vb (et B f° 157vb): ...Et dicit magister quod tucius consilium esset si impetraret ab episcopo... (c. CCXXXIV).

2°) *Allusions à des maîtres nommément désignés:*

Parmi ces allusions à des maîtres nommément désignés, Pierre le Chantre prend la part du lion. Certains noms de maîtres sont abrégés, et leur transcription peut poser des problèmes. Nous donnerons une liste de ces noms de maîtres,

Petrus Cantor, P. Cantor, Cantor:

f° 4rb: ...Solutio. Dicebat Cantor quod non est idem homo, immo uariatur eo quod non fuerit persona et modo sit persona... (c. CCLXXXIX) ([91]).

f° 48rb: ...Dicit Cantor quod statim debet pacisci cum mercatore ne periuret. Si autem iurauerit de certo precio... (c. V).

f° 99va: ...Dicit Cantor quod ad usus proprios si aliun-

([91]) Sur ces lignes, quelques précisions seront données plus loin, chapitre VI, *infra,* p. 446.

de potest habere non debet accipere elemosinas feneratorum... (c. LVIII).

f° 99vb: ...Secundum Cantorem, ratio institutionis huius nominis persona in Trinitate hec est. Inueniunt heretici in pluribus locis sacre scripture adiectiuum pluralis numeri dictum de... (c. LIX) ([92]).

f° 100ra: ...Ad hoc multiplex est solutio. Dicit Cantor quod hoc nomen persona predicat personalitatem, non essentiam. Et est personalitas nomen rationis... (id.).

f° 100ra: ...Magister Petrus Cantor ([93]) dicit quod hoc nomen persona, nec predicet essentiam, nec notionem, quia nil predicat. Supponat tamen semper personam, non essentiam. Tamen... (id.).

f° 100va: ...Dicit etiam Cantor quod hoc nomen Ihesus personaliter est supponens personam diuinam et inditum est ab angelo a personalitate Filii... (id.).

f° 117ra: ...Consilium Cantoris est quod iniungatur ei aliqua occulta penitentia, quam ipse uideatur pocius sponte facere quod ex precepto, ut in multiplicando... (c. LXXXVI).

f° 117va: ...Dominus tamen Cantor scripsit illi episcopo reprehendens eum quod durius animaduertisset in illum sacerdotem quod oporteret. Quamuis enim ex quadam longinqua occasione secuta est mors mulieris... (c. LXXXIX).

f° 119vb: ...Ad hoc obicit Cantor quod si fructus ecclesie essent proprii sacerdotis, posset inde testari et legatum facere; quod si uehementer... (c. XCVII).

f° 120va: ...In choro parisiensi quidam clericus, duobus canonicis uidentibus alium pulsauit. Quidam etiam alii clerici hoc uiderunt. Nunciatum est hoc Cantori ad quem spectat iudicium chori et castigatio clericorum chorum intrantium. Vocantur ad presentiam Cantoris ([94]) percus-

---

([92]) Renseignements complémentaires; chapitre VI, *infra, p. 450. Le texte est édité au même chapitre VI, p. 471 ss.*

([93]) Le manuscrit porte: *magister Petrus Cor.* On pourrait donc transcrire: *magister Petrus Corboliensis.* Néammoins, nous n'hésitons pas à transcrire: *magister Petrus Cantor,* car cette interprétation se trouve confirmée par une note marginale: *Tamen noluit Cantor dicere quod personalitas sit genus ad paternitatem uel filiationem, sicut neque hoc nomen persona est quasi genus ad hoc nomen paternitas.*

([94]) S'agit-il du Chantre (c'est à dire Pierre le Chantre), ou d'un

sor et percussus. Ipsi interim facta inter se compositione, factum negant. Dubitatur utrum Cantor debeat factum inquirere diligenter, et eo comprobato percussorem mittere ad curiam romanam, an debeat dissimulare factum et admittere eum in choro et in mensa sicut Christus Iudam admisit. Dicit Cantor eum esse admonendum ut uisitet curiam romanam, non tamen cogendum, ex quo negat et non est qui eum accuset... Addit etiam quod tenetur monere canonicos et clericos qui hoc uiderunt ut ipsi probent factum. Peccant enim mortaliter tacendo... Debet autem corripere eos et premonere non solum si scit eos peccare sed etiam si putat uel uiolenter presumat eos peccare et ita debet monere canonicos illos quos putat peccare tacendo ut ipsi conuincant percussorem illum, non ad depositionem sed ad correctionem... (c. IC).

f° 126ra: ...Item. Alexander IIIus mandauit decano Remis et Cantori Parisiensi ut cognoscerent de causa quadam que uersabatur inter ecclesiam et monasterium super hoc quod cum quidam clericus qui habebat ecclesiam, se monasterio, cum rebus quas ab illa ecclesia haberet, se monasterio redderet. Illa ecclesia repetiit ab illo monasterio bona illa tamquam sua. Vnde mandauit Alexander quod si ecclesia illa posset probare illa bona fuisse de suis fructibus, omnia illi restituerentur sicut docent antiqua decreta... Vnde Cantor se corrigens aliter soluit quam supra, concedens quod clericus uel canonicus non habens nisi bona ecclesie potest, non secundum canones sed secundum usum gallicane et anglicane ecclesie... (c. CXVII).

f° 127va: ...Cantor dicit quod tali nulla ratione daret confessionem, neque clerico permittenti comam crescere preter necessitatem, quam iudicat apostatum et cui ecclesia in nullo articulo debet suffragari... (c. CXXIII).

f° 131ra: ...Tamen Cantor dicit quod si ipse esset ille presbiter habens talem matrem et talem sororem, nullo modo daret illam ei... (c. CXXXVI).

f° 136rb: ...Item. Multum dubitatum est inter Cantorem

---

chantre quelconque ? On peut à bon droit se poser la question. Mais le contexte ne nous fournit aucune solution. Le fait que l'incident se soit produit dans le chœur de Paris semblerait un indice favorable à Pierre le Chantre. On ne saurait être trop prudent dans ce domaine.

et dominum Sephedum (⁹⁵) et alios cardinales in curia de hoc quod tunc quesitum est ab illo et ab aliis sepe. Siquidem accidit quod ad sedem uenientes apostolicam propter absolutionem eius... (c. CLXVI).

f° 137ra: ...Omnes cum Cantore dicunt quod sanius est ei ut statim omnibus pospositis, iter arripiat et dominus eum a communione mense arceat, quia ipse reuera excommunicatus est... (c. CLXIX).

f° 139va: ...Tamen Cantor quasi mediando multum de precio secundum uenditionem presentem diminuit... (c. CLXXXII).

f° 140va: ...Cantor subiunctiue exponit illud circa temporalia, nam circa spiritualia scimus quid oremus sicut oportet, scilicet absolute uitam... (c. CLXXXVII).

Petrus de Corbolio, Petrus Corboliensis:

f° 4rb: ...Alii dicunt ut magister Petrus Corboliensis quod est idem homo... (c. CCLXXXIX).

f° 107rb: ...Magister Petrus de Corbolio dicit quod hec est lex diuina quod si aliquis uult penitere, statim Deus infundit gratiam quia Deus promulgauit hanc legem... (c. LXIX).

f° 120rb: ...Et dicit magister Petrus Corboliensis quod hec argumentatio falsa est: modo tenetur ire ad matutinas et non uadit, ergo peccat uel omittit, sicut in patria Petrus, secundum quosdam, tenetur diligere Deum et diligit, non tamen meretur... (c. XCVIII).

f° 120va: ...Preterea dicit Petrus Corboliensis quod omnis actio est omissio contrarii, ut dilectio est omissio odii, et uoluntas diligendi omissio est electionis odiendi. Tamen non solet dici omissio nisi circa facienda, sicut abstinet quis eque a bono ut a malo... (c. id.).

P. Cor.

f° 96ra:...Dicit P. Cor. quod si corruperem matrem uel concubinam sacerdotis et non sint plures mulieres, et non possim habere alium sacerdotem, licet sciam ipsum esse

---

(⁹⁵) **Dubitanter.**

> tirannissimum et crudelissimum ⟨et⟩ dubium est an uelit occidere me uel mulierem, debeo tamen in necessitate confiteri ei... (c. XLIII).

L'abréviation *P. Cor.* est une source de difficultés. En effet, elle est susceptible de deux transcriptions: *Petrus Corboliensis* et *Petrus Cantor*. En l'occurence le choix est quasi impossible, le texte et le contexte ne nous fournissant aucune indication. On sait que *P. Cor.* a pu être transcrit Petrus Cantor sans crainte d'erreur dans une autre *questio* ([96]).

P. C.

> f° 127rb:...Solutio. Cum uolunt facere illam commutationem que licita est debent conferre arbitrium de fructibus in examen boni uiri, et secundum quod ille disposuerit faciant sine spe plus quam meram prebendam optinendam. Quod ⟨si⟩ assit talis spes, simonia est, ut dicit P. C... (c. CXXII).

Même incertitude. En ce mystérieux P. C., l'on serait néanmoins tenté de voir Pierre le Chantre, si l'on songe aux positions que celui-ci a adoptées dans son étude de la simonie. Mais l'argument, nous en convenons, est bien faible.

Magister C.

> f° 136rb: ...Magister C. dicit quod prius mentiretur sed non iuraret illud falsum. Sicut de eo qui queritur occidendus, dicit quod neganda prius ueritas quam ille prodatur ad mortem, immo dicendum quod non est ibi ubi queritur cum reuera ibi sit... (c. CLXVI).

Même énigme. On notera néanmoins que cette affirmation de *Magister C.,* répond assez bien à ce que nous savons par ailleurs des idées de Pierre le Chantre.

Magister Robertus de Camera:

> f° 48va: ...Similiter, magister Robertus de Camera, qui postea episcopus ambianensis, defendit amicissimum suum accusatum de falsa moneta in iuditio sanguinis, et

---

([96]) Voir *supra*, p. 311, n. 93.

optimus in defensione. Suspensus est accusator. Ille penituit quasi de homicidio, quia per eius defensionem non obtinuit accusator et ideo suspensus est. Idem Robertus de Camera postea episcopus fecit uiuarium in quod cecidit puer submersus, penituit quasi de homicidio... (c. IX).

f° 100vb: ...Magister Robertus de Camera quociens audiebat confessiones dixit confitentibus: Videte que michi dixeritis, quia si celanda sunt, celabo; si non, non celabo... (c. LXIII).

f° 133rb: ...Item. Difficilius Magister Robertus de Camera, plebi sue predicans non credenti firme quod eucaristia esset uerum corpus Christi, statim fecit afferri eucaristiam quam confecerat et uolens eos confirmare in fide ait: Ego aliquantulum sciolus in litteris et grandeus iam sum, nec iurarem nisi uerum, et ideo iuro uobis tactis sacris quod hoc est uerum et integrum corpus Christi. Et sic omnes crediderunt... Si iuras hoc esse matrimonium, sic Magister Robertus iurauit de eucaristia... (c. CXLVIII).

f° 138vb: ...In ecclesiis sunt quedam laica officia que uendere est simonia, ut dicit magister Robertus de Camera. Ergo illa spiritualia possunt haberi a laico. Pari ratione prebende. Quod dicunt falsum esse... (c. CLXXVII).

Magister Prepositinus:

f° 100ra: ...Magister Prepositinus dicit quod hoc nomen persona aliud predicat et aliud supponit. Predicat enim naturam et supponit personam. Vnde idem predicatur in istis duabus: Pater est persona, Filius est persona, sed diuersa supponuntur... (c. LIX).

Magister Asellinus, Magister Robertus de Bosco:

f° 113vb (et W f° 2va): ...Preterea, sic in Remensi concilio dixit Magister Robertus de Bosco archidiaconus Cataleunensis quod ipse sedeat ad pedes Magistri Asellini per septennium et multos alios literatissimos theologos audiuit et prius permitteret sibi amputari linguam quam ipse concederet Deum esse relationem uel naturam esse proprietatem. Preterea, natura que facit omnimodam idemptitatem nullam penitus recepit diuersitatem... (c. LXXVIII).

Dans ce texte, il s'agit de Robert de Bosco, archidiacre de Châlons qui prit part au concile de Reims de 1148, et le maître *Asellinus* (!) cité n'est autre qu'Anselme de Laon ([97]).

Magister Gilebertus, Magister Amselinus:

f° 124ra: ...Magister Gilebertus et Amselinus et alii fere omnes dixerunt quod paruuli post baptismum non habent fidem uel in actu uel in habitu, sed tantum fidei sacramentum et ex tali solummodo sacramento saluantur... (c. CXIV).

Il est tout d'abord curieux de constater que cette phrase se retrouve textuellement dans un traité de Robert de Courçon, quoique dans un contexte différent ([98]). Robert de Couçon écrit en effet:

«Magister G. et Ancelmus et alii fere omnes dixerunt quod paruuli post baptismum non habent fidem uel in actu uel in habitu, sed tantum fidei sacramentum et ex tali solummodo sacramento saluantur» ([99]).

Les solutions proposées pour le texte de Robert de Courçon s'appliquent ici: le *magister Gilebertus* n'est autre que Gilbert de la Porrée; quant à *Amselinus,* il s'identifie sans doute à l'auteur des *Sententiae divinae paginae* ([100]). Il est néanmoins

---

([97]) Le lecteur trouvera plus loin la justification de cette identification, ch. VI, *infra,* p. 445.

([98]) Chez Robert de Courçon, cette phrase s'insère dans un traité sur le baptême. Au contraire, dans nos *questiones,* l'auteur traite avant tout du martyre, et plus particulièrement du martyre des SS. Innocents C'est d'ailleurs au sujet de ces derniers qu'il pose incidemment la question: comment des enfants, morts sans la vertu de foi, peuvent-ils être sauvés.

([99]) Texte établi par Don O. LOTTIN, *Psychologie et Morale au XII*e *et XIII*e*siècles* (Louvain, Gembloux, 1949), tome III, p. 136 (d'après le ms. BRUGES, *Ville. 247,* f° 108va.

([100]) Voir Don O. LOTTIN, *op.cit.,* p. 135, qui rapporte l'opinion de Mgr. LANDGRAF au sujet dudit *Ancelmus* cité par Robert de Gourçon (Mgr. A. LANDGRAF, *Die Erkenntnis der heiligmachenden Gnade in der Frühscholastik,* dans *Scholastik,* III, 1938, p. 47, note I). Cf. *Sententiae divinae paginae* (ed. F. BLIEMETZRIEDER, *Anselms von Laon Systematische Sentenzen,* Münster i. W, 1919), p. 46, 1. 5: «Alii uero, sicut paruuli, habent sacramentum, sed non rem sacramenti, uidelicet fidem propriam».

très curieux que la même phrase se retrouve sans aucune modification, sinon dans l'orthographe des noms de maîtres, à la fois chez Robert de Courçon et dans nos *questiones* ([101]).

Commestor:

f° 124rb: ...Item. Quero quod plus me mouet unde ecclesia celebrat festum decollationis Iohannis et non martirium Ieremie. Commestor dicebat quod non celebratur festum decollationis uel martirii Iohannis, sed in memoriam Dei in qua colligunt quidam religiosi ossa et reliquias Iohannis, quia cum ante passionem...(c. CXIV).

Magister Lotharius cardinalis:

f° 136ra: ... Facile est ad consueta reuerti. Reuertor igitur ad consueta, dubitans ut soleo, et mecum retractans illam questionem quam Magister Lotharius cardinalis michi nuper proposuit sic: Due mulieres traxerunt... (c. CLXIII).

Sur ce cardinal Lotharius nous ne possédons aucun renseignement nous autorisant à proposer une identification absolument sûre. Il semble cependant que l'on puisse songer à Lothaire de Segni, le futur Innocent III ([102]).

([101]) On trouve dans les *questiones* de W, une allusion aux disciples de Gilbert de la Porrée: «Dicunt ad hoc Gilebertini quod unitas notatur ex parte predicamenti tantum, et est sensus: 'Pater et Filius sunt unus Deus', id est unius divinitatis, sunt unum, id est unius essentie et nomina que attribuuntur pluribus personis simul non predicant aliquid quod sit Deus, nec supponunt aliquid uel pro aliquo quod sit Deus, sed resoluenda sunt talia nomina, ut supra ostensum est, et dicunt se inuenisse in Hilario quod nichil unicum est Deus. De nullo enim unico et singulari, secundum eos, potest dici, hoc est Deus» (f° 2rb, et f° 113va).

([102]) Cette identification est vraisemblable, et nous a été proposée par le Dr. Kuttner. De fait, Lothaire de Segni étudia à Paris, et eut la possibilité d'approcher Pierre le Chantre, bien qu'il semble avoir été plus particulièrement attiré par l'enseignement de Pierre de Corbeil dont il devait faire plus tard un évêque de Cambrai, puis un archevêque de Sens (Cf. A. LUCHAIRE, *Innocent III, Rome et l'Italie,* Paris, 1904, p. 3-4). Toutefois, dans le texte, il est question d'un cardinal. Or, Lothaire de Segni fut nommé cardinal par son oncle Clément III en 1190. Il ne semble pas qu'après cette date, le cardinal Lothaire revint à Paris. Il faudrait donc supposer qu'après cette date Pierre le Chantre, si c'est

Dominus Sephedus (?):

f° 136rb: ...Item. Multum dubitatum est inter Cantorem et dominum Sephedum et alios cardinales in curia de hoc quod tunc quesitum est ab illo et ab aliis sepe. Siquidem accidit quod ad sedem uenientes apostolicam propter absolutionem eius quod iniecerunt uiolentas manus in clericum... (c. CLXVI).

Sur ce maître, nous ne sommes pas mieux renseignés ([103]).

de lui qu'il s'agit, eut l'occasion de rencontrer Lothaire de Segni à Rome, et que c'est au cours de cette rencontre que ce cas lui fut soumis, à moins qu'il ne s'agisse d'une consultation écrite; hypothèse plus vraisemblable.

Le problème se complique du fait que plus loin, nous trouvons une allusion à un légiste bolonais. «*Legista Bolonie pulsauit me hac alia questione ...*» (f° 136ra; tome IV, c. CLXIV). Faut-il identifier le cardinal Lotharius doit il est question à ce légiste bolonais. Certes il y eut à Bologne des maîtres du nom de Lothaire. Nous voyons un maître Lothaire prêter à Bologne en 1189 un serment de résidence qui devint la formule consacrée des juristes (*Chartularium Studii Bononiensis*, tome I, p. 3, n° 1, Imola 1907, par Malagda, Nardi, etc.). Sur ce maître Lotharius, il y a peu de documents. Il apparaît dans les *Epistolae Cantuarienses* (ed. W. STUBBS, Rolls Series, Londres 1865, p. 68): «*Dominus Lotharius socius domini Pillii*» (Ce Pillius, comme Lothaire, servit d'avocat aux moines de Cantorbery dans leur longue querelle contre l'archevêque. Cf. S. KUTTNER et E. RATHBONE, *Anglo-Norman canonists of the twelfth Century*, dans *Traditio*, vol. VII, 1949-1951, p. 281, n. 4). Il apparait encore dans un autre document, soit en compagnie d'autres maîtres dont Bazianus (FANTUZZI, *Scrittori Bolognesi*, Bologne 1788, I, 405, n. 13) soit seul (M. SARTI et FATTORINI, *De claris archigymnasii bononiensis professoribus*, 2ᵉ ed., Bologna, 1888, t. II, p. 27). Toutefois, il n'apparaît pas que ce Lothaire devint cardinal.

Quant à Lothaire de Segni, il ne peut mériter le titre de «*Legista Bolonie*», car, s'il est vrai que Lothaire de Segni alla acquérir des connaissances juridiques dans la célèbre université, il n'y enseigna pas, et de ce fait, ne mérita point ce titre.

Il ne semble donc pas que nous soyons en présence de deux personnages distincts.

([103]) Le copiste manifeste une certaine propension à déformer les noms, aussi croyons-nous que ce *Sephedus*, sans doute quelque cardinal, avait en fait un tout autre nom. Peut-être s'agit-il d'un Cardinal Soffredus ou Siffredus, Cardinal de Ste Marie in Via Lata, qu'on trouve mentionné dans les *Epistolae Cantuarienses* (ed. W. STUBBS, Rolls Series Londres 1865, p. 68) et qui fut membre de plusieurs commissions pontificales.

Magister R. AR.

> f° 140va: ...Ipsa oratio sepe plus instruxit quam lectio et plerumque plus mundat lectio quam oratio, saltem ab hereticis prauitatibus, quia nil ad plenum intelligitur nisi dente disputationis frangatur. Et qui melius legit melius disputauit et e conuerso, ut probauit Magister R. AR.... (c. CLXXXVII) ([104]).

Cette longue liste de noms de maîtres nous aidera-t-elle à résoudre le problème qui retient notre attention, à savoir celui de l'origine des *questiones* du manuscrit W ?

Certains noms peuvent être immédiatement rejetés, car, de toute évidence, ces noms appartiennent à des maîtres ou dignitaires ecclésiastiques qui n'ont peut-être pas enseigné ou dont l'enseignement n'a pu influencer la rédaction des *questiones:* tels les noms de Commestor, du cardinal Lothaire, de maître Sephedus, de maître R. AR. Le nom de Prévotin, qu'il eût été intéressant de pouvoir retenir, n'apparaît qu'une seule fois. Quant à Anselme de Laon, Gilbert de la Porrée, Robert de Bosco, archidiacre de Châlons, ils n'apparaissent guère davantage, et, décédés depuis longtemps, n'ont pu vraisemblablement exercer aucune influence directe sur l'auteur des *questiones*. Le nom de Robert de la Chambre revient plus souvent, mais on notera que les allusions à cet évêque d'Amiens concernent bien plus des évènements de sa vie ou ses habitudes, que son enseignement. L'activité théologique de ce prélat est d'ailleurs peu connue. Mais il semble que l'auteur des *questiones* le tint en assez grande estime ([105]).

Restent donc Pierre le Chantre et Pierre de Corbeil. Nous pouvons faire abstraction des références peu nettes à des maîtres : P. Cor., P. C., ou C. Les citations expresses sont assez

---

([104]) Les initiales R. AR. nous suggèrent le nom de Radulfus Ardens, mais cette transcription ne pourrait être aisément justifiée.

([105]) Dans la *Summa* on trouve aussi des allusions à Robert de la Chambre. (Voir en particulier ch. VI, *infra,* p. 468). Il semble donc que Pierre le Chantre ait connu Robert de la Chambre. Faudra-t-il en conséquence admettre que l'auteur des *questiones* n'est autre que Pierre le Chantre ? Pas nécessairement. Si cet auteur est un disciple du Chantre, il a pu entendre son maître parler de l'évêque d'Amiens, qu'il devait vraisemblablement tenir en grande estime.

nombreuses pour que nous puissions dédaigner les premières. L'on constate que le nom de Pierre le Chantre est le plus cité. Et par conséquent si l'auteur des *questiones* a subi l'influence d'un de ces maîtres, c'est sans doute celle de Pierre le Chantre. Il importe de remarquer que les allusions à Pierre le Chantre concernent non seulement son enseignement, mais aussi sa vie, ses fonctions, sa correspondance, ses relations avec les cardinaux; ce qui laisserait supposer que l'auteur ait été un familier du Chantre, un disciple très proche. Au contraire, les allusions à Pierre de Corbeil ne concernent exclusivement que la doctrine de ce dernier. Donc, s'il est nécessaire d'admettre que ce rédacteur ait été en relations suivies et un tantinet familières avec Pierre le Chantre, il ne faut pas obligatoirement supposer qu'il ait personnellement approché Pierre de Corbeil. Il a pu connaître quelques idées de ce dernier par le truchement de Pierre le Chantre, qui dans son enseignement, a pu évoquer des opinions de Pierre de Corbeil comme celles d'autres maîtres.

Ces remarques faites, il faut se demander si le *magister* anonyme si souvent cité, ne peut être identifié à l'un de ces maîtres. Seule la candidature de Pierre le Chantre nous semble pouvoir être retenue. Nous avons en outre confronté les opinions expressément attribuées à ce maître anonyme et celles qui sont exprimées dans la *Summa,* chaque fois que cela était possible, et nous n'avons relevé aucune contradiction.

Mais avant de rechercher une solution, il nous faut effectuer un relevé des oppositions entre le rédacteur des *questiones* et un ou plusieurs maîtres.

C.- *OPPOSITIONS ENTRE LE RÉDACTEUR ET UN OU PLUSIEURS MAITRES*

Ces oppositions sont assez nombreuses. Pour éviter toute confusion, il nous faut tout d'abord préciser le sens que nous donnons ici au mot opposition. Par opposition, nous n'entendons pas exclusivement une contrariété de doctrines, mais en outre, soit le fait que le rédacteur juxtapose ses opinions et celles de son maître, soit le fait qu'il cite simplement des opinions de son maître ou d'autres maîtres, au cours de son exposé, sans émettre à leur sujet un jugement de valeur.

On observe de telles oppositions tantôt entre le rédacteur et un *magister* anonyme, tantôt entre le rédacteur et Pierre le Chantre, tantôt entre le rédacteur et d'autres maîtres.

De ces oppositions, nous ne donnerons pas une liste exhaustive, mais nous citerons les plus typiques. Pour cela, il nous faudra considérer chaque *questio* dans son ensemble. Toute *questio* sera citée par *incipit* et *explicit,* lesquels seront précédés du numéro et du titre attribués à la *questio* dans notre tome IV ([106]).

(CCLXXXIX). *De homine assumpto* ([107]).
Incipit (f° 3ra): Queritur utrum Christus sit unum et plura. Quod sit unum patet... *Explicit* (f° 4rb): ...maiorem superuenientem dignitatem, ut prius dictum est, modo uero est persona.

Dans cette *questio*, le caractère personnel prédomine nettement. Citons ces manifestations personnelles:

f° 3ra   Solutio. Dicimus ad primum quod Deus est unum solum. Cum ergo dicitur...

At sequens dicimus quod humanitas non facit *quid* in Domino...

f° 3rb   Solutio. Ad primum dicimus quod hec est falsa: Christus est hoc secundum quod homo...

Ad sequens dicimus quod iste terminus substantia potest sumi dupliciter...

f° 3va   Sed hanc non concedimus: Christus est non simplex...

f° 3vb   Sed nos eam concedimus et hanc: Pater est non homo...

Ad aliud dicimus quod non potest demonstrari per hunc terminum iste homo uel iste non ⟨homo⟩...

Similiter pono per impossibile quod una essentia sit homo...

f° 4ra   Contra. Simus ante incarnationem... Ideo dicimus quod ante incarnationem non subfuit dictum illi uoci, sed postea subfuit et dicemus...

Quo posito, quero utrum Christus sit duo homines...

([106]) En préparation.
([107]) Titre dans le manuscrit.

> Nos dicimus quod sicut eadem uox ut...
> Quod concedimus. Dicimus ergo quod aliud est ponere quod Christus assumat hoc...

Au contraire, les allusions à d'autres maîtres demeurent assez discrètes. Citons:

> f° 3rb   Potest tamen aliter dici secundum opinionem magistri et omnium fere theologorum quod humanitas facit quid...
>
> f° 4rb   Solutio. Dicebat Cantor ([108]) quod non est idem homo...
> Alii dicunt ut magister Petrus Corboliensis quod est idem homo...

De cette confrontation, il résulte que l'auteur de ce petit traité a eu conscience de faire une œuvre bien personnelle. Nous ne sommes pas en présence d'une *reportatio*. De plus l'auteur de ce traité ne peut être ni Pierre le Chantre ni Pierre de Corbeil. On ne peut pas davantage préciser s'il s'agit d'un disciple de l'un ou de l'autre ([109]). Il invoque l'opinion d'un maître dont il ne nous dévoile pas l'identité.

(LIII). *Quod uir reddendo debitum uxori meretur ⟨et de testimoniis⟩* ([110]).

Incipit (f° 98vb): ...Solet dici quod duo casus sunt in quibus coniugatus meritorie cognoscit uxorem suam... *Explicit* (f° 99ra): ...Debet aliquis offerre se ad testificandum de re de qua nil scit.

Les opinions du rédacteur et celles d'un maître anonyme sont ici étroitement mêlées:

> f° 98vb   Sed testes in causa matrimoniali iurant quod nec fauore, neque precio, neque odio hoc di-

---

([108]) Un exégète subtil ne manquerait pas de souligner le fait que l'auteur parle du Cantor au passé, et en concluerait qu'à l'époque où l'auteur écrivait, Pierre le Chantre était décédé, ou tout au moins, avait cessé d'enseigner.

([109]) La subtilité est ici vaine. Certes, l'auteur invoque l'opinion d'un maître, *son* maître, mais on ne peut vraiment dire qu'il oppose ce dernier, soit à Pierre le Chantre, soit à Pierre de Corbeil. De plus, si l'on retient l'argument tiré du verbe *dicebat* (*supra*, n. 108), on ne peut par contre savoir si le maître de l'auteur était encore en vie ou trépassé. L'auteur écrit simplement: «...*secundum opinionem Magistri*».

([110]) Les titres ou fragments de titres qui ne sont pas entre crochets, ont été trouvés dans la marge du manuscrit.

cunt. Dicit magister sic esse temperandum iuramentum quod nullo fauore uel odio uel precio generante preiudicium ueritati hoc dicunt. Posset ne idem facere aliquis pro magna pecunia sibi debita quam negat debitor, quam si adquirere posset expenderet in pias causas. Hic dubito.

f° 99ra ...Hoc michi uidetur quod nullo uel pro precio uel sine precio debet aliquis offerre se ad testificandum de re de qua nil scit.

(LVI). *De lacrima lapsa in calicem.*

Incipit (f° 99rb): Item. Quidam religiosus ita lacrimosus... *Explicit:* ...sed hoc modo non discutimus.
Même opposition de deux personnages.

f° 99rb ...Quidam religiosus ita lacrimosus erat in consecratione eucaristie quod nullo modo sibi cauere poterat, quin aliquando stille lacrimarum distillarent in calicem. Quesiuit consilium utrum melius esset ei ex toto abstinere an cum tali periculo conficere. Consilium Magistri fuit quod in nomine Domini conficeret...

...Sed queritur quid fiat de illa stilla lacrime, utrum statim desinat esse uel conuertatur in accidens... sed hoc modo non discutimus.

D'ailleurs, quelques lignes avant ce texte, à la fin de la question précédente, elle aussi consacrée à l'eucharistie, on trouve une autre opinion du rédacteur:

f° 99rb ...Dicimus precise quod sanguis Domini nullo modo commisceri potest alicui liquori...

(LXVI). *Quid sit apprehendere disciplinam ⟨et de occasionibus peccandi⟩.*

Incipit (f° 101va): Apprehendite disciplinam. Istud est preceptum... *Explicit* (f° 101vb): ...peccat nisi restituat hereditatem ueris heredibus.

Même remarque:

f° 101va Sed dicimus quod ille apprehendit disciplinam qui compatitur proximo...

f° 101vb   Dicit Magister: Si quis habet rem hereditariam
             quam auus uel atauus...

Il est bon de noter que le rédacteur cite des textes que l'on trouve assez souvent dans la *Summa,* à savoir: *Nisi multitudo esset in causa...,* et: *Metellus sustinuit exilium fortiter, Rutilius libenter.*

(LXXXIII). ⟨*Casus de restitutione furti*⟩.

Incipit: (f° 115vb): Item. Aliqua iuuit uirum suum in furto. Ipsa penitet... *Explicit* (f° 116rb): ...Non tenerer accedere ut uorarer a leone.

Ici encore apparaît le dualisme entre un maître anonyme et le rédacteur. Citons:

f° 115vb   ...Resp. Credo quod ipsa tenetur reuelare
             dampnificato...
f° 116ra   Magister non soluit nisi de illis qui prebue-
             runt consensum suum furto...
             Si enim darem centum libras ne inciderem in
             lepram multo fortius darem eas ut curarer ab ea
             habita. Similiter, si darem uitam ne peccarem,
             multo fortius deberem dare eam ut liberarer a
             peccato iam commisso. Dicimus ergo... ([111]).
f° 116rb   Sicut si ego abscondissem furtum in silua, pos-
             tea cum uellem restituere, inuenirem ibi leonem,
             non tenerer accedere ut uorarer a leone.

(XCVII). ⟨*De restitutione bonorum ecclesie*⟩.

Incipit (f° 119rb): Aliquis religiosus habens administrationem bonorum cenobii adhesit cuidam muliercule et multa ei contulit de bonis monasterii... *Explicit* (f° 119vb): ...unde patet quod collegium dominium non habet.

Opposition identique, comme le prouvent les exemples suivants:

f° 119rb   ...Occasione huius questionis, querimus genera-
             liter de restitutione bonorum ecclesie...

([111]) Le début de cette phrase pourrait ne pas être retenu. Il s'agit d'un exemple, qui ne manifeste pas nécessairement la personne de l'auteur. En effet, le rédacteur peut reproduire un exemple, tel qu'il l'a entendu, ou tel qu'il l'a trouvé dans un ouvrage.

...Item. Habemus satis expresse exemplum ex actibus Apostolorum...

f° 119va ...Vnde nobis clericis executionem testamenti sui reliquit ut secundum uoluntatem et preceptum eius distribuamus, non secundum uoluntatem nostram. Videtur ergo nobis per predicta...

...Pari ratione uidetur nobis quod si clerici turpiter dederint consanguineis suis...

...Vidimus etiam quendam clericum qui plures habens neptes omnes collocauit in matrimonio habundanter et honorifice de bonis ecclesie preter unam quam pater de proprio agello dotauit et sicut potuit in humili matrimonio collocauit. Processu temporis contigit quod omnes alie preter istam solam ad summam inopiam deuenerunt; et hec sola habundans omnibus aliis subuenit... [112].

...Nobis uidetur hec opinio falsa, quia si fieret iniuria ecclesie in regalibus...

f° 119vb ...Dicimus etiam quod si clericus habuit bona mixta ecclesiastica et proprii...

...Similiter omnino dicit Magister de executore testamenti alicuius...

...Ad hoc obicit Cantor quod si fructus ecclesie essent proprii sacerdotis, posset inde testari et legatum facere...

---

[112] W nous offre une seconde version du même fait, W (f° 81rb): Contigit de facto quod quidam sacerdos ditauit quasdam neptes suas ultra quam deceret sanguinem earum, et iam multa dedit et fere quicquid habuit exhausit. Relicta est unica neptis quam dotare non potuit. Pater illius puelle coniugauit eam compari suo rustico. Ille que nobilibus coniugate erant ad summam deuenerant inopiam. Illa que nupserat rustico satis pro modulo suo abundauit, quod ideo contigisse credendum est, quia non habent euentus sordida preda bonos».

Z (f° 249rb), à son tour, nous donne une version enrichie de précisions. Son texte est incontestablement meilleur que le précédent: «Contigit de facto quod quidam sacerdos ditauit quasdam neptes suas maritando eas, multo nobilioribus quam ille essent. Quod ut faceret, plurima dedit quam si sibi comparibus copularentur et totum fere se exhausit. Relicta est unica neptis quam dotare non potuit. Pater ergo puelle pauper fecit quod potuit, maritauit eam cuidam compari suo. Ille que coniugate erant nobilibus deuenerunt cum uiris suis ad summam inopiam. Illa que nupsit pauperi habundauit pro modulo sui status. Quod ideo contigisse credendum est, quia non habent euentus sordida preda bonos et res ille bona pauperum erant».

On pourrait difficilement refuser à ce texte un accent personnel certain. Néammoins apparaissent dans cette *questio* un *magister* anonyme et Pierre le Chantre. Ces derniers seraient-ils un seul et même personnage ? Nous ne saurions le prouver. Mais il faut remarquer que si l'on répond par l'affirmative il faut corrélativement admettre que ce texte est l'œuvre d'un disciple de Pierre le Chantre; dans le cas contraire, l'on dira qu'il est l'œuvre d'un quelconque disciple d'un maître dont l'identité reste mystérieuse, à moins de supposer que le même «écolier» fut successivement l'auditeur de divers professeurs. Ce qui n'est pas impossible, et nous en connaissons des exemples.

(IC). ⟨*Casus de uerberatione clericorum*⟩.

Incipit (f° 120va): In choro parisiensi quidam clericus... *Explicit* (f° 120va): ...Incidit ne in canonem ? Michi uidetur quod incidit.

Dans ce texte, nous voyons le Chantre aux prises avec une difficulté à résoudre. L'auteur, néanmoins, nous fait part de son sentiment.

f° 120va   In choro parisiensi quidam clericus, duobus canonicis uidentibus, alium pulsauit. Quidam etiam alii clerici hoc uiderunt. Nunciatum est hoc Cantori ad quem spectat iudicium chori et castigatio clericorum chorum intrantium. Vocantur ad presentiam Cantoris percussor et percussus. Ipsi interim facta inter se compositione, factum negant. Dubitatur utrum Cantor debeat factum inquirere diligenter, et eo comprobato percussorem mittere ad curiam romanam, an debeat dissimulare factum et admittere eum in choro et in mensa sicut Christus Iudam admisit. Dicit Cantor eum esse admonendum ut uisitet curiam romanam, non tamen cogendum, ex quo negat et non est qui eum accuset... Addit etiam quod tenetur monere canonicos et clericos qui hoc uiderunt ut ipsi probent factum. Peccant enim mortaliter tacendo...

...Debet autem corripere eos et premonere non solum si scit eos peccare sed etiam si putat uel

PROLEGOMENA 327

uiolenter presumat eos peccare, et ita debet monere canonicos illos quos putat peccare tacendo ut ipsi conuincant percussorem illum, non ad depositionem sed ad correctionem. Sicut Dominus ait: Descendam et uidebo si famam opere compleuerint, per hoc docens quod ex quo suspitionem habemus de aliquo maleficio uel delicto, debemus descendere et uidere, id est inquirere an ita sit ut ita corrigamus. Neque dicemus quod canonici illi sint cogendi uiolenter accusare, quia nemo cogitur agere uel accusare, sed monendi sunt ex quo fatum est quod ipsi uiderunt.

Item. Aliquis magister uel aliquis canonicus habens disciplinam clericorum, nacta occasione aliqua pro ueteri offensa turpi uerberat clericum, non animo corrigendi, sed ut saturet odium suum; tamen non uerberaret eum nisi haberet potestatem castigandi. Incidit ne in canonem? Michi uidetur quod incidit ([113]).

De ce texte, nous avons donné un très large fragment, en raison de son intérêt; car il ne laisse subsister aucun doute sur le fait que cette *questio* ne peut être attribuée à Pierre le Chantre, et qu'elle a été rédigée par l'un de ses familiers. On peut évidemment se demander s'il s'agit d'un chantre quelconque ou du célèbre Chantre. En faveur de la seconde hypothèse, on invoquera le fait que l'incident se soit produit à Paris, et plus encore le fait que le rédacteur prête à ce Chantre des propos, un esssai de solution.

(CXVII). ⟨*De eis qui turpe expendunt bona ecclesie*⟩.

Incipit (f° 125rb): ...In me sepe compungor et confundor recolens hoc quod Ieronimus uocatus a Damaso papa... *Explicit* (f° 126va): ...Potest tamen aliter solui ut preostensum est supra.

Cette longue *questio*, qui s'ouvre par une curieuse introduc-

---

([113]) Il n'y a aucune contradiction entre cette solution et celle que nous trouvons dans la Summa (édition, tome III, 2, § 333). De part et d'autre, des violences sont exercées sur des clercs par le maître ou sur son ordre. Mais l'intention diffère profondément: ici, le maître ne songe qu'à se venger, dans la *Summa*, il n'agit qu'en vue du bon ordre et du maintien de la discipline dans les écoles.

tion n'ayant qu'assez peu de rapport avec le sujet, nous fournit de bons exemples d'oppositions entre le rédacteur, un maître anonyme et Pierre le Chantre.

f° 125rb　　In me sepe compungor et confundor recolens hoc quod Ieronimus uocatus a Damaso papa, solaque biblioteca adiutus ad omnem consultationem uniuersi orbis sufficienter respondit, et nos qui habemus canones patrum et infinitas alias editiones aliorum, nescimus adhuc ad paruulas querelas uetularum respondere, quia non habemus illam unctionem quam ipse habuit, peccatis nostris exigentibus.

Nuper uenit ad me paupercula mulier, ex qua quidam abbas susceperat filios et filias, et cui ille dederat possessiones mobiles et immobiles, que ducta penitentia querit utrum teneatur ad restitutionem...

...respondeo non esse ita quia in primo...

...quod sic probo...

...Item. Sepe uidemus pomposos canonicos in ecclesia qui non habent aliquid nisi de ecclesia...

f° 125va　　...Item. Nos qui tantum bona ecclesie possidemus, successimus in locum septem diaconorum qui instituti fuerunt ab apostolis ad distribuendum... A simili nos eodem fulmine prosternemur si bona ecclesie furemur et preter utilitatem eius expendamus.

Item. Quicquid habemus, precium sanguinis dominici est, quia est patrimonium Christi eius sanguinis emptum. Ergo non licet illud mittere in corbanam... quoad utilitatem ipsius debemus tanquam dispensatores possidere, quia dispensatio nobis credita ⟨est⟩ non possessio; tenemur tantum in usus ecclesie uel pauperum dispensare, ergo peccamus mortaliter cum aliter ea dispensamus et raptores sumus...

f° 125vb　　...Quero quod consilium sit ei dandum, an restituet omnia que ab illo recepit quia nescit in quanto tenetur...

...Soluit ad hoc magister sic: Ego nescio aliquam...

...Solutio Magistri est quod estimatiue consideret talis prelatus...

...Quod probo, quia scit illa esse de furto.

f° 126ra ...Quod magister concedit si ille mercator sciat illa sic esse data illi fornicarie...

...Item. Alexander III mandauit decano Remis et Cantori parisiensi ut cognoscerent de causa quadam que uersabatur inter ecclesiam et monasterium super hoc quod cum quidam clericus qui habebat ecclesiam, se monasterio cum rebus quas ab illa ecclesia haberet, se monasterio redderet. Illa ecclesia repetiit... At decanus ille peritus in iure uidens decreta hoc exigentia iam quasi abrogata esse usu utentium in contrarium et precipue in gallicana et anglicana ecclesia, dixit... Vnde Cantor se corrigens aliter soluit quam supra...

f° 126rb ...Secundum que consulo ut uiuens det sic bona sua...

...Sed quero qualiter christianus ad plenum discerneret hanc indigentiam...

...Constat autem quod si in talibus dandis omittam id quod pocius est faciendum, pecco mortaliter...

f° 126va ...Et nos ergo miseri quibus credita est dispensatio, quid faciemus ? De his poterit nos unctio certam formam et metam tradere, alioquin de facili aberrabimus...

...Sic simus ante illam decretorum constitutionem quibus determinatum est a summo pontifice quod nullus clericus possit testari de rebus ecclesie...

...Sed contra sic probo quod canonicus non habet proprium sicut nec monacus...

...Solutio. Magister ita demum sentit quod nullam habet proprietatem clericus, nec maiorem quam monacus officialis... et sic dicit de orientali ecclesia. Potest tamen aliter solui, ut preostensum est.

Ces derniers mots laissent deviner l'indépendance du disciple à l'égard du maître. Ce maître s'identifie-t-il à Pierre le Chantre ? En faveur d'une telle identification, on trouve ici un argument. Le rédacteur, nous l'avons vu, a écrit: «...*Vnde Cantor se corrigens aliter soluit quam supra...*». Or, avant cette ligne, nous ne rencontrons pas le nom de Pierre le Chantre, mais seulement quelques allusions à un maître anonyme. Par conséquent, dira-t-on, ce maître et Pierre le Chantre ne sont qu'une seule et même personne. L'argument n'est pas absolument déterminant, mais il ne doit pas être systématiquement dédaigné. La seule objection qu'on puisse lui faire est que le terme *supra* est bien vague et peu tout aussi bien renvoyer à une autre partie de la *Summa*.

(CXXVI). ⟨*De chirurgumenis*⟩.

Incipit (f° 128rb): Venit ad me quidam herniosus querens...
Explicit: ...Immo prohibendus est medicus talis a tali, ne in homicidium incidat.

Opposition entre le rédacteur et un maître anonyme:

f° 128rb   Venit ad me quidam herniosus querens utrum contra salutem esset si se permitteret a phisico consui aut incidi sicut morbus ille exigit sub periculo mortis. Dico quod non...

...Item. Arcius me pungit cirurgicus consulens me super hoc, scilicet an incidet tales precipue cum sciat incertum esse sibi an curet an eos interficiat et eque se habet ad unum sicut ad alterum. Quero ergo quid dicendum...

...Solutio. Magister dicit quod si herniosus posset sine periculosa incisione diu per colligaturas uiuere, non laudaret illum incidi; sin autem non posset uiuere sicut nec calculosus, discreto et certo medico committeret illum. Alii distinguunt...

(CXXXVI). ⟨*Vtrum sacerdos possit prohibere matrimonium pro turpi facto quod per confessionem scit*⟩.

Incipit (f° 130va): Qui descendunt in mare cum domino...
Explicit (f° 131ra): ...nam prius uel post alio modo illa certius cognouerunt, scilicet per uisum.

Ce chapitre est précédé d'une curieuse introduction, qui ne

présente aucun rapport avec le reste du chapitre, où apparaît à nouveau Pierre le Chantre.

f° 130va   Qui descendunt in mare cum Domino in nauibus, uident enim in profundo, quia mirabilia Dei in aquis multis, que aque nos submergunt in fluctus mundi, descendimus ad dubitationes quas parit nobis, quia quod distat inter declamatorem in scolis et oratorem in foro, hoc interest inter ruminantes litterarias questiones scolasticas et illos qui ad consultationes singulorum tenentur respondere.

Pridie accidit quod adolescens quidam dedit fidem cuidam iuuencule de contrahendo matrimonio cum illa sed postmodum cognouit matrem eiusdem iuuencule que nupta erat...

f° 130vb   ...Quero ergo utrum possint intendere accusationem in illum uel interdicere ne ducat illam, uel utrum papa possit hoc prohibere...

...Quod concedimus, dicentes quod nusquam potest sacerdos uel alius accusare alium de eo quod audiuit ab eo in confessione...

...quero ergo utrum sacerdos dabit ei illam ut predictum...

f° 131ra   ...Tamen Cantor dicit quod si ipse esset ille presbiter habens talem matrem et talem sororem, nullo modo daret illam ei...

...quero utrum postmodum possint ferre testimonium contra illum de uisis. Dico quod possint...

On constate une nette divergence d'opinions entre le rédacteur et Pierre le Chantre: celui-ci prohibe nettement un tel mariage; celui-là au contraire décide que le prêtre ne peut l'empêcher, mais seulement le déconseiller, et il en donne cette raison: «...nusquam potest sacerdos uel alius accusare alium de eo quod audiuit ab eo in confessione, nec pro eo, quantumcumque sit enorme, repellere debet illum in publico a matrimonio, uel alio alias licito, quia nec ⟨ab⟩ eucaristia repellet eum, nec si sint centum quibus confessus est, possunt per hoc aliquid ei nocere uel accusare uel prohibere, sed tantum secreto monere...» (f° 130vb).

(CXLVIII). ⟨*De matrimonio consanguineorum*⟩

Incipit (f° 133ra): Cum matrimonium precipue sit et principale... *Explicit* (f° 133rb): ...et ipse non iuraret de talium contractu quod matrimonium esset.

Le rédacteur cite l'opinion d'un maître et il la présente comme la solution de son exposé. On remarque qu'il utilise le procédé plus direct de la seconde personne, ce qui, naturellement, donne à son exposé un caractère assez personnel.

f° 133ra   ...miror quare tantam recipit modo uarietatem...

...Si enim imperator esset michi coniunctus in tam remoto, non auderem dicere me esse consanguineum eius...

...Item. Quero an pocius sunt parentes coniunctos...

f° 133rb   ...A simili quero. Ecce aliquis copulatus in sexto uel septimo gradu uenit...

...Si iuras quod ibi non est matrimonium, ergo firme scis hoc, ergo scis quod Deus approbat illud...

...Quid ergo dicemus ? Solutio. Magister dicit quod si Gregorius uiueret, hec retractaret et ipse non iuraret de talium contractu quod matrimonium esset.

(CLVIII). ⟨*Quando recitari debeant hore*⟩.

Incipit (f° 135ra): Modicum est quod perturbat pupillam oculis tam corporalis quam spiritualis... *Explicit:* ...celebranda in suis tantum horis.

Dans cette courte *questio,* précédée d'une brève introduction de quelques lignes et de contenu assez inattendu, nous trouvons, à côté de la solution proposée par le rédacteur, l'expression d'une réserve attribuée à un maître dont l'identité ne nous est pas dévoilée.

f° 135ra   ...Pridie ego et quidam litteratus contulimus de horis cantandis attendentes illam distinctionem...

...*Item.* Negligencia est si post horas debitas persoluamus uocales horas... Nam uestire, pascere, potare, hospitari, uisitare pauperes singulis diebus tenemur quia hec exprobabit Deus nobis in iudicio...

Solutio. Michi uidetur quod nisi pro necessitate non sunt cantande hore nisi singulam in singulis sibi deputatis et tanta potest interuenire necessitas quod omnes simul licet celebrari, nec negligentia incurretur. Tamen magister excipit uesperas et completorium que dicit celebranda in suis tantum horis.

(CLX). ⟨*De paruulis spuriis et de homicidis*⟩.

Incipit (f° 135rb): Iuxta uerbum canonici, cum ualemus...
Explicit (f° 135va): ...et si sic moriatur, an rea sit homicidii.
Mêmes observations que pour l'exemple précédent.

f° 135rb Iuxta uerbum canonici, cum ualemus, facile consilia egrotis damus. Sed si tu hic esses; aliter sencias. Nos autem etsi ualeamus corporis sanitate, non tamen ualemus ualitudine scientie, nec omnia scripta sunt in canone, aut in ueteri aut nouo, ad unguere...

f° 135va ...Quero cuiusmodi penitentia sit iniungenda matri, uel tali filio spurio uel adoptiuo. Magister multum hic hesitat...

...Sed magis angor de illis qui peccant ex macie, que propter nimiam paupertatem proiciunt paruulos aliter inter ubera illarum fame morituros. Quero ergo...

(CLXV). ⟨*Casus de deposito*⟩.

Incipit (f° 136ra): Cardinalis quidam hanc questionem... *Explicit* (f° 136rb): ...ubi queritur cum reuera ibi sit.
Dans cette courte *questio*, le rédacteur nous apprend qu'il a été interrogé ou consulté par un cardinal; ce qui laisserait supposer que ce rédacteur ait été un personnage de quelque importance. Il nous signale aussi l'opinion d'un Magister C. Peut-être celui-ci n'est-il autre que Pierre le Chantre. On peut admettre que l'auteur ait usé de cette abréviation pour écrire

Magister Cantor; mais il se peut qu'il l'ait utilisée pour écrire *Magister Carboliensis.*

f° 136ra   Cardinalis quidam hanc questionem michi proposuit. Accidit quod quidam deposuit apud alium centum libras. Depositarius secreto...

f° 136rb   ...Magister C. dicit quod prius mentiretur sed non iuraret illud falsum. Sicut de eo qui queritur occidendus, dicit quod neganda prius ueritas quam ille prodatur ad mortem, immo dicendum quod non est ibi ubi queritur cum reuera ibi sit.

Il est curieux de constater que si la question a été posée au rédacteur, c'est le mystérieux *Magister C.* qui donne la réponse !

(CLXVI). ⟨*Quod etas non excusat a reatu et de absolutione eorum qui in clericum uiolentas manus iniecerunt*⟩.

Incipit f° 136rb): ...Refert Gregorius in Dialogo quod cum puer... *Explicit* (f° 136va): ...Quod concedimus, adherentes consilio cardinalis.

Cette fois, le rédacteur nous montre Pierre le Chantre et des membres de la curie aux prises avec un cas difficile.

f° 136rb   ...Sicommunico tali qui incidit in illum canonem, an sum excommunicatus. Dico quod non.
    Item. Multum dubitatum est inter Cantorem et dominum Sephedum et alios cardinales in curia de hoc quod tunc quesitum est ab illo et ab aliis sepe...

f° 136va   ...Quod concedimus, adherentes consilio cardinalis.

(CLXIX). ⟨*De absolutione eius qui iniecit uiolentas manus in clericum*⟩.

Incipit (f° 136vb): Incola ego sum in terra, non abscondas a me mandata tua... *Explicit* (f° 137ra): ...idem bis et amplius absoluitur.

Cette courte *questio* débute par une sorte d'introduction, semblable à celles que nous avons déjà signalées. Le rédacteur semble connaître le Cantor, mais il fait aussi allusion à un *Magister*, et il est très difficile de dire si ce dernier s'identifie à Pierre le Chantre.

f° 137ra ...Omnes cum Cantore dicunt quod sanius est
ei ut, statim omnibus postpositis, iter arripiat et
dominus eum a communione mense arceat...
...Sed quero quomodo potest plus absolui cum
prior sacerdos plene illum absoluerit...
...Magister dicit quod satis posset ita dici, uel
ut aliis uidetur idem bis et amplius absoluitur...

(CLXXIII). ⟨Questio de iure patronatus⟩.

Incipit (f° 137vb): Laicus quidam habens patronatum in ecclesia quadam... *Explicit* (f° 137vb): ...suspendit solutionem.
Courte *questio* réduite à quelques lignes; elle nous révèle une
opposition entre l'opinion du rédacteur et l'attitude du maître.
f° 137vb ...Quod probo. Hic acreuit aliquid sorti...
...Michi uidetur in primo casu usuram intercesse et non esse simile de sequentibus. Magister
suspendit solutionem.

(CLXXV). ⟨De uotis circa uestitum⟩.

Incipit (f° 138ra): Sepe in mente incidit illud quod fecit Cicero... *Explicit* (f° 138va): ...salua apostolici ueritate nullum
bonum dimittendum.
Courte *questio* précédée d'une introduction et où voisinent
les opinions d'un maître et celle du rédacteur.
f° 138rb ...Sed quid dicemus de illo placere quod nec
est hoc...
...Solutio. Dicit Magister quod triplex potest
esse excusatio...
f° 138va ...Nam mulieri consulerem quod uelle uiri sequatur in omnibus illis ad ornatum eius perti-
nentibus, que non generarent superflua, sed metam figere nescio quousque...

(CLXXVI). ⟨Vtrum confessor monialium lubricissimarum debeat desistere si caro eius titillat⟩.

Incipit (f° 138va): Omnipotenti debemus reddere rationem...
Explicit (id.): ...lubricum et pronum ad lapsum.
Mêmes observations que précédemment:

f° 138va   Omnipotenti debemus reddere rationem de fide et spe que in nobis sunt...
...Querit ergo a me an propter hoc desistat...
...Magister consuluit ut non propter hoc dimitteret, nam multus fructus inde sequitur nisi sciat se nimis esse lubricum et pronum ad lapsum.

(CLXXVIII). ⟨De transsubstantiatione⟩.

Incipit (f° 138vb): Multa fercula, multas egritudines... *Explicit* (° 139ra): ...completa prolatione forme uerborum que illud conficiunt.

Questio intéressante parce que bien composée: àprès une introduction réduite à une ligne, un cas concret, un exemple, sert de point de départ à l'exposé. Mais là ne réside pas tout l'intérêt de cette *questio*. Le rédacteur fait preuve de beaucoup de discrétion, il ne nous propose pas de solution personnelle, mais cite assez longuement l'opinion d'un maître dont il ne nous précise pas le nom. C'est cette opinion magistrale qui retiendra notre attention et que nous citerons:

f° 139ra   Tamen dicit Magister quod ipse preproperus respondit quod in tali casu propter ignorantiam sacerdotis eodem miraculo quo transsubstantiauit panem in corpus mutauit illud modicum uinum cum modicissima particula aque quam illud uinum absorsit in sanguinem. Et pium est sic credere. Sed non credit hoc esse factum si sacerdos ex certa scientia, fecisset talem admixtionem. Per hoc patet responsio ad sequentes questiones.
Sed queras utrum factum fuerit corpus ante confectionem sanguinis, quod quandoque negauit Magister; modo ponit hoc in dubium. Probabilius est ut dicat quod confectio corporis completa est, completa prolatione forme uerborum que illud conficiunt.

Ce petit texte, dont nous avons déjà souligné l'intérêt [114] nous autorise à identifier ce maître anonyme à Pierre le Chantre. On sait en effet que Pierre le Chantre a varié sur le

---

[114] Voir *supra*, p. 237, où le texte de la question se trouve publié dans son intégrité.

problème de l'instant de la consécration. Il abandonna sa première théorie pour se retrancher finalement derrière une prudente formule dubitative ([115]).

(CLXXIX). ⟨*De agone christiano*⟩.

Incipit (f° 139ra): Si haberemus uentilabrum uel flabellum quod habuit Habraham... *Explicit* (f° 139rb): ...quia nequit consistere rectum.

Courte *questio* qui s'ouvre sur une introduction semblable à celles que nous avons déjà rencontrées et qui fait apparaître, un maître anonyme à côté du rédacteur.

f° 139rb   Me nuper pupugit musca. Nescio si musca...
            ...Michi dicit Magister: Est facilis cognitio in
            uniuersalibus set circa particularia...

(CLXXXII). ⟨*Quomodo debeat fieri restitutio ad ualorem*⟩.

Incipit (f° 139va): Veraciter nos instruit sacra scriptura... *Explicit* (f° 139vb): ...matrone restitui faciens.

Mêmes remarques que précédemment, mais cette fois c'est Pierre le Chantre qui apparaît:

f° 139vb   ...Quero secundum quam estimationem...
            ...Dicebo quod secundum uendicionem presentem...
            ...Tamen Cantor quasi mediando multum de
            precio secundum uendicionem presentem diminuit...

Ces textes dont le rédacteur s'oppose tantôt à un maître anonyme, tantôt à Pierre le Chantre, nous prouvent que Pierre le Chantre ne peut être l'auteur de ces *questiones,* ou tout au moins d'un grand nombre d'entre elles. Toutefois, avant de conclure notre étude des *questiones* du manuscrit W, il nous faut faire à leur sujet une série d'observations.

([115]) Cf. Pierre le Chantre, *Summa...* (ed. J. A. Dugauquier), tome I, § 59-61, p. 146-156, dont l'analyse a été donnée par l'Abbé Ed. Dumoutet, *op.cit.,* p. 204-208. Sur les hésitations soulevées par ce problème, consulter Dumoutet, *op.cit.,* p. 227 ss. Voir par exemple Guy d'Orchelles, *Tractatus de Sacramentis,* cap V, n. 66 (ed. PP. Damiani et Odulphi Van den Eynde), p. 67.

D.- *OBSERVATIONS COMPLÉMENTAIRES*

a.- *Les 'introductions'*

A plusieurs reprises, nous avons signalé que telle ou telle *questio* du manuscrit W était précédée d'une sorte d'introduction, plus ou moins longue et sans aucun rapport avec le sujet traité. Le contenu de ces introductions ou préambules est en général assez décevant et on s'explique mal leur raison d'être. Le plus souvent, ces introductions sont suivies de l'exposé d'un cas concret, qui n'est en général qu'un exemple d'école, et au sujet duquel se pose un problème: celui qui fera l'objet de la *questio*.

Pour percevoir le caractère de ces introductions, il convient de les rapprocher les unes des autres, et c'est pourquoi nous en donnerons une liste assez complète ([116]).

f° 123vb   Pes debilis cito offendit quod ad singulos experior lapillos in quibus omnibus offendo et offendor, qui omnes michi scrupulos, malis meritis meis exigentibus, mouent ex quo in singulis passibus meis insipientie mee recordor. Preterea. Difficilima est sacra scriptura ei quem non docet unctio de omnibus, que tamen nec ubique est difficilis, nec ubique facilis, quia si ubique esset facilis, non te pasceret, sed ⟨si⟩ ubique esset difficilis non te exerceret actenus... (c. CXIV. — De martyrio S. S. Innocentum).

f° 125rb   In me sepe compungor et confundor recolens hoc quod Ieronimus uocatus a Damaso papa, solaque biblioteca adiutus ad omnem consultationem uniuersi orbis sufficienter respondit et nos qui habemus canones patrum et infinitas alias editiones aliorum, nescimus adhuc ad paruulas querelas uetularum respondere, quia non habemus illam unctionem quam ipse habuit, peccatis nostris exigentibus. Nuper uenit ad me pauper-

---

([116]) Chaque texte sera suivi du numéro et titre qui seront attribués à la *questio* dans notre tome IV en préparation. Le titre donnera une idée du contenu de la *questio*.

cula mulier ex qua quidam abbas susceperat filios et filias... (CXVII. — De eis qui turpe expendunt bona ecclesie).

f° 130va Qui descendunt in mare cum Domino in nauibus. Vident enim in profundo, quia mirabilia Dei in aquis multis, que aque nos submergunt in fluctus mundi, descendimus ad dubitationes quas parit nobis, quia quod distat inter declamatorem in scolis et oratorem in foro, hoc interest inter ruminantes litterarias questiones scolasticas et illos qui ad consultationes singulorum tenentur respondere. Pridie accidit quod adolescens quidam dedit fidem cuidam iuuencule... (c. CXXXVI. — Vtrum sacerdos possit prohibere matrimonium pro turpi facto quod per confessionem scit).

f° 131vb Qui est debili et torti pede, cito ad lapidem offendit, quia non habet unctionem ab illo de quo dictum est: In manibus portabunt te ne forte offendas ad lapidem pedem tuum. Vnde titubaui nuper cum quidam timoratam habens conscientiam quesiuit a me quod cum ad nundinas diu seruauit... (c. CXLII. — Vtrum aliquis possit recipere mercedem a feneratore).

f° 132ra-rb Super illum locum euuangelii: Venit Iesus in partes Cesaree Philippi, etc. dicit Beda: In sacris litteris recte uiuendi et credendi regula nobis prescripta est, non in aliis litteris. Vnde liber qui erat signatus septem signaculis ostensus est iudeo, et dictum est ei: Lege, et respondit: Non intelligo; et post ostensus est gentili et dictum est ei: Lege, et ille respondit: Nescio litteras. Litteras enim nescit qui sacras ignorat. Cum igitur per sacras litteras nobis sit prescripta regula bene uiuendi et credendi, plurimum dolere debemus quod peccatis nostris exigentibus illam regulam bene uiuendi et credendi omnino ignoramus, quia nil omnino ubi opus est scimus. Plurimum perturbor in me et confundor de quadam consultatione michi facta ad quam quid respondeam nescio. Quidam episcopus spiritualibus adiuncta habet regalia quedam pro quibus... (c. CXLIII. — De penis iudicialibus).

f° 132va　Obiectum est Paulo sic: Nimie littere faciunt te insanire que pocius inflant quam edificent et presumptuosum faciunt, quia nullus nisi attrite frontis est qui non obmutescat, cum illud ab eo queritur propter quod scripte sunt auctoritates. Consilium autem remedium de salute animarum; scilicet de his que ad fidem aut ad bonos mores pertinent, quia quicquid amplius est a malo est. Nudius tercius proposuit michi quidam timoratus casum talem: Ego... (c. CXLV. — Vtrum debeant restitui res in ludo lucrate).

f° 133rb　Augustinus: Noli credere litteris meis nisi quicquid scripsero probauero deriuari ab alterutro testamentorum. Sicut enim per riuum probatur cuiusmodi sit fons riui et ex gustu fontis scitur de riuo an processerit ex illo, ita qui plene hausit in ueteri uel nouo testamento sciet cognoscere quis riuus deriuetur ex alterutro illorum, et quis nostrum sciet nisi qui gustauit aquas Siloes que fluunt sine murmure. Sed puteus altus est et hauritorium non habemus. Vnde nescimus discernere inter siluam traditionum et ea que de

f° 133va　puritate ueteris uel noui testamenti / deriuantur. Multa itaque illicita sunt quia prohibita, que alias essent licita. Et ideo illa sunt obseruanda propter bonum obedientie. Verbi gratia... (c. CIL. — De eo qui fecit latronem suspendi).

f° 134rb　Qui minima spernit, paulatim decedit, que quanto minus precipiuntur magis ledunt ut morbus quamdiu latet, curationem non admittit. Bene enim est egroto cum egritudinem eius dinoscit. Quorsum hec prefatio? Nuper solitarius

f° 134vb　equitans dum multa retractarem / acrius punctus sum quadam questione pulsante michi a quodam aduerbio... (c. CLVI. — De eis qui non proprii laboris panem manducunt).

f° 135ra　Modicum est quod perturbat pupillam oculis tam corporalis quam spiritualis, quia cum infirmum habeam exteriorem ad litteram, infirmiorem habeo interiorem oculum, scilicet lippientem lippitudinibus sordium quam aculeis questionum. Pridie ego et quidam litteratus contulimus de horis cantandis attendentes illam distinctionem que proponi ab omnibus solet... (c. CLVIII. — Quando recitari debeant hore).

f° 135ra Scitis quod Paulus tocius ecclesie architectus multipliciter ascendit et descendit quia ascendens usque ad tertium celum, ubi uidit archana que non licet homini loqui, descendit ut /
f° 135rb dicit Gregorius, ad ordinandum cubile coniugatorum et ad sorbiunculas et uigilias nutritorum et eiuiulatus paruulorum, et etiam in doctrina fecit hunc ascensum et descensum, quia inter paruulos in fide et minus intelligentes nichil iudicauit se scire nisi Ihesum Christum et hunc crucifixum. Vnde ait: Perfectis loquor sapientiam. Et alibi: Siue excedimus Deo, quasi, si supra simplices sapientiam loquor, hoc facio pro Deo; siue sobrii sumus, id est siue simplicibus loquamur simpliciter hoc facimus uobis. Non ergo cum Paulo ad minorum questiones condescendentes sollicitamur super tali questione nobis proposita. Accidit quod quidam a iuuencula uxore sua... (c. CLIX. — Vtrum qui intrauit claustrum cum licentia uxoris possit regredi).

f° 135rb Iuxta uerbum canonici, cum ualemus, facile consilia egrotis damus, Sed si tu hic esses, aliter sencias. Nos autem etsi ualeamus corporis sanitate, non tamen ualemus ualitudine scientie, nec omnia cripta sunt in canone, aut in ueteri aut nouo, ad unguere. Hoc tamen sciendum quod ius positiuum nisi ratione nitatur inualidum est, quia desit ratio digitum eterne pietas. Mentiuntur qui dicunt ex solo dicto summi pontificis sine omni ratione institui ius. Hoc quidem decretiste dicunt quod papa potest statuere ne uir albus ducat feminam nigram. De facto accidit quod matrona nobilis... (c. CLX. — De paruulis spuriis et de homicidis).

f° 135 va Mecum tractanti et cogitanti accidit uersiculus

ille in mentem. Iniquitatem si aspexi in corde meo, non exaudiet Dominus. Augustinus: Quod omne peccatum dicitur. Preterea, aspicere ibi notat placitum et intensionem propter primum componentium. Quero ergo si quis aspiciat ueniale... (c. CLXI. — Questiones de peccato et primis motibus).

f° 136ra   Facile est ad consueta reuerti. Reuertor igitur ad consueta, dubitans ut soleo, et mecum retractans illam questionem quam Magister Lotharius cardinalis... (c. CLXIII. — Casus de matrimonio).

f° 136vb   Incola ego sum in terra, non abscondas a me mandata tua. Si hec mandata a nobis absconduntur sepe et propter hoc quod non habemus unctionem que docet de omnibus, et propter traditiones hominum que insufficienter sunt explicite, cuiusmodi est illa que statuit quod quicumque iniecerit uiolentas manus in clericum... (c. CLXIX. — De absolutione eius qui iniecit uiolentas manus in clericum).

f° 137va   Omnis impositura querit latebras et falsitas angulos, et plus nocet diabolus quando est serpens quam quando leo. Quidam laicus habens laicalem custodiam in ecclesia monialium... (c. CLXXII. — Casus de commutatione beneficiorum ecclesiasticorum).

f° 138ra   Sepe in mente incidit illud quod fecit Cicero contra Verrem, nam cum quidam innitens tantum firmatis uerbis et non proprio ingenio uellet contra illum stare et eum conuincere, remouit illum Tullius tamquam ad hoc insufficientem ab accusatione et ipse sufficiens ad hoc prosiliit in accusatione ipsius. Vnde a simili cum quis non nititur nisi firmatis quibusdam appositiunculis, remoueri debet a maioribus consiliis ab illis qui melius consulere sciunt. Quid ergo de illis qui se ad hoc ingerunt, quod nesciunt. Domina uouit... (c. CLXXV. — De uotis circa uestitum).

f° 138va   Omnipotenti debemus reddere rationem de fide et spe que in nobis sunt, ut dicit Apostolus, et non de illis, sed de hiis omnibus que ad bonos mores pertinent. Ecce quod spectas ad mores. Quidam sacerdos... (c. CLXXVI. — Vtrum confessor monialium lubricissimarum debeat desistere si caro eius titillat).

f° 138vb Multa fercula, multas egritudines et multa infortunia, multas peperunt questiones. De facto contigit... (c. CLXXVIII. — De transsubstantiatione).

f° 139ra Si haberemus uentilabrum uel flabellum quod habuit Habraham possemus abluere muscas per-
f° 139rb dentem suauitatem unguenti / Me nuper pupugit musca. Nescio si musca uel subula quia forte fuit et est michi lancea, scilicet quomodo sit consulendum alicui de huiusmodi maximis theologie: Nolite conformari huic seculo, set reformamini in nouitate sensus uestri ut... (c. CLXXIX. — De agone christiano).

f° 139va Cepi meditari super illud poeticum: Nequitia est... (c. CLXXXI. — De quatuor uitiis).

f° 139va Veraciter nos instruit sacra sciptura per precepta sed uiuacius per exempla. Set quia mala sunt uicina bonis errore sub ipso pro uicio uirtus crimina sepe tulit. Et felix qui potuit rerum cognoscere causas, scilicet in rebus naturalibus, nedum in occultis et in excitabilibus iuris laqueis. De facto accidit nuper... (c. CLXXXII. — Quomodo debeat fieri restitutio ad ualorem).

f° 139vb Cepi mecum cogitare illud quod in legenda Sancti Marcelli notaui: Qui aliorum amat profectus sibi proficit. Quero ergo utrum quicumque... (c. CLXXXIV. — De illa sententia: Qui aliorum amat profectus, sibi proficit).

f° 140va Viuaciora sunt exempla quam precepta. Vnde a pueris queritur de exemplo. Ecce quam plurima inuenimus exempla imitatione digna de abiectione diuiciarum et munerum. Quia, ut ait auctoritas... (c. CLXXXVIII. — De contemptu diuitiarum et munerum).

Ces introductions ou préambules appellent, semble-t-il, un certain nombre de remarques. On constate que certaines présentent des réminiscences de textes bibliques, ou d'auteurs ecclésiastiques et même profanes. Quelques réflexions reviennent assez souvent sous la plume de l'auteur: c'est ainsi que ce dernier voit dans ses péchés la cause de son insuffisance, et il ne craint pas de le dire et de le redire. Apparemment ces introductions possèdent un caractère personnel assez marqué. Elles sont pour la plupart suivies de cas concrets, posant un problème qui fera l'objet de la *questio*. A ces cas, l'auteur semble avoir voulu conférer un caractère d'authenticité, car il précise que le fait relaté s'est produit récemment (*pridie, nuper, nudius tertius*). Faut-il lui accorder quelque crédit à ce sujet ? Ne soyons pas dupes. Il entre dans ces relations une bonne part d'artifice, croyons-nous, et il y a lieu de supposer qu'il s'agit en général d'exemples d'école. Mais ce n'est là qu'une opinion, et nos lecteurs peuvent fort bien ne pas la partager.

Quant aux introductions elles-mêmes, elles semblent *a priori* le fruit de méditations et de lectures, et nous renvoient peut-être un pâle écho de sermons entendus par leur auteur. Leur caractère personnel, un tantinet factice, confère cependant aux faits rapportés une couleur d'authenticité.

Toutefois, il faut le souligner, toutes les *questiones* de W ne sont pas précédées d'un semblable préambule. Seul un groupe assez important et compact possède cette caractéristique. Il s'agit des *questiones* et mélanges théologiques que l'on trouve dans les folios 123vb-140va et plus nettement encore dans les folios 125rb-140-va. Dans ce groupe ([117]), les manifestations personnelles sont très nombreuses, ce qui n'exclut pas les allusions à des maîtres tantôt anonymes, tantôt nommément désignés.

Le texte abonde en morceaux contenant de nombreuses références à des souvenirs personnels de faits divers ([118]). C'est ainsi qu'il apparaît que cet auteur s'était probablement rendu à Rome, avait été consulté par des cardinaux et canonistes, avait rempli des fonctions judiciaires. Cet auteur use assez souvent de la seconde personne: cette façon d'interpeller le lecteur ou de s'adresser à un interlocuteur imaginaire confère aussi à la rédaction un certain accent personnel.

Ces *questiones* précédées d'un préambule ne peuvent être at-

---

([117]) Tome IV (en préparation) de notre édition: cap. CXIV-CLXXXVIII.
([118]) Voir *supra*, p. 295 ss.

tribuées purement et simplement à Pierre le Chantre, car le nom de ce dernier s'y trouve souvent cité et nous avons vu que le maître anonyme auquel les allusions sont plus fréquentes encore semble être le même Pierre le Chantre.

Est-ce donc là l'œuvre d'un disciple, et de quel disciple ? Ce problème sera abordé et discuté dans la conclusion de la présente étude. Avant de passer à l'élaboration de cette dernière, il nous faut encore faire deux séries d'observations.

b. *Manifestations personnelles douteuses*

Le lecteur que ne décourageront point la longueur et la monotonie des *questiones* que nous éditerons ([119]), nous fera peut-être grief de n'avoir pas tenu compte de certains textes à la première personne, qui, a priori, ont l'apparence de fragments bien personnels. Tel le suivant:

> Item. Nos qui tantum bona ecclesie possidemus successimus in locum septem diaconorum qui instituti fuerunt ab apostolis ad distribuendum, scilicet ea que mittebanbantur ad pedes apostolorum tantum pauperimis, ut interim Apostoli maioribus possint uacare. Quid si illi septem diacones parentibus uel domesticis causis ea expendissent ? Certe eo fulmine percussi essent quo Ananias et Saphira qui mentiti sunt Spiritui Sancto. A simili nos eodem fulmine prosternemur si bona ecclesie furemur et preter utilitatem eius expendamus.
>
> Item. Quicquid habemus, precium sanguinis dominici est, quia est patrimonium Christi eius sanguinis emptum. Ergo non licet illud mittere in corbanam, sicut nec precium quo uenditus est Dominus a Iudeis missum est in corbanam, immo illo emptus est Achedamac, id est ager sanguinis, multo fortius pretium ecclesie quoad utilitatem ipsius debemus tanquam dispensatones possidere, quia dispensatio nobis credita ⟨est⟩ non possessio; tenemur tantum in usus ecclesie uel pauperum dispensare, ergo peccamus mortaliter cum aliter ea dispensamus, et raptores sumus et recipientes ea tenentur ad restitutionem ([120]).

([119]) Tome IV (en préparation).
([120]) W f° 125va-vb, cf. tome IV (en préparation), cap. CXVII.

Est-ce bien le rédacteur qui s'exprime dans ces formes à la première personne ? A tout le moins, on pourrait en discuter, et supposer par exemple que le rédacteur ait transcrit telles quelles des paroles proférées par son maître, d'autant plus qu'elles présentaient un caractère évident de généralité, et c'est pourquoi, en ce qui concerne l'exemple cité, l'on pourrait concevoir qu'il s'agit de notes de cours et, de cette opinion, l'on trouverait une sorte de confirmation dans le fait que, quelques lignes plus bas, la solution du cas est expressément attribuée à un maître.

Néanmoins, l'autre opinion peut se défendre: on peut soutenir que ces lignes ont été réellement composées par le rédacteur, qu'elles sont en un mot, son œuvre propre.

Il ne nous paraît pas nécessaire de trancher le débat, et ce d'autant moins que des textes de ce genre sont relativement peu nombreux. Les textes certains sont largement suffisants pour nous permettre de donner une conclusion à nos investigations.

c.- *Divergences doctrinales entre les* Questiones & Miscellanea *et la* Summa. — *Rapprochements*

Nous avons déjà signalé le cas du problème des clefs sacerdotales ([121]). Alors que dans la rédaction TB W L de la *Summa*, l'auteur, Pierre le Chantre, propose la thèse de l'*obnoxietas* ([122]), celle-ci n'est plus qu'une simple opinion parmi d'autres dans la rédaction propre à P du même chapitre ([123]), et elle est nettement combattue dans la *questio* propre à W ([124]). Et le fait mérite d'autant plus d'être signalé que W possède la rédaction commune du chapitre de la *Summa* consacré aux clefs sacerdotales. L'auteur de la *questio* propre à W n'est donc pas Pierre le Chantre, et si l'on suppose que cet auteur est disciple de Pierre le Chantre, il faudra aussi admettre qu'il témoigne d'une certaine indépendance à l'égard de son maître ou ancien maître.

([121]) Cf. *supra*, p. 277.
([122]) Cf. Pierre le Chantre, *Summa*... (ed. J. A. Dugauquier), tome II, p. XII, § 140, p. 329, l. 28: «*Dicimus quod debitum uel obnoxietas uel auctoritas discernendi inter ligandum et soluendum est clauis*».
([123]) Cf. Pierre le Chantre, *Summa*... (ed. cit.), tome II, p. XII; App. II, cap. 5, p. 434 ss.
([124]) Cf. *supra*, p. 278, note 76.

L'auteur d'une *questio* sur le martyre des Saints Innocents ne semble pas favorable à la thèse porrétaine qui refusait aux enfants baptisés l'habitus des vertus, et dont Pierre le Chantre fut le dernier champion, car il montre les contradictions qu'implique cette thèse:

> ...predicti innocentes nec sancti fuerunt in morte, nec sanctificati accesserunt, ergo non fuit mors eorum preciosa in conspectu Domini.
> Item. Nullus nisi ex fide potest saluari. Ergo cum illi paruuli non habuerint fidem in actu uel in habitu, non poterant sic saluari. Hec enim questio michi difficilis est quomodo paruuli sine fide saluentur, et quare non celebretur festum quorum paruulorum qui baptizati decesserunt, sicut et festa confessorum.
> Magister Gilebertus et Amselinus et alii fere omnes dixerunt quod paruuli post baptismum non habent fidem uel in actu uel in habitu, sed tantum fidei sacramentum et ex tali solummodo sacramento saluantur. Vnde mirandum est quomodo saluati sunt predicti innocentes cum nec rem sacramenti nec sacramentum habuerint... ([125]).

Nous avons déjà fait remarquer que cette dernière phrase se retrouve textuellement chez Robert de Courçon ([126]). Faut-il en conclure que le mystérieux auteur de ces *Questiones et Miscellanea* soit Robert de Courçon ? Une seule phrase ne semble pas pouvoir autoriser cette hâtive conclusion. Peut-on au moins supposer que l'auteur de la *questio* ait trouvé cette phrase dans l'ouvrage de Robert de Courçon ? L'on pourrait tout aussi bien supposer que cet auteur et Robert de Courçon l'aient emprunté à la même source. Dans le doute, nous préférons nous abstenir de conclusions aventureuses.

Rappelons aussi que, fréquemment, le rédacteur oppose ses opinions à celles d'un maître dont il respecte l'anonymat. Mais ces oppositions se rencontrent presque exclusivement dans la solution de cas de conscience.

D'autre part, sans qu'il y ait lieu cette fois de songer à découvrir des divergences doctrinales entre la *Summa* et certaines *questiones*, l'on rapprochera au contraire certaines *questiones* de chapitres de la *Summa*.

([125]) W f° 124ra-rb; tome IV (en préparation), cap. CXIV.
([126]) Voir *supra*, p. 316.

On remarque que W nous offre une division quadripartite des *spiritualia,* identique à celles que nous trouvons dans le *Verbum abbreviatum* et les diverses rédactions de la *Summa* ([127]), mais beaucoup plus concise:

> ...decretiste constituunt quatuor genera spiritualium: Virtutes: iste, nec de facto, nec de iure uendi possunt. Secundo loco sacramenta ecclesie.
> Tertio loco beneficia ecclesiastica. Ista uendi possunt de facto non de iure.
> Quarto loco sunt uasa et uestimenta mistica que spiritualibus personis possunt uendi in sua forma; laicis ⟨nonnisi⟩ conflicta ([128]).

Cette division quadripartite, remarquons-le, est attribuée aux décrétistes, non à Pierre le Chantre.

De même, W contient un cas de conscience sur le devoir conjugal:

> Aliqua mulier ex frequenti partu rupta est interius, ita quod constat ei assertione fisicorum quod si iterum conceperit morietur. Vir nichilominus petit debitum. Queritur an ipsa teneatur reddere. Dicit Magister quod sicut habens panem in extrema necessitate famis et panem unum debeat, non tenetur in tali articulo reddere ei quem debet panem, licet repetat, ita mulier ista cum certa sit de morte si reddat uiro debitum, licet corpus suum uiro debeat non tenetur ei reddere in tali articulo. Et cogendus est uir ille per ecclesiam ab exactione debiti ut expectet quousque ipsa per senectutem fiat impotens concipere. Nec approbat Magister opinionem quorumdam dicentium ipsam posse procurare uenenum sterilitatis et ita reddere debitum cum secura sit quod non possit concipere. Sic enim occasionaliter esset ipsa homicida proprie prolis ([129]).

Or, ce cas a fait l'objet d'une étude similaire plus développée dans la *Summa,* où nous trouvons d'ailleurs une solution identique ([130]). Quant à W, il nous offre à deux reprises, mais dans deux rédactions sensiblement différentes, le même exemple, et les deux textes sont pourtant dûs au même copiste ([131]).

([127]) Voir *supra,* p. 74.
([128]) W f° 65va; tome IV (en préparation), cap. XXVI.
([129]) W f° 118ra-rb; tome IV (en préparation), cap. XCIV.
([130]) Cf. édition, tome III, 2, § 350.
([131]) Cf. *supra,* p. 325 (W f° 119va... Vidimus) et p. 325 note 112.

Ces rapprochements, nous l'avouons, sont moins suggestifs que les divergences.

CONCLUSION

Ces nombreuses observations, ces fastidieuses collections de citations, nous permettront-elles de tirer quelques conclusions ? Nous croyons pouvoir répondre affirmativement, à condition toutefois de ne pas donner au mot conclusion le sens de solution une, ferme, rigide.

Les *Questiones & Miscellanea* du manuscrit W sont-elles l'œuvre d'un seul et même auteur, ou au contraire doivent-elles être attribuées à plusieurs auteurs, ou tout au moins à plusieurs rédacteurs ?

Nous avons vu, en effet, que parfois l'auteur prend à son compte certaines affirmations, ou rappelle certains faits dont il a gardé le souvenir, et que tout aussi souvent, il semble rédiger les leçons d'un maître dont il recueille l'enseignement oral, faisant alors œuvre de simple *rédacteur*.

Une première remarque s'impose: on ne peut séparer les textes simplement *rédigés* par un disciple recueillant l'enseignement de son maître, d'avec ceux qui furent rédigés par l'auteur lui-même. Les textes de ce genre sont intimement mêlés, et ne peuvent être dissociés [132]. Un texte, une *questio*, se présente comme si le rédacteur, tantôt se confinait dans sa tâche de simple *rédacteur*, en nous rapportant l'enseignement d'autrui, tantôt et beaucoup plus souvent, comme s'il enseignait lui-même d'autorité, nous rappelait certains faits, posait et résolvait des cas de conscience. Il ne s'agit donc pas pour l'instant d'établir une distinction entre le rédacteur et l'auteur, mais de rechercher s'il y eut un *rédacteur-auteur* ou plusieurs.

Le problème est quasi insoluble, car les deux thèses peuvent ne s'appuyer que sur de simples arguments de convenance, dépourvus de valeur.

En faveur d'un seul rédacteur-auteur, on fera observer que rien ne nous permet de déceler le passage ou le travail de plu-

---

[132] Voir par exemple la liste de textes où nous avons décelé des «oppositions», *supra*, p. 320.

sieurs personnages. Naturellement, on s'attachera à démontrer la vanité des arguments de la thèse opposée.

Celle-ci soulève des problèmes beaucoup plus complexes. Elle oppose les *questiones* et écrits théologiques divers ne possédant aucune particularité digne de retenir notre attention, et qui sont, soit propres à W, soit communs à B et W ([133]), aux *Questiones et Miscellanea* précédés d'une introduction ou d'un préambule. Dans cette hypothèse, on met en lumière l'aspect hybride et le caractère personnel, *a priori* évident, de ces dernières pages, dont on considère le contenu comme une œuvre distincte des autres, tant par sa forme que par son contenu. Cette œuvre tiendrait tout à la fois du journal intime ([134]) par l'apparence méditative de certains préambules, les réflexions diverses et les souvenirs personnels dont elle est parsemée, et de l'œuvre scolaire par la présentation de problèmes théologiques sous la forme de la *questio*.

Il est, dira-t-on, hors de doute, que cet ensemble s'oppose assez nettement aux autres *questiones* éparses dans le manuscrit W ou communes à B et W. Ce qui explique la tentation et la tentative d'attribuer les écrits théologiques des folios 123-140 à un auteur qui ne serait pas le même que celui des autres *questiones*.

Pour éviter de longues périphrases appelons *Recolens* ([135]) l'auteur de ces curieuses *questiones* précédées d'une introduction (ou si l'on préfère, de l'ensemble des *miscellanea* des folios 123-140) par opposition au rédacteur des autres *questiones* du manuscrit. Une question surgit immédiatement: Qui était *Recolens* ?

On ne peut l'identifier purement et simplement à Pierre le Chantre, car il cite expressément ce dernier. S'agit-il d'un disciple du Cantor ? On peut volontiers l'admettre. Mais une objec-

---

([133]) Textes propres à W, cf. *supra*, p. 257 (certains textes sont d'ailleurs communs à W et Z); textes communs à B et W: W f° 82ra-rb; B, f° 155ra-163ra (tome IV, en préparation, pars XI, cap. CCXXI ss.).

([134]) Encore que ce terme ait une résonnance romanesque qui convienne assez peu à des écrits médiévaux de ce genre.

([135]) Ce nom est purement arbitraire. Il a été choisi parce que l'auteur use assez souvent du terme *recolo*, et plus souvent encore, fait appel à ses souvenirs. On aurait pu tout aussi bien l'appeler: *Nuper, Pridie, De facto, Nudiustertius*, expressions qui reviennent sous sa plume plus souvent encore.

tion nous vient à l'esprit: Pourquoi *Recolens* a-t-il ajouté cet ensemble hybride à la *Summa Cantoris* ? Et s'il n'est pas l'auteur ou le responsable de cette adjonction, pourquoi celle-ci a-t-elle été opérée ?

Nous avons admis que la *Summa Cantoris* avait été complétée et achevée à l'aide de notes de cours. Or le travail de *Recolens* n'a nullement l'apparence de notes de cours, car s'il est vrai que les opinions de maîtres sont assez souvent invoquées, *Recolens* fait fréquemment appel à ses propres souvenirs, propose des solutions personnelles, nous fait part de son sentiment en ne craignant pas de l'opposer au point de vue de son maître. Il s'agit davantage d'une composition personnelle que de notes de cours.

Pour quelle raison le travail de *Recolens* a-t-il été ajouté à cette *Somme* de Pierre le Chantre, nous l'ignorons. Il ne nous est pas plus loisible de préciser l'identité de *Recolens*. On peut seulement dire que Recolens dut être un personnage de quelque importance, car il exerça les fonctions de juge ([136]), fut consulté par des cardinaux et des légistes ([137]), visita la curie ([138]), et vraisemblablement enseigna (bien qu'en fait, rien ne nous autorise à le croire, si ce n'est l'autorité avec laquelle il présente ses opinions).

Peut-on songer à identifier ce *Recolens* à Robert de Courçon, cardinal et théologien de valeur ? Une telle identification est purement hasardeuse, et en sa faveur, on ne peut invoquer qu'une similitude de phrases ([139]). C'est vraiment trop modeste, et ce rapprochement n'impose aucune conclusion.

Nous admettrions volontiers que *Recolens* n'est qu'un disciple de Pierre le Chantre, mais nous présumons que cette thèse ne pourra recueillir tous les suffrages. D'aucuns nous objecteront: ce *Recolens* n'est-il pas Pierre le Chantre, qui, souvent, joua le rôle de juge, fut consulté par des cardinaux et autres personnages importants et se rendit à Rome, d'autant plus que *Recolens* et Pierre le Chantre témoignent de la même défiance à l'égard des «modernes», du même respect de la Sainte Écriture.

([136]) Voir supra, p. 309, note 90.
([137]) Voir *supra*, p. 302, notes 81, 82.
([138]) Voir *supra*, p. 309, n. 90.
([139]) Voir *supra*, p. 313.

Cette objection sérieuse provoque aussitôt une riposte. Tout d'abord, on voit mal Pierre le Chantre citer assez fréquemment un *Magister* anonyme dont il semble accepter une partie des opinions. D'autre part, si la présence des noms de *Commestor, Lotharius*, ne fait pas difficulté, par contre, puisque *Recolens* cite Pierre le Chantre, on est bien obligé d'admettre que *Recolens* et Pierre le Chantre sont deux personnages distincts.

Les partisans éventuels de cette identification nous objecteront sans doute que cette conclusion est trop hâtive, et que les textes personnels, tels que certaines introductions, réflexions, exposés de *casus conscientiae*, sont probablement l'œuvre de Pierre le Chantre.

Mais alors, comment expliquer le mélange de textes de Pierre le Chantre et de textes à la troisième personne, qui ne peuvent être que des notes de cours ? Pour résoudre cette énigme on ne peut présenter que trois hypothèses.

1°.- *Recolens*, rédacteur de ces *questiones* du manuscrit W, caractérisées par une introduction ou un préambule, a pu utiliser un cahier dans lequel Pierre le Chantre aurait noté des réflexions et des cas qui pouvaient éventuellement lui être de quelque utilité pour ses cours. *Recolens* aurait reproduit ce cahier, en ajoutant aux textes de Pierre le Chantre de nombreuses notes de cours. On justifierait de la sorte le dualisme apparent d'expression de *Recolens*, en distinguant, d'une part, des textes dûs à Pierre le Chantre, écrits à la première personne, d'autre part, des notes de cours du rédacteur, à la troisième personne.

Hypothèse compliquée, et qui ne parvient pas à éviter un écueil, à savoir: les divergences d'opinion entre Pierre le Chantre (ou le maître anonyme) et le rédacteur des notes de cours. Pour que l'hypothèse fût satisfaisante, il faudrait admettre que le rédacteur ait ajouté aux textes cantoriens et aux notes de cours réflétant la pensée du Chantre, des solutions strictement personnelles.

2°.- Seconde hypothèse. *Recolens* aurait tout simplement procédé à une transcription matérielle de ses notes sans chercher à leur donner une apparence plus homogène (Bien entendu, *Recolens* n'a pas lui-même écrit, mais simplement dicté ce texte; c'est toutefois à celui qui dicte, non au copiste, qu'il faut attribuer le texte et ses lacunes). A la façon de nos modernes sténographes, il aurait écrit et fait écrire «*ego dico*» quand

Pierre le Chantre prononçait «*ego dico*». Parfois cependant il il aurait écrit «*magister dicit*» quand Pierre le Chantre disait «*dico*».

Cette hypothèse assez fantaisiste nous oblige à faire violence au texte, à supposer chez *Recolens* une grande négligence, et pourtant, elle ne concilie rien. En effet, lorsqu'on se trouve en présence d'une contradiction entre une opinion écrite à la première personne, et une assertion du maître, toutes deux réflétant par hypothèse la pensée du maître, il faut admettre que celui-ci se contredit, ce qui est absurde.

3°.- Une troisième hypothèse tout aussi complexe laisse cependant à Recolens une part d'initiative beaucoup plus importante dans la rédaction de ces pages.

La plupart de ces pages contiennent un cas — fait authentique ou simple exemple d'école — qui pose un problème destiné à être traité en quelques lignes ou à faire l'objet d'une dispute. *Recolens* nous rapporte ces disputes, mêlant aux opinions du maître ses propres affirmations. Ce n'est pas d'hier que les étudiants éprouvent un malin plaisir à contredire leur professeur. Les introductions de caractère personnel ou non, relations de certains faits, seraient dues à Pierre le Chantre, en ce sens que *Recolens* se serait comporté à leur égard comme un simple sténographe, transcrivant telles quelles les paroles de son maître. Cette hypothèse a au moins le mérite de résoudre quelques difficultés: *Recolens* n'est pas le personnage de quelque importance que nous avons supposé, mais un disciple discret et fidèle de Pierre le Chantre. C'est Pierre le Chantre et non *Recolens* qui jouit d'attributions judiciaires, qui fut consulté par des légistes et des cardinaux, qui se rendit à Rome, etc.

Mais si cette hypothèse recueille les suffrages du lecteur, toutes les difficultés ne sont pas pour autant aplanies. Bien au contraire, de nouvelles surgissent: Tout d'abord, on ne connaît pas d'exemple de l'utilisation d'un tel procédé de composition. Et on le comprend sans peine, car il est vraiment défectueux. Or la lecture de ces pages ne laisse nullement l'impression qu'il soit nécessaire de distinguer deux personnages dans l'auteur qui écrit: *ego*. Si chaque introduction avait été précédée du seul mot *magister,* ou si l'on avait trouvé ce dernier dans la marge à côté de ces lignes si curieuses, cette thèse eût pu être défendue avec succès. Dans ce cas, en effet, le préambule et l'énoncé du *casus conscientiae* auraient pu être attribués au maître, le rédacteur *Recolens* s'étant contenté de transcrire les paroles proférées par le maître. Au contraire, le résumé de la dispute serait l'œuvre de *Recolens*. Malheureusement, cette indication *magister* fait défaut, et il serait téméraire, croyons-nous, de vouloir y suppléer.

Résumons ce très court débat. On constate aisément que les préambules de certaines *questiones* et les faits qui se glissent dans l'énoncé de certains *casus,* sont la source de difficultés. Si l'on fait abstraction de ces curieuses introductions et de ces *casus,* il n'y a plus de problème: toutes les *questiones* et les mélanges théologiques du manuscrit W sont de simples notes de cours d'un disciple de Pierre le Chantre.

Mais ces introductions, ces allusions à des faits qui ne sont probablement pas tous imaginaires, existent et de ce seul fait attirent notre attention et nous obligent à reconsidérer cette première position.

On pourrait tout d'abord attribuer à deux personnages distincts la rédaction des *questiones* de W. L'un d'eux, que pour faire court, nous avons appelé *Recolens,* aurait rédigé le groupe de *questiones* et écrits apparentés, précédés d'un sorte de préambule. Mais nous ne croyons pas cette distinction nécessaire et vraiment fondée.

Les pages attribuées à *Recolens,* font naître, nous l'avons vu, de nombreuses hypothèses, mais deux seulement méritent d'être retenues.

Dans l'une, il faut dans chaque *questio* précédée d'un préambule, opérer une dissection. Chaque préambule, chaque formulation d'un cas de conscience, auraient été énoncés par Pierre le Chantre et textuellement transcrits par *Recolens*. Le débat théologique qui les suit, nous livrerait l'écho de la dispute soulevée par le *casus,* et par le fait même les opinions du maître et de *Recolens*. Cette thèse, à première vue satisfaisante, ne trouve malheureusement aucun fondement dans la tradition manuscrite. Elle se distingue cependant par un avantage considérable et facilement perceptible: Faisant de *Recolens* un personnage obscur, elle permet de rattacher à l'activité du Cantor des consultations et des souvenirs consignés dans ces *questiones* à la première personne.

L'autre hypothèse a le mérite de la simplicité. Les pages litigieuses sont tout entières l'œuvre de *Recolens*. Les préambules contiennent sans doute des réminiscences d'écrits de toutes sortes, mais sous cette réserve, il en est l'auteur. Les faits rapportés concernent sa propre activité. *Recolens* fut un disciple immédiat du Chantre, et dut avoir une carrière assez brillante, sans qu'on puisse la préciser. Peut-être sa modestie n'est-elle pas au-dessus de tout soupçon, et a-t-il inséré dans le cadre de sa propre activité des faits de la vie de son maître. Nous ne pouvons néanmoins suspecter *a priori* sa bonne foi. Cette thèse a un second mérite: elle est la seule à ne pas faire violence au texte.

II.- QUESTIONES ET MISCELLANEA DU MANUSCRIT B

Comme nous l'avons fait pour le manuscrit W, nous dresserons, pour les *Questiones et Miscellanea* du manuscrit B, des listes de textes à la première personne, de textes à la troisième personne, de citations de maîtres, d'oppositions entre l'auteur et son maître ou d'autres maîtres.

A.- *FORMES A LA PREMIÈRE PERSONNE:*

1°.- *Textes communs à B et à W:*

Audiuimus: f° 157rb (W f° 83rb): ...Vidimus et audiuimus quod cum quidam fur traheretur ad suspendium, pertransibat quidam clericus... (c. CCXXX).

Consilium: f° 161rb (W f° 86rb): ...Sed nos illud consilium dare non audemus quod ex certa scientia uiuat de rapina. Sed tucius consilium damus quod accedat ad eos quos per usuram expoliauit... (c. CCXXXIX).

Credo: f° 161rb (W f° 86rb) ...Credo eum non absolutum, et prius debet cum tota familia sua mendicare... (c. CCXXXIX).

Credimus: f° 156rb (W f° 82va): ...Nos tamen credimus quod cum Deus taxauerit penas... (c. CCXXII).

f° 156va (W f° 82vb): ...Credimus quod cum de iudicio poli consentientes et agentes... (c. CCXXV).

f° 156va (W f° 83ra): ...Credimus quod tenetur quia abstulit consilio et consensu... (c. CCXXVI).

f° 157ra (W f° 83rb): ...Credimus quod non, quia non sufficeret testimonium mortui uel cuiuscumque spiritus... (c. CCXXIX).

f° 161ra (W f° 86rb): ...Non enim credimus quod statim uendere hereditatem teneantur et omnia alia licite possessa... (c. CCXXXIX).

Dicimus   f° 155rb (W f° 82ra): ...Dicimus ad predicta quod in rei ueritate, ille qui emit prebendam, canonicus non est... (c. CCXXI).

f° 155rb (W f° 82rb): ...Dicimus quod habet potestatem, id est licentiam siue sustinentiam ...Dicimus tamen quod licitum est accipere a tali canonico elemosinam... (c. CCXXI).

f° 156ra (W f° 82va): ...Nos dicimus quod non est orandum pro illis qui sunt in patria... (c. CCXXII).

f° 158rb (f° 84rb): ...Et dicimus quod ideo quia sapor caritatis dulcorat opera omnium uirtutum... (c. CCXXXV).

f° 158va (W f° 84rb): ...Et dicimus quod nondum habebat caritatem, quia nondum habebat saporem illam... (c. CCXXXV).

f° 158vb (W f° 84va): ...si queratur quid sit illa idoneitas siue habilitas illa, dicemus quod donum Dei est neque... (c. CCXXXVI).

f° 161ra (W f°86ra): ...Durum est dicere hoc. Quid ergo dicemus? Quod superficialis est illa similitudo... (c. CCXXXVIII).

Dicere: f° 158ra-rb (W f° 84ra): ...Vnde, ut ad primam auctoritatem respondeamus, possumus dicere quod ideo dicitur...

Intelligimus, Intelligere:

f° 156rb (W f° 82va-vb): ...tamen locutionem esse restringendam mentaliter intelligimus, quia non est nostrum excipere nominatim. Sed debemus uoluntati diuine omnes proponere... (c. CCXXII).

f° 158va (W f° 84rb): ...Pocius possumus intelligere quam explicare... (c. CCXXXV).

Quero, Querimus:

    f° 156va-vb (W f° 83ra): ...Hic primum quero quare non sit absolutus a uoto hoc labore ...Secundo quero si illam commutationem... (c. CCXXVII).

    f° 158va (W f° 84rb): ...Nunc autem querimus secundum quid attendatur augmentum uel diminutio caritatis... (c. CCXXXVI).

    f° 162rb (W f° 87ra): ...Sed quero quod istorum esset ei minus peccatum: uel cessare cum scandalo... (c. CCXLV).

Scimus:

    f° 155va (W f° 82rb): ...Scimus quod quedam decretales dicunt pecuniam simoniacam nec esse dantis neque accipientis...(c. CCXXI).

    f° 163ra (W f° 87vb): ...Scimus quod si uoluerit, potest reconciliare eam sibi, et ideo etiam si... (c. CCXLVIII).

Soluimus:

    f° 159ra (W f° 84vb): ...Sequentes autem auctoritates non soluimus licet quidam soleant dicere quod non sufficit... (c. CCXXXVI).

Respondeamus:

    f° 158ra-rb (W f° 84ra): ...Vnde, ut ad primam auctoritatem respondeamus, possumus dicere quod ideo dicitur caritas... (c. CCXXXV).

Vidimus:

    f° 157rb (W f° 83rb): ...Vidimus et audiuimus quod cum quidam fur traheretur... (c. CCXXX).

Nobis tamen uidetur:

    f° 155va (W f° 82rb): ...Nobis tamen uidetur quod de iure poli, si sufficienter peniteret de simonia et... (c. CCXXI).

A ces citations nous pouvons encore ajouter:

    f° 157rb (W f° 83rb-va): ...Credimus quod sacerdos iste non deberet ministrare de cetero donec consulerit summum pontificem... queritur utrum licitum sit michi sacerdoti concedere principi ligna in silua mea ([140]) ad faciendum patibulum malefactoribus suspendendis... Vidimus

---

([140]) Cette rédaction semble *a priori* être caractérisée par un accent indubitablement personnel, ce qui excluerait l'hypothèse de notes de cours, ou si l'on préfère, d'une sorte de *reportatio*. Néanmoins, il s'agit d'exemples d'école, et c'est pourquoi il ne faut pas vouloir s'appe-

et audiuimus quod cum quidam fur traheretur ad suspendium, pertransibat quidam clericus in minoribus ordinibus. Rogabant apparitores quod concederet equum suum supponendum pedibus latronis suspendendi. Concessit. Consultus est summus pontifex utrum posset promoueri. Responsum est non. Sed forte secus erit in hoc casu quia hic non adhiberem operam meam uel per me uel per mea ad aliquem specialiter occidendum. Concederem ergo in tali casu et ligna et equum principi ut ipse eis uteretur ad officium suum exequendum. Item. Si heretici essent coram iudice parato occidere eos si essent conuicti, esset ne michi clerico licitum concedere cum eis de fide et conuincere eos si possem ? Ego conuincerem eos disputando si possem, dummodo per eos immineret periculum fidei nostre. Postea faceret iudex quod spectaret ad suum officium. (c. CCXXX).

f° 158ra-rb (W f° 84ra): ...ut ad primam auctoritatem respondeamus, possumus dicere quod ideo dicitur caritas prima omnium uirtutum, quia sola caritas eodem numero et specie que est in uia erit in patria, sed fides euacuabitur, quia tunc sciemus quod modo credimus, et scientia destruetur quia scientia quam modo habemus de Deo, respectu illius scientie quam habebimus in futuro... (c. CCXXXV).

f° 162va (W f° 87rb): ...Non auderem denegare confectum esse uel baptizatum si baptizasset in hebreo. Ego tamen si baptizassem in hebreo aliquem, quia non essem omnino certus et nullum esset periculum in rebaptizando, rebaptizarem eum. Si tamen sic decederet, haberem eum pro christiano. Scimus tamen quod summus pontifex ordinauit quemdam caldeum in sacerdotem...
(c. CCXLVI).

---

santir sur le sens de chaque mot. On ne peut conclure de ces lignes que leur auteur était prêtre.

2°.- *Textes propres à B:*

Audiuimus: f° 154rb: ...Hoc tamen dicto per aliquantum dilatum est iudicium. Tandem, ut audiuimus, tractus est ad patibulum... (c. CCXVIII).

Concedimus: f° 163va: ...Quod concedimus, quia uno solo motu caritatis diligit Deum ...Quod concedimus, quia ille non sunt principales cause, sed excitatiue et occasiones... (c. CCIL).

f° 166rb: ...Ergo inuitus hoc sciuit. Quod concedimus... (c. CCLV).

Dicimus: f° 165rb:...Ad hoc dicimus quod regula est ab omnibus firmata quod impossibile est Christum diligere aliquem reprobum... (c. CCLI).

f° 165vb: ...Ad ultimum dicimus quod quemlibet pessimum debet et tenetur plus diligere etiam in infinitum... Ad hoc dicimus quod magis se diligit licet illum in maiori... (c. CCLIII).

f° 166ra: ...Ad hoc dicimus quod in eodem instanti ...Ad hoc dicimus quod uel nulla est comparatio... (c. CCLIII).

f° 166rb: ...Nos dicimus quod qui hoc optat peccat... (c. CCLV).

Dico: f° 163vb: ...Ad sequens dico quod hec est falsa: Quantumcumque iste diligit Deum ut fruatur eo... (c. CCIL).

Dicere: f° 154ra: ...Simile possemus dicere de hoc clerico. Sed hoc multum mouet nos quod clericus ex sua stulticia... (c. CCXVII).

f° 163rb: ...Propter hoc ergo nolumus dicere quod aliquis diligat Deum aliquantum et magis... (c. CCIL).

Debeo: f° 155va: ...Non debeo transumere orationem quia ille orat... (c. CCLXXXVIII).

Exponam: f° 150vb: ... Diliges proximum tuum sicut te ipsum. Licet exponam proximum Christum... (c. CCVI).

Nescimus: f° 155vb: ...Ideo orandum pro omnibus, quia qui reprobi, qui electi moo nescimus... (c. CCLXXXVIII).

Ponimus: f° 163rb: ...Sed hoc ponimus pro regula: Quicumque diligit Deum... (c. CCIL).

f° 165va: ...Ergo plus tenetur quis ex commisso quam ex precepto... (c. CCLIII).

Scio: f° 155va: ... Pro eo quem scio prescitum (c. CCLXXXVIII).

Taceo: f° 165vb: ...Sed utrum plus quam animam Christi uel eius humanitatem, modo taceo... (c. CCLIII).

Vidimus: f° 154ra: ...Sicut uidemus quod si aliquis pro culpa sua incidit in infamiam... (c. CCXVII).

Videtur michi, uidetur nobis:

f° 150va: ...Michi uidetur quod ibi commutatur quis in quid et sic... (c. CC).

f° 154vb-155ra: ... uidetur nobis quod Apostolus non fecit preceptum uel prohibitionem nisi circa fundamentum... (c. CCXX).

A ces textes nous pouvons ajouter ceux-ci:

f° 154ra: ...Simile possemus dicere de hoc clerico. Sed hoc multum mouet nos quod clericus ex sua stulticia incidit in illud iuramentum et in illam obligationem. Sicut uidemus quod si aliquis pro culpa sua incidit in infamiam, quicquid ille fecerit, imputabitur ei si crimen aliquod committat. Item. Habemus aliquod exemplum de decano Suessionensi qui, excommunicatus a suo episcopo, petiit absolutionem a Papa Adriano. Iurauit quod staret mandato pape. Precepit papa quod intraret caueam. Intrauit cum omni obedientia et ibi mortuus est... (c. CCXVII).

f° 164va: ...Et secundum hanc solutionem que satis michi sedet, de facili soluuntur auctoritates predicte... (c. CCL).

B.- *FORMES A LA TROISIEME PERSONNE:*

Dans les textes propres à B, on ne trouve qu'un seul exemple de verbe à la troisième personne dont le sujet n'est pas désigné:

f° 155vb: ...Hic dicit non orandtm pro quibusdam quia sunt etiam fratribus peccata persecutione... (c. CCLXXXVIII).

Les allusions à un maître anonyme ou nommément désigné sont par contre un peu plus nombreuses ([141]):

1°.- *Allusions à un maître anonyme:*

f° 151ra   ...Dicit magister quod de iure poli uidetur ei quod sacerdos debet esse iudex in parrochia sua, precipue de periculo animarum, sicut decanus in capitulo suo... (c. CCVII).
...Hic distinguit magister casus legis et canonis. Refert qua mente bona... Alius casus est in quo dicit magister precium esse restituendum si aliquis uendat... (c. CCVIII).

f° 152ra   ...Consulit ei magister quod nunquam presumat celebrare donec per se uel per alium consulat summum pontificem. Item. Querit magister si inciderit in canonem... (c. CCX).

f° 152vb   ...Dicit Magister quod simoniam committit, quia eque simoniam committit qui munere suo impedit spirituale iuste conferendum... ...Dicit Magister quod non fuit eius intentio emere decanatum... (c. CCXIII).

f° 153ra   ...Dicit Magister quod talia uota quandoque fiunt Deo... (c. CCXIV).

f° 153rb   ...Dicit magister auctoritate illius legis quod sine certo die promittititur... ...Distinguit magister. Si habuit in proposito quod nullo alio modo... (c. CCXIV).

2°.- *Allusions à des maîtres nommément désignés:*

Cantor: f° 150va: ...Cantor eligit multis nocentibus parcere, ut unus innocens qui ab eis separari non potest... (c. CCI).

([141]) Il s'agit toujours de textes exclusivement propres à B. Les allusions similaires dans les textes communs à B et W ont été relevées dans l'analyse des questiones de W, *supra,* p. 280 ss.

                f° 154rb: ...Inter illos uocatus fuit Cantor ad consilium. Ipse confitebatur se esse reum et si ipsi consilium darent ei... ...Consilium fuit Cantoris P. quod ipse nullomodo peiuraret... (c. CCXVIII).

Can.   f° 165ra: ...Solutio nostra et Can. quod omnis actio a Deo est... (c. CCL).

On peut sans doute transcrire: *Solutio nostra et Cantoris.*

Petrus Corboliensis:

                f° 153va: ...Dicit Petrus Corboliensis quod hec propositio uera est... (c. CCXVI).

Petrus de Corb.

                f° 150va: ...Ergo Christus est aliquid quod non est Pater. Petrus de Corb. concedit illationem... (c. CC).

Sans aucun doute, il s'agit ici de Pierre de Corbeil.

P. Cor.   f° 153va: ...Dicit P. Cor quod hec ultima falsa est... (c. CCXVI).

                f° 153vb: ...Dixit ergo P. Cor. quod magis diligitur Christus quia Deus est et homo quam quia Deus ...Respon⟨it⟩ P. Cor. quod locutio figuratiua est... Sed uidetur nobis quod eadem ratione debet ista negari quam primo concessit P. Cor... (c. CCXVI).

Nous avons vu que dans le manuscrit W, *P. Cor.* pouvait signifier *Petrus Corboliensis* ou *Petrus Cantor,* et que, dans un cas, cette abréviation était certainement employée pour *Petrus Cantor* ([142]). Qu'en est-il dans le manuscrit B ? Nous pensons que *P. Cor.* désigne ici Pierre de Corbeil. Ces quatre citations appartiennent en effet au même chapitre, ou si l'on préfère, à la même *questio,* et elles y sont précédées d'une citation expresse du nom de *Petrus Corboliensis,* que le copiste a jugé par la suite plus commode de contracter en *P. Cor.*

Prepositinus:

                f° 153va: ...Dixit Prepositinus quod magis merebatur Christus maiori motu dilectionis quam minori... (c. CCXVI).

([142]) Cf. *supra,* p. 311, n. 93; p. 313.

Magister Adam:

> f° 153rb: ...Quando magister Adam incepit legere: Diliges Dominum ex toto corde... (c. CCXVI).

L'identification de ce maître Adam est impossible, car il est fort probable que les maîtres du nom d'Adam étaient assez nombreux.

C.- OPPOSITIONS ENTRE LE RÉDACTEUR ET UN OU PLUSIEURS MAÎTRES

Nous citerons quelques *questiones* contenant les oppositions les plus typiques.

(CCXVIII). ⟨*Casus de peregrinis iudiciis*⟩.

Incipit (f° 154ra): ...Quidam Parisius infamati erant in homicidio. Consuetudo... *Explicit* (f° 154va): ...uel exheredaretur uel alio modo sine sanguine puniretur.

Pierre le Chantre apparaît dans cet exposé. L'auteur nous rapporte en effet que Pierre le Chantre fut appelé à donner son avis dans un cas où l'on songeait à recourir aux *iudicia peregrina*. Mais l'auteur nous fait aussi connaître son opinion sur des problèmes touchant au même sujet.

f° 154ra ...Quidam Parisius ([143]) infamati erant in homicidio. Consuetudo est in Francia quia nulli adiudicatur purgatio uulgaris, sed potest ipse eam afferre si uoluerit. Omnes preter unum obtulerunt se ad iudicium aque frigide et salui facti sunt. Dicebatur illi qui noluit se tali modo purgare quod traheretur ad patibulum / nisi se pur-

f° 154rb

([143]) *Parisius* signifie ici de Paris. Cf. Du Cange, *Glossarium ad scriptores mediae et infimae latinitatis* (ed. Paris, 1734), tome V, col. 190: «Parisius, sine flexu interdum pro ipsa Parisiorum urbe usurpatur. Charta Ludovici VI, Regis Franciae, ann. 1134, in Tabular. Montis. Mart. ...*ex alia parte vie Parisius in commutatione donavimus.* Chron. S. Medardi Suession. ad ann. 1254. to. 2. Spicil. Acher, p. 799. *Et in vigilia Nativitatis B. M. receptus est apud Parisius processionaliter et solemniter.* Robert Goulet in Compendio jur. et consuet. Univers. Paris. fol. 14: *Si enim contingat longe a Parisius Regem decedere, corpus defuncti Parisius affertur,* etc.

garet, quia uehementes presumtiones erant contra eum. Petiit consilium a litteratis et sacerdotibus. Inter illos uocatus fuit Cantor ad consilium. Ipse confitebatur se esse reum et si ipsi consilium darent ei, peiuraret et offeret se ad iudicium aque. Si ipsi non consulerent ei hoc, paratus erat mori iuxta consilium eorum. Consilium fuit Cantoris P⟨arisiensis⟩ quod ipse nullo modo peiuraret, neque tamen consuluit ut ipse proderet se in publicum, sed hoc tantum diceret: Nullatenus subibo iudicium istud, facite de me quod secundum Deum iudicaueritis. Hoc tamen dicto per aliquantum dilatum est iudicium. Tandem ut audiuimus, tractus est ad patibulum...

f° 154va   ...A simili uidetur nobis quod etiam si peregrina ista iudicia...([144]).

([144]) Ce fragment témoigne de la persistance des jugements de Dieu ou ordalies au XII° siècle. Pourtant, dès le IX° siècle, AGOBARD avait vigoureusement protesté contre leur usage, et plus spécialement contre le duel judiciaire qu'il qualifie de coutume impie (Paul FOURNIER, *Quelques observations sur l'histoire des ordalies au m-â*, dans *Mélanges Gustave Glotz*, 1932, t. I, p. 370). Les condamnations portées par Étienne V, Nicolas I et Alexandre III ne semblent pas avoir eu beaucoup d'effet. Au XII° siècle, un roman nous montre comment l'accusé qui n'avoue pas peut se purger en recourant au jugement de Dieu (Ch. V. LANGLOIS, *La vie au moyen-âge*, I, p. 104). Les épreuves par l'eau et le feu sont encore utilisées à Saint-Omer en 1168 (JUSTIN DE PAS, *Le bourgeois de Saint-Omer*, 1930, p. 198) et à Paris en 1200 (DENIFLE et CHATELAIN, *Chartularium Universitatis Parisiensis*, t. I, 1889, n° 1). Des épreuves semblables sont prévues dans la charte de Feindeille en Lauragais (RAMIÈRE DE FORTANIER, *Chartes de franchise du Lauragais*, Paris, 1939, p. 445). Cf. aussi Gustave COHEN, *Le duel judiciaire chez Chrétien de Troyes*, dans *Annales de l'Université de Paris*, 1933, p. 510-527. En fait, ces pratiques, ordalies et duels judiciaires, jouissaient d'une tolérance quasi-générale, et le mal venait de haut, car, s'il faut croire l'auteur de cette *questio*, Alexandre III qui avait légiféré contre les ordalies, oubliant les instructions qu'il avait données, ne craignit pas d'y recourir. Nous lisons en effet dans le manuscrit W (f° 154rb-va; cf. tome IV, cap. CCXVIII): «Tamen, Alexander III us amiserat uas preciosum et coegit quemdam suspectum purgare se iudicio ferri candentis. Ipse incidit in iudicium et cogebatur reddere usque ad nouissimum quadrantem. Postea, inuentum est uas illud in manu alterius et com-

(CCL). ⟨*De prophetia*⟩.

Incipit (f° 164ra): Triplex est prophetia... *Explicit* (f° 165ra): ...id est futurum dedit intelligi per illam formam uerborum aliquid esse futurum.

Dans ce chapitre, les manifestations personnelles sont prédominantes. Nous citerons:

f° 164va   ...Et hoc modo possumus dictum soluere...
   ...Et secundum hanc solutionem que satis michi decet, de facili soluuntur auctoritates predicte...

f° 165ra   ...Solutio nostra et Can⟨toris⟩ quod omnis actio a Deo est, et ideo predicta dictio...

Cette dernière citation est la plus intéressante: il semble que l'auteur de ce chapitre se considère comme l'égal du Cantor.

CONCLUSION

Les *questiones* du manuscrit B posent moins de problèmes que celles du manuscrit W. Le titre de *Questiones & Miscellanea* convient d'ailleurs particulièrement bien à cet ensemble, car on y trouve un certain nombre de courts fragments pour lesquels le titre de *questio* paraît bien prétentieux: il s'agit de brèves observations sur les sujets les plus divers et qui se succèdent sans obéir à un plan déterminé ([146]). Mais quelques-uns

---

pertum est priorem omnino fuisse immunem. Percussit Alexander III pectus suum dicens: Bone Ihesu, quis diabolus decepit me ut ego uterer diabolico illo iudicio?» Le fait est-il véridique? Nous ne pouvons le préciser. Quoi qu'il en soit, il montre qu'il n'est pas facile de se défaire de vieilles mauvaises habitudes. Celles-ci jouirent en France d'une quasi tolérance, car, vers 1212-1214, les conciles de Paris et de Rouen, établissent que les duels judiciaires et autres *peregrina judicia* ne doivent pas avoir lieu dans les cimetières et en présence des évêques (L. Faletti, art. *Duel*, dans *Dict. de Droit can.*, t. V, p. 11).

Ce qui ne signifie pas qu'en certaines régions, ces pratiques ne rencontraient des adversaires décidés. En Flandre, le duel judiciaire est aboli à Ypres dès 1114 (H. Pirenne, *Histoire de Belgique*, tome I, 2ᵉ ed., Bruxelles, 1902, p. 182), c'est à dire pendant le règne de Baudouin VII Hapkin. Néanmoins, seul l'établissement des Conseils par les Grands Ducs de Bourgogne permettra la disparition complète de ces pratiques médiévales aberrantes (H. Pirenne, *Hist. de Belgique*, tome II, Bruxelles, 1903, p. 357, et n. 3).

([146]) Par exemple B f° 150ra-va, cf. tome IV (en préparation) cap. CLXXXIX-CCIV.

de ces textes très courts se présentent cependant sous la forme de la *questio* ([147]).

On pourrait distinguer dans la suite de *Questiones & Miscellanea* que nous offre B, trois groupes distincts:

1er groupe: B f° 150ra-154vb.

Incipit: *In adultis circumcisio nichil conferebat...* Explicit: *...id est in sacra scriptura* ([148]).

Ce groupe se compose sans aucun doute de notes d'un étudiant, qui revêtent la forme habituelle des *Questiones*. L'une d'elles est intitulée *Disputatio* ([149]). Dans ce groupe, à côté d'un certain nombre de formes à la première personne qui sont autant de manifestations personnelles, nous trouvons, outre des allusions à un maître anonyme ([150]), les noms de Pierre le Chantre, Pierre de Corbeil, Prévostin, Maître Adam ([151]). Nous avons déjà signalé un exemple typique qui semble prouver que l'auteur de ces pages connaissait Pierre le Chantre ([152]).

Quel était l'auteur de ces pages ? Sans doute un disciple de Pierre le Chantre ou de Pierre de Corbeil, mais de toutes façons l'élève de maîtres parisiens. Quant au caractère de ces pages, il suffit de le préciser en quelques lignes. Il s'agit d'un ensemble de notes et de *questiones,* constituant soit une œuvre propre de l'auteur, soit tout simplement des notes de cours remaniées par le rédacteur qui y a ajouté des éléments de son cru.

Le second groupe de *questiones* appartient en commun à B et W (B f° 155ra-166vb; W f° 82ra-87vb).

Incipit: *Queritur utrum ille qui simoniace...* Explicit: *...det ei licentiam intrandi religionem* ([153]).

On n'y trouve aucune allusion à un *magister* anonyme, ni à Pierre le Chantre ou quelque autre de ses contemporains. Le texte se présente donc sous un jour assez différent des au-

---

[147] Par exemple B f° 150vb, cf. tome IV (en préparation) cap. CCV ss.
[148] Cf. tome IV (en préparation), pars X, cap. CLXXXIX-CCXX.
[149] B f° 153rb-vb: Incipit: *Disputatio. Quando magister Adam incepit legere...* Explicit:*...quam hec causa, scilicet quod est Deus* (tome IV, cap. CCXVI, Disputatio de dilectione Dei). On y rencontre les noms de Maître Adam, de Pierre de Corbeil, cf. *supra,* p. 362).
[150] Voir *supra,* p. 361.
[151] Voir *supra,* p. 362 sv.
[152] Voir *supra,* p. 363.
[153] Cf. tome IV (en préparation), pars XI, cap. CCXXI-CCXLVIII).

tres, et c'est à bon droit que l'on peut se poser à son sujet deux questions:

a). Quel en est l'auteur ? A cette première question, un examen attentif du texte ne permet pas de répondre. On peut tout aussi bien songer à Pierre le Chantre qu'à l'un de ses disciples: la critique interne n'est pas plus favorable à l'un qu'à l'autre. Rappelons que ce groupe de *questiones* nous est donné dans le manuscrit W entre deux fragments de la Somme de Troyes ([154]). Et il est bien évident que ces quelques pages n'apparaissent pas de la même veine que les curieuses *questiones* précédées d'une introduction, exclusivement propres à W, avec lesquelles elles ne présentent aucune ressemblance.

b). Y a-t-il entre les deux textes manuscrits que nous possédons un rapport de dépendance ? On pourrait prétendre que B et W ne dépendent pas de la même source. C'est bien possible, encore que difficile à prouver. Si l'on rejette cette hypothèse, il faut admettre, nous semble-t-il, que c'est B qui dépend de W. Si le texte de B est parfois meilleur, il faut sans doute l'attribuer aux corrections intentionnelles dont on trouve des exemples certains. De même le texte de B est plus long, mais les lignes qu'il ajoute à W et lui demeurent propres, ne constituent pas un fragment digne de beaucoup d'intérêt ([155]).

Reste enfin un troisième groupe, propre à B, f° 163ra-166vb. Incipit: *Queritur utrum Deus propter se tantum...* Explicit: *...uoluit corporalem subuersionem ne deprehenderetur menciens* ([156]).

Les dernières pages de ce texte sont fort mal rédigées. L'auteur n'en peut être Pierre le Chantre, car il semble bien que ce soit ce dernier que nous trouvons désigné par l'abréviation *Can*. Nous avons déjà signalé la phrase typique: «*Solutio nostra et Can(toris)*» ([157]). L'auteur de ces pages oppose donc net-

---

([154]) Cf. tome I de notre édition, p. XLVI, et tome IV, cap. CCLXXXVIII.

([155]) On trouve ce texte dans B f° 155va-vb (Incipit: *Iudas Machabeus inuenit penes suos ... sicut scis et sicut uis)*, tome IV (en préparation), pars XIII, cap. CCLXXXVIII, Pour avoir une physionomie exacte du manuscrit B, il faudrait le replacer après le cap. CCXXI de notre édition.

([156]) Tome IV (en préparation), cap. CCXLIX-CCLV.

([157]) Voir *supra*, p. 365.

tement son point de vue à celui du Cantor. Il s'agit par conséquent d'un personnage distinct.

En résumé, alors que nous trouvons dans B un ensemble compact de «mélanges théologiques» ignorés de la *Somme* de Troyes, à l'examen cet ensemble apparaît susceptible d'être divisé en trois groupes de *questiones et miscellanea:*

1°. Un premier groupe, œuvre d'un étudiant (ou ancien étudiant) parisien, qui connut probablement Pierre le Chantre, Pierre de Corbeil, Prévostin et un certain maître Adam.

2°. Un deuxième groupe, commun à B et W, qui pourrait être attribué soit à un disciple de Pierre le Chantre, soit à ce dernier lui-même.

3°. Un troisième groupe, rédigé par un étudiant peut-être devenu maître à son tour, et qui lui aussi, appartint à l'école du Chantre.

Toutefois, l'on pourrait, sans se contredire, supposer que l'ensemble a été rédigé par un seul et même disciple du Cantor. Faute de données précises, un choix entre ces hypothèses risquerait d'être subjectif, et c'est pourquoi nous croyons prudent de nous en abstenir.

III.- QUESTIONES & MISCELLANEA DU MANUSCRIT P

Ces *questiones et miscellanea* feront l'objet d'une étude semblable aux précédentes.

A.- *FORMES A LA PREMIERE PERSONNE*

Concedere: f° 195rb: ...Salubriter in hoc sacramento concedere possumus: Iste panis fit corpus Domini... (c. CCLX).

Credimus: f° 195va: ...Sane credimus quod quando Dominus protulit hec uerba in cena... Aliter tamen credimus quando sacerdos eadem uerba profert. Ipse enim retractat... (c. CCLX).

                f° 195vb: ...Et hoc credimus fieri. Vnde queritur si aliquis confecisset in spacio illo, inter...

Aquam que uino commiscetur, non credimus conuerti in sanguinem... ...Credimus quod singule particule de substantia panis transeunt in totum corpus Christi... (c. CCLX).

f° 198rb: ...Et cum ad hoc uentum fuerit, quicquid pro eo fiat, nil omnino ei prodesse credimus... (c. CCLXIV).

f° 200vb: ...Non ualet. Nam et nos credimus huic lapidi inesse spiritum uiuentem, tamen non credimus ipsum esse animatum... (c. CCLXXI)

Credo: f° 195va: ...Sed quando completum est, et peracto misterio, credo quod tunc facta est... (c. CCLX).

Dicimus, Dicemus:

f° 193ra: ...Ad hoc dicimus quod in prima argumentatione bene sumitur dupliciter... De tercio argumento dicimus quod cessante causa, non est consequens ut cesset effectus... Dicimus etiam quod cum angelus modo gaudium habeat de caritate ipsius... (c. CCLVI).

f° 193rb: ...Vel dicimus quod angelus non optat ut iste saluetur, sed ut minus dampnetur, non satagit ut proficiat... Ad hoc dicimus quod concedi potest quod Deus non uult istum saluari... (c. id.).

f° 193va: ...Ad hoc dicimus: Quoad utilitatem sunt ei destinati si ad annos discretionis perueniret... nec tamen dicimus quod ociose eam quesierit... Dicimus quod non fuit opus. Christus enim... (c. id.).

f° 194ra: ...Ad hoc dicimus quod uerba quandoque actum, quandoque aptitudinem... (c. CCLVIII).

f° 194va: ...Dicimus quod simpliciter non fuit ei bonum ignorare Christum... (c. CCLIX).

f° 194vb: ...Dicimus quod non. Hec enim ignorantia uincibilis fuit, et in eam precipitauit se Loth... Sed dicimus quod omne peccatum quod merito alicuius antecedentis... (c. CCLIX).

f° 195rb: ...Sane dicimus quod ipsa forma constat ex suis partibus... (c. CCLX).

f° 195rb: ...Sic dicimus quod aliquid fit album, uel aliquid incipit esse album... (c. id.).

f° 195va: ...Vnde dicimus quod pronomen demonstratiuum non ponitur ibi demonstratiue... (c. id.).

f° 195vb: ...Dicimus quod istud tunc non erat de canone, scilicet: Iube illud deferri... (c. id.).

f° 196ra: ...Ad quod dicimus quod hoc sane potest concedi, ut ex causam notet remotam... Eodem modo dicimus de illo qui ex caritate bonam habet uoluntatem erogandi... Dicimus quod opera procreandorum filiorum ad cultum concessa sunt coniugibus... (c. CCLXI).

f° 196va: ...Ad quod dicimus quod si conferas eum qui tantum diligit amicum... (c. CCLXII).

f° 196vb: ...Nos autem dicimus quod preceptum generaliter est datum omnibus... (c. id.).

f° 197vb: ...Dicimus itaque quod et prodesse et obesse possunt defunctis merita uiuentium... Ad hoc dicimus quod si negligens fuerit in uita ut saltem non meruerit... (c. CCLXIV).

f° 198ra: ...Dicimus quod meruit ut oraret, sed meruit ut si oraret... Sed dicimus quod electiua resoluenda est in comparatiuam ut sit sensus... (c. id.).

f° 198rb: ...Dicimus quod impossibilis est hec propositio, quoniam pena infinita est et infinite fieret ille progressus. Vel dicimus... Dicimus quod non fit ei iniuria. Licet enim eque meruerint... Dicimus quod si pauper bonam habuit cum caritate erogandi uoluntatem... Dicimus quod hoc utique uerum est quod, scilicet preces eius sine affectu non transeunt... (c. CCLXIV).

f° 198va: ...Dicimus quod expiationes sunt dicta huius officia magis ab aptitudine quam ab actu... Dicimus quod eque iuuat, id est iuuabilis est... Ad hoc dicimus quod talis sacerdos a Deo pro isto exauditur, id est ad effectum auditur... Maxime autem dicimus talem exaudiri, quoniam ipse non orat in persona sua... (c. id.).

f° 198vb: ...Ad hoc dicimus quod forte contingere potest quod in pari caritate erogabitur alicui iusto... Dicimus quod sane concedi potest sed tamen auctoritas non asserit quod Deus cotidie... (c. id.).

f° 199ra: ...Ad hoc dicimus quod tantum dimittitur isti quantum et illi, si intelligas istud tantum in proportione... (c. id.).

f° 199rb: ...Dicimus quod auctoritas non dicit: Non potuit Deus inuenire modum congruentiorem sibi... (c. CCLXVI).

f° 199va: ...Ad hoc dicimus quod gratiam suam non subtrahit Deus non habenti... (c. CCLXVII).

f° 199vb: ...Nos autem dicimus quod pena magis est uitanda... (c. CCLXVIII).

f° 200rb: ...Dicimus quod a latria bene potuit eum cohibere, non quia uellet sed quia posset... Non enim dicimus quod uellet eum adorare latria sed forte tantum dulia... Dicimus quod non exibet ei cultum Deo debitum, nec iste cultus est Deo debitus... (c. CCLXXI).

f° 200va: ...Dicimus quod in primitiua ecclesia dum adhuc erat nouella fidei plantatio, frequenter fiebant apparitiones angelorum... Ad hoc dicimus quod cum dicitur crux adorari, pro honorari dicitur... (c. id.).

f° 200vb: ...Dicimus quod hec omnia large sacramenti nomine concluduntur, uel si dicantur... Dicimus quod seruitus eius nulla seruitus est, nec est dulia... Dicimus una adoratione, id est una genuflexione possunt adorari et non aliter... (c. id.).

f° 201rb: ...Dicimus quod maledictum multipliciter sumitur. Est enim maledictum... Dicimus quod non de omnibus mortalibus dictum est... Ad hoc dicimus quod tunc primo dicitur res esse quando uenit in noticiam... (c. CCLXXIII).

f° 201va: ...Ad hoc dicimus quod in auctoritate non reperitur quod prepucium habeatur. Tamen propter auctoritatem hoc non dico...Dicimus quod Apostoli dicuntur fore tripliciter iudicantes, scilicet approbatione, loci eminentia, cognitione... (c. CCLXXIV).

              f° 205va: ...dicemus quod de rigore tantum locuntur canones illi. Vel quod dicitur... dicimus quod in casu illo loquitur quando ecclesia deponit querelam apud secularem iudicem...
(c. CCLXXXIII).

Dico:
              f° 193rb: ...Quoniam magis gaudent angeli, non dico super quolibet uno peccatore, sed super aliquo uno. Vt super Petro post negationem flente. Nec dico... (c. CCLVI).

              f° 194rb: ...dico quod marcam dedit pro summa, non pro singulis. Ecce iste debebat quinque solidos... Quid ? Dico quod marcam... (c. CCLIX).

              f° 196va: ...intelligendus est et homo et angelus. Homo dico, tam amicus quam inimicus... (c. CCLXII).

              f° 197rb: ...Scientia uero, secundum usum tantum, quoniam ipsa uirtus manebit, sed usus non dico... (c. id.).

              f° 201va: ...Tamen propter auctoritatem hoc non dico... (c. CCLXXIV).

              f° 203va-vb: ...quoniam data est ei immortalitas, non dico qua / possit non mori sicut prius... (c. CCLXXVII).

Dicere possumus:
              f° 193rb: ...Vel possumus dicere quod ideo non cessat gaudium angeli propter peccatum istius, quia et si... (c. CCLVI).

              f° 193va: ...Vel possumus dicere quod angelus non uult eum saluari... (c. id.).

              f° 194rb: ...Possumus dicere quod iste meruit penam eternam, id est penam que est eterna... Vel possumus dicere quod pro ueniali meruit puniri pena eterna... (c. CCLVIII).

              f° 195rb: ...Sane possumus dicere quod hec sacramenti descriptio, scilicet inuisibilis gratie forma uisibilis...Vel possemus corpus Christi uisibile esse dicere quia angelis et sanctis in celo fortassis uisibile est... (c. CCLX).

              f° 201rb: ...Vel melius possumus dicere quod dicta sunt articuli fidei... (c. CCLXXII).

f° 201rb: ...Vel possemus dicere quod transgressio talis fuit ueniale peccatum... (c. CCLXXIII).

f° 203vb: ...Vel possumus dicere quod non solum pro peccato Ade mortalitatem corporalem incurrimus... (c. CCLXXVII).

f° 205va: ...Cum ergo dicitur quod nil potest accipere cum augmento, possumus dicere quod hoc de mansuetudine tantum dictum est... (c. CCLXXXIII).

Distinguimus: f° 197ra: ...Vnde dilectionem Dei tripliciter distinguimus... (c. CCLXII).

Debemus, Deberemus:

f° 199rb: ...quantum in fide unitatis complere debemus... (c. CCLXVI).

f° 200va: ...Modo uero quia fides roborata est, si fierent, non ita subito deberemus credere... (c. CCLXXI).

Exponimus: f° 198ra: ...Quod sic exponimus, id est: non peruenit ad nos, nisi secundum hoc... (c. CCLXIV).

f° 203vb: ...Quod sic exponimus: id est, cunctis diebus suis, quod esset ei miserrimum si in miseria semper uiueret... (c. CCLXXVII).

Intelligimus: f° 202va: ...per totum corpus communionem operum intelligimus... (c. CCLXXV).

Legimus: f° 195vb: ...Sed nunquam aliquem legimus apostolorum tunc confecisse... (c. CCLX).

Puto: f° 196vb: ...Sed aliquis eundem motum dilectionis ad diuersos dirigat, hinc ad amicum, inde ad inimicum. Puto quod is qui ad amicum extenditur, ardentior est... (c. CCLXII).

Recipimus: f° 195rb: ...et generaliter, uerbum substantiuum ibi nunquam recipimus, quia panis substantia non remanet... (c. CCLX).

Referre: f° 201va: ...Vel possumus hoc referre ad uerba iudicii que quibusdam erunt mitia... (c. CCLXXIV).

Soluimus: f° 193rb: ...sic soluimus: Beatus est cui omnia optata succedunt... (c. CCLVI).

Un certain nombre de textes à la première personne ne peuvent être retenus, car, en raison de la généralité des idées qu'ils expriment, ils ne manifestent point une position adoptée par l'auteur, pas plus qu'ils ne reflètent ses idées. Parmi les textes non retenus nous citerons:

f° 195va: ...Vel ideo illa die non conficimus, quia quando conficimus, mortem Christi representamus... (c. CCLX) ([158]).

f° 199va: ...Item. Nil tam uitandum est quam separari a Deo. Sed per peccatum mortale separamur a Deo. Nil ergo nobis eo magis uitandum est... (c. CCLXVIII).

f° 201rb: ...Sed hoc est onus quod neque nos neque patres nostri portare potuimus... (c. CCLXXIII) ([159]).

f° 204rb: ...quia pro prima culpa cotidie culpis, id est penis culpe debitis, affligimur... (c. CCLXXXI).

f° 205ra: ...ut si uideam fratrem meum delinquentem et propter admonitionem meam non desistit, debeo denunciare delictum eius, non ut scandalizem set ut corrigatur, et hoc precipitur, et secundum eam ex mandato domini pape debet et tenetur quilibet... (c. CCLXXXI, 8).

B.- *FORMES À LA TROISIÈME PERSONNE*

a) *Le sujet n'est pas exprimé:*

Dicit: f° 203va: ...Dicit quod gratuitum erat et quod per penitentiam est ei restituta in equiualenti... (c. CCLXXVII).

f° 203vb: ...Dicit quod nec hostis nec pugna, nec uictoria fuit ibi, tamen si tunc decedisset, coronam habuisset... Dicit: Par est ibi similitudinis, non quantitatis. ...Dicit quod modicum fermentum... Dicit: Maius fuit, id est plures nobis intulit defectus... (c. id.).

Le sujet inexprimé est évidemment le mot *magister,* et de fait nous rencontrons plusieurs fois dans ce chapitre l'expression *magister dicit.*

([158]) Ce texte, en raison d'un contexte favorable, pourrait néanmoins être retenu, alors que, pris isolément, il ne mérite guère d'intérêt.
([159]) Allusion à l'Écriture Sainte.

b) *Allusions à un maître anonyme:*

f° 202ra …Magister: Anime iudeorum perierant in Egipto fornicando cum ydolis, et quodammodo saluate sunt sacrificando Deo… Magister: Hec quidam sufficiunt ad meritum, sed cum apposita gratia… (c. CCLXXV).

f° 202rb …Magister: Immo magna est differentia quia baptismus ex se habet et ex uirtute ut gratiam conferat… Magister sic torquet litteram: Iusticia custodita suo tempore legis… Magister: Quod Euuangelium iubet completur ex amore. Quod lex iubebat… (c. id.).

f° 202va …Magister: Est maledictio culpe et est pene. Omnes transgressores… Magister: Si affectus accipiebatur pro uoluntate, non est generaliter dictum… (c. id.).

f° 202vb …Magister: Potestas siue potentia dicitur ipse potens. Vt illud… (c. CCLXXVII).

f° 203ra …Magister: Duplex fuit status eius ante peccatum. Primus in quo naturalia sola habuit… (c. id.).

f° 203rb …Magister: Maius est siquidem peccare criminaliter quam uenialiter… (c. id.).

f° 203va …Magister: Minus uidetur quod in hoc statu, scilicet post peccatum habundaret gratia quam in tempore ante peccatum… (c. id.).

C.- *OPPOSITIONS ENTRE LE RÉDACTEUR ET UN MAÎTRE*

Nous n'en trouvons qu'un seul exemple:
(CCLXXVII) ⟨*Questiones de peccato Ade*⟩.

Le maître n'est pas nommément désigné. Citons:

f° 202vb …Magister: Potestas siue potentia dicitur ipse potens…

f° 203ra …Magister: Duplex fuit status eius ante peccatum…

f° 203rb

f° 203va

f° 203vb

...Vt sic dicam. Iste monachus odium concepit aduersus alium monachum...

...Immortalis dico, qui posset non mori. Item. Comestio pomi...

...Magister: Maius est siquidem peccare criminaliter quam uenialiter... Dicit tamen quod gloriosus fuit ei posse peccare... Dicit etiam: Factus est ad imaginem et similitudinem Dei, id est habilis ad habendum...

...Magister: Minus uidetur quod in hoc statu, scilicet post peccatum... Dicit quod gratuitum erat et quod per penitentiam est ei restituta in equiualenti immo in ualentiori, quoniam data est ei immortalitas, non dico...

...Quod sic exponimus: id est cunctis diebus suis, quod esset ei miserrimum... Dicit quod nec hostis nec pugna, nec uictoria fuit ibi; tamen si tunc decedisset coronam habuisset... Dicit: Par est ibi similitudinis non quantitatis, quoniam similiter peccauerunt... Dicit quod modicum fermentum totam massam corrumpit... Dicit: Maius fuit, id est plures nobis intulit defectus quam quodlibet aliud peccatum. Vel possumus dicere quod non solum pro peccato Ade mortalitatem corporalem incurrimus...

CONCLUSION

Un premier et rapide coup d'œil jeté sur les pages qui suivent le texte de la Somme de Pierre le Chantre dans le manuscrit P permet d'affirmer que le titre de *Miscellanea* est celui qui leur convient le mieux. Elles commencent par une série de *Questiones* dont certaines, sans être vraiment longues, ont néanmoins quelque importance [160]. Puis, à la suite de ces

---

[160] P f° 193ra et folios suivants. Cf. tome IV (en préparation) de notre édition: cap. CCLVI (*De uoluntate et utilitate angeli cui preficitur homo*), CCLVII (*De contrarietate preceptorum*), CCLVIII (*Vtrum ueniale peccatum puniatur eternaliter*), CCLIX (*De ignorantia et de circumstantiis peccatorum*), CCLX (*De consecratione eucharistie*), CCLXII (*De caritate et aliis uirtutibus*), CCLXIV (*De suffragiis pro mortuis*), CCLXXI

questiones, l'on trouve des groupes de sentences didactiques, de définitions, de simples notes ([161]), qui parfois prennent un peu plus d'extension ([162]), ou semblent intentionnellement réunies dans un but didactique, sur le même sujet ([163]). Enfin, ces pages s'achèvent par une collection fort curieuse de sentences didactiques, brocards, étymologies fantaisistes, citations d'auteurs ecclésiastiques et profanes, proses, hymnes ou séquences ([164]).

Nous pouvons évidemment faire abstraction de ces dernières pages qui contiennent des œuvres n'émanant pas de l'école de Pierre le Chantre ([165]) et dont on peut se demander pour quelle raison elles ont été ajoutées à la suite d'écrits du Cantor ou de ses disciples. Mais le reste, ou plus exactement ce qui précède, mérite d'être considéré beaucoup plus attentivement. L'on constate, en effet, à la suite de nos recherches sur la personne des verbes utilisés, que la plupart de ces *questiones* ont été rédigées à la première personne et ne contiennent aucune allusion à l'enseignement de tiers. Deux *questiones* seulement échappent à cette régle ([166]). Leur contenu se présente donc sous un jour favorable, et puisque le manuscrit contient des œuvres de Pierre le Chantre, l'on pourrait à juste titre supposer que la plupart de ces *questiones* ont été composées par le Chantre et ajoutées à la suite de la *Summa de Sacramentis et*

(*De dulia et latria*), CCLXXV (*Vtrum legalia iustificare potuerunt*), CCLXXVII (*Questiones de peccato Ade*).

[161] P f° 202vb, tome IV (en préparation) de notre édition, cap. CCLXXVI, où l'on trouvera des sentences telles que: *Crux tripliciter portatur: passione, compassione, abstinentia.*

[162] P f° 204ra-rb. Tome IV, cap. CCLXXIX-CCLXXXI.

[163] P f° 204va-205va. Cf. tome IV (en préparation), cap. CCLXXXII-CCLXXXIII.

[164] P f° 205vb-206rb. Analyse dans le tome I de notre édition, p. XXXIV-XXXV.

[165] Il s'agit en effet de la prose *Discipulis bis sex...*, publiée dans la Patrologie latine de Migne parmi les œuvres d'Hildebert de Lavardin, de la séquence *Jhesu Fili summi Partis,* de l'hymne *Aue stella matutina,* et de deux groupes de vers (cf. WILMART, Mémorial Lagrange, p. 328).

[166] P f° 201va-202vb: Incipit: *Nomine legis, quandoque uetus testamentum intelligitur...* (Tome IV, en préparation, cap. CCLXXV: *Vtrum legalia justificare potuerunt*).

P f° 202vb-204ra. Incipit: *Adam ante peccatum habuit potestatem peccandi...* (Tome IV, en préparation, cap. CCLXXVII: *Questiones de peccato Ade*).

Animae consiliis par un disciple fervent. Deux d'entre elles ne seraient toutefois que des notes de cours. Mais avant de pouvoir se prononcer en toute certitude, il importe de rechercher les divergences de doctrine qui, éventuellement pourraient être relevées entre la *Summa* et les *Questiones & Miscellanea* qui la suivent dans le manuscrit P.

C'est tout d'abord une *questio* sur l'Eucharistie qui retiendra notre attention ([167]). On sait que le regretté E. Dumoutet voyait en cette *questio* ou fragment théologique ([168]), un *post-scriptum* du Cantor ([169]). Nous allons comparer les principaux points de cet écrit aux passages parallèles de la *Summa*, et pour faire court, laissons à ce fragment le nom de *post-scriptum* que l'abbé Dumoutet lui avait donné.

Dans le *post-scriptum* comme dans la *Summa*, sont étudiés des problèmes de grammaire théologique:

POST-SCRIPTUM	SUMMA
P f° 195rb	§ 55

Item. Iste panis fit corpus Domini. Ergo aliquid fit corpus Domini, et ita cotidie fit aliquid corpus Domini. Sane quidem potest hoc concedi. Si uero concluserit: Ergo corpus Christi fit, non est dicendum. Sic dicimus quod aliquid fit album, uel aliquid incipit esse album, non tamen album incipit esse.	*De ueritate quarumdam propositionum solet hic inquiri. Quidam enim admittunt propositiones cum uerbis transitionem notantibus, non cum essentialibus. Vt uerbi gratia: Panis fit corpus Christi, uel de pane fit corpus Christi. Non enim admittunt quod panis est, uel erit corpus Christi. Et cum obicitur eis: iste panis*
Item. Aliquid factum est	*non erit corpus Christi, nec*

([167]) P f° 195ra-vb. Incipit: *De consecratione eucharistie queritur hoc modo...* (Tome IV, en préparation, cap. CCLX). Dans le manuscrit, ce texte est intitulé: *De consecratione eucharistie.*

([168]) On peut néanmoins y voir un écrit en forme de *questio.*

([169]) Ed. Dumoutet, *La Théologie de l'Eucharistie à la fin du XIIe siècle. Le témoignage de Pierre le Chantre d'après la «Summa de Sacramentis»*, dans les *Archives d'Histoire doctrinale et littéraire du Moyen-âge*, tome XIV, 1943-1945, p. 227.

corpus Christi in conceptione quod nec desinit, nec desiit, nec desinet esse, et aliquid fit modo corpus Christi. Ergo uerum est et unum et aliquid fuisse corpus Christi.

Non accidit. Aliquid ab eterno fuit Deus quod nec desinit, nec desiit, nec desinet esse, et aliquis homo in tempore factus est Deus. Ergo uerum est unum et aliquid fuisse Deum.

Salubriter in hoc sacramento concedere possumus: 'Iste panis fit corpus Domini', et omnia uerba que mutationem significant. Sed non est concedendum: 'Iste panis erit corpus Domini', uel 'incipit esse corpus Domini', uel 'potest esse corpus Domini'. Et generaliter uerbum substantiuum ibi nunquam recipimus, quia panis substantia non remanet. Vnde significantius mutatio illa dicitur transmutatio, uel transsubstantiatio...

aliquid aliud et modo est, ergo desinet esse, distinguunt ultimam si sic dicatur: ille panis desinit esse, id est: est et non erit, uera est.

Si autem sic ex toto adnichilatur, ut non conuertatur in aliud, falsa est. Et licet uideatur aliena, catholica tamen est distinctio.

Alii concedunt quod hic panis erit corpus Christi et corpus Christi fuit panis. Alii utramque istarum negant, quasi distinguendas: hic panis erit, hic panis non erit; prima uidetur sanior... [170].

On remarque que la solution est nettement plus ferme dans le *Post-scriptum* que dans la *Summa*. Dans le *post-scriptum*, la proposition *Iste panis fit corpus Domini* est admise, tandis qu'est rejetée la proposition: *Iste panis erit corpus Domini*. Dans la *Summa*, cette double position est attribuée à 'certains' (*Quidam enim admittunt...*), mais l'auteur ne nous dit pas s'il adopte cette thèse. Par conséquent, si le *Post-scriptum* a, comme la *Summa*, Pierre le Chantre pour auteur, il faut admettre que dans le *Post-scriptum*, Pierre le Chantre ait fait un pas en avant, en adoptant une opinion à l'égard de laquelle il observait jadis une prudente réserve.

[170] Pierre le Chantre, *Summa...*, ed.cit., t. I, § 55, l. 16-29, p. 134.

Nous trouvons d'ailleurs un second problème de grammaire théologique:

POST-SCRIPTUM	SUMMA
P f° 195va	§ 57
Item. Caro Christi sine sanguine non esse potest, nec sanguis sine carne. Sacerdos modo manducat carnem, ergo simul bibit et sanguinem. Sane potest concedi quod percipiendo carnem simul comedit et bibit, et percipiendo sanguinem simul bibit et comedit, quoniam in utroque utrumque sumitur, et uterque et potus et cibus est, licet uterque per se conficiatur. Et sic insta: Iste qui comedit panem infusum oque, comedit panem cum aqua, ergo simul comedit et bibit.	*Queritur an sit concedendum quod aliquis sumat sanguinem sub specie panis. Quod uidetur, quia sumit carnem sub illa specie, sed non sumit illam sine sanguine, plane fatendum est quia sumit sanguinem in specie panis. Sed nunquid tunc bibit aut manducat sanguinem...* *N e u t r u m fatendum, sed manducando carnem sumit sanguinem, sicut uinum sumitur manducando offam, non tamen bibitur aut manducatur...* *...Sed sicut diximus, non bibitur sanguis sub specie panis, nec comeditur caro sub specie uini...* ([171]).

On constate aisément que, dans sa terminologie, l'auteur du *Post-scriptum* fait preuve de moins de sévérité que Pierre le Chantre dans sa *Summa,* car il admet des propositions (*Sane potest concedi quod percipiendo carnem, simul comedit et bibit, et percipiendo sanguinem simul comedit et bibit...*) expressément rejetées dans la *Summa.*

On trouve également une légère différence au sujet du sens des mots *Hoc est corpus meum...* proférés par le prêtre:

([171]) Pierre le Chantre, *Summa...,* éd.cit., t. I, § 57, l. 1-12, 22-24, p. 142-143.

POST-SCRIPTUM

P f° 195va

Queritur etiam quid demonstret sacerdos cum dicit Hoc. *...credimus quando sacerdos eadem uerba profert. Ipse enim retractat ea tamquam alterius non profert ea tamquam sua nec ad significandum, sed materialiter utitur eis. Vnde dicimus quod pronomen demonstratiuum non ponitur ibi demonstratiue, sed tantum materialiter...*

SUMMA

§ 59

Queritur cum a sacerdote dicitur: Hoc est corpus meum, *an aliquid ibi demonstretur, et quidam breuiter ad hoc respondent quia sacerdos non utitur illa uoce ad significandum, sed ponit eam materialiter. Patet enim ex serie precedentium uerborum quod recitando profert ea... Tamen innuit quodammodo significationem principalem uerborum et quam demonstrationem fecerit pronomen in prolatione ipsius facta a Domino...* ([172]).

Ici encore, la solution est plus ferme dans le *Post-scriptum* que dans la *Summa,* où la même solution est attribuée par l'auteur à des tiers (*...quidam breuiter ad hoc respondent...*) sans nous préciser s'il l'adopte.

C'est toutefois le problème de l'instant de la consécration qui soulève le plus de difficultés. L'on sait que l'abbé Dumoutet avait vu dans le texte propre à P et qui suit la *Summa,* un *post-scriptum* du Cantor, où celui-ci, manifestement, faisait un pas en arrière ([173]). E. Dumoutet a donné un bon commentaire de la solution de Pierre le Chantre ([174]), et nous rappelons cette dernière:

> *Nos autem super hoc ita sentimus. Dicimus uerba ista* Hoc est corpus meum *efficatia esse ad transsubstantiandum panem in corpus, et ista* Hic est sanguis meus *ad*

([172]) Pierre le Chantre, *Summa...,* ed.cit., t. I, § 59, l. 1-8, p. 146-147.

([173]) Ed. Dumoutet, *op.cit.,* loc.cit. «Dans ce post-scriptum, le *Cantor* fait visiblement un pas en arrière...».

([174]) Ed. Dumoutet, *op.cit.,* p. 204-207, auquel il faut ajouter, du même auteur, l'article *La non reitération des sacrements et le problème du moment précis de la transsubstantiation,* dans *Recherches de science religieuse,* décembre 1938, p. 580-585, où le problème de l'instant de la transsubstantiation est étudié.

> *transsubstantiandum uinum in sanguinem; sed tamen non statim post prolationem priorum uerborum fit transsubstantiatio, sed tunc demum cum utraque clausula completa fuerit, fit utriusque transsubstantiatio, scilicet tam panis quam uini; tunc sub utraque specie est tam corpus quam sanguis. Illa enim uerba ita coexpectant se et suos effectus conuiunt ut non habeant suam efficatam nisi coniuncta, iuxta quod poeta dicit:* alterius sic altera res exposcit opem et coniurat amice. *Secundum hoc, si sacerdos post prolationem istorum uerborum* hoc est corpus meum, *subsistat nil ulterius proferens, dicetur nil esse factum ab illo quantum ad sacramentum...* ([175]).

Y a-t-il vraiment un recul dans le *post-scriptum* ? La façon dont le problème est posé dans le *post-scriptum* laisserait supposer que son auteur ait gardé quelque sympathie pour la thèse exprimée dans la *Summa*. Nous lisons en effet:

> *Item. Queritur quando sacerdos in canone retractans uerba Domini dicit:* Hoc est corpus meum, etc, *utrum statim sub hiis uerbis fiat transsubstantiatio. Si hoc est, superflua uidentur uerba Domini que secuntur. Et si in hec uerba sacerdos expiraret, esset tamen ibi corpus Christi* ([176]).

Ce n'est pas là, dira-t-on, une solution. Mais, si ce *post-scriptum* est de Pierre le Chantre, on sent que celui-ci reste attaché à la théorie qu'il a formulée dans sa Somme, et que les conséquences de l'opinion adverse lui paraissent au moins douteuses.

C'est avant tout un doute que l'on trouve exprimé un peu plus bas, dans le texte auquel faisait allusion E. Dumoutet:

> *Vnde dicimus quod pronomen demonstratiuum non ponitur ibi demonstratiue, sed materialiter, nec in prolatione illorum uerborum fit transsubstantiatio. Quando autem fiat, Deus scit, non homo. Sed quando completum est, et peracto misterio, credo quod tunc facta est* ([177]).

Ce texte est encore plus ambigu que ne le supposait E. Dumoutet, dont l'attention semble avoir été attirée par la seconde phrase. Certes l'auteur de ce soi-disant post scriptum déclare ne pouvoir préciser l'instant de la consécration, mais il affirme

---
([175]) Pierre le Chantre, *Summa...*, ed.cit., t. I, § 61, l. 22-55, p. 151.
([176]) P f° 195va.
([177]) P f° 195va.

aussi que la transsubstantiation ne s'opère pas quand sont proférées les paroles: *Hoc est corpus meum.* Ce qui, incontestablement, est un souvenir de la thèse de la *Summa Cantoris.*

D'autre part, nous trouvons dans la *Summa* un petit texte qui n'est pas sans rappeler la phrase du *post-scriptum,* qui avait retenu l'attention de l'abbé Dumoutet. Nous lisons dans la *Summa*:

> *Sed queritur an in prolatione pronominis aut uerbi, aut alterius dictionis fiat illa transsubstantiatio. Potest ad hoc sane responderi non successiue illam fieri neque per ordinem uocum prolatarum, sed cum uox iam tota prolata est, facta est panis in corpus transsubstantiatio* ([178]).

Mais ici, il est encore affirmé que le pain n'est pas changé en corps eucharistique du Christ, au moment où le célébrant récite les paroles: *Hoc est corpus meum...*

Ces rapprochements nous permettront de préciser dans quelle mesure il y a contradiction entre la *Summa* et le *post-scriptum.* Il est un point sur lequel Pierre le Chantre (si toutefois on lui attribue le *post-scriptum* et si l'on ne tient compte que de ces deux seuls témoins), n'a pas varié: les paroles *hoc est corpus meum,* proférées par le prêtre, n'opèrent pas la transsubstantiation du pain. Quel est donc le moment de la consécration ? Dans la *Summa,* nous lisons que les espèces ne sont consacrées qu'après que toutes les paroles consécratoires, tant du vin que du pain, ont été proférées par le célébrant. Dans le *post-scriptum,* au contraire, il est dit qu'il s'agit d'un problème insoluble dont il faut laisser la solution à Dieu. Cette position est elle-même assez curieuse. l'auteur déclare qu'il ignore le moment précis de la consécration eucharistique, mais il est tout de même affirmatif sur un point, c'est que la transsubstantiation du pain ne s'opère pas au moment où le prêtre récite ces mots du canon: *Hoc est corpus meum...* On se trouve en présence d'un aveu d'ignorance tempéré par une affirmation.

C'est donc dans le contenu du *post-scriptum* que nous trouvons une sorte de contradiction. Mais ce *post-scriptum* assez maladroit nous livre-t-il un reflet exact de la pensée du Cantor ?

Pour notre part, nous admettrions volontiers que Pierre le

([178]) PIERRE LE CHANTRE, *Summa...,* § 59, l. 49-53, p. 148-149.

Chantre a pu varier dans sa doctrine, mais nous croyons trouver un écho plus fidèle de ses doutes dans une page du manuscrit W, due à l'un de ses disciples:

> *Sed queras utrum factum fuerit corpus ante confectionem sanguinis, quod quandoque negauit Magister, modo ponit hoc in dubium. Probabilius est, ut dicat quod confectio corporis completa est, completa prolatione forme uerborum que illud conficiunt* ([179]).

Le problème est cette fois clairement posé, et la solution cohérente encore que présentée sous une forme dubitative. Pierre le Chantre a donc évolué, mais d'une façon beaucoup plus nette que ne le laissent entendre les textes utilisés par E. Dumoutet, qui eut en outre le tort de n'en considérer attentivement qu'une seule phrase. Le *post-scriptum* ne nous livre certainement qu'un écho infidèle et déformé de la pensée du Cantor. Quant à la thèse exprimée dans la *Summa Cantoris*, elle s'explique moins par des considérations dogmatiques que par des considérations psychologiques: elle trahit, semble-t-il, les préoccupations pastorales du Chantre. Ce moraliste tutioriste, avant tout soucieux de sécurité, ne pouvait que prescrire, dans le cas où le célébrant tombe malade après la consécration de l'hostie et qu'un suppléant vienne achever le sacrifice, la réitération de toute la consécration. En l'absence de réitération il eût craint que le sacrement fut invalide, et c'est pourquoi il a préconisé une solution, indéfendable sur le plan doctrinal, mais apparemment justifiée sur le plan pastoral, du moins dans une optique tutioriste.

Peut-on relever d'autres divergences entre la *Summa* et le *post-scriptum*? On remarque que les mots *Iube illud deferri in sublime altare*... etc, donnent lieu à des commentaires différents:

POST-SCRIPTUM	SUMMA
f° 195vb	§ 71
Item. Dicit sacerdos: Iube illud deferri in sublime altare tuum per manus angeli, so-	*...Est ergo sensus locutionis: iube deuotionem nostram quam habemus in hoc sacra-*

([179]) Voir *supra*, p. 238.

ciandum corpori tuo. Et hoc credimus fieri. Vnde queritur si aliquis confecisset in spacio illo...

mento conficiendo deferri in conspectu maiestatis, ut sit tibi placens et accepta... ([180]).

Plus intéressantes sont les nuances que nous relevons dans la doctrine des accidents:

POST-SCRIPTUM

f° 195vb

...Sola ergo ibi franguntur accidentia que Deus et ineffabili miraculo, uel in aere, uel sine omni subiecto facit subsistere qui eadem de nichilo fecit existere. Ipsa uero panis substantia, uel in nichilum redigitur, uel in periacentes causas resoluitur.

SUMMA

§ 65

...proceditur ad querendum an huiusmodi accidentia, albedo, rotunditas, sapor, immo et ipsa substantialis proprietas, que panitas posset dici, sint in aliquo subiecto et in quo. Et sunt qui dicunt quod sunt in aere circumfuso, ut in subiecto, sed melius nobis uidetur quod in nulli subiecto sint, et tantum miraculose remanent post conuersionem, quod supra tetigimus ([181]).

Ici, la doctrine de la *Summa* est nettement plus ferme que celle du *post-scriptum*, et de beaucoup meilleure. Alors que dans le *post-scriptum*, l'auteur ne se décide pas en faveur de l'une des deux thèses en présence — les accidents eucharistiques sont-ils dans l'air répandu autour de l'eucharistie comme dans un sujet, ou bien ne sont pas dans un sujet mais persistent miraculeusement — cette deuxième opinion est choisie par Pierre le Chantre dans sa *Summa* et dans le *De tropis loquendi* ([182]).

([180]) PIERRE LE CHANTRE, *Summa...*, *éd.cit.*, § 71, l. 7-8, p. 181-182.
([181]) PIERRE LE CHANTRE, *Summa...*, *éd.cit.*, § 65, l. 44-50, p. 168-169.
([182]) *De Tropis loquendi*, ms. PARIS, *Bibl. Nat. lat.* 14892, f° 94r: «Vnde quia substantia panis omnino transit, non est dicendum apposito uerbo substantiuo ut iste panis erit corpus Christi, remanebit tamen panitas et color, ut ita dicam, et color non erit in aliquo subiecto uel in aliquibus, quidquid oblateret dialeticus». Texte etabli par Ed. DUMOUTET, *op.cit.*, p. 217, n. 5.

On peut donc à nouveau se demander si ce soi-disant *postscriptum* nous livre la doctrine du Cantor.

Si cette *questio* sur l'Eucharistie nous offre l'occasion d'établir des rapprochements ou des divergences avec la *Summa*, il n'en est point de même pour les autres fragments théologiques qui suivent le texte de la *Summa* dans le manuscrit P, formant une sorte d'appendice. En effet, dans ces pages, nous trouvons étudiés des problèmes qui n'ont pas été effleurés dans la *Summa* ou, plus souvent encore, des problèmes étudiés dans la *Summa*, mais envisagés ici d'un point de vue différent. L'on comprend aisément que, dans ce cas, les comparaisons soient malaisées.

Nous ne pourrons donc que proposer un certain nombre d'observations. Le problème de la peine du péché véniel chez un damné, problème qui avait donné lieu à de longs développements dans la *Summa* ([183]), fait l'objet d'une *questio* dans l'appendice de P ([184]). Certes, on ne saurait relever à proprement parler de contradiction entre la doctrine de la *Summa* et celle de cette *questio*, mais celle-ci contient néammoins quelques idées ignorées de la *Summa*. De même, ces *Questiones & Miscellanea* propres à P, nous offrent une triple distinction de l'ignorance, d'ailleurs assez maladroite, et que Pierre le Chantre n'a pas utilisée dans sa *Somme* ([185]). Quelques pages sont consacrées aux suffrages pour les défunts, sujet maintes fois repris dans la *Summa* et dans les *questiones & miscellanea* propres à W. Ces pages contiennent des *auctoritates* qui reviennent souvent sous la plume du Chantre.

Nous pouvons maintenant revenir à la question que ces investigations étaient destinées à résoudre ou tout au moins à éclairer: Quel est l'auteur de ces pages? On peut songer à Pierre le Chantre ou à l'un de ses disciples. Nous examinerons les arguments que l'on peut invoquer en faveur de chaque candidature.

a) 1ère hypothèse: La plus grande partie de ces *questiones et miscellanea* doit être attribuée à Pierre le Chantre.

([183]) Cf. tome II de notre édition, table des noms propres et des matières, p. 531. Tome III, id.

([184]) P f° 194ra. Cf. tome IV (en préparation), cap. CCLVIII.

([185]) Le problème de l'ignorance y est pourtant traité à plusieurs reprises: tome II, § 113, p. 202 ss.; § 131, p. 283 ss.; App. II, cap. 9, 1. 126, p. 448. Tome III, 2, cap. LX, § 365.

En faveur de cette hypothèse, on invoque tout d'abord un fait indéniable: le problème de l'authenticité ou de l'origine de ces pages ne se pose pas de la même manière que pour les *Questiones* et *Miscellanea* que livrent à notre curiosité les autres manuscrits.

A l'exception de deux chapitres, on se trouve en présence de textes qui n'ont pas l'apparence de notes de cours, ou, si l'on préfère de *reportatio*: ces pages semblent rédigées directement par leur auteur. Et comme le manuscrit contient des œuvres du Cantor, on est en droit de supposer que ces pages ont été elles aussi composées par le Cantor. Mais on peut alors se demander pour quelle raison elles ont été ajoutées à la suite d'un ouvrage où les mêmes problèmes avaient été traités avec une certaine abondance.

Dans un cas au moins, la réponse semble nette: au sujet du chapitre *De consecratione eucharistie*. Cette *questio*, nous l'avons vu, contient un certain nombre de rectifications plus ou moins importantes de quelques opinions doctrinales énoncées dans le chapitre *De sacramento eucharistie* de la *Summa*. Cette *questio* serait un additif voulu par le Cantor. On retrouve alors l'idée d'un *post-scriptum* correctif ajouté par Pierre le Chantre, idée à laquelle se rangeait l'abbé Dumoutet. Quant aux autres *questiones,* elles viendraient compléter la *Summa* sur des points demeurés obscurs.

Cette hypothèse se heurte à plusieurs objections:

1°) Si le chapitre *De concecratione eucharistie* est l'œuvre de Pierre le Chantre, il ne lui fait pas honneur. Non seulement cette *questio* témoigne de ses hésitations sur des matières traitées dans la *Summa* avec beaucoup d'autorité et de maîtrise, mais en outre, au sujet du moment précis de la transsubstantiation, elle ne nous fournit qu'une réponse maladroite, dont on ne peut même pas dire qu'elle est une solution boîteuse. Cette façon de suspendre partiellement son jugement, de décider et de se reprendre au même instant, se situe au-dessous du pire. Et Pierre le Chantre, en dépit d'errements assez fréquents, ne nous a pas habitués à de tels aveux d'ignorance assortis de réticences ou de regrets. Le recul attribué à Pierre le Chantre dans le manuscrit W ([186]) est logique; celui-ci, nous l'avons vu, ne l'est guère.

([186]) Voir *supra* page 384.

2°) Cette hypothèse implique en outre d'autres conséquences difficilement admissibles.

Il semble en effet que si Pierre le Chantre est l'auteur de ce *post-scriptum* et s'il l'a fait ajouter à sa *Summa,* telle que P nous la livre, il faille admettre d'une part, que cette Somme était alors achevée, d'autre part, qu'il prenait à son compte la rédaction de tout ce qui précède la *questio de consecratione eucharistie,* et peut-être une partie de ce qui la suit. Or, ces conséquences soulèvent de nombreuses difficultés.

On peut douter en effet que la Somme ait été achevée du vivant de Pierre le Chantre, car son texte, nous l'avons vu, ne peut être attribué purement et simplement à ce dernier. À partir des chapitres sur la confession ([187]), la *Summa* semble être composée de textes complétés à l'aide de notes de cours.

Le style de ces apports différents n'a pas été harmonisé: si Pierre le Chantre avait pu relire une dernière fois les notes qui sont entrées dans sa Somme, il les aurait retouchées. Il ne l'a pas fait. Probablement n'en eut-il pas le temps. Il est donc à peu près certain que ce soi-disant *post-scriptum* ait été ajouté à la *Summa* après le décès du Chantre.

D'autre part, la Somme du manuscrit P possède une rédaction propre des chapitres sur la confession et la simonie ([188]), dans laquelle on observe, à côté de précisions nouvelles fort intéressantes, un certain recul à l'égard des positions adoptées dans la *Summa* commune, notamment au sujet des clefs sacerdotales ([189]). Le manuscrit P apparaît donc comme le témoin des pas en arrière, ou des replis... stratégiques.

Or, ces reculades, ces abandons de points de vue autrefois nettement affirmés, doivent-ils, dans leur totalité, être imputés au Cantor ? On peut en douter, et d'autant plus que sur le problème des clefs sacerdotales, le témoignage de Robert de Courçon ([190]) laisse penser que Pierre le Chantre n'a pas varié: par conséquent, sur ce point, le beau manuscrit P ne nous livre pas l'exacte doctrine du Cantor. De ce fait, on peut supposer qu'il ne nous en donne pas une image plus fidèle dans le fameux *post-scriptum.*

([187]) Plus précisément à partir du § 134 (cf. tome II, p. 306 ss.).
([188]) Tome II, Appendice II, p. 421-466.
([189]) Tome II, p. XI-XIV.
([190]) Voir *supra,* chapitre III, p. 114, 278.

b) 2ᵉᵐᵉ hypothèse: l'auteur de ces *Questiones & Miscellanea* est un disciple de Pierre le Chantre.

Cette hypothèse fait appel à plusieurs considérations. Nous avons déjà dit que la Somme de Troyes était le produit d'une collaboration entre Pierre le Chantre et un ou plusieurs de ses disciples (ce qui, peut-être, expliquerait le peu de fidélité que d'autres disciples ont pu éprouver à l'égard de ce texte). Une telle collaboration n'est nullement impensable, et le Professeur Ph. Delhaye en signale un autre exemple: «un certain Laurent (qui), tout séculier qu'il fût, suivait les leçons qu'Hugues donnait à Saint-Victor... Laurent écrit, en effet à un moine de ses amis et se félicite d'avoir, sur ses conseils, choisi Hugues comme professeur. Il est enchanté du cours *De Sententiis* que donne le maître. Certains élèves éprouvaient quelque peine à prendre des notes. Aussi proposèrent-ils à Hugues de leur donner un texte sûr en révisant et en authentiquant en quelque sorte ce que Laurent, cet élève studieux, avait transcrit sur ses tablettes. Hugues accepta sans difficulté. Chaque semaine il recevait l'élève et examinait ce qu'il avait écrit: ici il supprime un développement inutile, là il suppléait à quelque omission, il rectifiait ou approuvait» ([191]). En ce qui concerne la seconde moitié de la Somme de Troyes, l'on peut penser que son élaboration a été en quelque sorte authentifiée par Pierre le Chantre, ce qui n'implique pas que Pierre le Chantre eut l'occasion de connaître ou de voir la réalisation complète du manuscrit de Troyes, mais seulement qu'il connut les textes qui allaient y être recopiés par la suite, et dont une très grande partie avait été en fait réalisée par lui-même. La Somme de Troyes constituerait en quelque sorte la première édition, ou du moins la première édition connue, de la *Summa Cantoris*.

Quant au manuscrit P, il nous offrirait une seconde édition remaniée de la même Somme. Que Pierre le Chantre, à la fin de sa vie, ait évolué, ait manifesté quelque hésitation au sujet de doctrines qu'il avait professées, c'est fort possible, et c'est même certain en ce qui concerne le problème de l'instant de la consécration. Nous pouvons invoquer en ce sens le témoi-

---

([191]) Ph. DELHAYE, *L'Organisation scolaire au XIIᵉ siècle*, dans *Traditio*, vol. V, 1947, p. 245-246 (et en tirage séparé, aux *Analecta Namurcensia*, hors-série). Le texte cité par le Professeur Delhaye est édité par le Dr. Bernhard BISCHOFF, *Aus der Schule Hugos von St. Victor*, dans *Mélanges Grabmann*, Munich, 1935, p. 246-250.

gnage du manuscrit W ([192]). Mais il est peu probable que tous les reculs dont témoigne le manuscrit P doivent lui être imputés, notamment au sujet des clefs sacerdotales.

Nous supposerons donc qu'un disciple studieux du Cantor consigna dans ses notes de cours, les dernières opinions émises par son illustre maître. A l'aide de ces notes, il a remanié les chapitres de la Somme sur la confession, l'excommunication et la simonie, substituant ses notes au texte de la Somme de Troyes. Le même disciple a ajouté à la fin du manuscrit un certain nombre de *questiones,* rédigées par lui à l'aide de semblables notes de cours, et au nombre desquelles se trouve le fameux *post-scriptum* sur la consécration, puis des sentences, des brocards qui lui semblaient dignes d'intérêt et enfin des séquences et hymnes pour lesquelles il éprouvait sans doute quelque attrait.

Ce disciple nous a-t-il transmis une image exacte et fidèle de la pensée du Cantor ? On peut en douter et croire qu'il a mêlé ses propres opinions à celles de Pierre le Chantre. Par ailleurs, il n'a certainement pas compris les hésitations et le recul de son maître sur le problème de l'instant de la consécration. Le manuscrit W nous livre des doutes du Cantor un témoignage plus sommaire, mais plus net et plus cohérent.

Cette seconde hypothèse, quoique plus audacieuse, mérite d'être retenue. Elle justifie les divergences entre la rédaction commune et la rédaction propre à P du chapitre *De clauibus*: On voit mal Pierre le Chantre se ranger parmi les *alii* ⟨qui⟩ *dicunt quod scientia discernendi est debitum quoddam uel obligatio, uel obnoxietas...* ([193]). On comprend mieux qu'un disciple l'ait écrit, reléguant son maître parmi ces *alii*. L'on peut en effet admettre que les écoliers qui suivirent les leçons du Cantor, semblables aux étudiants de tous les temps, ne partageaient pas toutes les opinions doctrinales de leur maître — dont certaines étaient, il est vrai, bien instables — en dépit de l'estime et de la vénération qu'ils éprouvaient à son égard.

([192]) Voir *supra,* p. 384.
([193]) Voir tome II, *Introduction,* p. XIII, ou texte, App. II, cap. 5, l. 30 ss., p. 435.

IV.- QUESTIONES & MISCELLANEA DU MANUSCRIT Z

Les *Questiones & Miscellanea* du manuscrit Z ne retiendront guère notre attention, pour deux raisons. D'une part, par leur nombre et leur étendue, ces textes n'ont qu'une importance minime. D'autre part, ils ne posent pas de problèmes différents de ceux que pourrait soulever la *Summa de Sacramentis et Animae consiliis* telle que nous la livre le manuscrit Z.

Nous avons déjà donné une brève analyse du contenu de ces pages: il ne sera donc pas nécessaire d'y revenir ([194]). On y relève des allusions à un maître dont l'identité ne nous est pas précisée:

f° 267va   ...Ad hoc respondit magister eum bene fecisse et quod ipse non daret ei eucharistiam plus quam porco... (c. CCXCII).

...Consultum est ei a magistro quod cesset, donec super hoc suos consulat maiores... (c. CCXCIII).

Il n'est pas davantage nécessaire de rechercher longuement quel est l'auteur de ces *questiones*. Ce manuscrt Z nous offre en effet une rédaction très particulière de la *Summa Cantoris*. Sans aucun doute, nous sommes ici en présence d'une refonte intentionnelle de la *Summa* de Pierre le Chantre. Comment cette refonte a-t-elle été opérée ? Nous avons déjà signalé ([195]) que cette refonte avait été réalisée, vraisemblablement, tantôt par un mélange des rédactions parallèles propres à P et à T, tantôt et non moins souvent en résumant l'une ou l'autre de ces mêmes rédactions d'une façon peu personnelle, tantôt enfin par l'adjonction d'éléments rédigés à partir de notes de cours. C'est dans cette dernière catégorie que rentrent les quelques *questiones et miscellanea* propres à Z et qui seront édités dans le Tome IV.

Rappelons aussi que Z contient un certain nombre de *questiones* que nous avons trouvées soit dans le manuscrit W ([196]), soit dans le manuscrit B ([197]), mais Z nous offre de ces pages une rédaction souvent assez différente, et parfois même profondément remaniée.

---

[194] Voir *supra*, p. 267.
[195] Cf. tome I de notre édition, *Introduction*, p. LXVIII ss.
[196] Voir *supra*, p. 258.
[197] Voir *supra*, p. 266.

V.- QUESTIONES & MISCELLANEA DU MANUSCRIT L

Nous avons déjà donné une analyse du contenu du groupe de *questiones* par lesquelles s'achève le manuscrit L ([198]). Il importe maintenant de rechercher les formes caractéristiques des verbes utilisés.

A.- *FORMES A LA PREMIÈRE PERSONNE*

Aduerto: f° 139ra: ...Sed quare hoc, non aduerto. Item. Si quis uouit se prouecturum. Velit tantam pecuniam... (c. CCCIII).

Consueuimus: f° 140rb: ...Et hoc ideo improbare consueuimus licet totum non esset absonum si fieret... (c. CCCVIII) ([199]).

Credam: f° 142ra: ...Cum ergo hoc non credam quod iudex animaduerterat in ipsum... (c. CCCXVI).

Dicimus, Dicamus, Dixerimus:

     f° 139ra: ...Et ut breuiter et generaliter dicamus, ea ueniunt hic in cognitione cause que superius dicta sunt... (c. CCCIII).

     f° 139ra: ...Sed de uoto peregrinationis et aliis queritur, et ut breuiter dicamus... (c. CCCIII) ([200]).

     f° 139rb: ...Quare non, et cum in aliis preterquam in uotum continentie dispensatum esse dicimus... (c. CCCIV).

     f° 139va: ...Cum dixerimus in tali uoto non posse dispensari, nunquid in tali casu propter utilitatem regni poterit admitti dispensatio... (c. CCCVI).

     f° 139vb: ...uel cum eo dispensare, — quod tamen, salua pace prelatorum, dicimus, non poterit... (c. CCCVI).

     f° 143ra: ...Sed, ut dicimus, tutius esset cle-

---

[198] Voir *supra*, p. 269.

[199] Mais il s'agit ici d'un «hors-texte», c'est à dire d'une note qui a été insérée sous forme d'une colonnette distincte dans la grande colonne. Procédé que nous avons déjà signalé.

[200] Ici encore, il s'agit d'un hors-texte.

rico et minus dampnabile interesse iudicio sanguinis... (c. CCCXVI).

Inquam: f° 142va: ...uir ecclesiasticus disquisitus tunc, inquam, respondere poterit et austeritatem... (c. CCCXVI).

Procedamus: f° 138va: ...Vt autem ulterius procedamus: Quid faciendum sit dispensatori... (c. CCCII).

Negamus: f° 138va: ...Non negamus tamen quin deuotio conficientis si bonus esset ⟨et⟩ ex caritate conficeret, defuncto conferret... (c. CCCII).

Pono: f° 138ra: ...Item. Pono quod exacta pecunia tantummodo reseruaretur... (c. CCC).

Un certain nombre de textes à la première personne ne peuvent être retenus, car ils ne manifestent pas une prise de position de l'auteur: il s'agit en effet ou d'idées générales ou d'exemples d'école. Parmi ces textes non retenus, nous citerons:

f° 141rb: ...Et si ipse creditor uel mercenarius cum multum indiget pecunia, illam sub usuris acceperit propter desidiam et tarditatem meam, cum ipse me commonuerit et hoc michi predixerit, eandem usuram poterit bene a me accipere, non tamquam usuram, sed tamquam dampni sui restitutionem, et potius meo nomine dedisse uidetur usuras quam suo, et non uidetur fuisse minister uel nuncius meus in donatione usure.

Si autem creditor ille uel mercenarius posset sine dampno differre, accepit studiose pecuniam sub usuris ut me grauaret et a me eas acceperit, usura est, et dupliciter peccat. Et quia a me eas accepit, et quia alium peccare facit, dum ab eo pecuniam sub usuris accepit.

Sed si cum multum indigeret pecunia, multas etiam molestias sustinuerit, puta famen, sitim; in tantum etiam extenuatus fuerit ipse forte uel familia sua, quod morbum uel lesionem incurreret, propter quam expellendam imminent expense ei, tunc expensas illas poterit a me accipere, non tamquam usuram, nec pro temporis expectatione, sed pro resarciendo dampno (c. CCCXIII) ([201]).

f° 141vb: ...Nos sumus regale sacerdotium... Quod precipue de nobis clericis ⟨intelligitur⟩. Vnde propter sanctitatem ordinis et item religionis quam arripimus, immunes esse debemus ab omni uindicta de alio sumenda propter iniuriam nobis illatam... (c. CCCXVI).

f° 142ra: ...Quid etiam si quis consanguineum meum occiderit, nonne potero conduci apud iudicem ? Nunquid tantum maleficum erit impunitum cum nullus sit alius qui accuset; sic impune grassabitur heres. Dices forte... (c. id.).

B.- FORMES A LA TROISIEME PERSONNE

Ce qui caractérise les *questiones* du manuscrit L, c'est que le sujet des verbes à la troisième personne n'est jamais exprimé, mais simplement sous-entendu. On ne peut y découvrir ni le mot *magister,* ni quelque nom d'un théologien ou professeur.

Audet:

f° 138ra: ...Sed in hec desit oportunitas, dicit se perplexum, quia non audet consulere quod simoniace intret monasterium, quoniam in uicium ducit... nec uult consulere unum peccatum... (c. CCC).

f° 139ra: ...Cum unica sit puella heres que uouit et forte iam claustrum intrauit ? Non audet hoc concedere... (c. CCCIII).

f° 142rb: ...Nec audet dicere quod Apostolus

([201]) Ce texte à la première personne est pratiquement placé dans la bouche du maître par le rédacteur, car il est précédé des mots suivants: «*Procedit ultra: quid si mercenarius meus uel creditor meus cui nondum debeo usuras, cum apud me instet ut persoluatur ei debitum, pro remuneratione distulerit et acceperit augmentum. Expeditum est quia usura est*». Par les mots *Procedit ultra,* tout ce qui suit est attribué au maître.

hoc precipiat ne exinde uideatur uniuersus orbis sub transgressione... (c. CCCXVI).

f° 143rb: ...Superioribus adiungit de sacerdote in cuius conspectu et totius parrochie... (c. CCCXVIII).

Concedit: f° 139va: ...Non hoc concedit, quantacumque cumuletur temporalis utilitas... (c. CCCVI).

f° 140va: ...Propter quam ita concedit de monacho posse fieri ruralem sacerdotem... (c. CCCVIII).

f° 143ra: ...Hoc concedit siue cedit, quia si non licet clerico accusare cum adhuc dubius sit euentus, uel si non licet ei ad mortem condempnare... (c. CCCXVII).

Consulit: f° 138ra: ...Consulit quod fideli et probate persone matrone committatur sub qua transigat uitam suam... (c. CCC).

Consensit: f° 142vb: ...Post multas disquisitiones, quicquid dicant canones, in hoc consensit quod prelatus... (c. CCCXVII).

Credit: f° 140ra: ...Credit quod potest, quia uotum semper tendit ad uite emendationem et maiorem anime salutem... (c. CCCVII).

f° 143ra: ...Ergo magis in hiis transgreditur clericus modis omnibus illicitis quam in illo. Et ita dicit et credit... (c. CCCXVI).

f° 143ra: ...Sed tamen credit ita distinguendum, quoniam ludus ille aut multum enormis... (c. CCCXVII).

Dicit: f° 138ra: ...Sed si hec desit oportunitas, dicit se perplexum, quia non audet consulere quod simoniace intret monasterium... Minus tamen malum dicit sic intrare et postea penitere quam se prostituere... (c. CCC).

f° 138rb: ...Dicit tamen posse remitti sine alia cause cognitione in casu, puta si iniunctum erat ut non uesceretur penitus... (c. CCCI).

f° 139vb: ...Nequaquam, ut dicit, quia fortior est ista prohibitio quam illa... (c. CCCVI).

f° 140rb: ...dicit esse falsum, quoniam si ab isto excusatur, ad aliud non tenetur, quoniam de alio non fecit uotum. Vnde dicit quod... (c. CCCVII).

f° 140rb: ...Nam si iam claustralis esset, uocari posset, ut dicit, propter utilitatem ecclesie... (c. CCCVIII).

f° 140va: ...quoniam rationis apices, ut dicit, semper debent precedere iuris constitutionem. Sed quicquid dicat de monacho, constanter et libere concedit de regulari canonico... Quod tali probat ratione, quia posset promoueri in ruralem sacerdotem, nunquid abbas suus poterit eum amouere pro libitu suo, citra auctoritatem episcopi, immune ut dicit... (c. CCCVIII).

f° 141rb: ...Dicit probabiliter esse simoniam. Sed si inualida sit donatio ab initio... (c. CCCXIII).

f° 142rb: ...In hoc casu constanter et ex animo dicit clerico modis omnibus esse tacendum... (c. CCCXVI).

f° 142rb: ...Dicit tamen quod ad defendendum innocentem poterit interuenire clericus... (c. CCCXVI, 2).

f° 142vb: ...Nichil hic expedit, sed pessimam dicit prelatorum conditionem in hac parte... (c. id.).

f° 143ra: ...Ergo magis in hiis transgreditur clericus modis omnibus illicitis quam in illo. Et ita dicit et credit... (c. id., 3).

f° 143ra: ...In hiis omnibus dicit consulendum dominum papam, quoniam dubium et incertum se esse asserit in huiusmodi casibus. Sed tamen credit ita distinguendum... (c. CCCXVII).

f° 143rb: ...Sed licet dixerit illam incidisse in canonem, adhuc tamen dicit se dubitare utrum propter talem leuem occasionem... Vnde dicit audita ratione se paratum in melius commutare sententiam suam... (c. CCCXVII).

f° 143va: ...Dicit ergo quod tale sacramentum sic intellectum, illicitum continet, et ideo nullatenus... (c. CCCXVIII).

Inducit: f° 142vb: ...Ad huius opinionis assertionem inducit exemplum Nicholai qui recessisset... (c. CCCXVI, 2).

Procedit: f° 141rb: ...Procedit ultra. Quid si mercenarius meus uel creditor meus... (c. CCCXIII) ([202]).

Querit, Quesiuit: f° 143ra: ...Post predicta querit utrum ille qui asserit se iocose uiolentas manus in clericum iniecisse... (c. CCCXVII).

f° 143rb: ...Quesiuit iterum de illo qui in uesicula galline inflata et turgida... ad postulationem ecclesie, sed potius ad puniendum retineat, querit... Item. Querit sicut in quibusdam casibus iocus excusat ne sit excommunicatus... Sed tamen male querit utrum ille qui dissimulat cum impedire posset teneatur, uel qui minimam occasionem dedit... (c. id.).

Responsio, Respondit:
f° 142va: ...Hiis omnibus dat generalem expressionem, immo responsionem, quod secure et confidenter poterit clericus respondere... De hoc tamen dubitanter respondet et contradicere uidetur hiis que ante dixerat... (c. CCCXVI, 2).

f° 143rb: ...Respondit cuidam domine super hoc querenti... (c. CCCXVII).

C.- *OPPOSITIONS ENTRE LE REDACTEUR ET UN TIERS*

Il résulte des collections de citations que nous venons d'établir, que les *questiones* du manuscrit L présentent un certain mélange de textes rédigés à la première personne et de textes rédigés à la troisième personne, ces derniers étant de beaucoup les plus nombreux. En outre on trouve parfois au sein d'un même chapitre des textes à la première personne et des textes à la troisième. Ce qui nous oblige à distinguer

---

([202]) Voir *supra*, note 201, p. 394.

un maître et un rédacteur. On ne relève d'ailleurs pas d'oppositions doctrinales entre le rédacteur et ce personnage mystérieux auquel le rédacteur se garde bien de donner le titre de *magister* auquel il semble avoir droit.

Tout au plus pouvons-nous remarquer que le rédacteur semble parfois porter un jugement sur l'argumentation du maître. On peut citer deux timides manifestations personnelles de ce genre :

«...De hoc tamen dubitanter respondet, et contradicere uidetur hiis que ante dixerat. Sed ⟨non⟩ mirum si hoc, cum sit in se...» ([203]).

«...Sed tamen male querit utrum ille qui dissimulat cum impedire posset teneatur...» ([204]).

Mais dans l'ensemble, ces interventions personnelles sont négligeables. Faut-il néanmoins tenter d'en donner une explication ? Nous aurons l'occasion d'en juger en concluant.

D.- *CONCLUSION*

Il serait intéressant de conclure en répondant à ces deux questions : Quelle est la nature de ces pages ? Quel en est l'auteur ?

Le premier problème est le plus facile. Les pages propres à L, et qui suivent le texte de la *Summa* dans ce manuscrit, sont des notes de cours, ou ont été rédigées à l'aide de notes de cours. Le mystérieux personnage auquel sont attribuées maintes opinions et solutions de problèmes divers, ne peut être qu'un maître qui n'a pas rédigé lui-même ses leçons. De prime abord, ces pages ont l'aspect de notes de cours, tant leur rédaction est défectueuse ([205]). Mais ces notes de cours contiennent des textes à la première personne. Peut-on attribuer au maître ces textes à la première personne, en supposant que le disciple ait textuellement écrit sur ses tablettes les paroles proférées par le maître ? Cette supposition ne doit pas être rejetée, car nous avons vu que dans un cas au moins, elle s'imposait ([206]).

([203]) L f° 142va. Cf. tome IV (en préparation), cap. CCCXVI, 2.
([204]) L f° 143ra. Cf. tome IV (en préparation), cap. CCCXVII.
([205]) Voir *supra*, p. 272.
([206]) Voir *supra*, p. 394, note 201.

On pourrait cependant hésiter davantage au sujet des expressions *dicimus* et *dicamus* ou d'autres similaires. Annoncent-elles une thèse propre au rédacteur, ou l'exposé des idées du maître ? Les deux opinions pourraient être admises.

Si l'on partage la première, il faut aussi admettre, et ce n'est là qu'une conséquence logique ou même une condition *sine qua non*, que le rédacteur a parfois transcrit littéralement les paroles du maître. Or nous avons des exemples de cette façon de faire ([207]).

La seconde opinion n'est pas moins vraisemblable. Il est fort possible que le rédacteur ait ajouté à ses notes de cours des éléments ou des corrections de son cru. Or, l'on a pu remarquer que ce rédacteur ne garde pas la plus complète indifférence ou la plus parfaite neutralité à l'égard des opinions du maître.

Quelle que soit l'hypothèse à laquelle le lecteur accordera ses faveurs, il reste que cette sorte d'appendice à la *Summa* est essentiellement composée de notes de cours.

La deuxième question est de beaucoup plus difficile à résoudre. En effet, le seul indice permettant de rattacher ces pages à l'école de Pierre le Chantre est le fait que dans le manuscrit L, elles suivent directement des écrits du Chantre, le *De tropis loquendi* et la *Summa de Sacramentis et Anime consiliis,* sans que le copiste ait voulu, semble-t-il, les séparer de cette dernière. Certes la dernière colonne du texte de la Summa n'a pas été entièrement utilisée. Mais il faut rappeler que le manuscrit L ne nous donne de la *Summa Cantoris* que les chapitres constituant la première partie de la Somme de Troyes ([208]) et que l'on trouve dans le manuscrit W un souvenir de cette division de la Somme du Chantre en deux parties ([209]). Or, là où dans le manuscrit L, l'on attendrait la seconde partie, nous découvrons ces *questiones* mal rédigées ([210]).

Mais ce n'est là qu'un indice insuffisant, et la critique interne de cette sorte d'appendice ne nous fournit guère d'indica-

---

([207]) Voir *supra*, p. 394, note 201.
([208]) C'est à dire, dans notre édition, les §§ 1-204 répartis dans les tomes I, II, III.
([209]) Cf. tome I de notre édition, *Introduction*, p. XXXIX (W f° 44rb-va).
([210]) Cf. tome I, p. LXVI, et *supra*, p. 269 ss.

tions. En effet, nous n'y trouvons jamais le nom de Pierre le Chantre ou de l'un de ses disciples, pas plus que nous n'y lisons le nom d'un autre maître. Il ne nous reste pratiquement qu'une seule issue pour essayer de découvrir les rapports qui peuvent exister entre ces pages et l'école de Pierre le Chantre: c'est de comparer la doctrine de ces *questiones* du manuscrit L et celle des chapitres de la *Summa* consacrés aux mêmes problèmes théologiques. La tâche est ardue: alors que la Somme nous offre des chapitres bien composés, les *questiones* propres à L sont rédigées avec la plus grande négligence et le mépris le plus absolu de la logique et de la cohérence. Nous croyons néanmoins que ces rapprochements ne sont pas inutiles, car, même s'ils ne sont pas absolument concluants, ils présentent un intérêt que l'on ne peut nier.

Il est impossible de suivre pas à pas l'exposé du manuscrit L. Le rédacteur de ces *questiones* aborde un problème, l'abandonne pour traiter une question tout à fait étrangère à son sujet, puis le reprend, l'abandonne à nouveau, etc... Fâcheux procédé qui l'oblige à répéter assez souvent les mêmes idées. Vouloir suivre ce rédacteur, c'est se condamner à adopter une démarche hésitante et se refuser à toute synthèse. C'est pourquoi, désireux d'éviter cet écueil, nous regrouperons toutes les opinions émises sur le même sujet et tous les fragments de dissertation s'y rapportant.

Les principaux sujets traités dans ces *questiones* sont: les vœux, l'usure, la participation des clercs à l'administration de la justice, les violences exercées sur les clercs, la faculté d'excommunier leurs paroissiens reconnue ou refusée aux desservants des églises. Toutes matières qui ont fait l'objet de plusieurs alinéas dans la *Summa Cantoris*. Essayons de voir si les solutions proposées dans la *Summa* et dans les *Questiones* du manuscrit L sont identiques ou divergentes.

1°) *Les vœux*

Les *Questiones & Miscellanea* du manuscrit L que, pour faire court nous appellerons désormais *Appendice*, nous offrent une définition du vœu que nous ne trouvons pas dans la *Summa Cantoris*, et qui se présente comme suit:

Votum est pollicitatio ([211]) *mentis Deo facta de hiis que ad religionem uel salutem humanam pertinent, uerbis uel quodam alio modo expressa* ([212]).

L'Appendice du manuscrit L contient une triple distinction des vœux que la *Summa Cantoris* nous donne de son côté. Toutefois, le rédacteur de l'Appendice, en raison des méandres de son argumentation, est revenu sur ce sujet à plusieurs reprises, de telle sorte que cet Appendice nous rappelle trois fois cette triple distinction. Il importe de la comparer à celle de la *Summa*.

([211]) Pollicitatio] pollitio *scr.*
([212]) L f° 140ra. Tome IV (en préparation), cap. CCCVII, *De dilatione et reuocatione uotorum*.

APPENDICE

L f° 138rb (TOME IV, c. CCCI, 2)	L f° 138vb (TOME IV, c. CCCIII)	L f° 139rb (TOME IV, c. CCCVI)

...quedam uota sunt prime necessitatis, ut renuntiare diabolo et omnibus pompis eius et credere et agere ea que sunt christiane religionis. Ista omnia potius sub forma prohibitionis quam ta que perpetuam causam precepti clauduntur et continent peccata et delicta ut nichil faciat uel omittat christianus: ad quid faciendum tenetur quilibet, ut sunt precepta decalogi et euuangelii. Abstinentia carnis in sexta feria (Licet hanc uideatur promittere omnis tempore baptismi, non tamen est de uotis prime sed de uotis secunde uel tertie necessitatis, quia dispensationem uel commutationem admittunt.

... Illud iterum repetendum est ut euidentius distinguatur quod uota prime necessitatis, ut prelibatum est, generalia sunt et perpetua, ut sunt prohibitiones et precepta que perpetuam causam habent, nec aliquam admittunt compensationem uel commutationem ut sint licita, nisi priuata Spiritus Sancti lege, ut in Samson qui ad admonitionem Spiritus Sancti se et alios peremit ...

... Vouete et reddite. Preceptum est. Et uouere et reddere de hiis que sunt prime necessitatis, citra aliquod commutationis remedium, ut sepe dictum est, nisi Spiritus Sanctus alium suggesserit.

SUMMA

§ 224

Cum ergo omnia uota necessaria sunt ex quo facta sunt, queddam sunt prime necessitatis, ut uota baptismi que continentur tam in prohibitionibus quam in preceptis decalogi, sine quibus non est salus. Non enim sufficit fugere que Deus prohibet sed que precipit similiter sunt facienda. Contra hec uota, nec homo nec angelus dispensare potest.

Annexa tamen est omni christiano ex institutione ecclesie, nisi urgeat necessitas). Et sine hiis non est salus et ideo prime necessitatis dicuntur. Ista nulla commutatione redimuntur, ut hiis omissis alia utilia sint ad salutem. Sed horum transgressio redimi potest, hiis tamen iterum resumptis.

Sunt alia secunde necessitatis ut est satisfactio penitentialis que ideo secunde necessitatis dicitur quia ab initio non tenetur quis ad eam, sed post ⟨non⟩ euitet. Ista redimuntur ...

Sunt iterum et alia que sunt in inicio uoluntatis, sed postea necessaria ut ea que debentur ex uoto ...

Vota secunde necessitatis commutantur et compensantur sed nonnisi cum cause ⟨omnis debet illa⟩ ab initio cognitione ut dictum est non passim non indifferenter.

In uotis tercie necessitatis que ab inicio spontanea sunt si post necessaria ⟨fiunt⟩...

Illa uero que sunt secunde necessitatis precepta sunt et ⟨omnis debet illa⟩ ab initio suscipere propter delendam penam peccati et susceptam implere.

Illa que sunt tercie necessitatis non sunt precepta ab initio set ex postfacto ...

Sunt item uota secunde necessitatis, ut primo uoluntaria antequam fiant, sed postea, ut iam diximus, cum facta sunt, necessaria sunt. Et hec sunt tripartita ...

Item. Sunt uota necessitatis tertie, ut uota peregrinationis, que similiter ...

Sunt rursus uota generalis ecclesie, ut ieiunare in quadragesima.

Ces classifications présentent une évidente parenté, mais on y relève aussi des divergences. L'exposé du manuscrit L est particulièrement maladroit en ce qui concerne les vœux de première nécessité. Mais surtout, le contenu des vœux de seconde et de troisième nécessité est différent. A priori les extraits cités nous autoriseraient à dire que, par vœux de seconde nécessité, Pierre le Chantre entend ce que le rédacteur de l'Appendice du manuscrit L groupe sous la désignation de vœux de troisième nécessité. Cette assertion est cependant inexacte, comme il ressort d'un examen plus approfondi du contenu de chaque catégorie de vœux. On peut aussi se demander si dans la *Summa Cantoris,* les *vota generalis ecclesie* doivent être rattachés aux vœux de troisième nécessité. Il importe donc de s'attarder sur les subdivisions de ces classifications, et les possibilités de dispense reconnues pour chaque catégorie de vœu.

APPENDICE [213]

L f° 138rb (TOME IV, c. CCCI, 2)	L f° 138vb (TOME IV, c. CCCIII)	L f° 139rb-va (TOME IV, c. CCCVI)	SUMMA [213] § 224
A. *VOTA PRIME NECESSITATIS.*	A. *VOTA PRIME NECESSITATIS.*	A. *VOTA PRIME NECESSITATIS.*	A. *VOTA PRIME NECESSITATIS.*
... renuntiare diabolo ... et credere et agere ea que sunt christiane religionis. Ista omnia potius sub forma prohibitionis quam precepti clauduntur et continent peccata et delicta ut nichil faciat uel omittat christianus; ad quid faciendum tenetur quilibet, ut sunt precepta decalogi et euuangelii	... generalia sunt et perpetua ut sunt prohibitiones et precepta ...	...	...
... nulla commutatione redimuntur, ut hiis omissis alia utilia sint ad salutem ... ... Sed horum transgressio redimi potest ,hiis tamen iterum resumptis ...	... perpetuam causam habent nec aliquam admittunt commutationem uel compensationem ut sint licita nisi priuata Spiritus Sancti lege ...	... citra aliquod commutationis remedium, ut sepe dictum est, nisi spiritus sanctus aliud suggesserit.	ut uota baptismi que continentur tam in prohibitionibus quam in preceptis decalogi, sine quibus non est salus ... Contra hec uota, nec homo nec angelus dispensare potest.

[213] Nous résumons schématiquement.

B. *VOTA SECUNDE NECES-SITATIS.*	B. *VOTA SECUNDE NECES-SITATIS.*	B. *VOTA SECUNDE NECES-CITATIS.*	B. *VOTA SECUNDE NECESSITATIS.*
			... ut primo uoluntaria antequam fiant, sed postea ut iam diximus, cum facta sunt, necessaria sunt. Et hec sunt tripartita:
			1. *continentie* de quibus non possit fieri dispensatio
			2. *abstinentie* permutari possunt, immo infringi ex toto a uiro in uxore; in aliis in summa necessitate, et hoc auctoritate eius qui hoc potest facere ...
ut est satisfactio penitentialis, que ideo secunde necessitatis dicitur quia ab initio non tenetur quis ad eam sed post ⟨non⟩ euitet.		precepta sunt et ⟨omnis debet illa⟩ ab initio suscipere propter delendam penam peccati et susceptam implere.	3. *penitentie* dispensabilia sunt, sed maxima discretio adhibenda est in dispensationibus penitentiarum.

Ista redimuntur sed non sine cognitione cause. Que autem sint in cognitione cause ... scilicet: infirmitas et scandalum et consimilis cruciatus ...	commutantur et compensantur sed nonnisi cum cause cognitione.	commutantur ut ostensum est.
C. *VOTA TERCIE NECESSITATIS.*	C. *VOTA TERCIE NECESSITATIS.*	C. *VOTA TERCIE NECESSITATIS.*
sunt in inicio uoluntatis, sed ab inicio spontanea sunt, si postea necessaria ut ea que debentur ex uoto.	post necessaria ⟨fiunt⟩.	ut uota peregrinationis.
	Distinguitur: fiunt non sunt precepta ab initio sed ex post facto ...	
... de iure non commutantur, nisi in grauius et difficilius. Vt ...	... similiter commutantur exceptis hiis que sunt continentie ...	... dispensabilia sunt in fructum melioris uite.
1. *de continentia* non admittatur commutatio aliqua.		uota generalis ecclesie. ut ieiunare in quadragesima abstinere a carnibus ...
2. *de abstinentia de peregrinatione, etc.* admittitur non sine cause cognitione dispensatio.		... dispensabilia sunt in summa necessitate ...

PROLEGOMENA 407

On constate que l'auteur de l'appendice reste toujours fidèle à sa classification. D'autre part, il n'y a aucune divergence entre la *Summa Cantoris* et l'Appendice du manuscrit L en ce qui concerne les vœux de première nécessité. Mais les différences commencent avec les vœux de seconde nécessité.

Dans l'appendice, n'entrent dans la catégorie des vœux de deuxième nécessité que les *uota penitentie,* ou si l'on préfère, la satisfaction. Certes, dans la *Summa*, les *uota penitentie* sont aussi rangés dans la même catégorie, mais ils y ont pour voisins les *vota continentie* et les *vota abstinentie*. Pierre le Chantre verrait-il en ces dernières sortes de vœux, des variétés de *uota penitentie* ? C'est peu probable. En effet, dans la *Summa*, la seconde catégorie de vœux comprend les *uota, primo uoluntatis antequam fiant, sed postea, cum facta sunt, necessaria sunt*. Or ces vœux, dans l'Appendice du manuscrit L, constituent les *uota tertie necessitatis*. Ayant groupé dans la seconde catégorie de vœux les vœux volontaires et la satisfaction, Pierre le Chantre ne peut préciser le contenu de sa troisième catégorie, où il classe les vœux du type du vœu de pèlerinage. Il y ajoute les *vota generalis ecclesie,* encore que l'on puisse admettre qu'il fasse de ces derniers une quatrième catégorie.

Quoi qu'il en soit, en dépit d'une rédaction très défectueuse, l'Appendice nous offre une classification des *uota* beaucoup plus cohérente. La Summa Cantoris mélange maladroitement dans une seule et même catégorie les vœux tout à fait libres, — les vœux au sens habituel et moderne du terme — et la satisfaction pénitentielle, dont on ne peut dire qu'elle est pleinement volontaire !

L'Appendice nous présente donc une bonne classification qui englobe 1° les préceptes nécessaires au salut ou *uota baptismi* (*uota prime necessitatis*), — 2° les obligations résultant du péché (*uota secunde necessitatis*), — 3° les vœux pleinement libres (*uota tertie necessitatis*). Mais cette classification en soi valable n'est pas sans défauts. L'on a pu voir que parmi les préceptes nécessaires au salut le rédacteur rangeait, non sans hésitation, l'abstinence de viande le vendredi !

Pourrait-on supposer que la classification de l'Appendice dépende de celle de la *Summa*, ou tout au moins qu'elle reflète l'enseignement du Cantor dont la *Summa* nous donne une autre image ? En faveur d'une réponse affirmative, on fera observer que, abstraction faite des divergences de classification, la théorie des possibilités de dispence ou de commutation de vœux est identique dans la *Summa* et dans l'Appendice. Mais il reste à expliquer les divergences de classification, et celles-ci ne peuvent donner lieu qu'à deux hypothèses. L'on pourrait tout d'abord supposer que la *Summa* ne nous livre qu'imparfaitement la doctrine de Pierre le Chantre: les maladresses de classification seraient dûes à l'inintelligence du rédacteur: hypothèse qui ne peut être rejetée *a priori,* car nous avons supposé et admis que la *Summa Cantoris,* dans sa seconde moitié avait été élaborée à l'aide de notes de cours, révisées et corrigées. Pourtant, une lecture attentive de ce chapitre de la *Summa* consacré aux vœux laisse l'impression que ce chapitre a été directement composé par l'auteur, car on n'y trouve pas le plus petit indice permettant d'affirmer qu'il s'agit de notes de l'enseignement d'un maître qui n'a pas rédigé lui-même ses leçons. L'on pourrait donc supposer que la distinction de l'appendice du manuscrit L est l'œuvre personnelle de son rédacteur, ou tout au moins, que si ce rédacteur a connu les classifications de la *Summa Cantoris,* il a tenté de les améliorer, et y est parvenu.

Si l'on reprend la lecture des pages de l'Appendice du manuscrit L consacrées aux vœux, l'on y trouvera des *casus conscientie,* des solutions doctrinales, des assertions qui semblent *a priori* autant de réminiscences de la *Summa Cantoris,* mais aussi des textes qui paraissent témoigner d'une mentalité différente. Nous en donnerons une liste qui ne prétend point être exhaustive. Pour ne point alourdir notre texte, nous ne publierons pas de front les fragments de l'Appendice et les fragments parallèles de la *Summa*: nous nous contenterons de citer les textes du manuscrit L, en priant le lecteur de bien vouloir se reporter, en ce qui concerne la *Summa,* aux chapitres et alinéas que nous lui indiquerons.

L'Appendice du manuscrit L débute par le *casus* suivant:

L f° 138ra   *Queritur quid sit consulendum ei puelle que uotum habens et firmum propositum conseruande uirginitatis, non potest intrare monasterium sine pactione pecunie. In seculo non est ei tutum manere cum multos habeat procos et competitores, ardentes et instantes, uirginitatis et castitatis contemptores, et facilis est ad ruinam propter fragilitatem sexus et procorum instantiam. Item.*

> *Non uult offendere per simoniacum ingressum in monasterium. Consulit quod fideli et probate persone matrone committatur sub qua transigat uitam suam. Sed si hec desit oportunitas, dicit se perplexum, quia non audet consulere quod simoniace intret monasterium, quoniam in uicium ducit culpa fuga si caret arte, nec uult consulere unum peccatum quasi cum auctoritate committi, propter euitandum aliud. Minus tamen malum dicit sic intrare et postea penitere quam se prostituere* ([214]).

Le *casus*, et plus encore la solution du problème, ne sont pas sans rappeler un chapitre de la *Summa*, en dépit de différences de détail ([215]).

Un autre *casus* se rapporte aux problèmes toujours complexes de la simonie:

L f° 138ra
> *Item. Queritur de illo qui aliter non admittitur ad monasterium nisi bene uestitus et omnes pannos sibi necessarios habeat, nonne pactio de conferenda pecunia pro uictu simoniaca esset? Quare similiter non de uestitu? In hoc tamen sibi nulla cauet religio, quia nulla fere uult admittere aliquem nisi cum pannis. Forte hoc distingui potest inter causam efficientem et sine qua non. Panni non sunt hic causa efficiens quod admittetur, cum nulla hic uertatur utilitas uel lucrum ipsius monasterii, nec in ipsius cedunt usum, sed tantum in usum intrantis monasterium. Sed pecunia etiam prolata pro uictu cedit in communes usus monasterii, et communis efficitur, et exinde poterit monasterium locupletari. Sed forte dices quod monasterium facit lucrum ex pannis, quia dampnum euitat, ne scilicet pannos ei emat, et hoc est quare lucrum faciat* ([216]).

Cette difficulté a été étudiée dans la *Summa*, et nous y trouvons aussi la distinction entre la *causa propter quam* et la *causa*

([214]) Tome IV (en préparation), cap. CCC.
([215]) Édition, tome III, § 227, l. 1-13, *infra*, p. 349.
([216]) Tome IV (en préparation), cap. CCC.

sine qua non ([217]). La différence de terminologie n'empêche pas la similitude de doctrine.

L'auteur de l'Appendice se sert d'une expression que l'on ne trouve pas sous la plume de Pierre le Chantre: ...*dubitatur an passim et indifferenter...* ([218]). Par contre nous remarquons ces lignes:

L f° 138ra ...*De commutatione penitentialis satisfactionis, dubitatur an passim et indifferenter sit admittenda sicut quidam sacerdotes eam faciunt et concedunt, grauiorem in leuiorem commutantes, et pro uoluntate sua et arbitrio magis quam pro necessitate iniunctas extenuant penitentias. Quod quidem faciendum non est, nisi illa in qua fit commutatio sit adeo cruciatoria. Licet enim opera ex pari caritate pariter sint meritoria, tamen que magis cruciant, citius a purgatorio liberant quam alia que ex eadem caritate fiunt, iuxta illud: Hostia... Pariter tamen ualent ad uitam eternam quecumque ex eadem pari caritate fiunt* ([219]).

Ces vues ont été maintes fois exprimées dans la *Summa Cantoris* ([220]).

Sur le même sujet, nous lisons encore dans l'Appendice du manuscrit L les lignes suivantes:

L f° 138rb ...*Sed contradicere uidetur Gregorius qui ait quod Dominus cruciatibus nostris non delectatur. Resp. Quod non delectatur ad uitam eternam uel non in eo quod crutiatus, sed in eo quod caritate conducuntur; uel non delectatur in eis precipue, set in ipsa caritate, quod idem est. Sed si adeo cruciet elemosine collatio sicut ieiunium, dum tamen hoc non fit ex auaricia set ex parci-*

([217]) T f° 83ra (édition, tome III, 2a, § 158); cf. T f° 90rb (édition, tome III. 2a, § 172).

([218]) Édition, tome IV (en préparation), cap. CCCI, 1.

([219]) Édition, tome IV (en préparation), cap. CCCI, 1.

([220]) Édition, tome II, § 86, l. 27 ss., p. 69; § 88, l. 24 ss., p. 80-81; § 98, l. 66 ss., p. 123-124; § 106, l. 60 ss., p. 171-172; § 107, l. 27 ss., p. 175-176; § 110, l. 19 ss., p. 191; Appendice I, cap. 4, l. 1 ss., p. 400 sv.; et tables alphabétiques du tome II et du tome III.

> *tate que uirtus est, ex quo timet paucitati sue propter uxorem et filias et familiam, tunc forte admitti poterit compensatio* ([221]).

A ces lignes fait écho un alinéa de la *Summa Cantoris* ([222]). Par contre, il semble que Pierre le Chantre manifeste une hostilité plus nette à l'égard des remises ou commutations de peines ([223]).

Quelques lignes plus bas, nous lisons dans l'Appendice du manuscrit L:

L f° 138rb *...Si forte inquietus sit et impatiens et inobediens, proximus et promptus transgredi, melius est enim ipsum quale membrum retinere licet tepidum, quam scandalizando ipsum deterrere et ostendendo frigare. Sed dices: Nonne si proposuerat transgredi, set de facili promptus erat ad transgrediendum nacta leui occasione* ([224]).

Ces idées peuvent être retrouvées *ad sensum* dans la Somme de Pierre le Chantre ([225]).

Signalons aussi ce *casus*:

L f° 139ra *...Sed sicut dispensatur in uoto abstinentie, cum princeps propter ipsius debilitatem que cedit in detrimentum totius regni, nunquid sic in uoto continentie propter regni subuersionem uel subiectionem et transitionem ad aliud dominium. Cum unica sit puella heres que uouit et forte iam claustrum intrauit? Non audet concedere* ([226]).

Dans ces lignes, nous verrions volontiers une réminiscence de la *Summa Cantoris* ([227]).

Le rédacteur de l'Appendice du manuscrit L attribue à «certains» une opinion sur les pouvoirs de dispenser reconnus à l'Église:

---

[221] Édition, tome IV (en préparation), cap. CCCI, 1.
[222] Édition, tome II, § 107, l. 70 ss., p. 177 ss.
[223] Édition, tome II, § 110, l. 12 ss., p. 190 ss.; App. I, cap. 7, p. 415 ss.
[224] Édition, tome IV (en préparation), cap. CCCI, 1.
[225] T f° 111va-vb. Édition, tome III, 2, § 224.
[226] Édition, tome IV (en préparation), cap. CCCIII.
[227] T f° 111rb. Édition, tome III, 2, § 224.

L f° 139ra   ...*Vt uolunt quidam, plus potest in dispensatione facienda auctoritas persone dispensantis quam causa. Vnde dicunt quod citra omnem causam, sed solo fauore uel gratia potest ecclesia dispensare inter coniunctos, ut in sexto gradu, pro libito suo, et erit inter eos matrimonium, et quantacumque subesset causa uel reconciliationis uel pacis uel scandali tollendi de medio. Si fieret citra presidentis auctoritatem, non esset matrimonium, ut dicunt, etiam in remotiore gradu* ([228]).

La *Summa Cantoris*, de son côté, fait allusion, mais d'une manière plus sobre à cette opinion ([229]).

Citons aussi cette idée assez inattendue sur le but de l'institution du mariage entre personnes n'appartenant pas à la même famille:

L f° 139ra   ...*Institutum est autem matrimonium inter eos qui sunt diuersi generis, ut caritas que ultra septimum gradum extenuata reperitur, se latius extenderet* ([230]) *et fugiens reuocaretur. Sed cum hodie nulla uel fere nulla sit caritas inter eos qui sunt in sexto uel septimo gradu, quare* ([231]) *contrahere non poterunt citra omnem dispensationem cum non impedimenti causa subsit et urgens ratio, ut predictum est hoc suadeat* ([232]).

Cette idée était familière à Pierre le Chantre ([233]).

Sur le problème de l'exécution différée des vœux, on lit dans le manuscrit L:

L f° 139va   ...*Puta. Aliquis uouit se intraturum claustrum uel fieri monachum. Quamdiu differi poterit sine periculo et transgressione? Videtur quod teneatur intrare sine aliqua mora uel dilatione, uel si quam habebit, modica debet esse. Nam quod*

---

[228] Édition, tome IV (en préparation), cap. CCCIV.
[229] T f° 112 ra (édition, tome III, 2, § 224)
[230] Extenderet] excederet scr. L.
[231] Quare] quem scr. L.
[232] Édition, tome IV (en préparation), cap. CCCIV.
[233] Par exemple, *Summa*, édition, tome III, 2, § 334, l. 8-9.

> *pure promittitur, presenti die debetur, et qui iurauit se daturum pecuniam, tam cito debet dare quam cito dandi habeat facultatem* ([234]).

Le problème est posé de la même manière dans la *Summa Cantoris*, où le même argument, emprunté au Digeste ([235]) est invoqué ([236]). La solution est d'ailleurs identique. Chaque exposé a pourtant ses mérites et ses défauts. Dans l'Appendice du manuscrit L, l'on entrevoit la solution dès les premières lignes, tandis que la Summa précise les cas autorisant à différer l'exécution d'un vœu ([237]). Si l'on poursuit la lecture des deux ouvrages, on constate que, pour résoudre la difficulté proposée les mêmes *auctoritates* sont invoquées de part et d'autre ([238]). Enfin, certaines sentences de l'Appendice du manuscrit L font écho à des propositions de la *Summa*. C'est ainsi que nous lisons dans le manuscrit L:

> *Melius est enim quod amittatur creditoris pecunia quam debitoris anima* ([239])

et dans la *Summa Cantoris*:

> *Magister consulit quod intret quia minor est iactura in amissione pecunie quam anime* ([240]).

De même, le rédacteur de l'Appendice du manuscrit L écrit:

> *Nam quod iuratur Deo, non remittit homo. Quod iuratur homini, licet per Deum, homo remittere potest* ([241]).

Cette distinction est également utilisée dans la *Summa Cantoris* ([242])

Plus loin, nous trouvons dans l'Appendice du manuscrit L, le *casus* suivant:

([234]) Édition, tome IV (en préparation), cap. CCCVI.
([235]) Cf. DIGEST., l. L, tit. XVII, *De diversis regulis iuris antiqui (Corpus Iuris Civilis*, t. I, p. 868), POMPONIUS: «In omnibus obligationibus in quibus dies non ponitur, praesenti die debetur».
([236]) Édition, tome III, § 225, l. 1ss.
([237]) «Solent tamen assignari tres cause dilationis, scilicet obligatio eris alieni, et egestas patris et matris, et negata licentia», cf. édition, tome III, § 225 *in principio*.
([238]) A l'exception toutefois d'une citation empruntée à l'Épître de S. Jerôme à Héliodore (*Epist. LIV ad Heliodorum*, n. 3; PL, XXII, 551). Cf. *Summa Cantoris*, édition, tome III, § 225 (T f° 112 rb).
([239]) Édition, tome IV (en préparation), cap. CCCVI.
([240]) Édition, tome III, § 225, (T f° 112 rb).
([241]) Édition, tome IV (en prép.), cap. CCCVI.
([242]) Édition, tome III § 225 (T f° 112 rb-va); § 237 (T f° 115 rb).

L f° 140ra-rb   ...*Sed queritur si forte aliquis uotum emisit ut ad aliquod migraret monasterium, et antequam migraret, audiuit de dissolutione illius monasterii ita quod facilius possit ibi periclitari salus anime quam in seculo. Vtrum sua uel saltem superioris auctoritate possit reuocare uotum suum. Credit quod potest, quia uotum semper tendit ad uite emendationem et maiorem anime salutem. Si ergo innocenter uiuit in seculo, quantum humana permittit fragilitas, et ipse timet de dissolutione et negligentia claustrali, et timet pro/babiliter facilius offensam ibi incurrere, temperet ab ingressu. Si dicas: compellatur saltem ad ingressum alterius monasterii districtioris, secundum quod in decretalibus Alexandri cautum uidetur, dicit esse falsum, quoniam si ab isto excusatur, ad aliud non tenetur, quoniam de alio non fecit uotum. Vnde dicit quod ⟨si⟩ ibi infra annum egreditur de probatione cisterciensi, liber egreditur, ut nec illi nec alii teneatur obnoxius religioni, quia in nulla adhuc est receptus, nec de aliqua uotum fecit, nec aliquid deliquit ut in monasterium retrudatur. Secure igitur concludere potes quoniam ad nullam tenetur intrare* ([243]).

Ce *casus* a été étudié dans la *Summa Cantoris* ([244]). Toutefois, la conclusion est différente. Pour le rédacteur du manuscrit L, celui qui avait fait ce vœu assez imprudent, n'a pas à en tenir compte et peut rester dans le siècle. Pierre le Chantre, au contraire, lui conseille de rentrer dans un autre monastère, sans toutefois préciser s'il s'agit pour l'intéressé d'une obligation.

Il faut encore citer un important *casus* de l'Appendice du manuscrit L:

L f° 140rb   ...*Sed quid si forte clericus aliquis perutilis et ualde necessarius ecclesie, puta decanus uel*

([243]) Édition, tome IV (en prép.), cap. CCCVII, *in fine*.
([244]) Édition, tome III, § 226 (T f° 112 va-vb).

aliquis alius de cuius prouidentia et consilio totus conuentus ille regitur et sustentatur et conseruatur proponit migrare ad religionem, nunquid episcopus poterit ei inhibere et ipsum impedire propter utilitatem et urgentem ecclesie necessitatem. Vtique hoc uidetur. Nam si iam claustralis esset, uocari posset, ut dicit, propter utilitatem ecclesie ad decanatum uel alium personatum maioris ecclesie, licet secularis, et fit ubique in Flandria. Cum secundum hoc ergo uocari possit et reuocari, multo fortius retineri. Quod si negetur, ne talis propter professionis dissimilitudinem possit uocari ad talis ecclesie personatum, et propter consuetudinem plurimarum ecclesiarum que repugnat quare ad episcopatum uocari poterit quod maius ⟨est⟩ et non inferiorem honorem ⟨infert⟩. Non est euidens ratio.

Sed dices quod si hoc est, eadem ratione posset uocari monachus ad decanatum uel alium ecclesie personatum, quoniam uocari poteat ad episcopatum. Quod non concedit propter habitus et professionis magnam dissimilitudinem, licet concedat ipsum in episcopum posse promoueri, quoniam episcopalis dignitas et necessitas totum absorbet hominem, et quasi alius homo uidetur et omnis dissimilitudinis delet inconuenientiam. Quod non facit decanatus uel archidiaconatus uel alia dignitas et ideo ad alium personatum uocari non posset monachus nisi ad episcopatum uel superiorem dignitatem. Neque regularis canonicus ad secularem prebendam siue personatum; sed cum personatu hoc ei concedi potest propter curam animarum, propter quam de claustro educi potest. Concedendum ergo in proposito casu, quod propter necessitatem ecclesie, impedire eum potest episcopus, ne transeat ad religionem. Nec obuiat quod dicitur Ca. XVI, Q. I, Due sunt leges. Tamquam priuata lege ducatur, et ideo non timeat preceptum uel inhibitionem superioris, quoniam loquitur canon ille quando nulla suberat inhibitionis causa uel non urgens et necessaria et constitutionis causa et ratio considerari debet ([245]).

Le même *casus* est exposé dans la *Summa Cantoris* ([246]). On y remarque la même allusion au décret de Gratien et aux coutumes de la Flandre. Enfin la solution est identique de part et d'autre.

Un autre *casus* pourrait donner lieu à des observations similaires. Nous lisons en effet dans l'Appendice du manuscrit L:

L f° 139rb-va *...Ille uero qui claustrum intrauit, licet claustrali professioni sit obnoxius, compellitur tamen ut dictum est exire propter animarum curam, quoniam hanc habet tacitem conditionem et conuentionem conuersio ad frugem melioris uite: ut salua sit auctoritas maioris ecclesie / et superuenientis obedientie, cui obtemperandum propter utilitatem animarum. Propter quam ita concedit de monacho posse fieri ruralem sacerdotem, si utilitas hoc expetat; puta raritas uel inopia sacerdotum, uel si sunt plures, minus tamen ydonei. Canones tamen ad hoc repugnare uidentur. Sed eadem hic expostulat ratio que et in episcopo, scilicet animarum cura et utilitas, et ubi uidet iuris considerationem latam sine rationis euidentia, pro minimo ipsam ducit, quoniam rationis apices, ut dicit, semper debent precedere iuris constitutionem* ([247]).

Dans ces lignes, nous retrouvons la doctrine exposée sur le même point dans la *Summa Cantoris* ([248]).

2°) L'usure

On trouve dans l'Appendice du manuscrit L un curieux cas d'interprétation des testaments:

L f° 140vb *...Quidam, cum testamentum conderet, cauit ita: Illa ecclesia habeat illum fundum donec he-*

---

[245] Édition, tome IV (en prép.), cap. CCCVIII.
[246] Édition, tome III, § 226 (T f° 112 vb).
[247] Édition, tome IV (en préparation)), cap. CCCVIII.
[248] Édition, tome III, § 226 (T f° 112 vb-113 ra).

redes mei persoluant ei centum. Queritur utrum ecclesia fructus perceptos debeat in illa centum computare, ita quod illa diminuant et extenuent, ut in pignore, an sine peccato possit illos lucrifacere et preterea centum petere secundum uerborum superficiem, cum dixit: donec heredes mei persoluant, etc. Videtur quod heredes teneantur persoluere illa centum et quod ecclesia interim lucrifaciat fructus sine peccato. Cum absolute testator potuisset dedisse fundum si uellet in penam heredum ne essent negligentes in solutione, uoluit ecclesiam lucrari illos. Sed si ita dixit, teneat ecclesia fundum illum donec habeat centum. Hoc magis dubium. Et quid si ab initio statim heredes persoluerint partem pecunie, puta dimidietatem, nunquid non uideretur iniquum quod ecclesia uniuersos fructus propter reliquam partem percipiat in cuius solutionem heredes moram fecerunt. Hic recurrendum puto ad iuris argumentationes et disquirendum quid senserit testator et de interpretatione uoluntatis ipsius. Istud tamen tucius est quantum ad euitandum peccatum quod ecclesia contenta est illis centum uel ab heredibus perceptis uel perceptis ex fructibus ([249]).

Or, nous retrouvons ce *casus* dans le *Summa* ([250]).

De même en ce qui concerne le *casus* suivant que nous pouvons lire directement à la suite du précédent:

L f° 141ra   *Quedam nobilis collatiua indigenti cenobio celebrauit in hunc modum donationem: Ego dono uobis XX libras, quas accipiatis ad tales nundinas, quia modo non habeo pecuniam pre manibus, sed pro expectatione habeatis interim istos LX solidos.*

Aduenientibus illis nundinis, procurator domine, cum nondum haberet pre manibus pecuniam, sed pignora multa, conuenit cum feneratoribus

---

([249]) Édition, tome IV (en préparation), cap. CCCX.
([250]) Édition, tome III, § 337, l. 1ss.

> *accipere pecuniam sub usuris et sub pignore. Que recepta redderetué prefato cenobio cui fuerit promissa. Et cum parata esset pecunia, subintulerit procurator ille cenobitis, forte propter simplicitatem uel propter fauorem quam habebat ad eos: Quare non de uestro lucramini. Sustineatis adhuc huius solationis et ad talem terminum recipiatis hanc promissam summam, et pretera lucrum istud, quod esset fenerator iste accepturus... Querit cenobium illud an hoc sit usuram accipere? Videtur quod non...* ([251]).

Ce *casus* a fait l'objet d'une étude dans la *Summa Cantoris* ([252]). Toutefois, les développements doctrinaux sont, dans l'Appendice du manuscrit L beaucoup plus importants. Dans la Summa comme dans l'Appendice, ce *casus* suit directement le *Casus de interpretatione testamenti* que nous avons cité précédemment, mais la *Summa* nous donne deux éditions assez différentes de ce *casus*.

3° *La participation des clercs à l'administration de la justice*

Ce problème a été longuement traité dans la *Summa*. Pierre le Chantre veut en effet qu'un clerc ne participe en aucune manière à l'administration de la justice, du moins en ce qui concerne le *judicium sanguinis*. Le rédacteur de l'Appendice du manuscrit L fait preuve des mêmes préoccupations, ou plus exactement témoigne des préoccupations de son maître.

Il écrit en effet:
L f° 141vb
> *Nos sumus regale sacerdotium, gens sancta, gens electum, populus acquisitionis. Quod precipue de nobis clericis ⟨intelligitur⟩. Vnde propter sanctitatem ordinis et item religionis quam arripimus, immunes debemus esse ab omni uindicta de alio sumenda propter iniuriam nobis illatam, maxime ab illa que sanguinis effusionem ⟨infert⟩...* ([253]).

([251]) Édition, tome IV en préparation), cap. CCCXI.
([252]) Édition, tome III, 2, § 337 (T f° 143 ra-rb), et tome III, 2, § 214 (T f° 109 rb).
([253]) Édition, tome IV (en préparation), cap. CCCXVI, 1.

Affirmation parallèle à celle de la *Summa* ([254]).

Il convient de souligner que, dans l'Appendice du manuscrit L, nous trouvons les mêmes questions et dans le même ordre que dans la *Summa Cantoris* ([255]), mais le texte de cette dernière est plus concis et plus net, tandis que le rédacteur du manuscrit L fait montre de prolixité et d'une certaine impuissance à enchaîner ses idées. Son exposé n'est pourtant pas dépourvu d'intérêt. C'est ainsi qu'il distingue entre les peines spirituelles et les peines corporelles, ce qui lui permet d'apporter une précision intéressante:

L f° 142rb   *Sed penarum alie sunt spirituales, alie corporales seu materiales. In spirituali pena, puta excommunicatione, depositione et consimilibus et quibusdam corporalibus, ut disciplinalibus, puta uerberatione, et si qua alia est sine sanguinis effusione, iudex potest esse clericus, assessor et consiliarius, quia ista fiunt ad correctionem, sine lesione uite temporalis alicuius...* ([256]).

Les mêmes *auctoritates* sont invoquées dans la *Summa Cantoris* et dans l'Appendice du Manuscrit L. C'est ainsi que le rédacteur de ces dernières pages fait appel à l'exemple de Saint Nicolas ([257]). Les curieux problèmes examinés dans la *Summa*, § 324 ([258]), sont aussi étudiés dans l'Appendice. De part et d'autre, la solution doctrinale est la même, et il en est pareillement en ce qui concerne les *prelati ecclesie qui habent utrumque gladium* ([259]). Certes la forme est tout à fait différente, mais le fond reste identique, et les arguments sont semblables. Citons par exemple:

L f° 142va-vb *Sed secundum hoc, quid faciet prelatus ecclesiasticus qui utrumque habet gladium? Dicetur quod gladium materialem exerceat per laicum. Si uideat ipsum remissum, poterit ipsum increpare et arguere de negligentia. Sed nonne hoc est ipsum excitare ad sanguinis effusionem. Non-*

---

[254] Édition, tome III, § 323, l. 1 ss.
[255] Édition, tome III, § 323-325.
[256] Édition, tome IV (en préparation), cap. CCCXVI, 1.
[257] Édition, tome IV (en préparation), cap. CCCXVI, 2.
[258] Édition, tome III, §324.
[259] Édition, tome IV (en préparation), cap. CCCXVI, 2; tome III, § 328.

> *ne si credulitatem habet precipere ut fiat, atrocitatem habebit arguere quare factum non fuit? Sicut si simoniacum est ante exigere, gieziticum est exigere post...* (260).

Ces lignes font écho à celles que nous trouvons dans la Summa (261). Les «jugements de Dieu» ou ordalies, appelés encore *iudicia peregrina*, ont retenu l'attention de Pierre le Chantre. Le rédacteur du manuscrit L leur a consacré, lui aussi, quelques pages (262), dont nous citons les fragments suivants:

L f° 142vb-143ra

> *...Si clerico prohibetur iudicium sanguinis, ita, immo longe forcius, et peregrinum iudicium, puta monomachia, igniti ferri, aque calide et consimilium, ideo maxime quod tendit ad sanguinis effusionem quia tale est si forte reus inciderit in iudicium illud subibit penam capitis. Quia istud iudicium in se illicitum etiam si non tenderet ad effundendum sanguinem, et ipsum fabricauit diabolica aduentio, laicus etiam ipsum nullo modo debet facere, ergo longe minus clericus, maxime cum reatum sanguinis habeat implicatum, quia propter utrumlibet inhibitum est a clerico. Secundum hoc ergo peccant omnes sacerdotes qui celebrant in hiis iudiciis / benedictionem uel alia sacramenta...*
>
> *...Sed ut dicimus, tutius esset clerico et minus dampnabile interesse iudicio sanguinis quam huiusmodi facere peregrina et adinuenticia iudicia, uel prebere auctoritatem eis celebrando benedictiones in eis uel exhibendo reliquias...* (263).

Alors que ces lignes peuvent être rapprochées de la *Summa Cantoris* (264) dont elles reflètent les doctrines, le rédacteur de cet Appendice du manuscrit L attribue à son maître une opinion assez inattendue:

> *Innuere uidetur quod si sanguinis effusio non esset ibi implicata ad terrorem et comprimendam*

---

(260) Édition, tome IV, (en préparation), cap. CCCXVI, 2.
(261) Édition, tome III, § 328, l. 1 ss.
(262) Édition, tome IV (en préparation), cap. CCCXVI, 3.
(263) Édition, tome IV (en préparation), cap. CCCXVI, 3.
(264) Édition, tome III, 2 § 327.

> *maliciam rusticorum, possent clerici qui talem*
> *habent iurisdictionem talia iudicia facere ad cor-*
> *rectionem tantummodo, non ad hoc ut execu-*
> *tioni mandentur, sed ut terreantur rustici, et ad*
> *pacem et compositionem interim inducantur* ([265]).

Il ne semble pas que cette opinion ait été emise et professée par Pierre le Chantre ([266]).

4° *L'excommunication*

L'Appendice du manuscrit L s'achève sur quelques *Questiones* consacrées à l'excommunication, dont nous retrouvons toute la substance dans la *Summa,* et il semble bien que ces pages ne soient qu'un écho des chapitres parallèles de la Somme de Pierre le Chantre. Certes, le plan adopté est tout à fait différent, et a priori il semble même meilleur. Pierre le Chantre, dans la *Summa,* commence par se demander pourquoi le desservant d'une église paroissiale ne peut excommunier un de ses paroissiens, puis il aborde le problème *de percussoribus clericorum* ([267]), et revient à son premier sujet: *Item. Vt ad priora redeamus, mirum est quare sacerdos non possit excommunicare et denuntiare excommunicatum aliquem nominatim in sua parrochia...* ([268]). Le rédacteur du manuscrit L, au contraire, traite d'abord de ceux qui exercent des violences sur les clercs et plus particulièrement par plaisanterie, et ensuite seulement, pose la question: pour quelle raison le simple desservant d'une église paroissiale ne peut-il excommunier ses ouailles ?

Mais si la forme et le plan sont différents, la doctrine reste substantiellement identique dans les deux ouvrages. De l'Appendice du manuscrit L, nous ne citerons que les dernières lignes qui sont intéressantes à plus d'un titre:

L f° 143rb-va
> *Superioribus adiungit de sacerdote in cuius*
> *conspectu et totius parrochie aliquis iniecit ma-*
> *num in clericum, utrum illum publicum uiolen-*

---

[265] Édition, tome IV (en préparation), cap. CCCXVI, 3.
[266] Édition, tome II, § 147, 1. 90, p. 355-356; et p. 355, n. 88, § 147, l. 116 ss., p. 357 sv.; App. II, cap. 10, l. 94 ss., p. 447.
[267] Édition, tome III, § 329 à partir de: «*Item.. Si diceret percussor quod percussisset...*»
[268] Édition, tome III, § 330, l. 1 ss.

tum et quasi notorium debeat euitare, cum episcopus suus non deuitet eum, licet publicum, cum sacerdos ille paratus esset docere / uiolentiam infinitis testibus. Quid ergo si episcopus precipiat ei sacerdoti ut ei communicat, uel ipsum suspenderit, nisi communicauerit, et alium substituat ei in sacerdotem.

Si dicas quod hoc deferat ad metropolitanum uel alium maiorem iudicem, forte talis est quod non habet maiorem nisi dominum papam, nunquid tenebitur ire ad dominum papam, et ita propter huiusmodi casus frequentes, consumetur laboribus et expensis, et ita compelletur relinquere parrochiam suam. Quid si talis excommunicatus subintrauerit ecclesiam dum uniuersum capitulum ibidem diuinas horas exequatur. Nunquid si presens episcopus uelit excommunicationem eius dissimulare acquiescet ei capitulum et procedet in executione diuini obsequii, an desistet ab officio et exibit contra etiam uoluntatem episcopi?

Hic non est pretermittenda quorumdam prelatorum consuetudo praua, qui compellunt iurare sacerdotes quotienscumque eos in ecclesiis instituunt, quod illi sacerdotes omnia iura eorum obseruabunt, male interpretantes quod sub sacramento hoc clauditur ut omnes causas et querelas parrochianorum ad eos deferant et quod nullos ad inuicem reconciliare possunt, nisi prius delato litigio ad episcopum qui utrumque uel alterum ad redemptionem ⟨sententie adducet⟩. Quod si hoc potest optinere ⟨episcopus⟩, ex necessitate tenebitur sacerdos ad seminandum et propagandum fraternum odium, quod per litigium oritur et propagatur et maxime cum alterius querelam, alter emunctus a prelato ⟨uehementer recusabit uel non audiet⟩.

Dicit ergo quod tale sacramentum sic intellectum, illicitum continet, et ideo nullatenus obseruandum nec reatus periurii in eo timendus, et nichilominus studeat sacerdos, spreto tali sa-

cramento, parrochianorum suorum paci et compositioni, que caritatem inter eos fouet.

Item. Sunt quidam prelati dicentes quod rurales sacerdotes nullam habent potestatem specialem excommunicandi aliquem, nisi tantummodo in generali. Vt: Excommunico illum qui hoc uel illud fecerit, uel qui bouem uel asinum surripuit. Sed si certum esset maleficium et certus qui illud fecisset, non haberet potestatem sacerdos sententiandi in ipsum nisi forte super hoc specialem acceperit licentiam. Vnde dicunt in premissa questione quod parrochianus ille qui in presentia sacerdotis clericum uerberauit, uel qui etiam choram eo est confessus, nondum est notatus uel pro notato habendus, ⟨eo⟩ quod hoc non est factum in iure, quia ille sacerdos non est uel non potest esse iudex nisi de speciali mandato in illa uel alia causa. Vnde illa confessio facta est choram non iudice et sententia est, si qua est lata, a non iudice lata est, et ideo episcopus dicit se licite ipsam contempnere.

Sed contra tales episcopos est auctoritas Ieronimi dicentis quod olim idem episcopus quod sacerdos, et licet multam usurpauerit sibi eminentiam episcopus, Ieronimus tamen modicam olim uoluit esse distantiam. Vnde sicut episcopus sententiare et excommunicare potest inter subditos, ita et sacerdos [269].

Voilà, dira-t-on, un texte qui témoigne de tendances presbytériennes. Mais à quelques détails près, on y retrouve la doctrine et les tendances exprimées dans la *Summa Cantoris*. D'une façon plus nette et plus concise, Pierre le Chantre a posé le même problème [270], connaît la même coutume obligeant les desservants des églises paroissiales à prêter serment à l'évêque d'observer toutes les traditions et coutumes, et notamment celle qui les empêche d'excommunier un de leurs paroissiens [271]; il fait preuve de la même sévérité à l'égard des prérogatives usurpées par les évêques, sans toutefois invoquer

[269] Édition, tome IV (en préparation), cap. CCCXVIII.
[270] Édition, tome III, § 329, l. 1 ss.
[271] Édition, tome III, § 330, *in principio*.

l'autorité de Saint-Jérôme ([272]). Le soi-disant presbytérianisme du rédacteur du manuscrit n'apparaît donc que comme un écho ou un simple reflet de l'habituelle sévérité de Pierre le Chantre pour les évêques de son temps ([273]).

Au terme de ces longues et fastidieuses investigations, nous constatons tout d'abord qu'il a été très difficile de réunir des éléments d'appréciation en nombre vraiment suffisant, et de qualité indiscutable.

Certes, on retrouve dans les *questiones* propres à L les préoccupations dont Pierre le Chantre faisait montre dans sa *Summa*. En outre la *Summa Cantoris* et cet Appendice ont en commun un certain nombre de *casus conscientiae* et de solutions doctrinales. Toutefois, si le fond est identique, la forme reste toujours nettement différente. On observe très souvent de part et d'autre les mêmes *auctoritates,* les mêmes tendances. De là à conclure que le mystérieux maître auquel le rédacteur du manuscrit L prête maintes opinions, sans jamais lui reconnaître le titre de *magister,* n'est autre que Pierre le Chantre, il n'y a qu'un pas.

Nous hésitons néanmoins à le franchir. En effet, les arguments invoqués, en dépit de leur valeur, ne sont pas sans se heurter à de nombreuses objections. On dira par exemple que les *casus conscientiae* ne sont probablement que des exemples d'école, qui devaient être largement répandus. On ajoutera que les solutions proposées, les tendances reconnues au maître implicitement désigné, n'étaient probablement pas le bien exclusif et caractéristique du Cantor: d'autres maîtres ont pu les partager; l'on pourrait même rechercher ces derniers dans l'entourage de Pierre le Chantre, songer par exemple à Guillaume des Monts.

([272]) Édition, tome III, §329 (T f° 141 ra) § 330.
([273]) Cf. par exemple, PIERRE LE CHANTRE, *Summa*..., édition, tome III, § 188, l. 20 ss., p. 305; § 342, p. 438-439. Il faut aussi ajouter un autre témoignage du «presbytérianisme» de l'Appendice propre à L. Nous lisons en effet: «*Sicut ergo episcopus in sua diocesi immobilis, ita et quilibet sacerdos in sua parrochia debet esse...*» (L f° 140va; tome IV (en préparation), cap. CCCVIII), ou encore: «Si ergo citra consilium Domini, id est auctoritatem sacre scripture, arbitrio proprio uult prelatus aliquem absoluere, uel cum eo dispensare — quod tamen, salua pace prelatorum dicimus —, non poterit hoc facere in hiis in quibus Deo tenetur, nec erit apud Deum absolutus...» (L, f° 139vb; tome IV (en préparation), cap. CCCVI).

D'autre part, s'il est exact qu'en général il n'existe pas de graves oppositions doctrinales entre la *Summa Cantoris* et les *Questiones* propres à L, il faut souligner le fait que le rédacteur de ces pages du manuscrit L, attribue à ce maître, dont il se garde de dévoiler l'identité, des opinions, des tendances, des conseils, qui ne cadrent pas parfaitement avec ce que nous révèlent les écrits de Pierre le Chantre, et notamment la *Summa de Sacramentis et Anime Consiliis*.

Que conclure ? Ces objections ne sont pas dénuées d'intérêt ni de valeur. Néanmoins, nous croyons que, s'il est impossible d'affirmer en toute certitude que le maître auquel le rédacteur fait de si discrètes allusions est Pierre le Chantre, il est tout aussi impossible de le nier. La candidature de Pierre le Chantre a d'ailleurs l'avantage d'être la seule défendable, du moins en l'état de nos connaissances.

Quant aux positions qui nous paraissent difficilement conciliables avec celles de la *Summa Cantoris,* elles ne soulèvent pas de difficultés insurmontables. En effet, il est possible que Pierre le Chantre ait varié, et on peut le supposer d'autant plus aisément qu'il s'agit de simples conseils pratiques, et non pas d'assertions doctrinales. D'autre part, la *Summa Cantoris* nous présente plutôt des opinions définitives, destinées en quelque sorte, à passer à la postérité, tandis qu'au contraire le manuscrit L, nous transmet des notes de cours ou un texte rédigé à partir de notes de cours. Or, il est assez fréquent qu'un maître dise, dans ses cours ou dans des entretiens particuliers, des choses qu'il ne voudrait pas, ou parfois n'oserait pas écrire. D'autre part, le rédacteur de notes de ce genre, nous livre-t-il avec une fidélité constante et une exactitude au-dessus de tout soupçon, l'enseignement du maître dont il a suivi les leçons ? On peut en douter. De nos jours encore, l'on pourrait constater qu'entre les notes prises par un étudiant et les cours enseignés par le professeur, existent assez souvent des divergences de détails: l'étudiant ne comprend pas toujours, ou bien n'a pas le temps de tout écrire. Bref, le facteur personnel, la défaillance de celui qui joue le rôle de scribe, ne doivent pas être négligés. Et il faut ajouter le fait que, dans le cas qui nous occupe, le rédacteur a pu volontairement donner de l'enseignement du maître une interprétation inexacte, ou même l'infléchir suivant ses tendances et goûts personnels. Rappelons d'ailleurs que ces divergences ne sont pas très importantes.

Et c'est pourquoi nous croyons que le mystérieux personnage auquel le rédacteur de ces pages fait de si discrètes allusions, n'est autre que Pierre le Chantre, et que ces notes de cours plus ou moins remaniées, peuvent être rangées parmi les écrits émanant de l'école du Cantor... jusqu'à preuve du contraire.

VI.- QUESTIONES ET MISCELLANEA DU MANUSCRIT M

Les quelques pages de *Questiones & Miscellanea*, que nous trouvons dans le manuscrit M à la suite des *Questiones de symonia* ([274]), retiendront notre attention moins longuement, et soulèvent d'ailleurs moins de difficultés. A leur égard, nous procèderons néanmoins toujours selon la même méthode.

A.- *FORMES A LA PREMIERE PERSONNE*

Concedimus: f° 160rb: ...Si ergo orationes ecclesie offerendo peccant, ergo in omnibus accessoriis peccant. Quod concedimus. In omnibus scilicet... (c. CCCXX).

Credimus: f° 162vb: ...Dicitur et est uerum et credimus quod scripture sacre eodem spiritu sunt exposite quo edite ...Sed non possumus utramque sequi cum sint contradictorie. Quod credimus... (c. CCCXXXI).

Credo: f° 159vb: ...Credo tamen quod nullo modo tanta et tam firma affinitas nascitur ex coitu fornicario sicut ex legitimo... (c. CCCXIX).

f° 160ra: ...Credo quod peccat talis, siue exigat siue reddat debitum, quia in tali opere nimis uehementer offenditur natura ...Quod consilium dabitur ei ? Credo quod minus peccatum est dormire cum propria... (c. CCCXIX).

Dicimus, Dixerimus, etc.

f° 160va: ...Et nos dicimus quod quicumque existens in mortali peccato, si aliquod publicum officium assumat... (c. CCCXX).

([274]) *Supra,* p. 239 ss.

	f° 160vb: ...Sed nec adhuc uidetur uerum si sic dixerimus... (c. CCCXXII).
	f° 163rb: ...Dicimus quod ipsa ars, et precepta que ibi ponuntur, bona est in se ...Dicimus quod non utitur ea sed tradit eam. Ille autem qui per eam corrumpit... (c. CCCXXXII).
Dico:	f° 162rb: ...Et hec dico pocius obuiendo quam asserendo... qui patrimonium Crucifixi pauperibus erogandum, non dico ad horam dat carni et sanguini... (c. CCCXXIX).
	f° 163rb: ...dico quod hec omnia in bono possunt fieri... (c. CCCXXXII).

B.- *FORMES A LA TROISIEME PERSONNE*

1°. *Allusion à un maître anonyme:*

f° 163rb   ...Tamen dicit magister quod ipsa ars est bona, tamen eius usus est malus... (c. CCCXXXII).

2°. *Allusions à des maîtres nommément désignés:*

Plusieurs maîtres sont cités:

Magister Adam:
   f° 161va   ...Opinio Magistri Ade quod quicquid dicitur de quartis et terciis et dimidietate episcoporum... (c. CCCXXVII, 2).

   ...Opinio Magistri Ade: Primum preceptum et generale bonum ⟨est⟩ quod secundum rei ueritatem iudex et non secundum allegata debet iudicare...

Magister Petrus Pict.:
S'agirait-il de Pierre de Poitiers, *Petrus Pictaviensis*?
   f° 160vb-161ra
   ...Sed nec adhuc uidetur stare, ut dicit Petrus Pict. Quoniam si Petro date sunt claues regni celorum ut sunt, et non potest quis ingredi celestis regni ianuam nisi per Petrum, probabile

uidetur, si Iohannes per Petrum ingreditur, ut Petrus maior sit Iohanne... (c. CCCXXIII).

Magister Pre., Magister Prepos., Magister Pre. ini.
Il semble que toutes ces abréviations pourraient se rapporter à *Magister Prepositinus,* Prevostin. La première serait sans doute susceptible d'une autre interprétation, *Precentor* par exemple, mais elle est si voisine des autres qu'il est permis de supposer que toutes concernent le même personnage.

f° 161va ...nisi separato ab ecclesia per annum et diem. Magister Pre.: Nullo modo tenet iniusta excommunicatio... (c. CCCXXVI).

...Opinio magistri Ade: Primum preceptum et generale bonum ⟨est⟩ quod secundum rei ueritatem iudex et non secundum allegata debet iudicare. Idem sensit Magister Prepos... (c. CCCXXVII, 4).

...Item. Opinio Ma⟨gistri⟩ Pre⟨posit⟩ini hec erat. Quod si aliquis de facto contraxisset matrimonium cum qua in secunda uel tercia linea cognationis... potius deberet fugere in heremum quam redderet ei debitum. Idem dicebat Magister Prepos⟨itinus⟩... (c. CCCXXVII, 5).

C. *OPPOSITIONS ENTRE LE REDACTEUR ET UN MAITRE*

On ne peut à dire vrai en relever. En effet, tantôt le rédacteur semble exposer ses idées personnelles, tantôt il cite sans commentaires les opinions de maîtres qu'il nomme. On peut tout au plus signaler un seul exemple où nous voyons le rédacteur citer, sans l'approuver, une opinion d'un maître dont il préserve l'anonymat.

(c. CCCXXXII). ⟨*De arte amandi*⟩.

Incipit (f° 163rb): Omnis scientia est a Deo, sed ars amandi est scientia. Ergo est a Deo ...*Explicit* (f° 163rb): ...Doctor uero tradit eam, non ad usum sed ad cautelam.

...Dicimus quod ipsa ars, et precepta que ibi ponuntur, bona est in se...

...Dico quod hec omnia in bono possunt fieri...

...Tamen dicit magister quod ipsa ars est bo-

>   na, tamen eius usus est malus. Nec sequitur re-
>   gulam dyaleticorum in hoc...
>   ...Dicimus quod non utitur ea sed tradit eam...

CONCLUSION

On a pu remarquer que les manifestations personnelles sont relativement nombreuses, surtout si l'on considère les modestes dimensions de cet ensemble de *Questiones & Miscellanea* dont nous avons précédemment analysé le contenu ([275]).

S'agit-il de notes de cours ? On trouve effectivement un certain nombre de textes très brefs, très sommaires, qui s'apparentent à des notes de cours. Quant au reste, rien ne nous autorise à y voir une sorte de *reportatio*. On pourrait donc supposer qu'il s'agit de l'œuvre d'un théologien de modestes prétentions. Mais serait-il possible d'en préciser l'identité ?

Pour ce faire, il n'est pas nécessaire, et il serait d'ailleurs impossible de procéder à une comparaison des doctrines respectives de ces modestes *questiones & Miscellanea* et de la *Summa Cantoris*. D'une part, dans ces *questiones et miscellanea* sont traités des sujets qui ne le sont pas dans la *Summa* ou qui le sont d'une toute autre manière ([276]). D'autre part, les textes du manuscrit M sont extrêmement brefs, et il est souvent impossible d'en dégager à proprement parler une doctrine. Tout au plus, pouvons-nous, rarement d'ailleurs, faire de brèves observations quand l'on est en présence de problèmes théologiques ayant été traités dans les deux ouvrages. C'est ainsi qu'au sujet de la simonie, l'auteur de ces *questiones et miscellanea* distingue une double intention:

> f° 162ra   ...Si obsequium tantum et principaliter attendit prelatus dum confert ei qui sibi seruiuit, siue dignus sit, siue indignus, facit simoniam et uiciosus fit ingressus.

---

[275] *Supra*, p. 248, 3°

[276] Citons par exemple, en nous référant au tome IV: cap. CCCXIX (*Casus de adulterio. De impedimentis matrimonii. De debito coniugali non reddendo propter penitentiam*), CCCXXIII (*De eo quod dicitur: Inter natos mulierum, non surrexit maior Iohanne Baptista*); CCCXXIV (*De eo quod cantatur in festiuitate cuiuslibet confessoris: Non est inuentus similis illi qui conseruaret legem excelsi*); CCCXXVIII (*De aduocatis*), CCCXXXII (*De arte amandi*).

> Si autem prima intentio propter quam confertur spirituale sit Deus, scientia, mores, uirtutes, et obsequium sit secundaria, symonia non sit.
> Quacumque autem intentione, nunquam indigno debet dari spirituales. Peccunia et obsequium siue dignum siue indignum, faciunt semper indignum. Preces autem pro digno porrecte non faciunt indignum... (²⁷⁷).

distinction subtile ignorée de Pierre le Chantre.

Dautre part, ce même auteur use d'une expression familière à Pierre le Chantre: *Non est meum diffinire ne in celum proiciam os meum* (²⁷⁸).

Mais ces rapprochements ou oppositions sont peu suggestifs. Peut-on songer que Pierre le Chantre soit l'auteur de ces pages ? Le fait qu'elles aient été ajoutées à la suite de la *Questio Petri Cantoris* semblerait une indication. Elle est néanmoins de peu de valeur. On hésitera d'ailleurs à attribuer à Pierre le Chantre des pages en général mal rédigées, bien que leur mauvaise rédaction puisse être en partie imputée au copiste qui peut avoir oublié quelques mots en maintes occasions. Toutefois, même si la candidature de Pierre le Chantre était favorablement envisagée, il demeurerait certain que quelques textes ne peuvent émaner de lui, et constituent de brèves notes de cours que seul un étudiant pouvait avoir le désir de réunir, et c'est dans ces notes que se trouvent cités les noms de Maître Adam, Pierre de Poitiers, Prévostin.

Pourrait-on songer à un disciple du Cantor ? Cette hypothèse ne peut être étayée par la moindre preuve, car on ne lit jamais le nom de Pierre le Chantre, et rien ne nous autorise à supposer que le maître anonyme puisse être identifié au Cantor (²⁷⁹).

Il semble toutefois possible d'affirmer sans crainte d'errer que ces *Questiones & Miscellanea* propres à M ont été réunis par un étudiant ou ancien étudiant parisien.

(²⁷⁷) Tome IV (en préparation), cap. CCCXXIX.
(²⁷⁸) M f° 162va, tome IV (en préparation), cap. CCCXXIX, *in fine*. Voir PIERRE LE CHANTRE, *Summa...*, tome II, § 110, 1., 126, p. 196: «*Non est meum os meum ponere in celum*», App. I, cap. 7, 1. 68 sv., p. 418: «Ergo non est istius os suum ponere in celum et ligare quem maior absoluit».
(²⁷⁹) Voir *supra*, p. 428, B, 1°.

CONCLUSION DU CHAPITRE

Ce long chapitre dont la lecture est aussi fastidieuse que le fut sa compositon, mérite-t-il une conclusion ?

Nous croyons qu'il aura permis au lecteur d'apprécier pleinement la complexité des problèmes que posent les *Questiones & Miscellanea* propres à chacun des manuscrits et ajoutés à la *Summa Cantoris,* telle que nous la trouvons dans le manuscrit de Troyes. Cette somme de Troyes, sans doute, a été achevée par l'adjonction de notes de cours, mais elle ne pose pas de problèmes aussi délicats que ceux soulevés par les textes dont l'ensemble constituera notre quatrième tome.

Ces textes, de natures diverses, émanent peut-être d'auteurs ou de rédacteurs différents, dont l'identification reste douteuse et problématique. L'examen le plus détaillé et le plus scrupuleux de ces textes ne peut que laisser perplexe. Pour aucun d'entre eux, nous ne parvenons à dégager une solution unique et sûre. Il faut en outre ajouter que ces textes ont un aspect fragmentaire, négligé. Ces caractéristiques justifient amplement, semble-t-il, notre décision de ne point publier ces écrits sous forme d'un quatrième volume de la *Summa Cantoris,* mais de les présenter comme un recueil de *Questiones & Miscellanea e schola Petri Cantoris Parisiensis*, titre suffisamment souple pour embrasser les textes théologiques les plus divers et peut-être d'origines différentes, encore qu'en général, pour l'instant, en l'état actuel de nos connaissances, il reste possible de les grouper sous la même étiquette: *e schola Petri Cantoris Parisiensis.*

ADDENDUM

LE SCHEMA DIDACTIQUE DU MS. L, f°144r (¹)

Eleuata est magnificencia Dei super celos dupliciter: In se / In bonis spiritibus

In se prout
- Inattingibilis maiestas : cuius ire nullus resistere potest. Job.
- **Infaillibilis veritas** : cuius sapientiam nil tacere potest
- Infatigabilis bonitas : cuius clementiam nil non confiteri potest

— Hester, conturbatum est cor meum **pre timore glorie tue**. Valde enim mirabilis es **Deus et facies tua plena gratiarum** (²)

In bonis spiritibus

In prima hierarchia
- amor : seraphim
- cognitio : cherubim — In quibus sedet trinitas ut
- iudicium: throni

caritas : **In seraphim** est: excellens feruor sempiterne motionis in Deum
— ueritas : **In cherubim** : excellens diuinorum miraculorum et summe plenitudinis contemplatio
equitas: **In thronis** : est patula et stabilis domini fratris aduentus susceptio

— In secunda hierarchia
- Dominaciones / dominatur / maiestas
- Principatus — In quibus — regit — ut — principium
- Potestates \\ tuetur, \\ salus

In tercia hierarchia
- Virtutes / operatur ut uirtus
- Archangeli — In quibus trinitas — reuelat ut lux
- Angeli \\ mittat ut inspirans.

In subcelestibus

In triplici differentia

Loci. In
- aere. id est, celi.
- aqua. idest, maris.
- terra. idest, campi.

Locati
- agrestilis (sic) quoad rationalis, quod est homo. irrationalis.
- uolatilis, idest, uolucres.
- aquatilis, idest, pisces.

/ **domestica necessaria** / uictui, idest, boues.
\\ siluestria, idest, pecora. 2 Petr. Hi uero uelud irraitonabilia pecora \\ uestitui, idest, oues.

celi ad
- substantiam
  - simplex
  - perspicua
  - perpetua
- speciem
  - spherica
  - stellis ornata   Sic anima iusti
  - motibus ornata debet esse
- operationem
  - purgat
  - illustrat

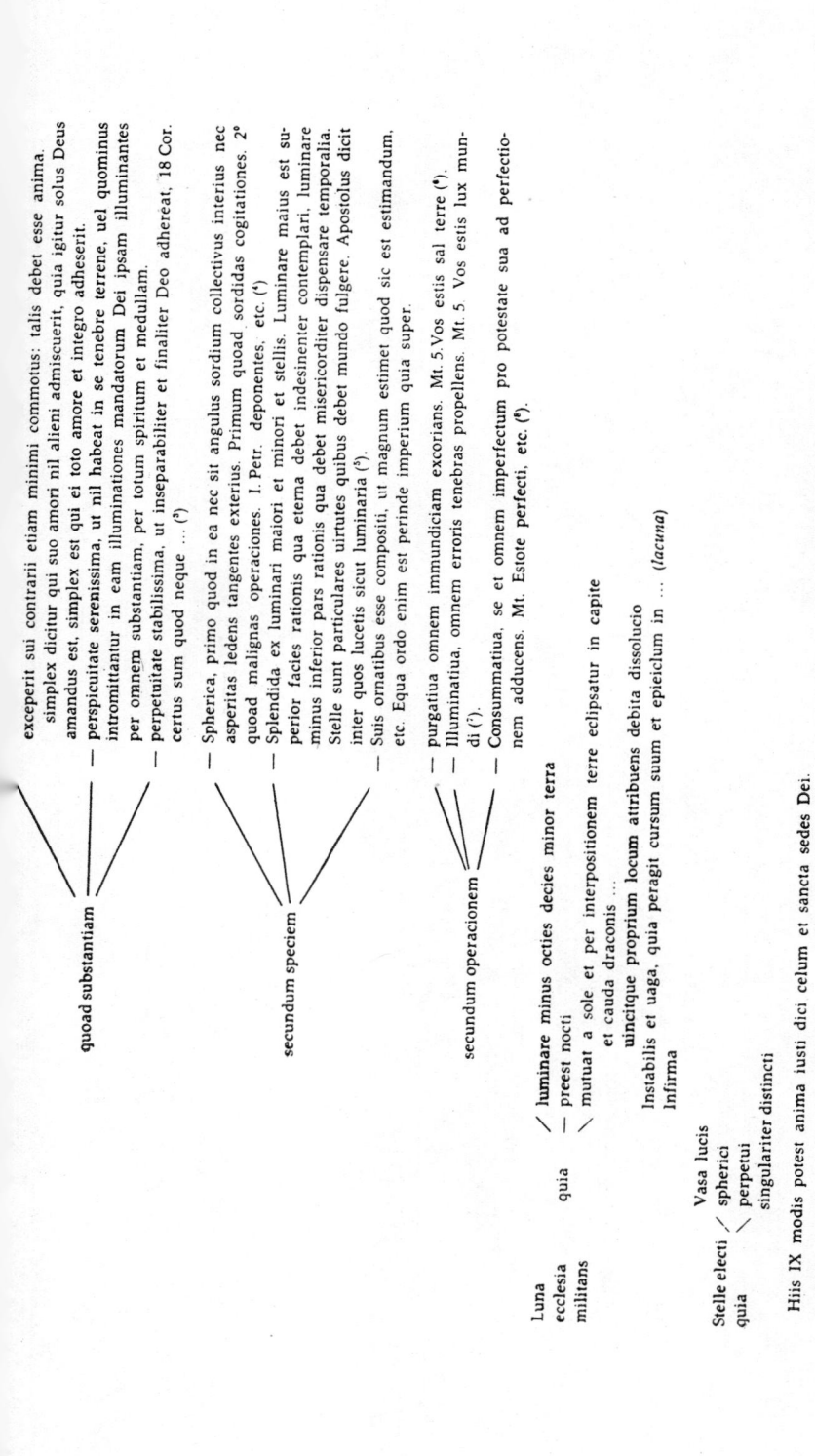

exceperit sui contrarii etiam minimi commotus: talis debet esse anima, simplex dicitur qui suo amori nil alieni admiscuerit, quia igitur solus Deus amandus est, simplex est qui ei toto amore et integro adheserit.

quoad substantiam
- perspicuitate serenissima, ut nil habeat in se tenebre terrene, uel quominus intromittantur in eam illuminationes mandatorum Dei ipsam illuminantes per omnem substantiam, per totum spiritum et medullam.
- perpetuitate stabilissima, ut inseparabiliter et finaliter Deo adhereat, 18 Cor. certus sum quod neque .... (¹)

secundum speciem
- Spherica, primo quod in ea nec sit angulus sordium collectivus interius nec asperitas ledens tangentes exterius. Primum quoad sordidas cogitationes. 2° quoad malignas operaciones. I. Petr. deponentes, etc. (²)
- Splendida ex luminari maiori et minori et stellis. Luminare maius est superior facies rationis qua eterna debet indesinenter contemplari, luminare minus inferior pars rationis qua debet misericorditer dispensare temporalia. Stelle sunt particulares uirtutes quibus debet mundo fulgere. Apostolus dicit inter quos lucetis sicut luminaria (³).
- Suis ornatibus esse compositi, ut magnum estimet quod sic est estimandum. etc. Equa ordo enim est perinde imperium quia super.

secundum operacionem
- purgatiua omnem immundiciam excorians. Mt. 5. Vos estis sal terre (⁴).
- Illuminatiua, omnem erroris tenebras propellens. Mt. 5 Vos estis lux mundi (⁵).
- Consummatiua, se et omnem imperfectum pro potestate sua ad perfectionem adducens. Mt. Estote perfecti, etc. (⁶).

Luna ecclesia militans **quia** / luminare minus octies decies minor terra
— preest nocti
\ mutuat a sole et per interpositionem terre eclipsatur in capite et cauda draconis ...
uincitque proprium locum attribuens debita dissolucio
Instabilis et uaga, quia peragit cursum suum et epieiclum in ... *(lacuna)*
Infirma

Stelle electi / Vasa lucis
quia \ spherici
perpetui
singulariter distincti

Hiis IX modis potest anima iusti dici celum et sancta sedes Dei.

(¹) Voir chapitre V.
(²) I. Petri, II, 1.
(³) Esther, XV, 16.
(⁴) Philipp, II, 15.
(⁵) Rom., VIII, 38.
(⁶) Matth. V, 13.
(⁷) Matth., V, 14.
(⁸) Matth., V, 48.

CHAPITRE VI

LE PROBLÈME DE L'AUTHENTICITÉ DU *DE HOMINE ASSUMPTO* DE LA *SUMMA CANTORIS* (¹)

D'aucuns estimeront sans doute que nos hypothèses sur l'élaboration de la *Summa Cantoris* sont fort fragiles et partant assez risquées.

Que ces hypothèses soient fragiles, nous l'admettons volontiers. Il nous eût été infiniment plus agréable de pouvoir les étayer par des données plus sûres encore. Nous espérons du moins avoir entraîné la conviction du lecteur en lui démontrant que l'étendue d'une *Summa de Sacramentis et Animae Consiliis* appartenant exclusivement à Pierre le Chantre est très difficile à délimiter (²), et que la *Summa Cantoris*, telle que nous la connaissons, telle que nous la livrent les manuscrits, ne peut être que le fruit du travail de rédaction de Pierre le Chantre, d'une part, et de quelques-uns de ses disciples qui ont utilisé leurs notes de cours, d'autre part (³).

Que nos hypothèses soient risquées, nous ne le croyons point, car elles reposent sur un certain nombre de données qui, si modestes soient-elles, ne peuvent être négligées, et, avec bien plus de hardiesse, d'aucuns ont pu songer à dépouiller la *Summa Cantoris* de quelques pages pour les attribuer à un autre auteur.

Nous avons maintes fois souligné (⁴) combien il est surprenant que la *Summa Cantoris*, ouvrage consacré en principe à l'étude de questions relevant de la théologie sacramentaire et

(¹) Édition, tome III, 2b § 353.
(²) *Supra*, p. 67.
(³) *Supra*, p. 193 ss.
(⁴) *Supra*, p. 21.

de la théologie morale, contienne un assez long traité *De homine assumpto*. Cet exposé christologique est certes digne d'intérêt. Mais comme la *Summa Cantoris* est composée d'éléments disparates, et notamment de notes de cours ajoutées à un texte primitif, l'on peut à bon droit se demander si ce texte ne constitue pas une addition de ce genre, quelque peu insolite; s'il provient de Pierre le Chantre ou de son école ([5]).

Que la question puisse être posée sans que la vraisemblance en soit heurtée me semble déjà significatif. Et elle l'a été, et fort judicieusement par Miss Eleanor Rathbone dans une courte biographie de Jean de Cornouailles ([6]), qui se donne pour but de projeter quelque lumière «sur le mystérieux personnage qui se cache sous le nom de Jean de Cornouailles» ([7]), «dont la carrière n'est guère connue» ([8]), mais dont il nous reste le fameux *Eulogium ad Alexandrum III Papam, quod Christus sit aliquis homo* ([9]), pièce importante à verser au dossier de la querelle christologique qui s'éleva autour de la célèbre proposition de Pierre Lombard ([10]): On admet que cet ouvrage aurait contribué à la condamnation, par Alexandre III, de la proposition incriminée ([11]), condamnation assez surprenante si

---

([5]) Mr. M. R. JAMES, auteur d'un très savant et très minutieux catalogue des manuscrits de LONDRES, *Lambeth Palace Library* (Montague Rhodes JAMES, *A descriptive catalogue of the manuscripts in the Library of Lambeth Palace*, Cambridge, University Press, 1930) semble lui aussi douter de la validité de l'attribution à Pierre le Chantre du *De homine assumpto* (*Lambeth Palace*, cod. 122; M. R. JAMES, *op.cit.*, p. 203 sv.) car il écrit: «P. Cantor (?). De homine assumpto».

([6]) Eleanor RATHBONE, *John of Cornwall, a brief biography*, dans *Recherches de Théologie ancienne et médiévale*, tome XVII, Janvier-Avril 1950, p. 46-60.

([7]) J. de GHELLINCK, *L'essor de la littérature latine au XII*ème *siècle*, Bruxelles, 1946, tome I, p. 73 n.

([8]) J. de GHELLINCK, *Le mouvement théologique du XII*ème *siècle*, 2ème édition, Bruges, Bruxelles, 1948, p. 253.

([9]) PL, CXCIX, 1043-1086.

([10]) Pierre LOMBARD, *Sententiarum libri Quatuor*, libr. III, disf. X, cap. 1 (*ed.cit.*, II, p. 593 sv.).

([11]) Lettre du 18 février 1177 à Guillaume aux Blanches-Mains, archevêque de Reims (depuis 1176). *Epist.* DCCLXXIII, JAFFÉ, 12785; MANSI, t. XXI, 1681. La date de 1177 a été fixée par F. DUCHESNE *(Histoire de tous les cardinaux français...*, 2 vol. in folio, Paris, 1660-1666, t. II, p. 133), et adoptée depuis par tous les éditeurs. C'est au contraire la date de 1179 qui est donnée par ROGER DE WENDOVER (*Flores historiarum*, ao. 1179, dans *Rerum britannicarum medii aevi Scriptores, Memorials and Chronicles*, t. LXXXIV, I, p. 126). On trouve également le texte dans

l'on songe qu'Alexandre III avait très nettement été influencé par le nihilisme christologique d'Abélard ([12]).

La date de composition de l'*Eulogium* a été discutée. Mgr. Grabmann, qui a donné de l'ouvrage une analyse détaillée ([13]), la fixait entre 1176 et 1181. Mais l' *Eulogium* ne contient pas la moindre allusion à la lettre de 1177 à Guillaume aux Blanches-Mains, archevêque de Reims, mais bien plutôt à la lettre du 18 Mai 1170 au même Guillaume, qui occupait alors le siège archiépiscopal de Sens, cette seconde lettre ne contient en effet aucune condamnation ([14]). L'*Eulogium* serait donc antérieur à la décision de 1177.

Par ailleurs, le P. F. Pelster a découvert dans le cod. PARIS, *Biblil. Mazarine, 265,* un second prologue plus long, qui semble témoigner que la composition de l'*Eulogium* se situe assez près de la promulgation du concile de Latran, promulgation qui eut lieu en 1177 ([15]), à moins que dans ce prologue il ne s'agisse que d'une allusion à un bruit vague ([16]), et dans ce dernier cas, il serait très difficile d'assigner un *terminus a quo* précis à la composition de l'*Eulogium*. Il est toutefois permis de supposer qu'il s'agissait de la véritable promulgation du

H. DENIFLE, *Chartularium Universitatis Parisiensis,* t. I, p. 8 sv., et dans les Décrétales de GRÉGOIRE IX, libr. V, tit. VII, cap. 7 (ed. Ae FRIEDBERG, *Decretalium collectiones,* Leipzig, 1879, col. 779) et DENZINGER, *Enchiridion symbolorum,* n. 393 (12ème édit.).

([12]) ROLAND BANDINELLI, *Sententiae*: «praesertim cum secundum quod homo non sit persona, et ut uerius loquamur nec menciamur, nec aliquid» (éd. A. GIETL, *Die Sentenzen Rolands nachmals Papstes Alexander III,* Fribourg, 1891), p. 177, avec la note de GIETL, p. 175-177.

([13]) Dr. Martin GRABMANN, *Die Geschichte der scholastischen Methode,* Fribourg i. Br., 1911, t. II, p. 399-402. Autre analyse dans J. BACH, *Die Dogmengeschichte des Mittelalters,* Vienne, 1875, t. II, p. 180-190.

([14]) ALEXANDRE III, *Epist. DCCXLIV,* JAFFÉ, 11806; MANSI, t. XXI, 119; PL, CC, 685. Il est d'ailleurs curieux de constater que dans deux manuscrits (DURHAM, *Cathedral Library,* cod. A, 11. 21; CAMBRIDGE, *Corpus Christi College,* cod. 62), l'*Eulogium* est accompagné de la lettre du 18 Mai 1170 d'Alexandre III à Guillaume, qui occupait alors le siège archiépiscopal de Sens. Cf. RATHBONE, *op.cit.,* p. 53.

([15]) «Cum in prima Eulogii edicione propter romanum quod tunc imminebat concilium, breui nimis et celeri stilo functus quedam omisissem, postmodum eadem prioribus adieci». Cf. cod. PARIS, *Bibliothèque de l'Arsenal,* f° 95r. - F. PELSTER, *Eine ungedruckte Einleitung zu einer zweiten Auflage des «Eulogium, ad Alexandrum III» Johannis Cornubiensis,* dans *Historische Jahrbuch,* Munich (Görres-Gesellschaft) t. LIV, 1934, p. 223-229.

([16]) Cf. J. de GHELLINCK, *Le mouvement...,* p. 255.

concile. Le prologue découvert par F. Pelster nous apprend en effet que la première édition de l'*Eulogium* fut écrite à la hâte, à la demande d'Alexandre III en vue des discussions du concile.

L'*Eulogium* fut-il lu au concile de Latran, ou tout au moins cité ? Nous n'en savons rien, mais il est fort probable qu'on y fit allusion. D'ailleurs, nos informations sur les débats christologiques au concile de Latran sont dûes à la plume acerbe de Gauthier de Saint-Victor. Celui-ci se rangeait parmi les adversaires les plus acharnés du Lombard, qui trouva cependant de fougueux défenseurs, et notamment en la personne d'Adam de Petit-Pont, évêque de Saint-Asaph. Alexandre III, cédant aux instances des disciples du Maître des *Sentences,* jugea bon de s'abstenir. C'est là ce qu'il faut retenir de la diatribe de Gauthier de Saint-Victor ([17]).

Quel que soit le crédit dont jouit l'*Eulogium* de Jean de Cornouailles auprès d'Alexandre III et des Pères du concile, cette œuvre garde son intérêt. «Ce qui la rend précieuse à nos yeux, outre les nombreux détails qu'elle contient sur les maîtres contemporains, ...c'est l'espèce de commentaire théologico-historique qu'elle donne des distinctions VI et VII du livre III des Sentences» ([18]).

On a attribué à Jean de Cornouailles un second ouvrage, l'*Apologia de Verbo Incarnato* ([19]). Son authenticité est aujourd'hui mise en doute ([20]). On allègue les différences de forme que l'on peut relever entre l'*Apologia* et l'*Eulogium*. «The *Eulogium* might be styled the careful, painstaking work of a theologian of moderate pretensions, while the Apologia is the care-

---

([17]) Le récit est extrait de la première partie du pamphlet de GAUTHIER de SAINT-VICTOR, *Contra quatuor labirinthos Franciae*, qui se trouve éditée, d'après un manuscrit de la Bibliothèque de l'Arsenal, par H. DENIFLE, *Die Sentenzen Abaelards und die Bearbeitungen seiner Theologie vor Mitte des XII Jahrhunderts,* dans *Archiv für Literatur und Kirchengeschichte des Mittelalters,* Berlin, t. I, 1885, p. 406-407. La deuxième partie a été éditée par B. GEYER à la suite des *Sententiae divinitatis: Das Zweite Buch von Walter von St. Viktors Schrift' Contra quator labyrinthos Franciae (Beiträge zur Geschichte der Philosophie des Mittelalters,* Münster, 1909),p. 173 ss.
([18]) J. de GHELLINCK, *Le mouvement...*, p. 255.
([19]) PL, CLXXVII, p. 295-316.
([20]) J. de GHELLNICK, *Le mouvement...*, p. 253; E. RATHBONE, *op.cit.,* p. 46-47; R. F. STUDENY, *John of Cornwall, an opponent of nihilianism,* Vienne, 1938, p. 83.

less product of a master», écrit R. F. Studeny ([21]). D'autre part, alors que l'*Eulogium* nous renseigne sur les opinions des maîtres contemporains, l'*Apologia* ne nomme aucun adversaire. Ces arguments sont en eux-mêmes insuffisants pour refuser à Jean de Cornouailles la paternité de l'ouvrage. N'a-t-on pas relevé de la même manière des divergences de forme entre le *Verbum abbreviatum* et la *Summa de Sacramentis et animae consiliis* de Pierre le Chantre ([22]) ? Le fait que nous trouvons l'*Apologia* sous le titre de *Obiectiones contra eos qui dicunt quod Christus non est aliquid secundum quod est homo* dans trois manuscrits provenant de l'abbaye de Saint-Victor ([23]), nous autoriserait à supposer que l'*Apologia* émane des milieux victorins ([24]), ou plus simplement que, répondant aux doctrines christologiques de ces mêmes milieux, elle y jouit d'une assez large diffusion. On ne peut songer à l'attribuer à Gauthier de Saint-Victor, car la modération du ton de l'*Apologia* et ses qualités contrastent trop vivement avec la violence, la partialité et les erreurs du pamphlet que l'on appelle communément: *Contra quator labyrinthos Franciae* ([25]), où d'ailleurs, entre les chapitres II et XVI, on a la surprise de retrouver l'*Apologia de Verbo Incarnato* ([26]). Plagiaire maladroit, Gauthier ne témoigne pas davantage d'une information exacte et d'un jugement très sûr.

Or, en ce qui concerne l'*Eulogium*, Miss Eleanor Rathbone a découvert certaines affinités entre cet ouvrage et le texte du traité *De homine assumpto* de la *Summa Cantoris* ([27]). Si nous confrontons les résultats de notre travail et les recherches de

---

([21]) R. F. STUDENY, *John of Cornwall, an opponent of nihilianism*, Vienne, 1938, p. 83.

([22]) B. HAURÉAU, *op.cit.*, cf. *supra*, p. XVIII, n. 66.

([23]) PARIS, *Bibl. Nat.*, cod. 14589, f° 191; cod. 14807, f° 115; cod. 14860, f° 77, cf. J. de GHELLINCK, dans *Festschrift Cl. Baeumker (Beiträge zur Geschichte der Philosophie des Mittelalters)* Münster, 1913, p. 96.

([24]) E. RATHBONE, *op.cit.*, p. 46-47; R. F. STUDENY, *Walter of St. Victor and the «Apologia de Verlo incamato»* dans *Gregorianum*, t. XVIII, 1937, p. 579-585.

([25]) Outre le texte de H. DENIFLE, (*supra*, n. 11, p. 438), on trouve encore de longs extraits de la première partie de la diatribe de GAUTHIER, dans DU BOULAY, *Historia Uuniversitatis Parisiensis,* Paris, 1665, t. II, p. 629-670; 402, 562 ss., reproduite dans PL, CXCIX, 1127-1172.

([26]) E. RATHBONE, *op.cit.*, p. 47; R. F STUDENY, *Walter of St. Victor...*, *loc.cit.*

([27]) Édition, tome III, 2 b, § 353.

Miss Rathbone, l'on constate que le *De homine assumpto* de la *Summa Cantoris* peut être trouvé dans cinq manuscrits:

 1° TROYES, *Bibliothèque communale, cod. 276* (T)
 2° PARIS, *Bibliothèque Nationale, cod. 3477* (W)
 3° PARIS, *Bibliothèque Nationale, cod. 9593* (P)
 4° LONDRES, *Lambeth Palace Library, cod. 122*, f° 172ra-176ra.
 Incipit: *Circa questionem hanc de homine assumpto...* Explicit: *...a filiatione uidetur inditum esse hoc nomen Ihesus.*

Dans ce manuscrit signalé par Miss Rathbone ([28]), et qui est l'œuvre de plusieurs copistes, on trouve le *De homine assumpto* à la suite de la *Summa Cantoris,* au milieu d'écrits dont nous avons donné l'analyse ([29]).

 5° LONDRES, *Lambeth Palace Library, cod. 80* f° 243vb-244vb.
 Incipit: *Circa questionem hanc de homine assumpto multi sibi...* Explicit: *...a filiatione uidetur inditum esse hoc nomen Ihesus.*

Dans ce manuscrit signalé également par Miss Rathbone ([30]), le traité *De homine assumpto* s'insère dans un ensemble de questions théologiques que nous avons analysées ([31]), et il se trouve précédé du titre suivant:

ARGUMENTUM ET QUESTIO COMPOSITA A MAGISTRO IOHANNE CORNUBIENSI RECITATA ROME

Peut-on accorder quelque crédit à ce titre? Le problème est posé par Miss Rathbone et mérite d'être étudié. L'*Eulogium ad Alexandrum III* et le *De homine assumpto* sont-ils dûs à la même plume?

Pour donner à ce problème une solution qui repose sur des données solides et non pas sur des hypothèses purement gratuites, il est nécessaire, croyons-nous, de mener une double enquête. Il nous faut 1° essayer de découvrir des indices extérieurs au *De homine assumpto* de la *Summa Cantoris,* susceptibles d'apporter quelques éléments de solution, 2° procéder à

---

[28] *Op.cit,* p. 54.
[29] *Supra,* p. 33.
[30] *Op.cit.,* p. 54.
[31] *Supra,* p. 60.

une étude comparative entre l'*Eulogium* et le *De homine assumpto*, et ensuite entre ce dernier traité et le matériel qu'il nous aura été loisible de réunir.

Cette double enquête, nous le verrons, sera particulièrement malaisée.

1.- *Données externes*

Cette première partie de notre enquête ne nous permettra pas de collecter un riche butin. Nous ne connaissons en effet aucun ouvrage des XIIe et XIIIe siècles — manuscrit, et *a fortiori* imprimé — où se trouve cité le *De homine assumpto* de la *Summa Cantoris*, et par conséquent, nous ne pouvons recueillir aucune indication sur son auteur. A défaut de renseignements plus précis, nous ne pouvons que prendre en considération le titre qui précède le *De homine assumpto* dans le cod. *Lambeth Palace, 80*, et d'autre part essayer de connaître les idées christologiques de Pierre le Chantre en utilisant à cette fin les *questiones* qui accompagnent la *Summa Cantoris* dans les manuscrits que nous avons utilisés.

En faveur de l'attribution du *De homine assumpto* de la *Summa Cantoris* à Jean de Cornouailles, on ne manquera pas d'invoquer le titre du *De homine assumpto* dans le cod. LONDRES,*Lambeth Palace Library 80*, à savoir: *Argumentum et questio composita a magistro Iohanne Cornubiensi recitata Rome*. Mais pris isolément, l'argument que l'on peut en tirer n'a que peu de poids. En effet, une attribution erronée, un titre fallacieux, sans être monnaie courante, ne sont pas exceptionnels. La *Summa Cantoris* elle-même, s'il fallait accorder quelque crédit au titre qu'elle porte dans le manuscrit PARIS, *Bibliothèque de l'Arsenal, 263*, f° 13: *Incipiunt questiones scolares Magistri Petri, Senonensis archiepiscopi*, devrait tout simplement être attribuée à Pierre de Corbeil ([32]). Du titre du cod. *Lambeth Palace 80*, l'on peut néanmoins retenir une chose: c'est que la tradition selon laquelle Jean de Cornouailles aurait présenté son *Eulogium* au concile de Latran, était solide et

---

([32]) PIERRE LE CHANTRE, *Summa de Sacramentis et Animae Consiliis* (édit. J. A. DUGAUQUIER, tome I, Louvain, Lille, 1954), p. LX-LXI.

largement répandue. Mais en ce qui concerne notre problème, l'on pourrait, plus sérieusement encore, contester l'argument tiré de ce seul titre, en faisant observer que, puisque le rédacteur s'est trompé d'ouvrage — c'est en effet l'*Eulogium ad Alexandrum III* et non le traité *De homine assumpto* qui a été composé en vue des discussions conciliaires — il a pu tout aussi bien faire erreur quant à la personne de l'auteur, en attribuant à Jean de Cornouailles le travail d'un autre théologien.

Mais, par ailleurs, pour pouvoir en toute certitude attribuer le traité *De homine assumpto* litigieux à Pierre le Chantre, ou même à l'un de ses disciples, il faudrait connaître la doctrine christologique du vieux maître parisien. Or, sur ce point, il faut bien avouer que nous ne possédons aucun renseignement. Les écrits de Pierre le Chantre, à l'exception de la *Summa Abel* qui embrasse les sujets les plus divers ([33]) et des gloses encore inédites sur l'Écriture sainte ([34]), sont presque exclusivement consacrés à la théologie morale et sacramentaire. Est-ce à dire que jamais il n'ait éprouvé le moindre intérêt pour les problèmes christologiques ardemment débattus par ses contemporains ? Ce serait impensable. Mais peut-être, avec sa prudence coutumière a-t-il jugé sage, ou plus simplement inutile d'y consacrer un traité ?

En fait, un examen attentif des *questiones* qui accompagnent la *Summa* nous révèle les préoccupations christologiques de Pierre le Chantre et de ses disciples, et c'est pourquoi nous ne croyons pas inutile d'effectuer un recensement de ces *questiones* strictement dogmatiques, dont certaines, réduites à quelque lignes, n'ont que peu d'importance.

([33]) *Distinctiones* ou *Summa quae dicitur Abel* (édit. Cardinal Pitra, *Spicilegium Solesmense*, III, Paris, 1852-1858, p. 1-308 ; *Analecta Sacra*, II, Paris, 1876-1884, p. 6-154, 585-623). Cf. M. Grabmann, *Die Geschichte der scholastischen Methode*, t. II, p. 483 ; Max Manitius, *Geschichte der lateinischen Literatur des Mittelalters*, III, München, 1931, p. 160 ; A. Landgraf, *Werke aus der engeren Schule des Petrus Cantor*, dans Gregorianum, 1940, pp. 44-71.

([34]) La liste des manuscrits des gloses de Pierre le Chantre sur la sainte Écriture a été donnée par le Père C. Spicq (*Esquisse d'une histoire de l'exégèse latine au moyen âge*, Bibliothèque thomiste, t. XXVI, Paris, 1944, p. 135). A ces gloses il faut ajouter le *De tropis theologicis* (Cf. Spicq, *op.cit.*, p. 135 ; M. Grabmann, *op.cit.*, p. 485) que nous avons déjà rencontré sous le titre *De contrarietatibus theologiae opusculum* (J. A. Dugauquier, *op.cit.*, t. I, p. LXIII).

1° W (f° 109rb-114rb) nous offre un long fragment dogmatique, consacré aux questions trinitaires:

> Incipit: *Recte studentium speculationem triplicem assignauit boeciana auctoritas*... Explicit: ...*Sicut est hec uera: Socrates humanitate est homo, et humanitate est albus* ([35]).

On notera que la fin de ces *questiones* se reconnaît dans le texte acéphale que l'on trouve en tête du manuscrit W ([36]). Ce très long exposé contient de nombreuses allusions à une querelle théologique sur les termes *persona* et *natura*.

En faveur du caractère de notes de cours de ce chapitre, on peut invoquer les allusions à un maître.

> *Magister tamen dicit quod ideo hec est falsa: Deus non est Pater* ([37]).

Ce qui laisserait supposer que ce n'est pas le maître lui-même qui rédigea ces *questiones,* mais un disciple qui bénéficia de son enseignement.

Quel est donc ce mystérieux maître ? On songe aussitôt à Pierre le Chantre, bien qu'il ne soit jamais nommé. Au contraire, le rédacteur cite un autre maître:

> *Preterea, sic in Remensi concilio dixit Magister Robertus de Bosco, archidiaconus Cataleunensis quod ipse sedeat ad pedes Magistri Asellini per septennium et multos alios literatissimos theologos audiuit et prius permitteret sibi amputari linguam quam ipse concederet Deum esse relationem uel naturam esse proprietatem* ([38]).

Ce maître, Robertus de Bosco, archidiacre de Châlons, siégea en effet au concile de Reims de 1148; et le maître Asellinus cité n'est autre que l'illustre Anselme de Laon ([39]). La controverse

---

([35]) Ce fragment constituera les chapitres LXXVI-LXXVIII du tome IV en préparation.

([36]) Voir Pierre le Chantre, *Summa...,* t. I (ed. cit.), p. XXXVII (W f° 1rb-3ra).

([37]) W f° 114rb, cf. cap. LXXVIII, du tome IV en préparation.

([38]) On trouvera ce fragment dans le chapitre LXXVIII du tome IV en préparation.

([39]) Mgr. M. Grabmann, *Die Geschichte der scholastischen Methode,* t. II, p. 137 sv.: «Derselbe Johannes von Salisbury berichtet in seiner 'Historia Pontificalis' einen Zug aus dem Verlauf der Synode von Reims (1148), der die gegen Anselm und Radulf von Laon noch lange nach deren Tode gehegte Hochschätzung verrät. Als auf dieser Synode die Fra-

trinitaire dont il est question dans W est, comme on le voit, assez ancienne et par conséquent ces éléments ne présentent aucun intérêt pour notre enquête. La législation du concile réuni à Reims par Eugène III en 1148, et où siégèrent, à côté des prélats français, des prélats anglais et allemands, ne porte pas trace de ces discussions. On remarque que ses canons nous sont parvenus dans deux rédactions ([40]). Par contre, il y fut question d'hérésies dangereuses. Jean de la Gaille, évêque de Saint-Malo, fit comparaître l'hérétique Eudes de l'Étoile qui fut condamné à la prison perpétuelle ([41]).

2° W nous offre aussi un second traité *De homine assumpto*
W f° 3ra-4rb
Titulum: *De homine assumpto* (encre rouge)
Incipit: *Queritur utrum Christus sit unum et plura...*
Explicit: *...propter maiorem superuenientem dignitatem ut prius dictum est uero est persona* ([42]).

Ce traité est fort bref mais néanmoins assez intéressant. On sait que dans ce manuscrit W (PARIS, *Bibl. Nationale, cod. 3477*), il précède la *Summa de Sacramentis et Animae Consiliis* ([43]). Il ne faut certainement pas le cataloguer parmi les œuvres de Pierre le Chantre, car l'on y dénote une opposition très nette entre son auteur et d'autres maîtres, parmi lesquels Pierre le Chantre.

Certaines formules prouvent bien qu'il ne s'agit pas d'une quelconque copie ou d'une sorte de *reportatio,* mais d'une œuvre bien personnelle.

Relevons ces manifestations personnelles les plus significatives:

W f° 3ra   *Dicimus ad primum quod Deus est unum solum...*

Ad sequens dicimus quod humanitas non facit quid in Domino...

ge, of die 'proprietates personarum' in der Trinität die Personen selbst sind, verhandelt werden sollte, da erhob sich der Archidiakon von Châlons, Magister Robertus de Bosko, und sprach für Verschiebung der Diskussion...».

([40]) MANSI, t. XXI, col. 711 sv., HÉFELÉ-LECLERCQ, *Hist. des Conciles,* tome V, 1re partie, p. 823 ss.

([41]) Voir GUILLAUME DE NEWBURY, *De rebus anglicis libri V,* et HÉFELÉ-LECLERCQ, *op.cit.,* p. 827 ss.

([42]) Il constituera le cap. CCLXXXIX du IVème volume en préparation.

([43]) PIERRE LE CHANTRE, *Summa...,* ed.cit., t. I, p. XXXVIII.

W f° 3rb   *Ad primum dicimus quod hec est falsa: Christus est hoc secundum quod homo...*

    ...Ad sequens dicimus quod iste terminus substantia potest sumi dupliciter, uel ut sit predicamentale...

W f° 3va   *Sed hanc non concedimus: Christus est non simplex...*

W f° 3vb   *Probo. Hec vox 'non homo', ut dicunt fere omnes...*

    Sed nos eam concedimus et hanc: Pater est non homo...

    Ad aliud dicimus quod non potest demonstrari...

    Similiter pono per impossibile quod una essentia...

W f° 4ra   *Ideo dicimus quod ante incarnationem...*

    Quero utrum Christus sit duo homines...

    Nos dicimus quod sicut eadem uox...

    Quod concedimus. Dicimus ergo quod aliud est ponere quod Christus...

À ses opinions personnelles, l'auteur oppose nettement celles d'un maître qui est ou qui fut probablement le sien, peut-être Pierre le Chantre. (De telles oppositions, nous le verrons, sont fréquentes, dans les textes que nous avons groupés sous le titre de *Questiones e discipulis Petri Cantoris*).

Citons les plus remarquables de ces oppositions:
W f° 3rb   *Potest tamen aliter dici secundum opinionem magistri et omnium fere theologorum...*

W f° 4rb   *Solutio. Dicebat Cantor quod non est idem homo...*

    Alii dicunt ut magister Petrus Corboliensis quod est idem homo...

A ces exemples très significatifs, il faut ajouter le fait que l'auteur nous signale fréquemment des opinions qu'il ne partage point mais dont, malheureusement, il ne nous dévoile pas les partisans.

D'autre part, il apparaît nettement que ce petit traité est postérieur à la condamnation de 1177, car on y trouve cette remarque qui ne laisse subsister aucun doute:

W f° 3rb   *Hec ergo concedenda est: Christus est aliquid secundum quod homo, quia qui eam negauerit, excommunicatus est a papa Alexandro.*

Ce traité de modestes dimensions et qui n'est pas dénué d'intérêt en dépit de sa date assez tardive dans la trop fameuse querelle christologique, présente-t-il quelques affinités avec le grand traité *De homine assumpto* de la *Summa Cantoris* ?

Pas plus que le *De homine assumpto* de la *Summa Cantoris*, il ne nous donne tous les noms des défenseurs des thèses que son auteur ne partage pas. L'identité de ce dernier demeure elle-même mystérieuse. Évidemment, il est impossible de songer à Pierre le Chantre. S'agit-il d'un disciple de ce dernier ? Certes, nous avons rencontré le nom de Pierre le Chantre, mais il est immédiatement suivi de celui de Pierre de Corbeil... Il serait vraiment osé de prétendre que le contexte est plus favorable à Pierre le Chantre. Si l'on voulait donner de ce texte une exégèse minutieuse, l'on pourrait dire qu'il a été écrit après le décès de Pierre le Chantre (*Dicebat Cantor...*) et du vivant de Pierre de Corbeil (*Alii dicunt ut magister Petrus Carboliensis...*), qui mourut en 1222 [44].

De toutes façons, un tel écrit, même s'il émane d'un disciple de Pierre le Chantre, ne peut guère nous renseigner sur la doctrine christologique de ce dernier, car les idées d'un disciple ne sont pas nécessairement celles de son maître. Il nous fait seulement connaître le sentiment du Chantre — et par la même occasion celui de Pierre de Corbeil — sur un seul point:

Item. Intelligatur per impossibile quod separetur humanitas a diuinitate. Homo remanet. Queritur utrum sit alius homo quam prius.

Quod idem, uidetur, quia eadem sunt componentia. Ergo idem compositum.

Contra. Modo est persona. Prius non fuit persona. Tunc enim essent quatuor persone in Trinitate. Ergo est alius homo.

Solutio. Dicebat Cantor quod non est idem homo, immo uariatur eo quod non fuerit persona et modo sit persona.

---

[44] Date retenue par Mgr. GRABMANN, *op.cit.*, p. 361.

> *Alii dicunt ut magister Petrus Corboliensis quod est idem homo...* ([45]).

Mais il demeure très difficile d'établir une parenté certaine entre le traité *De homine assumpto* de la *Summa Cantoris* et cette modeste dissertation qui la précède dans le manuscrit W. Le premier semble en effet plus étroitement lié à la controverse qui s'éleva autour de la proposition de Pierre Lombard. Dans l'un comme dans l'autre Pierre Lombard n'est pas cité, mais ceci n'est certes pas suffisant pour établir un rapprochement. L'*Apologia de Verbo Incarnato* ne le nomme pas plus ! D'autre part, le premier traité est une œuvre assez complète, le second est composé avec quelque négligence, bien que son auteur fasse preuve d'une certaine autorité dans ses assertions et l'affirmation de ses opinions.

L'existence de ce petit traité *De homine assumpto* précédant la Summa dans le manuscrit W, nous prouve toutefois que Pierre le Chantre n'était pas aussi indifférent qu'on pourrait le croire aux controverses christologiques.

3° W (f° 63va-64ra) nous en donne un autre exemple en offrant à notre curiosité un petit chapitre que l'on pourrait intituler *De corpore Christi post resurrectionem*.

> Incipit: *Cum Dominus post resurrectionem apparuit discipulis, dicit euuangelista quod ipsi estimabant se spiritum uidere...*
>
> Explicit: *...quia tunc non erant solliciti de natura corporis glorificati et ideo non oportuit eis ostendere argumenta ad probandum glorificationem. Tamen quedam ostendit eis ut quod ianuis clausis intrauit* ([46]).

Quel est l'auteur de cette *questio* assez brève mais dont l'argumentation est bien articulée ? Nous n'en savons rien. Notons que cette *questio* n'a nullement l'allure de notes de cours. Au contraire son auteur fait preuve d'une certaine maîtrise et de fermeté dans son exposé. Relevons quelques manifestations bien personnelles dans l'affirmation des solutions proposées:

f° 63vb   *Ad primum dicimus quod in rei ueritate puta-*

---

[45] W f° 4rb.
[46] Tome IV (en préparation) de notre édition, cap. XX.

> *bant apostoli se uidere spiritum Dei in carne assumpta ad horam...*

f° 63vb-64ra *Ad secundum dicimus quod in rei ueritate Dominus habet et habuit tunc corpus uere palpabile...*

f° 64ra *Quod autem obicitur Dominum ostendisse quedam argumenta per que poterat pocius probari corpus non fuisse glorificatum, respondemus...*

Malheureusement, ce texte ne nous fournit aucune indication sur la position adoptée par Pierre le Chantre dans la querelle théologique provoquée par la fameuse proposition du Lombard.

4° W f° 99vb-100va. Court chapitre infiniment plus intéressant en ce sens qu'il nous fait connaître des opinions de Pierre le Chantre et même d'un autre maître: Prévostin ([47]).

> Incipit: *Secundum Cantorem ratio institutionis huius nominis 'persona' in Trinitate hec est...*

> Explicit: *...tamen nullam circa Christum, licet tamen in eadem significatione conuenit nobis in qua Christo.*

Dans la marge, nous trouvons ce titre: *Que proprietates sunt factiue et que probatiue, et quid predicet hoc ⟨nomen⟩ persona*, puis cette mention: *Vacat, non pertinet ad rem.*

A plusieurs reprises on rencontre le nom de Pierre le Chantre:

f° 99vb *Secundum Cantorem ratio institutionis huius nominis 'persona' in Trinitate hec est. Inueniunt heretici in pluribus locis sacre scripture adiectiuum pluralis numeri dictum de Trinitate...*

f° 100ra *Ad hoc multiplex est solutio. Dicit Cantor quod hoc nomen 'persona' predicat personalitatem, non essentiam. Et est personalitas nomen rationis...*

> *Magister Petrus Cantor dicit quod hoc nomen 'persona' nec predicet essentiam, nec notionem, quia nil predicat. Supponat tamen semper personam...*

> (in margine) *Tamen noluit Cantor dicere quod*

([47]) Tome IV (en préparation) de notre édition, cap. LIX.

> *personalitas sit genus ad paternitatem uel filiationem, sicut neque hoc nomen persona est quasi genus ad hoc nomen paternitas...*

f° 100va
> *Dicit etiam Cantor quod hoc nomen Ihesus personaliter est supponens personam diuinam et inditum est ab angelo a personalitate Filii...*

Le nom de Prévostin n'apparaît qu'une seule fois:
f° 100ra
> *Magister Prepositinus dicit quod hoc nomen 'persona' aliud predicat et aliud supponit. Predicat enim naturam et supponit personam...*

On ne dénote aucune manifestation personnelle.

Il est donc clair que nous sommes en présence d'un texte qui n'émane pas du Cantor, mais probablement de l'un de ses disciples, qui utilisa ses notes de cours. Mais ce texte, s'il ne nous fait pas connaître directement la doctrine christologique de Pierre le Chantre,a, nous le verrons, une assez grande importance.

5° W f° 121ra.

Nous trouvons ici une très courte *questio,* d'intérêt plus immédiatement christologique, et que nous intitulerons: *De Christo in triduo* ([48]).

> Incipit: *Quidam dicunt quod Christus in illo triduo fuit homo unione Verbi ad corpus et ad animam quia semper fuit diuinitas unita corpori et anime...*
>
> Explicit: *...et ita Christus simul est mortuus et uiuus. Mortuus ratione corporis, uiuus ratione anime.*

On ne remarque aucun nom de maître, aucune allusion à un *magister* anonyme, mais une simple rédaction froidement impersonnelle qui ne nous apprend rien.

6° W f° 122va

Autre très courte *questio* que nous pouvons intituler: *De merito Christi* ([49]).

([48]) Tome IV (en préparation) de notre édition, cap. CI.
([49]) Tome IV (en préparation) de notre édition, cap. CV.

> Incipit: *Videtur quod Christus sola passione meruerit nobis apertionem ianue, quia dicit auctoritas...*
>
> Explicit... *Solutio. Abstinentia Iohannis per refrenationem nature fuit meritoria, sed Christo non erat opus freno, nichilominus tamen erat meritoria eius abstinentia.*

Dans ces quelques lignes de médiocre intérêt, on trouve une allusion à un maître dont l'identité ne nous est pas révélée:

> *Et tamen dicit Magister quod omni opere suo idem meruit nobis quod passione...*

7° W f° 128rb-vb

Le même manuscrit W nous offre une seconde question christologique que nous plaçons sous le titre: *De Christo in triduo* ([50]).

> Incipit: *Fundamentum preter quod non est aliud ponere est Christus Iesus, quo intellecto non est multum laborandum circa ea subtilia que aurem...*
>
> Explicit: Ergo cum Christus tunc fuit rationalis, *ipse fuit uel homo uel angelus uel anima. Sed non homo uel angelus, ergo fuit anima. Sed secundum omnes illa ultima est falsa.*

Nous y rencontrons une discrète allusion à un maître dont l'identité n'est pas davantage dévoilée:

> f° 128vb   *Item. Tunc fuit corpus et anima secundum Magistrum. Ergo tunc fuit corpus animatum...*
> *Item. Ipse probat quod tunc fuit anima quia ipse erat rationalis...*

Évidemment la présence du nom de Gilbert de la Porrée ne peut en rien nous aider. D'autre part, ce problème qui semble avoir retenu l'attention de la plupart des théologiens du XIIème siècle, comme le prouve une longue et importante étude de Mgr. A. Landgraf ([51]), est beaucoup trop éloigné de celui qui nous occupe.

([50]) Tome IV (en préparation) de notre édition, cap. CXXVII.
([51]) A. M. LANDGRAF, *Das Problem 'Utrum Christus fuerit homo in*

8° W contient encore une courte note franchement insignifiante sur Dieu.

W f° 129rb-va

>   Incipit: *In illo penitentiali psalmo: Domine, exaudi orationem meam, Gregorius, super...*
>   Explicit: *...ita in eternis rebus eternitas appellantur illa ipsa spatia que eterne nature perpetuitate significantur* ([52]).

9° Si nous passons au manuscrit que nous avons désigné par le sigle B, nous ne trouverons que de brèves notes de cours, au nombre de trois, et auxquelles, on ne peut décemment songer à accorder le nom de *questiones*. Leur brièveté même nous permettra de les citer intégralement.

B f° 150rb   *Licet quicquid scit Pater, sciat anima Christi, non tamen anima Christi scit creare aliquid. Sicut quamcumque potentiam habet Pater, habet Filius, Pater habet potentiam generandi Filium et illam habet Filius. Non tamen potentiam generandi Filium habet Filius, sed habet potentiam que est potentia generandi Filium* ([53]).

B f° 150va   *Christus est homo qui non est Pater. Sed esse hominem est esse quid. Ergo Christus est aliquid quod non est Pater. Petrus de Corb⟨olio⟩ concedit illationem, et tamen, simul concedit: Christus est aliquid quod est Pater.*

   Michi uidetur quod ibi commutatur quis *in* quid *et sic est fallacia commutationis predicamenti. Instantia. Non est hic homo Pater, sed esse hominem est esse* quid. *Ergo non est hic homo id quod est Pater* ([54]).

Si cette deuxième note n'apporte aucun élément nouveau à notre enquête, elle n'en est pas moins intéressante du fait que

---

triduo mortis', in der Frühscholastik, dans *Mélanges Auguste Pelzer*, Louvain, 1947, p. 109-158.

[52] Tome IV (en préparation) de notre édition, cap. CXXXI.
[53] Tome IV (en préparation) de notre édition, cap. CXCIV.
[54] Tome IV (en préparation) de notre édition, cap. CC.

le nom de Pierre de Corbeil s'y trouve mentionné, et du fait que le rédacteur se signale à notre attention (*Michi uidetur...*). Faut-il en conclure que ce rédacteur était un disciple de Pierre de Corbeil ? Ce serait trop hâtif. Certes, le fait qu'il rejette la proposition de Pierre de Corbeil ne prouve rien: un débutant aura parfois tendance à prendre le contre-pied des affirmations de son ancien maître dans le souci de mieux accuser sa propre personnalité, ce qui d'ailleurs pourrait prouver que le débutant a besoin de convaincre autrui et plus encore lui-même de l'épanouissement de sa personnalité dont il n'est probablement pas très assuré lui-même. Mais il importe de replacer ces quelques lignes dans leur contexte. Or le premier mot qui leur fait suite est le nom de Pierre le Chantre: *Cantor eligit multis nocentibus parcere ut unus innocens qui ab eis separari non potest, non inuoluatur in pena...* ([55]). Rien ne s'oppose donc à ce que l'on suppose que ce texte émane d'un disciple de Pierre le Chantre.

Bien moins intéressante s'avère la troisième note:

B f° 150va *Pudenda que pro nobis sustinuit Christus sunt, ut uiliora membra nature nostre et illorum membrorum officia. Hec omnia plene fateatur christianus, sed non nisi dum fides alicuius circa hec periclitatur; nec etiam tunc, nisi dum cogit, siue per inquisitiones increduli, siue quia negat Christum hec habuisse, siue quia reputat hec Christo indigna. Ignominiosa Christi ut crux, mors, sepultura, cibus, potus, tedium, tristicia, fatigatio et similia, hec sunt predicanda et magnificanda et dilatanda ubique; laudabilia Christi certum est ubique uere amplificanda* ([56]).

10° Le beau manuscrit PARIS, *Bibl. Nat. 9593*, que nous désignons habituellement par la lettre P contient lui aussi quelques lignes sur la Trinité et le Christ, que nous placerons sous le titre *De Trinitate et de Christo* ([57]), mais dont le contenu

---

([55]) B, f° 150va, tome IV (en préparation) de notre édition, cap. CCI.
([56]) Tome IV (en préparation) de notre édition, cap. CCII.
([57]) Tome IV (en préparation) de notre édition, cap. CCLXXIV.

s'avère fort décevant. Nous les trouvons d'ailleurs dans un contexte de *questiones* propres à P.

Ces quelques lignes (P f° 201va) ne sont même pas consacrées à un seul sujet bien déterminé.

> Incipit: *Indiuisa sunt opera Trinitatis. Quod uidetur falsum quia Pater omne iudicium dedit Filio. Ergo Filius ita iudicat quod non Pater...*
>
> Explicit: *...Dicimus quod Apostoli dicuntur fore tripliciter iudicantes, scilicet approbatione, loci eminentia, cognitione.*

Il ne semble pas que nous soyons en présence de notes de cours, car le rédacteur nous présente comme siennes les solutions et opinions qu'il propose. Citons:

> *Ad hoc dicimus quod in auctoritate non reperitur quod prepucium habeatur...*
>
> *Vel possumus hoc referre ad uerba iudicii, que quibusdam erunt mitia...*
>
> *Dicimus quod Apostoli dicuntur fore tripliciter iudicantes, scilicet approbatione,...*

11° A la fin du manuscrit Z aujourd'hui détruit, le lecteur pouvait trouver dans un groupe de *questiones* d'inégale valeur ces quelques lignes dénuées d'intêret:

Z f° 269va-vb

> *Cum dicitur: Deus habet scientiam ambulandi uel scit ambulare, tales propositiones significant Deum et scientiam et potentiam habere sic operandi. Et fortasse in ipsa potentia intelliguntur membra ad hanc congrua. Et ideo false sunt propositiones. Sed cum dicitur: Deus habet scientiam qua ambulatur, uel scit qua arte, uel qualiter ambuletur, tales propositiones sunt simpliciter uere. Habet scientiam que est inueniendi, nec tamen uel potest inuenire uel scit inuenire* [58].

Cette première partie de notre étude n'apporte apparemment aucun élément de solution, mais nous verrons ultérieurement qu'elle n'est pas inutile.

---

[58] Tome IV (en préparation) de notre édition, cap. CCXCVI.

A ces longues et fastidieuses pages, nous nous permettrons d'ajouter quelques remarques.

Tout d'abord, la présence presque constante du *De homine assumpto* dans la *Summa Cantoris* ou à la suite de celle-ci ([59]), semble un fait pour le moins troublant, et que par conséquent, l'on ne peut ni négliger, ni passer sous silence. Le manuscrit LONDRES, *Lambeth Palace Library 80,* constitue une exception, du moins en l'état de nos connaissances de la tradition manuscrite du traité susdit. Seul des manuscrits qui nous offrent de la *Summa Cantoris* une grande rédaction, le cod. B (PARIS, *Bibliothèque Nationale, 14521*) l'ignore. Peut-être observera-t-on que B provient de l'abbaye de Saint-Victor ([60]). Faut-il supposer que les Victorins étaient mieux informés sur la non-authenticité dudit traité ? Toujours est-il que le manuscrit B n'est pas l'un des meilleurs, il s'en faut de beaucoup. L'absence du *De homine assumpto* dans ce manuscrit B ne prouve rien quant à l'origine et l'authenticité de ce traité.

On ne manquera pas non plus de remarquer que la présence d'un exposé christologique est assez insolite dans un traité de théologie morale. Cependant, le lecteur du manuscrit W (PARIS, *Bibliothèque Nationale 3477*) qui a ajouté dans la marge les mentions *uacat, non pertinet ad rem,* à côté de maintes *questiones,* n'a pas cru devoir le faire à côté du *De homine assumpto.* Faut-il en conclure que ce lecteur, qui d'ailleurs n'est probablement que l'un des scribes à qui l'on doit le manuscrit W, avait quelque lumière sur l'appartenance du *De homine assumpto* à la *Summa* de Pierre le Chantre ou du moins à l'école de ce dernier ?

D'autre part, le texte de *Lambeth Palace 80* n'est certainement pas le meilleur. L'on serait même tenté d'affirmer qu'il est le moins bon. À la différence des traités *De homine assumpto* ([61]) trouvés dans la *Summa Cantoris* qui possèdent l'exacte allusion à la décision de 1177, *in quadam decretali* ([62]), le cod. *Lambeth Palace 80* porte: *in quodam concilio.* Ce dernier témoin nous induisant en erreur sur ce point précis, ne

---

([59]) Comme dans le manuscrit LONDRES, *Lambeth Palace Library, 122.*
([60]) Voir PIERRE LE CHANTRE, *Summa de Sacramentis et Animae consiliis...* (ed. J. A. DUGAUQUIER), tome I, p. XVII.
([61]) T, P, W et *Lambeth Palace 122.*
([62]) Édition, tome III, 2 b § 353, (T f° 152 vb).

le ferait-il pas également en attribuant le *De homine assumpto* à Jean de Cornouailles ?

Par ailleurs, cette date de 1177 oblige à situer chronologiquement le *De homine assumpto* de la *Summa Cantoris* après l'*Eulogium* de Jean de Cornouailles qui ne semble connaître que la lettre de 1170 ([63]). Quelle raison aurait pu inciter Jean de Cornouailles à composer sur cette question christologique controversée un second traité qui n'est certes pas meilleur que l'*Eulogium* ? On a quelque peine à le découvrir.

De même, puisque Jean de Cornouailles, comme le prouve Miss Rathbone ([64]), s'est établi en Angleterre dès 1170, et en dehors du voyage qu'il fit pour se rendre au concile de Latran, ne revint plus sur le continent, il faudrait admettre que le *De homine assumpto,* œuvre d'un auteur anglais, et peut-être postérieure au concile de Latran, connut en France une diffusion assez rapide, comme le prouve son existence dans nos trois manuscrits français T, B, W. Le fait n'est certes pas impossible.

Ces quelques remarques soulignent bien plus la complexité du problème qu'elles n'en font avancer la solution. Nous demanderons désormais celle-ci à l'examen et à la comparaison des textes.

II.- *Données internes*

Étude comparative

Procéder à une comparaison entre l'*Eulogium ad Alexandrum III* et le *De homine assumpto* de la *Summa Cantoris* s'avère une tâche particulièrement malaisée.

Il serait possible de relever un certain nombre de différences superficielles entre l'*Eulogium* et le *De homine assumpto,* pour refuser à Jean de Cornouailles la paternité de ce dernier traité.

L'*Eulogium ad Alexandrum III* se présente comme une œuvre de circonstance aux développements amples et abondants. Le *De homine assumpto* apparaît plutôt comme une œuvre scolaire sèche et rigoureuse... Mais de telles divergences ne prou-

---

([63]) ALEXANDRE III, *Epist.* DCCXLVIII (PL, CC, 684-685); JAFFÉ, 11809, E. RATHBONE, *op.cit.,* p. 58.

([64]) E. RATHBONE, *op.cit.,* p. 59.

vent rien. N'en a-t-on pas relevé de semblables entre le *Verbum abbreviatum* et la *Summa de Sacramentis et animae consiliis* ([65]) ?

On pourrait de même s'attacher à mettre en lumière les différences qui distinguent le plan de l'*Eulogium* de celui du *De homine assumpto*. Mais un auteur peut fort bien renoncer à un plan et en adopter un autre qui lui semble meilleur dans un second ouvrage. Il ne faut certes pas sous-estimer l'*Eulogium,* mais une lecture des titres des chapitres de ce travail semble prouver que le plan adopté n'est pas de la plus grande rigueur, et un examen approfondi de tout l'ouvrage confirme cette première impression.

D'autre part, alors que dans l'*Eulogium ad Alexandrum III,* les citations de Pères de l'Église et d'auteurs ecclésiastiques sont particulièrement abondantes, elles sont plutôt rares dans le *De homine asumpto*, où l'on ne rencontre guère plus de vingt citations patristiques et scripturaires.

Néanmoins, bien que l'Eulogium se présente parfois comme un centon de citations que, sauf exception ([66]), l'on ne retrouve pas dans le *De homine assumpto,* on constate aussi que la majeure partie des citations ou *auctoritates* de ce dernier traité ne se rencontrent pas dans l'*Eulogium ad Alexandrum III.*

Restent propres au *De homine assumpto* les *auctoritates* qui suivent:

Psalm., II, 8: «*Postula a me et dabo tibi gentes hereditatem...*» (édit., § 353, T f° 151 rb).

Psalm., XXVII, 1: «*Ad te Domine clamabo ne sileas a me...*» (édit., § 353, T f° 152 rb-va).

Psalm., LXXX, 9-10: «*Israel, si audieris me, nec erit in te Deus recens...*» (édit., § 353, T f° 152 ra).

Joan., I, 14: «*Et uidimus gloriam eius* » (édit., § 353, T f° 152 vb).

Joan., II, 3, 4: «*Vinum non habent... Quid tibi et michi mulier...*» édit., § 353, T f° 152 ra).

Joan., III, 13: «*Nemo ascendit in celum nisi qui de celo descendit...*» (édit., § 353, T f° 151 vb).

Joan., VIII, 58: «*Antequam Abraham esset...*» (édit., § 353, T f° 151 ra).

([65]) Cf. B. HAURÉAU, *Notices et extraits de quelques manuscrits de la Bibliothèque Nationale,* tome II, Paris, 1891, p. 7.

([66]) Voir plus loin, page 459 sv.

I Cor. III, 17: «*Templum Domini sanctum...*» (édit., § 353, T f° 153 vb).

Philipp., II, 6: «*Qui cum in forma Dei esset...*» (édit., § 353, T f° 151 rb).

Philipp., II, 9: «*Propter quod donauit illi nomen...*» (édit., § 353, T f° 150 va).

S. AUGUSTIN, *Sermo* (P. LOMBARD): «*Sicut adoro regem diadematum...*» édit., § 353, T f° 150 va).

S. AUGUSTIN, *Retract.*, (P. LOMBARD): «*...prohibuit ne quis Christum uocaret dominicum hominem...*» (édit., § 353, T f° ra-rb).

BOÈCE (?), *De persona et duabus naturis...*: «*Persona est rationalis creature...*» (édit., § 353, T f° 154 ra; 154 va).

DONAT: «*...hec dictio quis*» (édit., § 353, T f° 151 ra).

Glosa interlinearis in Rom., I, 3: «*consubstantiali*» (édit., § 353, T f° 151 rb).

Glosa in Psalm, II, 8 (P. LOMBARD): «*Tuam secundum te creatorem...*» (édit., § 353, T f° 151 rb).

S. GRÉGOIRE, *Moralia in Iob*: «*Solus descencit sed non solus ascendit...*» (édit., § 353, T f° 151 rb).

ORIGÈNE, *In Epist. Pauli ad Rom.,...* édit., § 353, T f° 150 ra).

Sont communes à l'*Eulogium* et au *De homine assumpto* de la *Summa Cantoris*, les *auctoritates* suivantes:

Rom., I, 3, 4: «*Qui factus est Deo Patri...*» (édit., § 353, T f° 150 ra) cf. *Eulogium*, c. XX (PL, CXCIX, 1084 D).

Philipp., II, 7: «*Et habitu inuentus ut homo...*» (édit., § 353, T f° 152 va) cf. *Eulogium*, c. II (PL, CXCIX, 1048 B).

Auctoritas (P. LOMBARD et *Glossa* 'Pro altercatione'): «*Quicquid habet Filius Dei per naturam, habet filius hominis per gratiam*» (édit., § 353, T f° 150 rb). *Eulogium*, c. IV (PL, CXCIX, 1055 C).

S. AUGUSTIN, *Liber LXXXIII Quaestionum* (P. LOMBARD) «*Quidam habitus mutat et non mutatur...*» (édit., § 353, T f° 152 vb) cf. *Eulogium*, c. II (PL, CXCIX, 1084 B). 1048 BC) où la citation de l'*auctoritas* est beaucoup plus longue et donne lieu à de plus amples développements.

Symbolum Athanasianum: «*Non duo tamen sed unus*

est Christus...» (édit., § 353, T f° 150 vb) cf. *Eulogium*, c. XIX (PL, CXCIX, 1081 D).

S. JEAN DE DAMAS, *De fide...*: «*...non est communem speciem predicare de Christo...*» (édit., § 353, T f° 154 ra). Mais alors que dans le *De homine assumpto* de la *Summa Cantoris* nous ne trouvons qu'une simple réminiscence, et de surcroît inexacte, du texte de St. Jean de Damas, Jean de Cornouailles en donne un large extrait auquel il ajoute un bref commentaire (*Eulogium ad Alexandrum III,* c. VIII, PL, CXCIX, 1065 C - 1066 C).

Un dernier rapprochement nous semblerait encore plus douteux:

Glosa ordin. in Psalm. XXVII,1 (et P. LOMBARD, *in loc.cit.*) «*...ne separares Verbum...*» (édit., § 353, T f° 152 va) cf. *Eulogium*, c. VII, (*ubi locus occurrit sub nomine Augustini*): Item. Augustinus: Ne sileas a me, id est ne unitatem verbi tui separes ab eo, quod homo ego sum (PL, CXCIX, 1060).

Quoiqu'il en soit, il résulte de ce bilan que le choix d'*autorités* opéré par l'auteur du *De homine assumpto* n'est pas le même que celui de Jean de Cornouailles. L'on pourrait même supposer que l'auteur du *De homine assumpto* a trouvé la plupart de ses *auctoritates* dans les gloses et dans les écrits de Pierre Lombard; c'est vraisemblablement de mémoire qu'il cite Boèce, Donat, Origène, St. Grégoire et St. Jean de Damas. Au contraire, Jean de Cornouailles a dû se livrer à des recherches plus précises car il fait montre de plus de fidélité à l'égard des auteurs qu'il cite.

Plus sérieusement encore, les *auctoritates* et citations se présentent dans un contexte différent dans l'*Eulogium* et le *De homine assumpto*. Jean de Cornouailles, dans son *Eulogium*, groupe les citations scripturaires ([67]) ou d'auteurs ecclésiastiques ([68]) dans des chapitres ou tout au moins dans des paragraphes bien déterminés. Dans le *De homine assumpto* cita-

---

([67]) Par exemple, *Eulogium,* cap. V (PL, CXCIX, 1056 AB).
([68]) Par exemple, *Eulogium,* cap. II: *Auctoritates sanctorum...* (PL, CXCIX, 1048-1049); cap. V (ib., 1056B-1057D) cap. VII (ib., 1059D-1060C); cap. X (ib., 1067AC); cap. XI (ib., 1068D-1070C); cap. XIII (ib., 1072C-1073B); cap. XV (ib., 1073C-1074C).

tions scripturaires, patristiques ou profanes sont intimement mêlées aux arguments rationnels.

Enfin, le raisonnement tient une place proportionnellement plus grande dans le *De homine assumpto* de la *Summa Cantoris* que dans l'*Eulogium ad Alexandrum III* de Jean de Cornouailles.

Tous ces faits et indices ne peuvent et ne doivent pas être négligés, mais ils n'ont pas une force suffisante pour nous convaincre que Jean de Cornouailles n'est pas l'auteur du *De homine assumpto*.

Au contraire en faveur de l'attribution du *De homine assumpto* de la *Summa Cantoris* à Jean de Cornouailles, on a parfois invoqué d'autres arguments.

a) Le *De homine assumpto*, a-t-on dit, n'a nullement l'allure d'un pamphlet et son ton modéré s'apparente à celui de l'*Eulogium* dont l'auteur «ne manifeste aucune opposition à Pierre Lombard; il le traite même avec une réserve respectueuse; il ne combat que cette doctrine ou plutôt cette opinion du maître, car Pierre Lombard, nous dit-il, ne la présentait pas comme définitive...» ([69]).

> «*Quod uero a magistro Petro Abaelardo hanc opinionem suam magister Petrus Lombardus accepit, eo magis suspicatus sum, quia librum illum frequenter prae manibus habebat, et forte minus diligenter singula perscrutans, ut, qui ex usu magis quam ex arte disputandi peritiam haberet, falli poterat. Opinionem suam dixi. Quod enim fuerit haec eius opinio certum est. Quod uero non fuerit eius assertio haec, ipse testatur in capitulo suo*» ([70]).
>
> «*Praeterea, paulo antequam electus esset in epis-*

Les *rationes* forment aussi des masses compactes, par exemple: cap. VI (ib., 1058-1059); cap. VII (1060D-1062B); cap. VIII (ib., 1062B-1063C), etc.

([69]) J. de GHELLINCK, *Le mouvement...*, p. 254. Jean de Cornouailles, parlant des erreurs du Lombard, dit qu'il s'agissait d'une erreur d'*opinio* et non d'*assertio*, d'une *falsitas* et non tout à fait d'une *error*. C'est vrai, mais il semble qu'on ne prend pas l'ensemble du texte en considération, et que l'on s'attache trop souvent à donner de quelques citations une interprétation exagérément lénifiante.

([70]) *Eulogium ad Alexandrum III*, cap. III (PL, CXCIX, 1052D).

copum Parisiensem, mihi et omnibus auditoribus suis, qui tunc aderant, protestatus est, quod haec non esset assertio sua, sed opinio sola quam a magistro acceperat. Haec etiam uerba subjecit: «*Nec unquam Deo volente, erit assertio mea, nisi quae fuerit fides catholica.*» *Postea vero per quosdam homines loquaces magis quam perspicaces, quae nec in cubiculis essent audienda, usque hodie praedicantur super tecta*» ([71]).

«*...sed multis eorum lectionibus et disputationibus interfui, in quibus et de homine assumpto et de aliis quibusdam magistri Petri Lombardi doctrinam falsitatis arguebant, ne dicam erroris*» ([72]).

«*Cui auctoritati miror magistrum Petrum Lombardum istud subscripisse*» ([73]).

«*Errant ergo potius qui nomine humanitatis substantialem proprietatem a qua homo nominatur, significari negant; sed sicut praediximus, vel in scriptis suis vel in disputationibus asseruisse magister Petrus credebatur, postea nobis non asserenda, sed studiosius disserenda reliquit uel discutienda*» ([74]).

Cependant, Jean de Cornouailles semble parfois faire preuve de plus de sévérité:

«*Me vero non metuo vel ingratitudinis vel levitatis damnari, si quae junior accepi vel tradidi, nunc tamen senior graviori et saniori judicio immutaverim. Non est hoc culpa levitatis, nisi leves judicandi sunt omnes peccatores qui vel sero poenitent; non ingratitudinis, nisi haec gratia debeatur magistris, ut eorum sequamur errores; cum unus sit magister noster qui in coelis est, contra quem quidquam sentire vel cuiquam consentire non licet*» ([75]).

Avec insistance il réclame une condamnation:

([71]) *Eulogium...*, cap. III (ib., 1053A).
([72]) *Eulogium...*, cap. IV (ib., 1055A).
([73]) *Eulogium...*, cap. XI (ib., 1070C).
([74]) *Eulogium...*, cap. XI (ib., 1071BC).
([75]) *Eulogium...*, cap. XIX (ib., 1084BC).

> «*Hoc est desiderium meum, haec est petitio mea, ut, sicut Romani pontificatus apicem decet, generali decreto et in perpetuum valituro sublimitas vestra praecipiat omnes nos in unum de homine assumpto certa sapere. Et hoc amplius de assumptione hominis quam de assumptione vestis sentire...*» ([76]).

Par contre, le traité *De homine assumpto* de la *Summa Cantoris* ne contient pas la moindre allusion à Pierre Lombard.

b) Plus typiquement encore, l'on a remarqué de part et d'autre un certain goût pour les métaphores militaires:

> «*Nunc igitur quia adversarii nostri de magistris gloriantur, et nos aliqua pro nobis magistrorum ducamus testimonia, ut fortissimis sanctorum cuneis etiam doctorum huius temporis levior armatura praeludatur*» ([77]).

> «*Nos igitur modulum ingenioli nostri modificantes opiniones singulorum, ne quorumdam dicamus errorem, in area disputationis uentilabimus, ut que digne reprobatione fuerunt si expugnare non possumus saltem pro uiribus impugnemus. Cui autem inspectio nostra dicere elegerit: Tu michi sola places, muro auctoritatum eam muniamus et multo conserto robore contra sagittantium insidias clipeum responsionis opponamus. Sed quia ex quodam apostoli uerbo...*» ([78]).

c) On dénote de même un souci identique de soutenir la thèse à l'aide des écrits des Pères et des arguments rationnels:

> «*Hic breviter discursis, quatenus dicendorum notitia plenior haberetur, restat ea quae in exordio demonstranda proposuimus, firmissimis sanctorum testimoniis et rationibus fidei consentaneis roborare, ut quasi post quaedam praeludia, jam nunc ad seria veniatur*» ([79]).

([76]) *Eulogium...*, cap. XX (ib., 1085B).
([77]) *Eulogium...*, cap. III (ib., 1053B).
([78]) PIERRE LE CHANTRE, *Summa de Sacramentis...* édition, tome III, 2b, § 353, *De homine assumpto* (T f° 150ra).
([79]) *Eulogium...*, cap. IV (ib., 1056A).

> «*Et quia in hujusmodi errores incidunt, et qui negant Christum secundum humanitatem aliquid fuisse, nos huic falsitati contrariam veritatem auctoritatibus et rationibus munitam esse demonstremus*» ([80]).
>
> «*Cui autem inspectio nostra dicere elegerit: Tu michi sola places, muro auctoritatum eam muniamus et multo rationum conserto robore contra sagittantium insidias clipeum responsionis opponamus*» ([81]).

Ces rapprochements ne parviennent pas à nous rallier à la candidature de Jean de Cornouailles. D'une part, on peut douter que l'usage des métaphores, et même des métaphores militaires, soit propre à Jean de Cornouailles. Il est plus probable que d'autres en aient usé bien avant Jean de Cornouailles et Pierre le Chantre et l'auteur du *De homine assumpto*.

Quant au souci d'asseoir une thèse tant sur les *autorités* que sur les arguments de raison, il est moins probant encore. Pierre le Chantre a maintes fois affirmé son attachement aux *auctoritates,* et il n'est pas le seul à l'avoir fait. Presque tous les auteurs des XIIe et XIIIe siècles ont largement puisé dans ces deux trésors quasi inépuisables pour donner à leurs dissertations une argumentation solide — du moins en apparence — et les hérésiarques de petite envergure tout autant, sinon plus que les auteurs orthodoxes !

Si néanmoins l'on tient à accorder quelque crédit au titre qui précède le *De homine assumpto* dans le manuscrit LONDRES, *Lambeth Palace* 80 — crédit, qu'à notre avis, il ne mérite pas — et si l'on croit découvrir des affinités entre l'*Eulogium ad Alexandrum* et le *De homine assumpto* — affinités bien incertaines et ne prouvant rien — et que par suite, l'on songe à attribuer le *De homine assumpto* à Jean de Cornouailles, l'on se heurte immédiatement à plusieurs obstacles difficilement surmontables.

Que le *De homine assumpto* de la *Summa Cantoris* soit dû à la plume de Jean de Cornouailles nous semble peu vraisem-

---

([80]) *Eulogium...*, cap. VI (ib., 1059C).
([81]) PIERRE LE CHANTRE, *Summa de Sacramentis...*, tome III, 2b, § 353, *De homine assumpto* (T f° 150ra).

blable. Pourquoi Jean de Cornouailles aurait-il composé un tel traité qui ne serait qu'un remaniement de son *Eulogium* ? Peut-on même parler de remaniement ? Il s'agit bien plutôt d'une œuvre absolument différente, et il est assez surprenant que dans ce *De homine assumpto,* Jean de Cornouailles n'ait pas fait un usage plus abondant des *auctoritates* et des *rationes* dont l'*Eulogium* constituait un véritable arsenal. Et d'ailleurs, c'est l'*Eulogium* et non le *De homine assumpto,* qui a été écrit en vue des discussions du concile de Latran. En outre, que viendrait faire cet écrit supposé de Jean de Cornouailles au beau milieu de la *Summa Cantoris* et des *questiones* qui l'accompagnent ?

Avec beaucoup de prudence, Miss Rathbone suggère une hypothèse dont elle ne fait pas elle-même grand cas: le *De homine assumpto* serait peut-être une sorte de *reportatio* de l'exposé de Jean devant le concile ([82]). Cette hypothèse est-elle recevable ?

On pourrait à bon droit lui opposer que le texte du *De homine assumpto* n'a nullement le caractère d'une *reportatio*. On ne peut y découvrir le plus petit indice littéraire nous autorisant à y voir soit une *reportatio,* soit quelque large «compte-rendu». Tout au contraire, l'auteur du *De homine assumpto* semble avoir rédigé lui-même son traité; son exposé a parfois un accent personnel indéniable. A titre d'exemples, nous citerons:

> *Nos igitur modulum ingenioli nostri modificantes opiniones singulorum, ne quorumdam dicamus errorem, in area disputationis uentilabimus, ut que digne reprobatione fuerunt si expugnare non possumus saltem pro uiribus impugnemus. Cui autem inspectio nostra dicere elegerit: Tu michi sola places, muro auctoritatum eam muniamus, et multo conserto robore contra sagittantium insidias clipeum responsionis opponamus* ([83]).
>
> *Quero ergo de illo homine assumpto utrum...* ([84]).

---

[82] E. RATHBONE, *op.cit.,* p. 58: «This difference in order might be accounted for, however, if the Lambeth work should prove to be a form of reportatio, so to speak, of John's argument before the Council...».

[83] T f° 150ra. Édition, tome III, 2b, § 353.

[84] T f° 151vb. Édition, *loc.cit.*

> *Dicimus ad priorem obiectionem...* ([85]).
>
> *Ad secundum obiectionem dicimus quod...* ([86]).
>
> *Opinionem suam uidebantur fundere super illam auctoritatem Apostoli: Et habitu inuentus ut homo. Vnde primo, exponamus hanc auctoritatem et postea eis obiciemus...* ([87]).
>
> *A simili cum dico...* ([88]).
>
> *Cum ergo dico...* ([89]).
>
> *Sicut cum dico...* ([90]).
>
> *Vnde etiam cum dico...* ([91]).
>
> *Licet superius breuiter tetigimus de personalitate Christi...* ([92]).

Il faudrait aussi admettre que l'auteur de cette soi-disant *reportatio* ait procédé à de tels remaniements que l'œuvre primitive en ait été dénaturée.

Comment d'autre part expliquer la présence de cette prétendue *reportatio* du traité de Jean de Cornouailles parmi des écrits de Pierre le Chantre ou de ses disciples ? On ne peut dire que le *De homine assumpto* ait échoué accidentellement dans les manuscrits de la *Summa*: leur nombre rend impensable un tel accident !

Il n'est peut-être pas inutile de devancer certains esprits subtils qui voudraient à tout prix trouver une «explication» douée de la vertu mirifique de concilier toutes les données du problème. Il y a de bonnes raisons de croire que Pierre le Chantre assista au concile de Latran ([93]). Peut-être, dira-t-on, eut-il l'occasion d'y connaître Jean de Cornouailles et de l'entendre exposer le contenu de son *Eulogium*, peut-être même en a-t-il pris des notes. Plus tard, à l'aide de ces notes, il aurait composé un traité *De homine assumpto,* et soucieux d'en faire une œuvre scolaire, d'enseignement, il aurait banni de son modèle tous les noms des maîtres contemporains. Cette hypothèse justifierait tout d'abord les rapprochements (!) que l'on peut faire

---

[85] T f° 152rb. Édition, *loc.cit.*
[86] T f° 152va. Édition, *loc.cit.*
[87] T f° 152va.
[88] T f° 153ra.
[89] T f° 153rb.
[90] T f° 153rb.
[92] T f° 154va.
[91] T f° 153va.
[93] *Supra,* p. 180.

entre l'*Eulogium* et le *De homine assumpto* de la *Summa Cantoris*; et en second lieu les divergences qui séparent ces deux ouvrages, en même temps que la présence du *De homine assumpto* dans nos manuscrits.

Tentative de conciliation trop parfaite, une telle hypothèse mérite d'être qualifiée de supposition purement gratuite et ne reposant sur aucune donnée, elle apparaît pour le moins chimérique. Elle est en outre inutile. Elle aboutit somme toute à accuser Pierre le Chantre de plagiat. Mais où se trouve le plagiat ? Pierre le Chantre, — s'il est l'auteur du *De homine assumpto* — n'a utilisé ni les *auctoritates,* ni les arguments rationnels, ni le plan de l'*Eulogium*. Que l'*Eulogium* ait donné à Pierre le Chantre l'idée d'apporter sa contribution au débat christologique en écrivant un traité sur la matière, c'est fort possible, encore que nous n'en ayons aucune preuve. Mais ce n'est pas parce que Mozart écrivit des sonates pour clavier, que tous les compositeurs qui l'ont suivi dans le temps doivent être accusés de plagiat, et encore il est probable qu'ils doivent davantage à leur illustre prédécesseur que Pierre le Chantre à Jean de Cornouailles.

Comme on le voit, les éléments qui seraient susceptibles de faire pencher la balance en faveur de Jean de Cornouailles sont des plus insignifiants. Ceux qui plaident en faveur de la cause de Pierre le Chantre sont-ils certains et déterminants ?

Les présomptions nous autorisant à voir dans le *De homine assumpto* une œuvre de Pierre le Chantre sont au nombre de trois et de valeur fort inégale.

1° On remarque tout d'abord que l'auteur du *De homine assumpto* fait preuve de bien peu d'enthousiasme à l'égard de la thèse que Jean de Cornouailles nous présentait comme orthodoxe. Il écrit en effet:

> *Tertia opinio probabilior uidetur esse. Dicunt enim quod Christus est aliquid secundum quod est homo...* ([94]).

Probabilior ! C'est peu enthousiaste ! Si c'est à Jean de Cornouailles que l'on doit ce traité, on peut se demander quelles

---

([94]) Pierre le Chantre, *Summa de Sacramentis...*, § 353, *De homine assumpto* (T f° 153ra-rb).

circonstances ont pu venir refroidir son ardeur, alors qu'il avait consacré un long écrit, contenant d'amples provisions d'arguments de toutes sortes, à prouver le bien-fondé et l'orthodoxie de cette thèse et à obtenir du pape une condamnation précise de l'opinion contraire. Certes, un auteur peut évoluer, mais en ce qui concerne Jean de Cornouailles, il semblait en écrivant l'*Eulogium ad Alexandrum III* sûr de son fait. Il est donc plus probable que l'auteur du *De homine assumpto* ne puisse être identifié à Jean de Cornouailles. Quel serait donc le père de cet ouvrage en quête d'auteur ?

Il semble loisible de supposer que ce mystérieux théologien, respectueux de la décision d'Alexandre III, ait abandonné avec quelque regret la thèse abélardo-porrétaine. Et dans ce cas, n'y aurait-il pas là un indice favorable à Pierre le Chantre qui, on le sait, fut l'un des derniers défenseurs d'une autre thèse abélardo-porrétaine sur l'*habitus* des vertus ([95]) ?

Faut-il faire grand cas de semblable argument ? Nous l'avouons, un tel argument n'a intrinsèquement que fort peu de valeur. Pierre le Chantre a pu fort bien suivre l'école porrétaine sur un point de doctrine, et s'en écarter sur un autre... Mais il fallait signaler une sorte de réticence de l'auteur à l'égard de la thèse approuvée, et de plus, si l'on parvient à prouver que Pierre le Chantre est l'auteur du *De homine assumpto,* cette remarque nous donnera quelque idée des influences qu'il avait subies.

2° Plus sérieuse s'avère la seconde présomption. S'il est exact qu'aucun des nom de maîtres mentionnés dans l'*Eulogium ad Alexandrum III* n'est retrouvé dans le *De homine assumpto* de la *Summa Cantoris* ([96]), ce dernier contient le nom d'un théologien encore peu connu, Robertus de Camera ([97]), qui n'est autre que Robert de la Chambre, évêque d'Amiens ([98]). Or, la

[95] Cf. Don O. LOTTIN, *Psychologie et morale aux XII*ᵉ *et XIII*ᵉ *siècles,* tome III, *Problèmes de Morale,* IIᵉ partie, p. 125, Louvain, 1949.

[96] Ce qui, superficiellement, rapproche le *De homine assumpto* de la *Summa Cantoris* de l'*Apologia de Verbo Incarnato* !

[97] PIERRE LE CHANTRE, *Summa...,* § 353 *De homine assumpto,* T f° 153rb: «Dixerunt ad hoc quidam, ut magister Robertus de Camera...».

[98] L'activité théologique de Robert de la Chambre a été signalée par Mgr. A. LANDGRAF, *Untersuchungen zur Gelehrtengeschichte des XII Jahrhund.,* dans les *Miscellanea Giovanni Mercati (Studi e testi,* 122), Cité du Vatican, 1946, tome II, p. 276.

Summa de Sacramentis de Pierre le Chantre et les *questiones* qui la suivent et que nous attribuons à ses disciples, contiennent de fréquentes allusions à Robert de la Chambre. Citons:

PIERRE LE CHANTRE, *Summa de Sacramentis et Animae consiliis* ([99]).
Tome II ([100]):
p. 273,l. 30 ss.: «Magister Robertus de Camera, cum esset episcopus, et cogeret tales ad restitutionem illati dampni, cuidam querenti ab eo, cur in his tantam adhiberet operam et laborem, respondit: 'Quia nisi id facerem, tenerer de meo restituere dampnum iniuriam passis'».
p. 317,l. 35 ss.: «Magister Robertus de Camera dicebat quod si aliquis confitetur sacerdoti se commissurum aliquod crimen, non debet sub confessione tale quid recipi, sed si ex illo opere ledendus est aliquis, a sacerdote premuniatur si fieri potest».
p. 247,l. 26 ss.: «Magister Robertus de Thalamo comperta iniustitia partis quam fouit, stare cepit pro aduersa **aduocatus**» ([101]).

Tome III ([102]):
T f° 140 vb.: «Cum Magister Robertus de Camera factus esset episcopus Ambianensis, apparitores qui sub eo erant, apprehenderunt latronem, misit uicedominus ad episcopum, querens quid faciendum esset de latrone illo. Respondit episcopus: Faciat quod habere habet. Post horam aliquantulam recordatus episcopus uerbi quod dixerat, promisit pecuniam illi de seruientibus qui primus ueniret ad patibulum et prohiberet ne latro ille suspenderetur. Sed antequam aliquis ueniret, suspensus est. Vnde episcopus postea percussit pectus suum, et quotiens erat **celebraturus, penituit confitens de homicidio**» ([103]).

---

[99] Édition J. A. Dugauquier.
[100] Louvain, 1957.
[101] Il nous est sans doute permis d'identifier Robertus de Thalamo et Robertus de Camera.
[102] Pour tous les noms propres, le lecteur voudra bien consulter la table des noms propres et des matières en fin de volume.
[103] Édition, § 328.

Tome IV, *Questiones e schola Petri Cantoris* ([104]):

W f° 100vb: «Magister Robertus de Camera quociens audiebat confessiones dixit confitentibus: Videte que michi dixeritis, quia, si celanda sunt, celabo; si non, non celabo» ([105]).

W f° 133rb: «Difficilius Magister Robertus de Camera, in quodam castro, plebi sue predicans non credenti firme quod eucaristia esset uerum corpus Christi, statim fecit afferri eucaristiam quam confecerat et uolens eos confirmare in fide ait: Ego aliquantulum sciolus in litteris et grandeus iam sum, nec iurarem nisi uerum, et ideo iuro uobis tactis sacris quod hoc est uerum et integrum Corpus Christi» ([106]).

W f° 138vb: «In ecclesiis sunt quedam laica officia que uendere est simonia, ut dicit magister Robertus de Camera...» ([107]).

Ces quelques citations nous prouvent que Pierre le Chantre avait connu Robert de la Chambre, qu'il le tenait en grande estime, qu'il en avait probablement parlé à ses disciples, et en fait, la *Summa Cantoris* contient plus fréquemment des allusions aux faits et gestes de ce prélat qu'à ses doctrines. C'est pourquoi, la présence du nom de Robert de la Chambre dans le *De homine assumpto* de la *Summa Cantoris*, pourrait être regardée comme un indice favorable de l'origine «cantorienne» — qu'on veuille bien nous pardonner ce néologisme — de ce petit traité christologique.

3° La troisième présomption favorable à Pierre le Chantre est de beaucoup la plus importante et elle nous semble même éclipser tous les autres arguments.

La première partie de notre enquête nous a révélé l'existence dans le manuscrit W (f° 99vb-100va) d'une *questio* qui n'est pas l'œuvre de Pierre le Chantre, mais qui a été vraisemblablement composée par l'un de ses disciples ([108]). Elle ne nous fait pas connaître la position adoptée par Pierre le Chantre à l'égard

---

[104] Notre quatrième volume, en préparation.
[105] Tome IV (en préparation), cap. LXII.
[106] Tome IV (en préparation), cap. CXLVIII.
[107] Tome IV (en préparation), cap. CLXXVII.
[108] *Supra*, p. 450, 4°.

du nihilisme christologique, mais elle n'en est pas moins des plus précieuses, car nous y trouvons un écho de l'enseignement de Pierre le Chantre, écho qui répond parfaitement aux quelques notions que nous livre la fin du *De homine assumpto* ([109]).

Pour le prouver, il nous faut maintenant reproduire cette *questio 'in extenso'*:

Que proprietates sunt factiue et que probatiue, et quid predicet hoc ⟨nomen⟩ persona ([110]).

Secundum Cantorem ratio institutionis huius nominis persona in Trinitate hec est. Inveniunt heretici in pluribus locis sacre scripture adiectiuum pluralis numeri dictum de Trinitate, ut: *Tres sunt qui testimonium dant in celo,* et non erat aliquod substantiuum, quod inniteretur illi adiectiuo. Vnde querebant quid tres uel que tria sunt Pater et Filius et Spiritus sanctus, id est, quod substantiuum singularis uel pluralis numeri adiungemus huic nomini *tres*.

Viderunt ergo sancti patres Nicene sinodi quod uera diuersitas erat in Trinitate. Vnde uoluerunt adiungere aliquod nomen quod notaret illam diuersitatem. Inspexerunt ergo creaturas, quid faceret diuersitatem in eis. Et aduerterunt quod quedam proprietates sunt factiue diuersitatis, quedam probatiue. Vt in Socrate, socracitas est factiua diuersitatis eius ad filium suum. Paternitas uero eius est probatiua diuersitatis eius ad filium suum, quia si est pater huius, est alius ab eo. Considerauerunt ergo quod non conueniret creaturis secundum quod per probatiuas qualitates erant diuerse ab aliis, et inuenerunt quod hoc nomen *persona* tale erat quia dicebatur *persona quasi per se una,* id est diuisa et distincta ab omni alia re.

Vnde sic diffiniebant personam: *Persona est*

([109]) PIERRE LE CHANTRE, *Summa de Sacramentis...*, édition, § 353 *De homine assumpto,* T f° 154va-vb.

([110]) Tome IV (en préparation), cap. LIX. Le titre: *Que proprietates sunt factiue...* est inscrit dans la marge.

rationabilis creature indiuidua substantia. Indiuidua, id est que non potest diuidi a statu suo et recipere alium statum. Vnde anima, secundum hoc, non est indiuidua, quia potest diuidi a statu hominis in quo est et transire ad alium statum. Et ideo anima non est persona. Posset ergo asinus dici persona sicut homo. Sed restrictum est uocabulum ad res rationales.

Voluerunt ergo hoc nomen persona transferre ad Trinitatem si possent aliquo modo et aliqua similitudine. Sed inuenerunt quod in Trinitate nulla proprietas est factiua diuersitatis quia nulla est ibi concretio. Essentia etiam pocius facit conuenire quam differre Patrem et Filium et Spiritum Sanctum. Sed inspexerunt iterum quod ibi sunt proprietates probatiue diuersitatis: paternitas, filiatio, processio. Bene easdem habuerunt pro factiuis diuersitatum, et ratione illius diuersitatis sic inuente per proprietates probatiuas, transtulerunt hoc nomen persona ad Trinitatem.

Vnde patet quod in alia significatione dicitur de personis creatis, in alia de theologicis. Sed si predicta descriptio conuertibilis est cum descripto, cum Pater et Filius et Spiritus Sanctus sunt tres persone, ergo sunt tres substantie indiuidue rationales. Immo sunt una substantia rationalis. Forsitan / in theologicis non est descriptio conuertibilis, uel si est, ponitur ibi hoc nomen substantia pro hoc nomine subsistentia quod frequenter apud sanctos inuenitur personale. Vnde concedunt Patrem et Filium et Spiritum Sanctum esse tres subsistentias sicut tres personas.

Sed queritur nichilominus quid predicet hoc nomen persona de Deo et quo Pater sit persona.

Videtur enim quod uel essentia sua sit persona uel paternitate, quia aliud in eo reperiri non potest. Si essentia sua est persona, et similiter Filius et Spiritus Sanctus, ergo sicut sunt unus Deus, ita et una persona. Si Pater paternitate est persona, sed paternitate differt a Filio, ergo, eo quod est persona, differt a Filio.

Ad hoc multiplex est solutio. Dicit Cantor quod hoc nomen persona predicat personalitatem, non essentiam. Et est personalitas nomen rationis, id est quasi nomen sedem imponit, quia nec predicat naturam de Deo, nec notionem, sed distinctionem confuse et indeterminate, et illa personalitas potest dici distinctio et e conuerso; ita tamen quod intelligatur personalitas effectus notionis, non notio, et ita Pater nec essentia sua est persona, nec paternitate, sed personalitate, nisi forte ablatiuus paternitate notet longinquam causam quia per paternitatem est pater distinctus et personatus ut ita distinguamus.

Magister Petrus Cantor ([111]) dicit quod hoc nomen persona nec predicet essentiam, nec notionem, quia nil predicat. Supponat tamen semper personam, non essentiam. Tamen, cum predicatur hoc nomen, duo intelliguntur indirecte scilicet natura et dictinctio, sed neutrum predicatur. Dicitur enim *persona quasi per se una*. Per hoc nomen *una* notatur essentia. Per hanc particulam *per se* notatur distinctio sed utrumque secundario et indirecte.

Tamen quandoque contingat quod Sancti alicubi ratione alterius illorum utuntur eo quasi tantum sit essentiale. Vnde Augustinus: *Idem est Deo esse personam et esse naturam siue Deum.* Hec locutio simpliciter falsa est, sed habuit Augustinus respectionem ad distinctionem.

Item. Alibi ponitur hoc nomen persona tan-

([111]) Le manuscrit porte *Magister Petrus Cor.* L'on pourrait certes transcrire *Magister Petrus Corboliensis.* Cependant nous n'hésitons pas à transcrire *Magister Petrus Cantor.* En effet, non seulement le contexte est plus favorable à Pierre le Chantre, mais nous trouvons une note marginale qui justifie notre façon de voir. Cette note marginale mentionne expressément Pierre le Chantre: *Tamen noluit Cantor dicere quod personalitas sit genus ad paternitatem uel filiationem, sicut neque hoc nomen persona est quasi genus ad hoc nomen paternitas.*

tum pro notione. Vnde Augustinus: *Ideo Pater et Filius et Spiritus Sanctus sunt tres persone, quia commune est eis hoc quod est persona,* id est personalis distinctio. Ibi enim habuit respectum ad istam: componens per se, quod notat distinctionem, et secundum hanc opinionem, Pater neque aliquo nec aliquibus est persona quia hoc nomen *persona* nil predicat sed duo dat intelligi indirecte.

Magister Prepositinus dicit quod hoc nomen *persona* aliud predicat et aliud supponit. Predicat enim naturam et supponit personam. Vnde idem predicatur in istis duabus: Pater est persona, Filius est persona, sed diuersa supponuntur, sicut secundum reales hoc nomen homo aliud predicat, scilicet speciem, aliud supponit, scilicet personam hominis. Et ita secundum / eum, Pater essentia sua est persona, non tamen esse essentiam est esse personam.

f° 100rb

Preterea, non oportet concedere istam: Pater est persona et Filius est illa, quia hoc nomen persona, licet significet essentiam, non tamen supponit eam, et ideo, per hoc pronomen illa, non refertur essentia.

Item. Cum dicitur: Pater est unus et Filius est alius, non potest dici quod hoc nomen unus significet ibi unitatem uel predicet, quia unitas nil aliud est nisi essentia in Trinitate, et ita Filius esset alia essentia. Sed significat ibi hoc nomen unus distinctionem in generali et confuse, et hoc nomen alius refert diuersitatem distinctionis, quia alia distinctione distinguitur Pater a Filio et alia Filius a Patre.

Item. Cum dixit Dominus: *Ego sum qui sum,* ibi loquebatur tota Trinitas uel essentia diuina. Esto ergo quod essentia diuina introducatur loquens ita: *Ego* que *sum* persona, *sum* tres persone. Ergo ego ens persona, sum tres persone. Ergo ego persona sum tres persone. Ergo per eamdem figuram appositionis: Hec persona est tres persone. Vt hoc pronomen *hec* faciat principalem suppositionem et ei fiat appositio. Multi negant: Ego persona sum tres persone, quia dicunt propter immediatam adiunctionem istarum uocum *ego, persona,* fieri ibi tantum suppositionem unius persone. Posset tamen dici hanc esse ueram si hoc pronomen *ego* teneatur substantiue, et ei fiat appositio, quia secundum hoc sola supponitur essentia. Sed hec uera esse non potest: hec persona est tres persone, quia hoc pronomen hec in feminino genere non solet poni substantiue.

Item. Queritur de ista propositione: Esse personam est esse quem uel esse quid. Si esse personam est esse quid, ergo Deus essentia sua est persona, uel ergo Deus Pater in eo quod est persona est quid. Sed in eo quod est quid, conuenit cum Filio. Ergo in eo quod est persona, conuenit cum Filio. Immo, in eo quod est persona, distinguitur a Filio, quia hoc nomen *persona,* ut in principio notatum est, ad solam distinctionem notandam fuit inuentum.

Si esse personam est esse quem, sed esse hominem est esse quem, ergo Christo esse hominem est esse quem. Ergo Christo esse hominem est esse personam. Ergo Christus in eo quod est homo est persona. Ergo cum inceperit esse homo, incepit esse aliqua persona, sedum hominem, et ita quaternitas personarum est in Trinitate.

Resp. Auctoritas dicit: *Persona consumpsit personam, non natura naturam,* quia natura nomen est nature, persona nomen est iuris, quia nomen persone uariabile est circa aliquem. Vt ille qui modo est persona in hac ecclesia, iam non erit cum fiet episcopus, et ita fiet quasi alia persona, desinens esse illa que ipse fuit. Ita natura diuina unita est humane, neutra absumpta, sed utraque manente. Sed persona diuina in assumptione humanitatis penitus absorbet huma-

f° 100va   nam, ita quod Christus secundum quod fuit / homo, nulla fuit persona.

Dicit etiam Cantor quod hoc nomen Ihesus personaliter est supponens personam diuinam et inditum est ab angelo a personalitate Filii. Et secundum hunc nullo modo continetur sub hoc nomine Filius sicut alibi dictum est. Est ergo hec falsa: Christo esse hominem est esse personam, quia licet hoc nomen homo personalitatem det intelligi circa nos, tamen nullam circa Christum, licet tamen in eadem significatione conuenit nobis in qua Christo.

Il y a évidemment dans ce texte bien des éléments qui ne présentent aucun intérêt pour la solution du problème qui nous occupe. Rapprochons néanmoins de ces lignes la fin du *De homine assumpto:*

Ad pleniorem ergo huius rei intelligentiam uidendum est qua consideratione hoc nomen persona transsumptum fuerit ad theologicas personas. Et est sciendum quod persona est rationalis creature indiuidua essentia; posset tamen dici de qualibet creatura, sed restringitur hoc nomen persona, quia non agitur nisi de rationalibus. Cum ergo omne nomen sit inditum a forma, oportet quod hoc nomen persona sit inditum ab indiuidua forma, quia persona est indiuidua essentia. Omnis autem proprietas est singularis, sed quedam est indiuidua et incommunicabilis que facit suum subiectum ab omni alio differre, cuiusmodi est socracitas, platonitas...

Sed proprietas huius anime etiam non est uere indiuidua quamuis in parte, quia non facit suum subiectum differre ab omni alio. Communicat enim suas proprietates anima homini. Illa ergo proprietas que facit suum subiectum ab omni alio differre in mundo, illa dicitur uere personalis. Sed talis non potest inueniri in Patre, uel Filio uel Spiritu Sancto, quia nulla est proprietas factiua uel concretiua, et tamen quedam ibi proprietas in Patre probatiua diuersitatis, que probat eum uere alium ab utraque aliarum personarum, scilicet paternitas. Similis est in Filio, scilicet filiatio. Tales enim proprietates in secularibus litteris probant ueram alteritatem sed non faciunt. Quia ergo in Deo non sunt indiuidue proprietates factiue diuersitatis sed probatiue, reputauerunt sancti patres in Nicena synodo ubi fuit inuentum hoc nomen persona, ipsas probatiuas esse personales. Vt dicatur persona per se una, id est aliquid habeat quod distinguat eam per se ab omni alia. Habet ergo Christus pro indiuidua proprietate filiationem eternam et illa facit in eo personalitatem et ab illa personalitate est persona.

Cum ergo hoc nomen Ihesus sit ei personale, inditum est ab illa eterna personali proprietate quia aliam personalem proprietatem non habet. Licet enim assumpserit proprietates humanas, tamen ille non fecerunt aliquam personalem proprietatem in eo...

Ergo, cum Christus nullam habeat personalem proprietatem quam non habuit ab eterno, et ab illa personali proprietate inditum sit hoc nomen Ihesus, patet quod ab eterno fuit Ihesus, et humanitas adueniens non mutauit illam personalitatem. Sicut etiam in homine licet personalis eius proprietas quasi surgat ex omnibus substantialibus et accidentalibus, tamen aliqua accidentalis adueniens non mutat illam personalitatem. Secundum hoc ergo hoc nomen Ihesus non continetur recte sub hoc nomine homo quia Christus ab eterno fuit Ihesus, non ab eterno fuit homo.

Item. Videtur quod hoc nomen Ihesus sit relatiuum, quia cum nulla sit personalitas in Christo nisi ipsa filiatio eterna que eum distinguit, filiatione uidetur inditum esse hoc nomen Ihesus ([112]).

([112]) Pierre le Chantre, *Summa de Sacramentis...*, édition, § 353 *De homine assumpto* (T f° 154va-vb).

A *priori,* ce rapprochement semble peu suggestif. Et ceci se comprend aisément si l'on se souvient que l'objet même de ces deux écrits est différent, et qu'en outre, nous avons, d'un côté, l'œuvre d'un disciple qui, pour enrichir sa dissertation, invoque l'enseignement de son maître, et qui, peut-être a rédigé sa modeste *questio* à l'aide de notes de cours; de l'autre, un traité qui n'a en rien l'apparence d'une *reportatio*.

Toutefois, ces deux textes si différents présentent quelques points communs. De part et d'autre, nous trouvons la distinction des *proprietates factiue diuersitatis* et des *proprietates probatiue diuersitatis*, — l'idée que le mot *persona* a été choisi par les Pères du concile de Nicée parce qu'il désignait une *proprietas probatiua diuersitatis*, — les mêmes remarques sur le mot *persona*. Cette distinction et ces idées sont expressément attribuées à Pierre le Chantre par le disciple auquel nous devons la *questio* du manuscrit W: 'Que proprietates sunt factiue et que probatiue et quid predicet hoc (nomen) persona' ([113]).

On pourrait même ajouter que de part et d'autre on retrouve la définition *persona per se una,* et que le nom de Jésus donne lieu à des commentaires qui s'inspirent des mêmes principes. Sur ce dernier point cependant, nous serions moins affirmatifs, car l'exposé de la *questio* susdite 'Que proprietates sunt factiue et que probatiue…' est vraiment trop succinct pour que nous ayons la possibilité d'en tirer une conclusion.

Cette courte *questio* 'Que proprietates sunt factiue…' semble néanmoins nous autoriser à voir dans le *De homine assumpto* de la *Summa Cantoris* un traité de Pierre le Chantre, car à la fin de ce traité nous retrouvons un écho de l'enseignement de Pierre le Chantre qui répond à ce que nous en fait connaître la dite *questio*.

Pourtant, deux objections peuvent être opposées à cette conclusion. Tout d'abord, la *questio:* 'Que proprietates sunt factiue…' émane-t-elle d'un disciple de Pierre le Chantre ? N'est-elle pas plutôt l'œuvre d'un élève de Prévostin ? On y a remarqué, en effet, le nom de ce deuxième maître. Que la *questio:* 'Que proprietates sunt factiue…' soit l'œuvre d'un disciple de Pierre le Chantre ou d'un disciple de Prévostin,

---

([113]) Tel est en effet le titre que nous trouvons dans la marge à côté de la *questio* citée *supra*.

peu nous importe ! En effet, son auteur attribue expressément à Pierre le Chantre les positions doctrinales que nous révèle la fin du *De homine assumpto,* et cela seul nous intéresse.

Mais objectera-t-on encore, on peut admettre que la *questio*: *'Que proprietates sunt factiue...'* nous donne une fidèle image de l'enseignement de Pierre le Chantre, et que les dernières lignes du *De homine assumpto* correspondent à cet enseignement, sans être pour autant obligé d'attribuer le *De homine assumpto* à Pierre le Chantre: il serait possible en effet, que ces idées de Pierre le Chantre eussent été partagées par un autre maître, et que c'est à ce dernier que nous dussions le *De homine assumpto.*

Évidemment... Mais si l'on se livre à de telles suppositions, si légitimes puissent-elles paraître, on risque fort de ne pouvoir faire progresser le moindre problème dans le domaine de l'histoire des textes.

Par contre, il est possible que ce traité *De homine assumpto,* probablement distinct à l'origine ait été ajouté ultérieurement à la *Summa de sacramentis* par les élèves du Cantor ([114]).

Concluons. L'attribution du *De homine assumpto* de la *Summa Cantoris* à Jean de Cornouailles ne repose que sur un titre erroné et l'on ne peut invoquer en sa faveur aucun argument sérieux.

Par ailleurs, peu de présomptions viennent justifier l'attribution du même *De homine assumpto* à Pierre le Chantre, mais elles ne sont pas négligeables. Nous en avons signalé plusieurs, dont la présence du *De homine assumpto* parmi des écrits de Pierre le Chantre et de ses disciples, et surtout une similitude de doctrine, sur quelques points déterminés, entre le *De homine assumpto* et l'enseignement de Pierre le Chantre, tel que nous le connaissons grâce à une *questio* d'un de ses disciples.

Dirons-nous avec Miss E. Rathbone que la question reste ouverte ([115]) ? Certes, dans un tel domaine, la prudence s'impose,

---

([114]) Voir *supra* ce que nous avons dit au sujet de l'élaboration de la *Summa Cantoris.*
([115]) *Op.cit.,* p. 59: «For the present therefore the authorship a remain an open question... Only a fuller examination of the material still unpublished will help us to form a clear picture of the christological controversy in its different stages». M. E. Rathbone, en soulevant la question

et il est rare que l'on puisse parvenir à une certitude absolue. La découverte de documents inédits peut venir renverser des positions que l'on croyait inébranlables. Néanmoins, nous croyons avoir apporté au débat quelques éléments nouveaux et prouvé, qu'en l'état de nos connaissances, l'attribution du *De homine assumpto* à Pierre le Chantre paraît fondée.

de façon plus précise, nous a rendu le service de nous obliger à aborder de front ce problème. Souhaitons que ce savant auteur puisse achever ses recherches dans les manuscrits anglais de la fin du XIIe siècle et du début du XIIIe. Souhaitons de tout cœur qu'elles puissent nous accorder quelque lumière sur l'activité théologique de disciples anglais de Pierre le Chantre, en particulier Guillaume des Monts, chanoine de Lincoln. Il faut d'ailleurs dès maintenant ajouter à la bibliographie de Pierre le Chantre un important article de S. Kuttner et de Miss E. Rathbone qui nous livre d'intéressants aperçus sur l'activité de Simon de Sauthwell et celle de Pierre le Chantre (S. KUTTNER et E. RATHBONE, *Anglo-Norman Canonists of the twelfth century*, dans *Traditio*, vol. VII, 1949-1951, p. 279-358); voir p. 327 et Appendix D, p. 347.

CONCLUSION

Cette longue étude appelle-t-elle une conclusion ?

A l'exception du premier, les différents chapitres de ces *Prolegomena* étaient, somme toute, centrés sur un seul problème bien déterminé, mais susceptible de revêtir des aspects fort divers: l'authenticité de la *Summa Cantoris,* ou plus exactement, de toutes les parties de cette Somme, telle que les manuscrits que nous avons pu utiliser nous l'ont transmise.

Ces manuscrits nous ont en effet livré des Sommes théologiques partiellement différentes, et parfois augmentées d'un nombre plus ou moins important de *Questiones* et mélanges théologiques fort disparates.

Considérer ces écrits comme autant de versions de la Somme de Pierre le Chantre serait faire preuve de légèreté, d'aveuglement ou... de paresse. Pierre le Chantre n'a pu écrire des Sommes aussi différentes par leur contenu, et un grand nombre de *Questiones* qui les alourdissent ne peuvent raisonnablement lui être attribuées.

En fait, il est possible de dégager des divers manuscrits une «Somme commune», et c'est elle que nous livre le manuscrit de Troyes, abstraction faite de la curieuse conclusion qui lui est ajoutée dans ce beau manuscrit ([1]), encore que cette addition ait pu être voulue par Pierre le Chantre.

Est-ce à dire que cette «Somme commune» ou «Somme de Troyes» soit toute entière l'œuvre de Pierre le Chantre ? Mes recherches, les observations qu'il m'a été donné de faire, m'autorisent à dire qu'on ne saurait l'affirmer sans d'expresses réserves.

Pourrait-on alors évoquer au sujet de la *Summa Cantoris* la

([1]) Édition, tome III, 2b, § 394, cf. *supra*, chapitre III, p. 232.

boutade de Bacon sur la monumentale Somme d'Alexandre de Halés «*quam ipse non fecit sed alii*» (²) ?

Il y eut jadis une école de critiques qui s'était donné pour règle de démolir toutes les œuvres qui retenaient son attention. On découvrait partout des interpolations, on accumulait les arguments pour nier l'authenticité d'un ouvrage et l'arracher à l'auteur que la tradition lui reconnaissait. Après avoir subi semblable traitement, l'œuvre apparemment la plus cohérente et la plus solide s'effritait en menus fragments. Le fait que cette méthode était appliquée à des ouvrages dont on ne peut sous-estimer l'importance, provoquait d'inévitables remous.

En ce qui concerne la Somme de Pierre le Chantre, il serait loisible d'appliquer les mêmes principes, d'exercer la même verve destructrice sans faire beaucoup de bruit, car il est bien certain que la Somme de Pierre le Chantre n'est pas un de ces monuments de la tradition ecclésiastique ou même tout simplement de synthèse théologique, auxquels il est téméraire de s'attaquer. Le nom de Pierre le Chantre n'appartient même pas à un ordre religieux, et il ne trouverait pas de champion à l'exemple de bien d'autres théologiens.

En dépit de cette impunité, je n'ai pas voulu me laisser prendre aux mirages d'une méthode dont les applications appartiennent à un passé révolu mais qui compta d'ailleurs d'illustres promoteurs. Je me suis efforcé de rester dans le camp des gens de bon sens, qui n'éprouvent pas la tentation de tout jeter à terre, pour s'abandonner ensuite au subtil plaisir de tout reconstruire. Et c'est pourquoi j'écarte *a priori* toute comparaison avec la Somme d'Alexandre. Comparaison n'est pas toujours raison.

En outre, qu'il me soit permis de rappeler que le problème ne se pose pas de la même manière pour toutes les parties de la Somme. En ce qui concerne les §§ 1-142, on peut affirmer sans crainte d'erreur qu'ils ont été composés par Pierre le Chantre (³).

A partir du § 143, les difficultés surgissent. J'ai pu déceler des traces de remaniements, d'adjonctions de notes de cours, et aussi des répétitions apparemment inutiles. Les pages con-

---

(²) R. BACON, *Opus minus* (édit. J. S. BREWER, *Fr. Rogeri Bacon Opera hactenus inedita*, Londres, 1859), p. 236.

(³) Cf. *supra*, chapitre III, p. 94, 109-110, 193-194.

sacrées à la simonie semblent avoir été les plus malmenées dans la tradition manuscrite, et c'est là qu'il a été nécessaire de faire un choix. Je n'ai pas hésité à préférer la rédaction pourtant imparfaite des manuscrits T, B, W, car elle m'a paru la plus fidèle à la pensée du Chantre ([4]).

Mais il demeure qu'en dépit de ce choix, à partir du § 143 les doutes apparaissent et se justifient. Il est fort probable que maints chapitres aient été composés directement par Pierre le Chantre ([5]), que d'autres ne soient que des notes de cours ([6]); quelques autres enfin, moins nombreux, semblent faits d'un mélange, fort déconcertant, de notes de cours et de textes primitifs. Il paraît hors de doute que les notes de cours furent prises dans le passé par un disciple studieux et intelligent du Cantor. Mais il n'en demeure pas moins que l'adjonction, à des textes rédigés par Pierre le Chantre, de ces notes de cours, semble assez mystérieuse. Tel est le problème que pose l'élaboration de la *Summa Cantoris*. Il est susceptible de deux solutions. L'on peut en effet admettre qu'un disciple du Chantre voulut compléter la Somme de son vieux maître. Mais il est tout aussi vraisemblable que Pierre le Chantre autorisa lui-même cette insertion de notes de cours, après les avoir revisées, corrigées, et en quelque manière authentifiées ([7]). Chacune de ces solutions implique d'importants corollaires quant à la date de l'achèvement de la *Summa Cantoris,* et l'origine de ces textes à la première personne parfois disséminés dans des fragments qui, manifestement, ne sont autres que des notes de cours: La première solution nous oblige à y voir de discrètes manifestations personnelles d'un disciple rédacteur. Dans le cadre de la seconde, il semble logique d'y voir des corrections et additions de Pierre le Chantre lui-même. J'accorderais volontiers mes faveurs à la seconde de ces solutions, mais je redoute que mon choix, en l'absence de données extérieures à la *Summa,* ne paraisse quelque peu subjectif.

Enfin, si l'élaboration de la Summa pose un problème très délicat, celui de sa tradition manuscrite, n'est pas plus aisé à résoudre, il s'en faut de beaucoup. Il y a là une énigme: je

---

([4]) Cf. *supra,* chapitre III, p. 113, 163, 169, 231, etc.; Cf. tome II, *Introduction,* p. XI-XV.
([5]) Cf. *supra* chapitre III, p. 187 ss., 193.
([6]) Cf. *supra,* chapitre III, p. 78 ss.
([7]) Cf. *supra,* chapitre III, p. 195.

me suis efforcé de l'élucider en admettant que tous les manuscrits ne nous sont pas parvenus et que la clef de cette énigme reste cachée dans des manuscrits aujourd'hui perdus ([8]).

Toutefois, s'il ne faut pas se dissimuler l'ampleur des difficultés qui entourent ces problèmes, ceux-ci paraissent relativement bénins à côté de ceux que posent les *Questiones & Miscellanea* ([9]). En effet, dès que l'on quitte la Somme commune dont le manuscrit de Troyes constitue un bon témoin, l'on s'avance sur des terrains peu fermes où l'on risque de perdre pied et de s'enliser. Il est en effet impossible de préciser l'origine des *Questiones & Miscellanea* qui viennent exagérément alourdir le texte de la *Summa* dans les manuscrits L,Z,B,P et surtout W. Certes la Somme du manuscrit Z apparaît comme un remaniement intentionel et parfois maladroit d'autres textes. Mais les nombreuses et curieuses *Questiones* que nous offre le manuscrit W posent des problèmes autrement complexes. Je n'ai pas voulu dissimuler les difficultés, ou même les taire plus longtemps, mais j'ai procédé à un examen détaillé de ces *Questiones & Miscellanea* pour tenter d'en découvrir l'origine, d'en mettre en évidence les caractéristiques ([10]).

Je n'ai jamais eu la prétention de pouvoir résoudre toutes ces énigmes. Le but ne manquait pas d'attraits. J'ai souhaité l'atteindre et je m'y suis employé, mais n'ai point affirmé que mes efforts seraient couronnés de succès. C'eût été non seulement présumer de mes forces, mais plus encore placer une confiance téméraire et aveugle dans les maigres ressources qui s'offraient à mes investigations. Mon ambition a été plus limitée: éclairer le problème, le situer, proposer des hypothèses, tels furent mes objectifs.

Évidemment, dans ces *Prolegomena,* il importe de distinguer nettement les hypothèses et les données sur lesquelles elles sont fondées. Ces dernières, reposant sur un examen des textes effectué avec beaucoup de soin, présentent un certain caractère de stabilité et de certitude. Les hypothèses, au contraire sont, par nature, beaucoup plus fragiles.

On me fera peut-être le grief de ne pas avoir précisé les sources de Pierre le Chantre. Je ne discuterai pas le bien fondé

([8]) Cf. *supra,* chapitre III, p. 198.
([9]) Cf. *supra,* chapitre V, p. 255.
([10]) Cf. *supra,* chapitre V, p. 255 ss.

d'un tel grief. Mon attitude a été dictée par la considération suivante: Pierre le Chantre nous ayant annoncé qu'il s'écarterait des sentiers battus, j'ai fait confiance à son intention. Je crois vraiment que dans ce domaine de la théologie morale spéciale, il fit certainement œuvre nouvelle. Ce qui ne signifie point qu'il n'ait tiré grand parti des ouvrages de ses prédécesseurs et n'ait point subi d'influences. Bien au contraire. Il est hors de doute que la plupart des *auctoritates* invoquées par Pierre le Chantre ont été puisées dans cet arsenal que constituaient le *Décret* de Gratien, et les *Sentences* de Pierre Lombard, auxquelles il convient d'ajouter les commentaires du même Pierre Lombard sur les Psaumes et les Epîtres de Saint Paul. Il semble néanmoins que Pierre le Chantre connaissait lui-même un certain nombre d'œuvres patristiques. De Saint Augustin, il semble avoir utilisé directement les *Enarrationes in Psalmos,* ce qui n'a rien de surprenant si l'on songe que Pierre le Chantre écrivit de nombreux commentaires inédits sur l'Écriture Sainte, ce qui expliquerait aussi l'intérêt qu'il semble avoir éprouvé pour les compilations du Vénérable Bède. Il dut faire ses délices des *Dialogues* de Saint Grégoire le Grand et de ses *Moralia in Job,* des Vies des Pères du désert et des recueils de leurs Sentences, ainsi que de quelques *Actes* légendaires de plusieurs martyrs. Il reste qu'un grand nombre de citations patristiques de la *Summa Cantoris* ont été puisées dans de nombreux ouvrages médiévaux, Pierre Lombard et Gratien fournissant le plus gros contingent. Beaucoup de citations sont d'ailleurs faites *ad sensum,* ce qui ne facilite pas leur identification. Comme dans le*Verbum abbreviatum,* on trouve dans la *Summa* quelques citations d'auteurs profanes, qui justifient le renom de fin lettré dont jouissait Pierre le Chantre. Si par contre, l'on tient à déceler des influences, la tâche s'avère plus délicate encore. Pierre le Chantre semble avoir connu Pierre le Mangeur et utilisa peut-être ses écrits. Il est plus téméraire de voir en Pierre le Chantre un survivant de l'école porrétaine, bien qu'il en ait adopté certaines thèses ([11]). Il mit peut être à contribution les

---

([11]) Voir tome I, § 24, p. 69 ss., tome II, *Introduction* p. XI-XII. Enfin il eût été intéressant de connaître l'enseignement christologique de Pierre le Chantre, avant la condamnation du nihilisme christologique du Lombard. Après cette condamnation, Pierre le Chantre, toujours respectueux à l'égard du magistère ecclésiastique, écrivit dans le sens de la

œuvres de Hugues de Saint-Victor, la *Glossa Pro Altercatione* et de nombreuses autres gloses. On croit parfois trouver dans son œuvre de lointains échos des *Sententiae Anselmi*, des *Sententiae diuinitatis*, mais le caractère très particulier des préoccupations du Chantre rend très aléatoire semblables recherches. Il est plus probable que Pierre le Chantre profita des ressources que lui offraient les gloses et commentaires du Décret de Gratien, de même qu'il utilisa vraisemblablement d'antiques collections de Décrétales ([12]). Enfin, il dut indubitablement connaître les œuvres de son illustre contemporain Alain de Lille, qu'il ne cite jamais, il est vrai. Par contre, les *Questiones & Miscellanea* nous révèlent l'influence de personnages dont l'activité théologique ou pastorale est encore mal connue, tels Robert de la Chambre, évêque d'Amiens, Pierre de Corbeil.

D'aucuns, sans doute, regretteront que je me sois obstiné à garder le silence sur la doctrine sacramentaire et morale de Pierre le Chantre, telle qu'elle pourrait être dégagée de la *Summa*. Je n'ai pas cherché à la définir, ni à la situer dans les courants doctrinaux qui se dessinaient à la fin du XIIème siècle et préludaient aux remarquables synthèses du siècle suivant. J'ai abandonné cette tâche aux théologiens de profession, qui parviendront peut-être à y découvrir des motifs de discussions, dont ils sont, comme chacun sait, toujours friands.

D'autres me feront grief d'avoir multiplié les arguments, les extraits et citations de textes, d'avoir avancé des hypothèses, non pas hardies, mais inutilement hasardeuses. Me serais-je abstenu de le faire que les mêmes censeurs n'auraient pas manqué de me reprocher ma trop grande discrétion, ma parcimonie ou ma négligence.

Que ma curiosité ait été limitée, je ne crains pas de l'avouer. Ces *Prolegomena* dissiperont néanmoins quelques doutes,

---

thèse désormais officielle, mais s'était-il rallié à celle-ci de gaieté de cœur ? (cf. supra, chapitre VI, p. 467). Comme toujours, on s'était battu, entre-déchiré pour un mot, une formule, et il est fort probable qu'on n'en était pas fâché. Il est vrai qu'à une époque où les dissensions politiques ne pouvaient donner lieu à des joutes oratoires, mais se soldaient par des batailles féodales, la théologie, et plus particulièrement la christologie offrait un terrain de controverses idéal aux esprits fougueux désireux de faire montre de l'agilité de leur langue et de leur plume.

([12]) Voir *supra*, chapitre III, p. 182.

éclaireront des opinions émises par nos devanciers. Je me suis efforcé d'exploiter au maximum les données de la tradition manuscrite, tout en ne sollicitant pas les textes. Je crois du moins ne pas devoir encourir ce reproche, mais peut-être me flattè-je... D'ailleurs, mon seul vœu est que cette édition et l'étude qui l'accompagne, si imparfaites soient-elles, puissent être de quelque utilité aux médiévistes et à ceux-là même qui auront le plus de joie à les décrier.

J. A. DUGAUQUIER

Tourcoing, le 15 août 1959.

TABLE ANALYTIQUE ([1])

Avant-propos 9

Chapitre I

Intérêt particulier du Tome III 17

Chapitre II

Des fragments de la *Summa Cantoris* dans deux manuscrits de Londres 33
   I. Le ms. Londres, Lambeth Palace 122 33
  II. Le ms. Londres, Lamberth Palace 80 60

Chapitre III

Problèmes littéraires

Authenticité de la troisième partie de la *Summa Cantoris*. Date de composition. Histoire de son élaboration et de sa tradition manuscrite 67
    I. Arguments en faveur de l'authenticité . . . 68
   II. Indices de remaniements 77
  III. Un élément de solution: la personne des verbes . 86
        Tome I 87
        Tome II 95
        Tome III 115

([1]) Tables complètes à la fin du tome III, 2b.

IV. La date de composition de la *Summa Cantoris* . 179

V. Hypothèses sur l'élaboration et la transmission de la *Summa*
    L'élaboration de la *Summa Cantoris* . . . 186
    La transmission de la *Summa Cantoris* . . . 198

Addenda 232

Chapitre IV

Les *Questiones de Simonia* du cod. Munich. Clm. 5426 . 239

Chapitre V

Justification de l'édition distincte de *Questiones et Miscellanea e schola Petri Cantoris* 255

I. *Questiones et Miscellanea* du manuscrit W . . 280
  A. Formes à la première personne 280
  B. Formes à la troisième personne 305
    1°. Allusions à un magister anonyme . . . 305
    2°. Allusions à des maîtres nommément désignés 310
  C. Opposition entre le rédacteur et un ou plusieurs maîtres 320
  D. Observations complémentaires 338
    a. Les introductions 338
    b. Manifestations personnelles douteuses . 345
    c. Divergences doctrinales entre les *Questiones et Miscellanea* et la *Summa* . . . 346
  Conclusion 349

II. *Questiones et Miscellanea* du manuscrit B . . 355
  A. Formes à la première personne 355
  B. Formes à la troisième personne 360
  C. Oppositions entre le rédacteur et un ou plusieurs maîtres 363
  D. Conclusion 365

III. *Questiones et Miscellanea* du manuscrit P	368
A. Formes à la première personne	368
B. Formes à la troisième personne	374
C. Conclusion	376
IV. *Questiones et Miscellanea* du manuscrit Z	391
V. *Questiones et Miscellanea* du manuscrit L	392
A. Formes à la première personne	392
B. Formes à la troisième personne	394
C. Oppositions entre le rédacteur et un tiers	397
D. Conclusion	398
VI. *Questiones et Miscellanea* du manuscrit M	427
Conclusion du chapitre	432

Chapitre VI

Le problème de l'authenticité du *De homine assumpto* de la *Summa Cantoris*	437
I. Données externes	443
II. Données internes	457
Conclusion	481

Imprimé en Belgique (64)
par l'Imprimerie Nauwelaerts, Louvain